16	3	2	13
5	10	11	8
9	6	7	12
4	15	14	1

CIDADE DE MUROS

Crime, segregação e cidadania em São Paulo

Teresa Pires do Rio Caldeira

CIDADE DE MUROS

Crime, segregação e cidadania em São Paulo

Tradução
Frank de Oliveira e Henrique Monteiro

editora 34

Editora 34 Ltda.
Rua Hungria, 592 Jardim Europa CEP 01455-000
São Paulo - SP Brasil Tel/Fax (11) 3811-6777 www.editora34.com.br

Edusp - Editora da Universidade de São Paulo
Rua da Praça do Relógio, 109-A, Cidade Universitária
05508-050 Butantã São Paulo - SP Brasil
Divisão Comercial: Tel. (11) 3091-4008 / 3091-4150
www.edusp.com.br e-mail: edusp@usp.br

Edição conforme o Acordo Ortográfico da Língua Portuguesa.

Capa, projeto gráfico e editoração eletrônica:
Bracher & Malta Produção Gráfica

Preparação de texto:
Cide Piquet

Revisão:
Adrienne de Oliveira Firmo

Créditos das fotografias:
Célio Jr./AE (p. 248a, 248b); Teresa Pires do Rio Caldeira (pp. 222a, 222b, 229a, 229b, 238a, 246a, 246b, 295a, 295b, 298a, 298b, 298c, 299a, 299b, 299c, 318a, 318b); Teresa Pires do Rio Caldeira e James Holston (pp. 222c, 238b, 296a, 296b, 296c, 296d, 300a, 300b, 300c, 318c)

1ª Edição - 2000, 2ª Edição - 2003 (1ª Reimpressão - 2008),
3ª Edição - 2011 (2ª Reimpressão - 2025)

Catalogação na Fonte do Departamento Nacional do Livro
(Fundação Biblioteca Nacional, RJ, Brasil)

Caldeira, Teresa Pires do Rio
C585c Cidade de muros: crime, segregação e cidadania em São Paulo / Teresa Pires do Rio Caldeira; tradução de Frank de Oliveira e Henrique Monteiro — São Paulo: Editora 34; Edusp, 2011 (3ª Edição).
400 p.

ISBN 978-85-7326-188-2 (Editora 34)
ISBN 978-85-314-0580-8 (Edusp)

1. Estrutura social - São Paulo. 2. Discriminação social - São Paulo. 3. Conflitos sociais - São Paulo.
I. Oliveira, Frank de. II. Monteiro, Henrique. III. Título.

CDD - 305

CIDADE DE MUROS

Crime, segregação e cidadania em São Paulo

Para Jim,
explorador de cidades, reais e imaginárias

INTRODUÇÃO

A violência e o medo combinam-se a processos de mudança social nas cidades contemporâneas, gerando novas formas de segregação espacial e discriminação social. Nas duas últimas décadas, em cidades tão diversas como São Paulo, Los Angeles, Johannesburgo, Buenos Aires, Budapeste, Cidade do México e Miami, diferentes grupos sociais, especialmente das classes mais altas, têm usado o medo da violência e do crime para justificar tanto novas tecnologias de exclusão social quanto sua retirada dos bairros tradicionais dessas cidades. Em geral, grupos que se sentem ameaçados com a ordem social que toma corpo nessas cidades constroem enclaves fortificados para sua residência, trabalho, lazer e consumo. Os discursos sobre o medo que simultaneamente legitimam essa retirada e ajudam a reproduzir o medo encontram diferentes referências. Com frequência, dizem respeito ao crime e especialmente ao crime violento. Mas eles também incorporam preocupações raciais e étnicas, preconceitos de classe e referências negativas aos pobres e marginalizados. Invariavelmente, a circulação desses discursos do medo e a proliferação de práticas de segregação se entrelaçam com outros processos de transformação social: transições democráticas na América Latina; pós-*apartheid* na África do Sul; pós-socialismo no leste europeu; transformações étnicas decorrentes de intensa imigração nos Estados Unidos. No entanto, as formas de exclusão e encerramento sob as quais as atuais transformações espaciais ocorrem são tão generalizadas que se pode tratá-las como parte de uma fórmula que elites em todo o mundo vêm adotando para reconfigurar a segregação espacial de suas cidades.

Este livro focaliza o caso de São Paulo e apresenta uma análise da forma pela qual o crime, o medo da violência e o desrespeito aos direitos da cidadania têm se combinado a transformações urbanas para produzir um novo padrão de segregação espacial nas duas últimas décadas. Esse é o período da consolidação democrática. O crescimento do crime violento em São Paulo desde meados dos anos 80 gerou medo e uma série de novas estratégias de proteção e reação, dentre as quais a construção dos muros é a mais emblemática. Tanto simbólica quanto materialmente, essas estratégias operam de forma semelhante: elas estabelecem diferenças, impõem divisões e distâncias, constroem separações, multiplicam regras de evitação e exclusão e restringem os movimentos. Muitas dessas operações são justificadas em conversas do dia a dia cujo tema é o que chamo de fala do crime. As narrativas cotidianas, comentários, conversas e até mesmo brincadeiras e piadas que têm o crime como tema contrapõem-se ao medo e à experiência de ser uma vítima do crime e, ao mesmo tempo, fazem o medo proliferar. A fala do crime promove uma reorganização simbólica de um universo que foi perturbado tanto pelo crescimento do crime quanto por uma série de processos que vêm afetando profundamente a sociedade brasileira nas últimas décadas. Esses processos incluem, por um lado, a democratização política e, por outro, a inflação, a recessão econômica e a exaustão de um modelo de desenvolvimento baseado em nacionalismo, substituição de importações, protecionismo e na acentuada intervenção do Estado na economia. O universo do crime oferece imagens que permitem tanto expressar os sentimentos de perda e decadência social gerados por esses outros processos, quanto legitimar o tipo de reação que se vem adotando: segurança privada para garantir o isolamento, encerramento e distanciamento daqueles que são considerados perigosos.

A fala do crime constrói sua reordenação simbólica do mundo elaborando preconceitos e naturalizando a percepção de certos grupos como perigosos. Ela, de modo simplista, divide o mundo entre o bem e o mal e criminaliza certas categorias sociais. Essa criminalização simbólica é um processo social dominante e tão difundido que até as próprias vítimas dos estereótipos (os pobres, por exemplo) acabam por reproduzi-lo, ainda que ambiguamente. Na verdade, o universo do crime (ou da transgressão ou das acusações de mau comportamento) oferece um contexto fértil no qual os estereótipos circulam e a discriminação social é moldada — não apenas em São Paulo, mas em qualquer lugar. Obviamente, esse universo do crime não é o único a gerar discriminação nas sociedades contemporâneas. No entanto, sua investigação é especialmente importante porque ele fomenta o desenvolvimento de dois novos modos de discriminação: a privatização da segurança e a reclusão de alguns grupos sociais em enclaves fortificados. Esses dois processos estão mudando as noções de público e de espaço público que até bem recentemente predominavam em sociedades ocidentais.

A privatização da segurança desafia o monopólio do uso legítimo da força pelo Estado, que tem sido considerado uma característica definidora do Estado-nação moderno (cf. Weber 1968: 54-6, e também Tilly 1975 e Elias 1994 [1939]). Nas últimas décadas, a segurança tornou-se um serviço que pode ser comprado e vendido no mercado, alimentando uma indústria altamente lucrativa. Em meados dos anos 90, o número de vigilantes empregados em segurança privada ultrapassou o de policiais em quase três vezes nos Estados Unidos e em cerca de duas vezes na Grã-Bretanha e no Canadá (United States House 1993: 97, 135; Bayley e Shering 1996: 587). Cidadãos desses e de muitos outros países dependem cada vez mais da segurança privada não só para a proteção em face do crime mas também para identificação, triagem, controle e isolamento de pessoas indesejadas, exatamente aquelas que se encaixam nos estereótipos criados pela fala do crime.

Em São Paulo, a privatização da segurança está crescendo, mas até agora o contingente de vigilantes oficialmente não ultrapassou o de policiais. No entanto, ela assume uma característica mais perversa e preocupante no contexto de amplo descrédito das instituições da ordem — as forças policiais e o sistema judiciário. Porque estes são vistos como ineficientes e sobretudo porque, mesmo sob um regime democrático, a polícia frequentemente age fora dos limites da lei, cometendo abusos e executando suspeitos, um número crescente de moradores de São Paulo tem optado por serviços de segurança privada (frequentemente irregulares ou até explicitamente ilegais) e chegam a optar por justiça privada (seja por meio de justiceiros, seja por ações policiais extralegais). Muitas vezes, esses serviços privatizados contrariam, ou até violam, os direitos dos cidadãos. No entanto, essas violações são toleradas pela população, que em várias ocasiões considera alguns direitos de cidadania não importantes e até mesmo censuráveis, como fica evidente na questão do ataque aos direitos humanos que analiso nos capítulos subsequentes.

Essa ampla violação dos direitos de cidadania indica os limites da consolidação democrática e do estado de direito no Brasil. O universo do crime não só revela um desrespeito generalizado por direitos e vidas, mas também diretamente deslegitima a cidadania. Esse desrespeito pelos direitos individuais e pela justiça representa o principal desafio à expansão da democracia brasileira para além do sistema político, onde ela foi consolidada nas últimas décadas. Mas a privatização da segurança também apresenta um desafio para democracias tradicionais e consolidadas, como a dos Estados Unidos, na medida em que seus cidadãos cada vez mais usam segurança privada e enclaves privados e estruturam suas vidas cotidianas de formas que excluem a presença de serviços e autoridades públicas, deslegitimando-os.

O novo padrão de segregação urbana baseado na criação de enclaves fortificados representa o lado complementar da privatização da segurança e transformação das concepções do público. Embora a segregação tenha sido sempre uma característica das cidades, os instrumentos e regras que a produzem mudaram consideravelmente ao longo do tempo. Obviamente, eles também mudam de cidade para cidade, conferindo a cada uma sua identidade particular. No entanto, é possível identificar padrões de organização e segregação espacial e seus instrumentos. Esses padrões constituem repertórios dos quais as mais diversas cidades tomam elementos para moldar seus espaços. Há muitos exemplos desses modelos amplamente difundidos e que servem como a estrutura básica sobre a qual diferentes cidades depois desenvolvem seus espaços: a Lei das Índias, as ruas-corredores, os bulevares de Haussmann, as cidades-jardins e a cidade modernista dos CIAM.[1] Os enclaves fortificados que estão transformando cidades contemporâneas como São Paulo exemplificam a emergência de um novo padrão de organização das diferenças sociais no espaço urbano. É um modelo que vem sendo empregado pelas classes médias e altas nos mais diversos países, gerando um outro tipo de espaço público e de interações dos cidadãos em público. Esse novo modelo não usa instrumentos totalmente novos nem em termos de projeto nem de localização. Diversas características de projeto são modernistas, e os enclaves normalmente localizam-se nos subúrbios, onde as classes médias já vêm se isolando há um bom tempo em várias partes do mundo. Porém, o novo modelo de segregação separa grupos sociais de uma forma tão explícita que transforma a qualidade do espaço público.

Os enclaves fortificados são espaços privatizados, fechados e monitorados, destinados a residência, lazer, trabalho e consumo. Podem ser shopping centers,

[1] A Lei das Índias foi proclamada em 1573 por Filipe II da Espanha para estabelecer regras uniformes para o planejamento de cidades a serem criadas nas colônias espanholas. Ver capítulo 8 sobre o modelo das cidades-jardins. CIAM refere-se aos Congrès Internationaux d'Architecture Moderne, que criaram a referência para o planejamento de cidades modernistas. Brasília foi inspirada nesse modelo (ver Holston 1989).

conjuntos comerciais e empresariais, ou condomínios residenciais. Eles atraem aqueles que temem a heterogeneidade social dos bairros urbanos mais antigos e preferem abandoná-los para os pobres, os "marginais", os sem-teto. Por serem espaços fechados cujo acesso é controlado privadamente, ainda que tenham um uso coletivo e semipúblico, eles transformam profundamente o caráter do espaço público. Na verdade, criam um espaço que contradiz diretamente os ideais de heterogeneidade, acessibilidade e igualdade que ajudaram a organizar tanto o espaço público moderno quanto as modernas democracias. Privatização, cercamentos, policiamento de fronteiras e técnicas de distanciamento criam um outro tipo de espaço público: fragmentado, articulado em termos de separações rígidas e segurança sofisticada, e no qual a desigualdade é um valor estruturante. No novo tipo de espaço público, as diferenças não devem ser postas de lado, tomadas como irrelevantes, negligenciadas. Nem devem também ser disfarçadas para sustentar ideologias de igualdade universal ou de pluralismo cultural. O novo meio urbano reforça e valoriza desigualdades e separações e é, portanto, um espaço público não democrático e não-moderno. O fato de esse tipo de organização do espaço público se espalhar pelo mundo inteiro no momento em que muitas sociedades que o adotam passam por transformações como democratização política, fim de regimes racistas e crescente heterogeneização resultante de fluxos migratórios, indica a complexidade das ligações entre formas urbanas e formas políticas. Além disso, indica que o espaço urbano pode ser a arena na qual a democratização, a equalização social e a expansão dos direitos da cidadania vêm sendo contestados nas sociedades contemporâneas. Dessa forma, este livro analisa o modo pelo qual a desigualdade social é reproduzida em cidades contemporâneas e como essa reprodução contradiz processos que, em teoria, deveriam eliminar discriminação e autoritarismo. O fato de que enclaves fortificados e privados são uma característica tanto de Los Angeles como de São Paulo e Johannesburgo nos impede de classificar o novo modelo como uma característica apenas de sociedades pós-coloniais. O novo modelo que eles representam parece ter se disseminado amplamente. Os desafios que ele apresenta para a democracia e a cidadania não se restringem às sociedades democratizadas recentemente.

Este livro se divide em quatro partes. A Parte I trata da fala do crime. No capítulo 1, analiso as estruturas de narrativas de crimes e a maneira pela qual elas simbolicamente reorganizam o mundo desestruturado por experiências de crime. Faço também um breve resumo das transformações políticas, sociais e econômicas no Brasil dos anos 80 e 90. O capítulo 2 trata de alguns dos temas específicos articulados pela fala do crime: a crise econômica dos anos 80 e 90, o fim da era de progresso e mobilidade social, as imagens do criminoso e dos espaços do crime, e as concepções sobre a disseminação do mal e de seu controle por instituições e autoridades fortes.

A Parte II trata do crime e das instituições da ordem. No capítulo 3, analiso estatísticas de crime para demonstrar o crescimento do crime violento após meados dos anos 80. O capítulo 4 traça a história das forças policiais brasileiras e mostra seu rotineiro abuso do poder, especialmente em relação às camadas dominadas. O capítulo 5 continua a análise dos abusos policiais, demonstrando como eles aumentaram durante a transição para o regime democrático e sua consolidação iniciada nos anos 80. Esses abusos estão associados à generalizada descrença na justiça e à adoção de medidas violentas e privadas de segurança (que ajudam a expandir a indústria da segurança privada) pela população. Além disso, essa associação contribuiu para a persistência da violência e a erosão do estado de direito. Os abusos por parte da polícia, as dificuldades da reforma da polícia, a deslegitimação do sistema judiciário e a privatização da segurança geram o que chamo de "ciclo da violência". Esse ciclo constitui o desafio principal à consolidação da democracia na sociedade brasileira.

A Parte III analisa o novo padrão de segregação urbana. Ela indica como discursos e estratégias de proteção se entrelaçam com transformações urbanas para criar um novo modelo de segregação baseado em encerramentos e um novo tipo de espaço público. O capítulo 6 apresenta a história da urbanização de São Paulo durante o século XX e seus três padrões de segregação espacial, com especial atenção para as transformações recentes. O capítulo 7 enfoca os enclaves fortificados que constituem o núcleo do novo modo de segregação. Exploro especialmente sua versão residencial, os condomínios fechados. Também discuto as dificuldades em se organizar a vida social dentro de muros e como uma estética da segurança tornou-se dominante na cidade nos últimos vinte anos. Finalmente, o capítulo 8 analisa as mudanças no espaço público e na qualidade da vida pública que ocorrem numa cidade de muros. O novo padrão de segregação espacial mina os valores de acessibilidade, liberdade de circulação e igualdade que inspiraram o tipo moderno de espaço público urbano e o substitui por um novo tipo de público que tem a desigualdade, a separação e o controle de fronteiras como valores estruturantes. Los Angeles serve como comparação para demonstrar que o padrão de segregação inspirado por esses valores já está de fato disseminado.

A Parte IV tem um capítulo no qual analiso um aspecto crucial da disjunção da democracia brasileira: a associação de violência, desrespeito pelos direitos civis e uma concepção do corpo que chamo de corpo incircunscrito. Baseio meus argumentos na análise de dois temas que emergiram depois do início do regime democrático no início dos anos 80: a oposição generalizada aos defensores dos direitos humanos e uma campanha para a inclusão da pena de morte na Constituição brasileira. Nesses debates, um tema principal é o limite (ou a falta de limite) para a intervenção violenta no corpo do criminoso. Sugiro que noções de direitos individuais estão associadas a concepções do corpo e indico que no Brasil há uma grande tolerância em relação a manipulações do corpo, mesmo que violentas. Com base nessa associação, argumento que essa tolerância, a proliferação da violência e a deslegitimação da justiça e dos direitos civis estão intrinsecamente ligados.

A pesquisa na qual se baseia este estudo foi feita entre 1988 e 1998 e apoia-se numa combinação de metodologias e tipos de informações. A observação participante, normalmente considerada o método por excelência de um estudo etnográfico, nem sempre foi viável para este estudo, por uma série de razões. Primeiro, é difícil, quando não impossível, estudar a violência e o crime por meio da observação participante. Segundo, a unidade de análise para o estudo de segregação espacial tinha de ser a região metropolitana de São Paulo. Uma área urbana com 16 milhões de habitantes não pode ser estudada com um método concebido para o estudo de aldeias. Poderia estudar bairros, como os antropólogos frequentemente têm feito em cidades e como fiz em pesquisas anteriores na periferia. No entanto, não estava especialmente interessada na etnografia de diferentes áreas da cidade, mas sim na análise etnográfica de experiências de violência e segregação, e estas não podiam ser estudadas do mesmo modo em bairros diferentes. Enquanto os bairros da periferia ainda têm uma vida pública e são relativamente abertos à observação e participação, nos bairros residenciais das classes média e alta a vida social é interiorizada e privatizada e há muito pouca vida pública. Como nesses bairros os observadores são vistos com suspeita e tornam-se alvo dos serviços de segurança privada, a observação participante não é viável. Usar observação participante em áreas pobres e outros métodos em áreas ricas significaria "primitivizar" as classes trabalhadoras e negligenciar as relações entre classe e espaço público. Por fim, porque estava interessada num processo de mudança social que só podia ser marginalmente capturado no momento da observação, tive necessariamente que usar outros tipos de informação.

Foi necessário, então, lançar mão de uma combinação de métodos e tipos de informação. Para entender o crime violento, analisei estatísticas do crime e investiguei a história das forças policiais de modo a revelar como sua prática está interligada à reprodução da violência. Para analisar as mudanças em padrões de segregação espacial, recuperei a história da urbanização de São Paulo usando indicadores demográficos e socioeconômicos produzidos por diferentes órgãos estatais ou instituições acadêmicas. Para caracterizar o novo estilo dos condomínios fechados, analisei anúncios imobiliários publicados em jornais. Apesar de esses e outros métodos e fontes de dados terem proporcionado informações sobre macroprocessos de mudança, eles não podiam dizer muito a respeito de como os paulistanos estavam vivendo esses processos. Para este entendimento, utilizei entrevistas abertas com moradores. Também usei os jornais como fonte para os debates sobre direitos humanos e pena de morte. Finalmente, entrevistei políticos e administradores, ativistas de direitos humanos, jornalistas e representantes do setor de serviços de segurança, seja em empresas privadas, seja em enclaves fortificados. Recorri também à minha própria experiência e a minhas lembranças como moradora de São Paulo para discutir algumas de suas transformações. A maior parte das entrevistas foi feita entre 1989 e 1991.

A pesquisa que deu origem a este livro investigou experiências de medo e crime em várias classes sociais e suas relações com processos de mudança social. A incorporação da perspectiva de várias classes é fundamental na concepção dessa pesquisa, por três razões inter-relacionadas: por tratar-se de um estudo de segregação social e espacial; porque as desigualdades sociais são agudas em São Paulo; e porque a violência é um fenômeno amplamente difundido, que tanto atravessa as linhas de classe quanto torna as diferenças de classe mais agudas. Concentrar a pesquisa num único grupo social ou numa única área da cidade significaria limitar a compreensão de fenômenos que afetam fundamentalmente as relações entre grupos e as maneiras pelas quais tanto os espaços quanto as possibilidades de interação entre pessoas de diferentes classes sociais estão estruturadas na cidade. Além disso, para apreender a diversidade de experiências de violência e crime e entender como as medidas de proteção ajudam a reproduzir a desigualdade social e a segregação espacial, tive que investigá-las em contextos sociais diversos.

Embora pudesse ter realizado entrevistas por toda a região metropolitana, decidi concentrá-las em três áreas da cidade ocupadas por pessoas de diferentes classes sociais. Para realizar entrevistas que pudessem revelar informações em profundidade sobre experiências de medo e violência, e sobretudo para ser capaz de interpretá-las, precisava de alguma observação sobre o dia a dia das pessoas e o espaço em que viviam. Isso seria mais fácil se concentrasse as entrevistas em algumas áreas da cidade, que poderia conhecer melhor. No entanto, este estudo não é uma etnografia dessas áreas. É, sim, uma análise etnográfica de experiências de violência, da reprodução de desigualdade social e de segregação espacial do modo como são expressas em algumas áreas e pelos moradores de São Paulo que vivem nelas.

A primeira área onde fiz pesquisa foi a periferia criada por trabalhadores pobres com base na autoconstrução. A maior parte da minha pesquisa na periferia foi feita no Jardim das Camélias, no distrito de São Miguel Paulista, na região leste da cidade. Venho fazendo pesquisas e acompanhando a organização dos movimentos sociais nessa área desde 1978 (Caldeira 1984). Devido a minha longa familiaridade com a área, utilizo observações e entrevistas de estudos anteriores, embora para esta pesquisa tenha realizado novas entrevistas sobre o tema da violência. Além disso, utilizo entrevistas e observações feitas com moradores de outros bairros da periferia de São Paulo durante os anos de 1981-83, quando a preocupação com o crime começou a crescer entre a população. Essas entrevistas foram parte de um projeto de pesquisa sobre a expansão da periferia e a mobilização política de seus habitantes que enfocava não só o processo de democratização, mas também os problemas que moldam o dia a dia na periferia.[2]

A segunda área na qual realizei trabalho de campo foi a Mooca, um bairro de classe média baixa próximo ao centro da cidade. A Mooca tornou-se uma parte importante de São Paulo na virada do século, quando se transformou num dos centros da primeira onda de industrialização da cidade. Embora sua paisagem ainda seja marcada pela presença de instalações industriais, o bairro foi desindustrializado a partir dos anos 50, quando novas indústrias começaram a ser instaladas em outros municípios da região metropolitana ou na periferia. Os trabalhadores indus-

[2] As entrevistas em outros bairros da periferia de São Paulo foram feitas por uma equipe de pesquisa do Cebrap — Centro Brasileiro de Análise e Planejamento —, instituição à qual estive filiada entre 1980 e 1995. As entrevistas foram realizadas no âmbito do projeto de pesquisa "A Periferia de São Paulo e o Contexto da Ação Política", coordenada pela professora Ruth Cardoso e iniciada a pedido da Comissão de Justiça e Paz da Arquidiocese de São Paulo. Essa pesquisa foi feita em Cidade Júlia, Jaguaré, Jardim Miriam, Jardim Peri-Peri, Jardim Marieta (este último em Osasco, Região Metropolitana de São Paulo) e Jardim das Camélias, onde fui responsável pelas investigações. Outras análises resultantes dessa pesquisa incluem Caldeira 1987, 1988 e 1990.

triais que se instalaram na Mooca na virada do século eram imigrantes europeus, a maioria italianos, mas também espanhóis, portugueses e europeus do leste. A maioria de seus filhos nunca foram trabalhadores industriais. A desindustrialização da área coincidiu também com um deslocamento de moradores que ascenderam socialmente e se mudaram para outras partes da cidade. Há quatro décadas a Mooca perde população. Atualmente, embora o bairro ainda conserve vários dos seus armazéns e fábricas e muitas casas operárias, e embora boa parte de sua população ainda cultive um sotaque italiano e uma identidade étnica, dois processos novos e contraditórios estão remodelando o bairro. De um lado, muitas casas grandes e antigas foram transformadas em cortiços. De outro lado, algumas áreas foram reurbanizadas por causa da construção da linha do metrô e estão passando por um processo de enobrecimento [*gentrification*]. Este é expresso na construção de apartamentos luxuosos e na instalação de um comércio mais sofisticado dirigido à porção mais rica da população que prefere não se mudar, ou a novos residentes também se mudando de outros bairros para lá. Todos esses processos estão gerando uma heterogeneidade social e uma tensão social desconhecidas anteriormente no bairro. Essa tensão está claramente expressa na fala do crime.[3]

Finalmente, fiz pesquisas no Morumbi e em Alto de Pinheiros, bairros de classe média alta e alta. Até os anos 70, essas eram áreas de pouca população, muita área verde, grandes terrenos e casas imensas. A partir de meados dos anos 70, elas foram profundamente transformadas pela intensa construção de prédios de apartamentos, muitos seguindo o modelo de condomínio fechado. O Morumbi representa de forma mais clara o novo padrão de expansão urbana que analiso nos capítulos 6 e 7. Hoje muitas pessoas da classe alta que costumavam morar nos bairros centrais mudam-se para o Morumbi para viver em enclaves fortificados. O bairro também é socialmente mais heterogêneo que essas outras áreas tradicionais centrais, porque os enclaves ricos são situados ao lado de algumas das maiores favelas da cidade. Em consequência, o Morumbi expressa da maneira mais clara o novo padrão de segregação espacial da cidade. O Alto de Pinheiros foi o pioneiro na construção de condomínios fechados nos anos 70, mas o ritmo das construções foi mais lento e hoje ele tem menos favelas do que o Morumbi.

Realizei todas as entrevistas com moradores da cidade sob a condição de anonimato. Em claro contraste com outros projetos de pesquisa que realizei, em que os moradores estavam ansiosos para conversar comigo e para ver suas ideias e palavras impressas, neste projeto encontrei resistência e relutância na discussão sobre o crime e a violência. Muitas vezes, as pessoas inicialmente me pediam que não gravasse as entrevistas, embora sempre me dessem permissão para tomar notas. Na maioria dos casos, elas acabaram me autorizando a gravar também. Quando as pessoas temem as instituições da ordem, sobretudo a polícia, e quando sentem que

---

[3] Na Mooca, tive um assistente de pesquisa, João Vargas. Seu trabalho resultou em uma dissertação (Vargas 1993), na qual ele amplia as discussões sobre como as recentes transformações urbanas afetaram os moradores do bairro e moldaram seus medos e visões em relação ao crime.

seus direitos não estão garantidos pela justiça, essa reação é compreensível. Decidi não usar nomes fictícios para identificar os entrevistados: já que não posso citar seus nomes verdadeiros, preferi omitir nomes como um sinal da condição de medo em que vivem as pessoas com quem falei. Essa regra de anonimato não se aplica aos administradores públicos, políticos, membros de grupos de direitos humanos, jornalistas e executivos da indústria da segurança privada que falaram comigo como figuras públicas e com pleno conhecimento de que poderia tornar públicas suas afirmações.

Antropologia com sotaque

Este é um livro sobre São Paulo, a cidade onde cresci, onde passei a maior parte da minha vida, onde venho fazendo pesquisas antropológicas desde o final dos anos 70 e onde trabalhei como pesquisadora e professora durante quinze anos. Sua primeira versão foi escrita na Califórnia, onde fiz meus estudos de doutorado em antropologia e onde atualmente trabalho como professora. O livro foi escrito em Los Angeles e em La Jolla, e comecei a revisá-lo durante minha rotina de idas e vindas entre La Jolla e Irvine, no coração do sul da Califórnia. Terminei as revisões em Nova York e em São Paulo, onde passo agora cerca de três meses por ano. O que penso sobre violência, espaço público urbano e segregação espacial é marcado por minhas experiências como moradora dessas cidades e, especialmente, pelos conflitos e tensões provocados pela confluência dessas diversas experiências e os conhecimentos que elas geram. Deslocamento é algo central neste livro, tanto como experiência vivida quanto como instrumento de crítica e de conhecimento.

O conflito em relação à língua é provavelmente uma das partes mais frustrantes desse deslocamento. Minha língua materna é o português, a língua na qual estudei até o mestrado, escrevi meu primeiro livro e fiz a pesquisa para este livro. No entanto, escrevi este livro em inglês. Ao fazê-lo, deparei-me diariamente com a percepção de que, mais do que as minhas palavras, meu pensamento estava moldado num certo estilo e numa certa língua. Enquanto escrevia em inglês, podia ouvir a repetitiva e por fim exasperada queixa de um dos meus editores: "Qual é o sujeito? Não escreva na voz passiva! Você não aprende?". Inútil explicar que o estilo acadêmico em português é com frequência estruturado na voz passiva e quase sempre com um sujeito ambíguo; supérfluo produzir uma interpretação do sentido das escolhas gramaticais de cada estilo acadêmico. Não estava mais escrevendo na língua que dominava e não podia mais contar com a liberdade e a segurança das construções inconscientes. E agora, ao revisar a tradução para o português feita por outra pessoa, encontro-me frequentemente em dúvida sobre a escolha de palavras e sobre a estrutura das frases e fico me perguntando onde foi parar a minha voz em tudo isso. Mas, obviamente, a questão não é apenas com a gramática e as palavras: é epistemológica e metodológica. A antropologia e a teoria social têm aquilo que se pode chamar de um "estilo internacional", ou seja, um *corpus* de teoria, método e literatura partilhado por profissionais do mundo inteiro. Embora esse *corpus* tenha me oferecido um ponto de referência durante meus deslocamentos entre o

Brasil e os Estados Unidos, tornei-me agudamente consciente de que questões acadêmicas têm fortes vieses locais e nacionais e que a disciplina é, de fato, plural — há antropologias, não antropologia. O que as discussões acadêmicas americanas enfatizam como relevante e estimulante nem sempre está entre os interesses centrais dos colegas brasileiros, e vice-versa. Num certo momento, essa percepção do caráter local da formulação de questões ficou tão forte que cheguei a pensar em escrever dois livros, ou pelo menos duas introduções, um para cada público, cada um numa língua diferente, cada um estruturado por diferentes questões. Concluí, no entanto, que isso também era impossível, uma vez que meu pensamento e minha percepção já tinham sido transformados e moldados por minha imersão simultânea nos dois contextos e poderiam ser comprimidos num ou noutro molde apenas artificialmente e com alguma perda. Minhas línguas, minha escrita, meu pensamento, minhas críticas, tudo tinha adquirido uma identidade particular. Acabei concluindo que assim como meu inglês tem sotaque, o mesmo acontece com a minha antropologia — o sotaque persiste não importa a partir de qual perspectiva a veja ou em que língua escreva.

> "E disse Polo: 'Todas as vezes que descrevo uma cidade digo algo a respeito de Veneza. (...) Para distinguir as qualidades das outras cidades, devo partir de uma primeira que permanece implícita. No meu caso, é Veneza'."
>
> Italo Calvino, *As cidades invisíveis*

Se tivesse escrito este livro originalmente em português, como meu primeiro livro (Caldeira 1984), ele entraria para a lista dos estudos feitos por antropólogos sobre sua própria sociedade, que é a norma no Brasil e em muitas das chamadas "antropologias nacionais" (em contraste com as "imperiais").[4] Mas escrevi este livro em inglês, e estava pensando em meus colegas americanos, além dos brasileiros. Isso não faz dele automaticamente um trabalho no "estilo euro-americano", já que continuo a ser uma "nativa" investigando sua própria sociedade e não vivenciei nenhum dos estranhamentos envolvidos em viajar para o exterior para fazer trabalho de campo e sobre os quais a disciplina não se cansa de elaborar. Definitivamente, a alteridade não foi uma questão que estruturou minha pesquisa metodologicamente,

---

[4] A distinção entre antropologias de "construção de nação" (*nation-building*) e antropologias de "construção de império" (*empire-building*) é elaborada por Stocking (1982). Ele também opõe uma "antropologia internacional", que constitui a tradição euro-americana, à "antropologia da periferia". Essa distinção torna evidentes as relações de poder e as desigualdades que moldam a classificação de diferentes tradições antropológicas. Uso essa terminologia aqui entre aspas para referir-me às tradições nas quais fui formada, não para conferir às antropologias euro-americanas uma posição epistemológica privilegiada. Para uma discussão de várias "antropologias nacionais", ver Ethnos (1982). Para discussões a partir da perspectiva da antropologia brasileira, ver Oliveira (1988 e 1995) e Peirano (1980).

embora tenha sido com certeza um dos seus temas centrais.[5] Falar sobre meu trabalho de campo entre concidadãos no Brasil como um "encontro com o outro", ou inverter as coisas e conceber minha experiência no doutorado nos EUA e o que aprendi ali como "outro", exigiria algumas acrobacias retóricas e simbólicas que, acredito, não vale a pena tentar. Neste estudo, não há alteridade, no sentido de que não há um outro fixo; não há posição de exterioridade, assim como também não há identidades estáveis nem localizações fixas. Há apenas deslocamentos.

Num certo ponto do livro *As cidades invisíveis*, de Italo Calvino, Marco Polo declara que contou ao Grande Khan sobre todas as cidades que conhecera. Então, o Grande Khan lhe pergunta sobre Veneza, a única cidade da qual ele não falara. Marco Polo sorri: "E do que mais acredita que estive falando?". Diante do argumento do Grande Khan de que ele devia ter tornado seu modelo explícito nas descrições, Polo responde: "As imagens da memória, uma vez fixadas em palavras, apagam-se (...) Pode ser que tenha medo de repentinamente perder Veneza, se falar sobre ela. Ou pode ser que, falando de outras cidades, já a tenha perdido pouco a pouco" (Calvino 1974: 86).

Os antropólogos do "estilo euro-americano" normalmente procedem como Marco Polo: descrevem as cidades estrangeiras que visitaram para pessoas que nunca estiveram lá sem falar sobre suas próprias sociedades e culturas. Como Marco Polo, eles frequentemente fazem comparações invisíveis com suas próprias culturas: as constantes referências ocultas em relação às quais a cultura desconhecida pode ser descrita como diferente. Em ambos os casos (antropólogos clássicos e Marco Polo), esse procedimento garante que suas culturas e cidades permaneçam intocadas — preservadas, talvez — por suas análises. Como Marco Polo, os antropólogos clássicos transformaram em método o silêncio sobre sua própria sociedade e a eleição de todas as outras culturas do mundo como objeto de suas detalhadas descrições e análises.[6]

A posição de Marco Polo, no entanto, não é possível para todos. Ela exige um império de cidades a serem descritas, um imperador ansioso por saber a respeito delas e um nostálgico narrador interessado em manter a imagem de sua cidade intacta. Para os etnógrafos coloniais, pós-coloniais e "nacionais", o silêncio sobre a cidade natal quase nunca é uma possibilidade ou uma escolha. Normalmente, eles não vão para o exterior, porque não têm recursos ou não têm interesse em fazê-lo. Em vez disso, estão interessados em sua própria sociedade e, o que é mais impor-

---

[5] A fala do crime e as práticas de segregação constituem "outros" para serem criminalizados e mantidos a distância. Ver especialmente capítulos 1 e 2.

[6] A crítica à antropologia que predominou na última década nos Estados Unidos provocou uma reavaliação do trabalho dos etnógrafos clássicos e da experiência do trabalho de campo. Como consequência, a pesquisa etnográfica tornou-se um empreendimento altamente problematizado, e os relacionamentos com "o outro" têm sido submetidos a uma detalhada desconstrução e crítica. Não obstante, até agora essa tendência não mudou a preferência dominante pelo trabalho de campo no exterior e pelo estudo do "outro". Para uma revisão crítica recente desse assunto, ver Gupta e Ferguson (1997). Ver também Caldeira (1988b).

tante, em sua própria nação. Em contraste com as antropologias marcadas pela constituição de impérios, as antropologias periféricas são frequentemente associadas a processos de formação nacional e dessa forma estão relacionadas aos dilemas internos de suas próprias sociedades.

Os processos de construção nacional engajam antropólogos de maneiras paradoxais. Uma dimensão desse engajamento é a concepção do papel do intelectual. No Brasil, assim como em outros países pós-coloniais, os intelectuais tendem a ter um papel predominante na vida pública. Costumam pensar em si mesmos primeiro como intelectuais comprometidos em influenciar debates públicos e só depois como acadêmicos.[7] Assim, muitos antropólogos brasileiros estudam o que é politicamente relevante para eles. Além disso, muitos intelectuais (inclusive antropólogos) concebem seu trabalho como uma questão de responsabilidade cívica e isso molda suas relações com seus concidadãos e com as pessoas que estudam. Quando intelectuais estudam sua própria cidade, é como cidadãos que tendem a escrever sobre ela, não como observadores distantes. Isso significa que falam não apenas para seus colegas intelectuais, mas para o público mais abrangente que possam alcançar. Isso significa também que mesmo quando escrevem num tom científico e carregado de autoridade, e apesar de todos os poderes sociais inerentes à sua condição de membros da elite, sua visão da sociedade está mais exposta à contestação tanto por parte de outros analistas sociais quanto de seus concidadãos. Essa visão é apenas uma perspectiva num debate público, ainda que normalmente ela seja uma visão poderosa. De qualquer modo, sua perspectiva é diferente daquela dos especialistas em culturas estrangeiras falando para uma plateia acadêmica restrita num debate entre especialistas em locais distantes, como geralmente acontece aos intelectuais americanos.

Quando escrevo sobre São Paulo, em português, para brasileiros, escrevo como intelectual e como cidadã, e, portanto, abordo a cidade de uma certa maneira. Cidades das quais somos cidadãos são cidades nas quais queremos intervir, que queremos construir, reformar, criticar e transformar.[8] Elas não podem ser deixadas intocadas, implícitas, ignoradas. Manter intocado o imaginário de sua própria cidade é incompatível com um estudo (ou um projeto) de transformação social. Cidades que permanecem cristalizadas em imagens passadas que temos medo de tocar não são cidades que habitamos como cidadãos, mas cidades de nostalgia, cidades com que sonhamos. As cidades (sociedades, culturas) em que vivemos estão, como nós mesmos, mudando continuamente. Elas são cidades para serem refletidas, questionadas, mudadas. São cidades com as quais nos envolvemos. Meu en-

---

[7] Para uma história da inserção pública de intelectuais brasileiros, ver Martins (1987) e Miceli (1979). Não estou considerando aqui todas as variações históricas em seu papel público e nas preocupações específicas que os envolveram.

[8] Não estou concebendo a cidadania em termos formais. Assumo que os moradores de uma cidade, qualquer que seja seu status de cidadania nacional, tendem a se envolver com a vida diária na cidade como cidadãos, como pessoas engajadas com suas condições atuais e futuras.

volvimento com São Paulo — presente em qualquer coisa que escrevo em português para o público brasileiro — fica significativamente deslocado quando escrevo em inglês. A posição da intelectual escrevendo como cidadã preocupada com os problemas de sua sociedade não é possível para mim no meio universitário americano. Como o papel do intelectual nos Estados Unidos não inclui as mesmas perspectivas públicas, esse tipo de engajamento também não é possível a outros antropólogos. Na universidade americana, as preocupações que temos como cidadãos estão frequentemente dissociadas dos temas do trabalho acadêmico, apesar de todos os esforços das feministas e membros de minorias para unir os dois. Da noção brasileira do papel público dos intelectuais, procurei conservar a intenção crítica. No entanto, ao escrever em inglês, perco o espaço público para me envolver em debates com outros cidadãos. E, embora ainda traduza e publique os mesmos trabalhos em português, como estou fazendo com este livro, um indisfarçável sotaque americano provavelmente faz com que seja lido de maneira diferente também no Brasil.

Como os "antropólogos nacionais" estudam quase exclusivamente sua própria sociedade, eles só podem trabalhar com o "estilo internacional" e com suas exigências de alteridade e comparação de forma problemática. A posição de pesquisadores tentando ser estranhos à sua própria cultura é intrinsecamente dúbia. Ainda assim, o imperativo de alteridade tem sido mantido sem muita crítica como um recurso metodológico em "antropologias nacionais", mesmo quando não pode ser posto em prática efetivamente.[9] Esse paradoxo expõe dois tipos de relações de poder que enquadram a prática de "antropologias nacionais". De um lado, o fato de que os "antropólogos nacionais" estudam sua própria cultura e não "outros", mas continuam a insistir na construção de alteridade e são tímidos em produzir uma crítica dessa postura, indica o poder do "estilo internacional" em moldar a disciplina

---

[9] As discussões metodológicas e teóricas sobre etnógrafos que estudam sua própria sociedade e do tipo de conhecimento que eles produzem são extensas na antropologia brasileira (ver especialmente Caldeira 1981, R. Cardoso 1986, DaMatta 1978, Durham 1986, Velho 1978 e 1980, e Zaluar 1985 e 1986). No entanto, essas discussões normalmente não desafiam nem o princípio da alteridade como um instrumento metodológico, nem o imaginário dominante que ele cria nas discussões metodológicas. A estratégia mais comum é tentar adaptar esse imaginário a realidades locais, como por exemplo na sugestão de DaMatta (1978) de que a antropologia na sociedade do antropólogo é como uma viagem xamanística, "um movimento drástico em que, paradoxalmente, não se sai do lugar" (1978: 29), em contraste com a viagem do "antropólogo internacional", que DaMatta compara à viagem do herói homérico. Enquanto o etnógrafo "heroico" transformaria o exótico em familiar, o etnógrafo "nativo" transformaria o familiar em exótico. Ruth Cardoso (1986) oferece uma das mais interessantes críticas da maneira pela qual os antropólogos dos anos 80 tentaram resolver a questão da alteridade à medida que estudavam os movimentos sociais. Ela argumenta que eles lidaram com a distância social através da identificação política com as classes trabalhadoras que organizavam esses movimentos. Mas embora articulassem essa identificação política, os antropólogos deixaram intocados pressupostos epistemológicos positivistas sobre a natureza das informações que produziam. Eles continuaram a conceber "os dados" como "formas objetivas, com existência própria e independente dos atores" (1986: 99).

na periferia. De outro lado, o fato de que os "antropólogos nacionais" tenham por um longo tempo investigado com sucesso sua própria sociedade e cultura revela que a alteridade é menos uma exigência imutável de método do que um efeito de poder.

Os intelectuais brasileiros, inclusive antropólogos, têm estudado preferencialmente grupos sociais subalternos: o pobre, o negro, o índio, o membro de minorias étnicas ou sexuais, e os trabalhadores organizadores de movimentos sociais. Estes têm sido os "outros" a serem conhecidos (e trazidos para a modernidade). Enquanto os subalternos são escrutinados, mantém-se silêncio sobre a elite, da qual os intelectuais fazem parte.[10] A alteridade torna-se, assim, uma questão de relações de poder, mas neste caso as relações são intrínsecas à sociedade dos antropólogos.

Na prática do trabalho de campo nem sempre é fácil desconstruir as relações sociais e de poder que moldam a produção de conhecimento e a relação entre membros de grupos sociais. No entanto, é necessário considerar sempre, como tentei fazer na pesquisa que deu origem a este livro, que dados e conhecimento são produzidos interativamente em relações estruturadas pelas posições sociais das pessoas envolvidas. Cada resposta é o resultado de uma interação social específica e as posições que geraram os dados desta pesquisa são várias. Minha posição social e minha filiação à universidade marcaram, assim, minhas relações com pessoas de todos os grupos sociais que estudei. Foram essas posições que provavelmente suscitaram detalhadas respostas de pessoas das camadas trabalhadoras, que se sentiram obrigadas a atender aos meus pedidos de entrevistas e que falaram sobre o crime em seus bairros mesmo quando seu medo e insegurança justificariam a recusa e o silêncio. As recusas aumentaram à medida que fui subindo na hierarquia social e as pessoas se sentiram com coragem de dizer não a uma pesquisadora universitária. Foi mais difícil conseguir entrevistas com pessoas da classe alta, as quais exigiram várias apresentações.[11] Dessa forma, minha posição igualmente determinou o silêncio das pessoas da classe alta e sua frequente recusa em responder a algumas perguntas que todas as pessoas da classe trabalhadora responderam: as elites assumiram que eu partilhava de seus pontos de vista e conhecimentos, e quando lhes pedia mais explicações, respondiam com um "você sabe do que estou falando!". Finalmente, minha posição social moldou minhas interações com políticos e homens de negócios que me trataram com a atenção que uma professora universitária ainda parece merecer, mesmo quando discordavam profundamente de mim em questões como a dos direitos humanos.

---

[10] Essa posição de liderança e intocabilidade tem sido frequentemente fortalecida pelos tipos de discurso que legitimam o trabalho dos intelectuais. Além de serem membros das elites sociais, os intelectuais frequentemente têm concebido posições privilegiadas para si mesmos, tais como as de membros das vanguardas, educadores das massas, elaboradores de planos-mestres, visionários de metas para o futuro, vozes dos oprimidos e assim por diante. Eles legitimaram esses papéis com metanarrativas como modernização, marxismo, desenvolvimentismo e modernismo. Embora frequentemente se coloquem à esquerda e do lado dos oprimidos, eles nem sempre se interrogam sobre sua posição ambígua de falar por aqueles que supostamente não teriam voz.

[11] Para uma discussão sobre como as diferenças de classe influenciaram meu trabalho de campo com pessoas da classe trabalhadora, ver Caldeira (1981).

Uma outra questão de posicionamento ainda enquadra a pesquisa e a análise deste livro: exatamente a dos meus constantes deslocamentos, que sempre me forçaram a pensar sobre o Brasil em relação aos Estados Unidos, ou mais especificamente, sobre São Paulo em comparação a Los Angeles. De um modo geral, como os antropólogos brasileiros, como muitos dos "antropólogos nacionais", pesquisam apenas sua sociedade, tendem a enfatizar na análise a sua singularidade. Isso também tende a impedir que estabeleçam um diálogo crítico com a literatura e a produção do conhecimento do "estilo internacional" que consomem. Assim, este último continua a não ser influenciado pelas antropologias nacionais. Com efeito, a crítica epistemológica gerada pela recente antropologia americana não mudou a relação entre "antropologias nacionais" e as internacionais, mesmo que ela possa ter mudado as relações individuais de alguns "antropólogos internacionais" com as pessoas que eles estudam. Ao contrário, as "antropologias internacionais" ainda tendem a tratar as "antropologias nacionais" como informação nativa, como dados, e não lhes concedem um status equivalente ao do conhecimento produzido no "estilo internacional" e publicado nas "línguas internacionais".

Embora São Paulo constitua o foco deste livro e a análise que apresento a seu respeito seja a mais detalhada possível, minha intenção não é salientar sua singularidade. Ao contrário, meu objetivo é entender e criticar processos mais amplos de transformação social e segregação que São Paulo exemplifica. Este livro é sobre São Paulo. Mas é também sobre Los Angeles, Miami e muitas outras regiões metropolitanas que estão adotando muros, separações e o policiamento de fronteiras como instrumentos para organizar diferenças no espaço urbano. Essas regiões são obviamente diferentes, mas a diferença não impede o uso de instrumentos semelhantes e repertórios comuns. Em outras palavras, embora este livro se concentre detalhadamente na análise da reprodução da desigualdade social e da segregação espacial em uma cidade — São Paulo —, ele identifica processos e instrumentos comuns a muitas delas. A combinação de medo da violência, reprodução de preconceitos, contestação de direitos, discriminação social e criação de novas fórmulas para manter grupos sociais separados certamente tem características específicas e perversas em São Paulo, mas ela também reflete processos sociais de mudança que estão ocorrendo em muitas cidades. Assim, a comparação com Los Angeles tem interesse teórico ao permitir ampliar o entendimento de processos de segregação espacial muito difundidos. Essa comparação tem ainda a função de relativizar a singularidade de São Paulo, obrigando-me a enquadrar sua análise em termos que façam sentido para pessoas estudando outras cidades.

Parte I
A FALA DO CRIME

1. FALANDO DO CRIME E ORDENANDO O MUNDO

O crime violento aumentou em São Paulo nos últimos quinze anos. O mesmo ocorreu com o medo do crime. A vida cotidiana e a cidade mudaram por causa do crime e do medo, e isso se reflete nas conversas diárias, em que o crime tornou-se um tema central. Na verdade, medo e violência, coisas difíceis de entender, fazem o discurso proliferar e circular. A fala do crime — ou seja, todos os tipos de conversas, comentários, narrativas, piadas, debates e brincadeiras que têm o crime e o medo como tema — é contagiante. Quando se conta um caso, muito provavelmente vários outros se seguem; e é raro um comentário ficar sem resposta. A fala do crime é também fragmentada e repetitiva. Ela surge no meio das mais variadas interações, pontuando-as, repetindo a mesma história ou variações da mesma história, comumente usando apenas alguns recursos narrativos. Apesar das repetições, as pessoas nunca se cansam. Ao contrário, parecem compelidas a continuar falando sobre o crime, como se as infindáveis análises de casos pudessem ajudá-las a encontrar um meio de lidar com suas experiências desconcertantes ou com a natureza arbitrária e inusitada da violência. A repetição das histórias, no entanto, só serve para reforçar as sensações de perigo, insegurança e perturbação das pessoas. Assim, a fala do crime alimenta um círculo em que o medo é trabalhado e reproduzido, e no qual a violência é a um só tempo combatida e ampliada.

É nesses intercâmbios verbais do dia a dia que as opiniões são formadas e as percepções moldadas, isto é, a fala do crime não só é expressiva como também produtiva. As narrativas, diz Michel de Certeau, antecedem as "práticas sociais no sentido de abrir um campo para elas" (1984: 125). Esse é especialmente o caso das histórias de crimes. O medo e a fala do crime não apenas produzem certos tipos de interpretações e explicações, habitualmente simplistas e estereotipadas, como também organizam a paisagem urbana e o espaço público, moldando o cenário para as interações sociais que adquirem novo sentido numa cidade que progressivamente vai se cercando de muros. A fala e o medo organizam as estratégias cotidianas de proteção e reação que tolhem os movimentos das pessoas e restringem seu universo de interações. Além disso, a fala do crime também ajuda a violência a proliferar ao legitimar reações privadas ou ilegais — como contratar guardas particulares ou apoiar esquadrões da morte ou justiceiros —, num contexto em que as instituições da ordem parecem falhar.

Neste capítulo, analiso uma narrativa de crime que me foi transmitida numa entrevista. Tal como ocorre nas interações diárias das pessoas, as entrevistas, concedidas em momentos de intensa preocupação com o crime, foram frequentemente permeadas pela repetição de histórias de crimes. Embora tivesse interesse nessas histórias, quase nunca precisei solicitá-las: elas surgiam espontaneamente no meio de conversas sobre os mais variados assuntos, mas especialmente sobre a cidade e suas transformações e sobre a crise econômica. Na análise que se segue, mostro como as narrativas de crimes recontam experiências de violência e, ao fazer isso, reorganizam e dão novo significado não apenas às experiências individuais mas também ao contexto social no qual ocorrem. A narração, diz De Certeau, é uma arte do falar que é "ela própria uma arte do agir e uma arte do pensar" (1984: 77). As narrativas de crime são um tipo específico de narrativa que engendram um tipo específico de conhecimento. Elas tentam estabelecer ordem num universo que parece ter perdido o sentido. Em meio aos sentimentos caóticos associados à difusão da violência no espaço da cidade, essas narrativas representam esforços de restabelecer ordem e significado. Ao contrário da experiência do crime, que rompe o significado e desorganiza o mundo, a fala do crime simbolicamente o reorganiza ao tentar restabelecer um quadro estático do mundo. Essa reorganização simbólica é expressa em termos muito simplistas, que se apoiam na elaboração de pares de oposição óbvios oferecidos pelo universo do crime, o mais comum deles sendo o do bem contra o mal. A exemplo de outras práticas cotidianas para lidar com a violência (que analiso em outros capítulos), as histórias de crime tentam recriar um mapa estável para um mundo que foi abalado. Essas narrativas e práticas impõem separações, constroem muros, delineiam e encerram espaços, estabelecem distâncias, segregam, diferenciam, impõem proibições, multiplicam regras de exclusão e de evitação, e restringem movimentos. Em resumo, elas simplificam e encerram o mundo. As narrativas de crimes elaboram preconceitos e tentam eliminar ambiguidades.

As narrativas de crime perpassam e interligam os mais diversos temas. Ao longo deste estudo, lido com os mais importantes deles — crise econômica, inflação, pobreza, a falência das instituições da ordem, transformações da cidade, cidadania e direitos humanos. Neste capítulo, concentro-me na maneira pela qual as narrativas de crime são estruturadas e operam, e discuto a relação entre violência e narração. Também proponho um visão geral das transformações políticas, sociais e econômicas no Brasil ao longo das décadas de 1980 e 1990. No capítulo 2, analiso os diversos temas que a fala do crime articula e que esta narrativa introduz.

O CRIME COMO EXPERIÊNCIA DESORDENADORA E COMO SÍMBOLO ORDENADOR

A narrativa que se segue me foi transmitida em 1989 por uma mulher cujos pais migraram da Itália para o Brasil em 1924. Eles se estabeleceram na Mooca, à época um bairro industrial habitado basicamente por imigrantes europeus, onde abriram uma alfaiataria. A narradora nasceu na Mooca e passou toda sua vida lá, presenciando suas diversas transformações, enquanto alguns de seus irmãos se mudaram para "lugares melhores", segundo suas palavras. Ela é uma dona de casa e foi professora primária antes de se casar. Quando a entrevistei, tinha quase 60 anos.[1] Seu marido é corretor imobiliário e seu filho, dentista. Escolhi sua narrativa para

[1] Todas as informações sobre as pessoas que entrevistei referem-se à época da entrevista.

esta análise inicial por duas razões. Em primeiro lugar, ela sintetiza vários temas que aparecem nas outras entrevistas de forma mais dispersa e às vezes mais desarticulada. Em segundo lugar, é uma das narrativas mais dramáticas da experiência de crime que coletei, justificando mudanças em sua família e na vida diária. A discussão sobre os crimes dos quais ela foi vítima ocupou dois terços da entrevista. Não perguntei sobre os crimes: os comentários surgiram à medida que ela descrevia as mudanças pelas quais a Mooca passou ao longo de sua vida. Reproduzo longos trechos dessa entrevista porque quero mostrar a forma como a narrativa se organiza e a maneira pela qual a fala do crime entrelaça em sua lógica os mais diversos temas. Cito a seguir algumas partes da narrativa, na ordem em que ocorreram, com alguns cortes, seja em razão de repetições, seja porque houve uma mudança de assunto (ela falou, por exemplo, sobre mudanças na Igreja Católica, a história de sua família na região e sua migração, suas viagens à Itália, a ligação de sua família com a música, as conquistas de seu filho, seu apoio a um governo autoritário, sua opinião sobre programas de rádio e TV, e assim por diante). As frases entre colchetes são minhas e resumem partes da narrativa ou adicionam explicações. Todas as entrevistas foram realizadas por mim, exceto quando indicado em nota. Cada entrevista tem um número: o primeiro algarismo identifica o capítulo e o segundo, sua ordem dentro deste.

1.1

— A Mooca teve muito progresso. A melhor coisa que tem no bairro é o progresso. Teve progresso de escolas, progresso de casas. As casas mais bonitas eram na Paes de Barros, chamava-se de palacete. *[Paes de Barros é a rua em que ela morava.]* A rua era residencial; hoje é comercial. A mudança começou há uns 15 anos. Só gente chique morava na Paes de Barros. A elite da Mooca hoje mora no bairro novo, o Juventus. O bairro teve muito progresso. Tem novos hospitais, o João XXIII, o S. Cristóvão. Tem a universidade também. A Universidade São Judas começou na Rua Clark; era um barracão...

Tô radicada aqui, nasci aqui, tenho amizades aqui no bairro. O que estragou muito a Mooca foram as favelas. Aquela da Vila Prudente é uma cidade. Tem cinquenta e tantas mil pessoas!... Tem também muito cortiço. Tem muito cortiço na Mooca desde que vieram a gente do Norte. Tem 300 cortiços, cada um tem 50 famílias, só com três privadas — como é que se pode viver assim?! O que tá prejudicando é isso aí, é a pobreza. Aqui tem classe média, classe rica e uma diferença muito grande, a pobreza dos nordestinos. O bairro piorou desde que começaram a chegar a turma do Norte.... Faz uns 15 anos. Agora tem demais. Casas lindas, bonitas da Mooca foram subalugadas e hoje não se pode entrar, arrebentaram as casas. De uns 15 anos pra cá, a Mooca regrediu nessa parte. A Mooca teve muito progresso, mas regride pela população pobre.

— Mas antes não tinha pobre na Mooca?

— Antes não existia. A gente saía de chapéu, os professores andavam de chapéu. Eu usava luva e chapéu. Dos 15 aos 18 anos eu saía na rua de chapéu. A Praça da Sé, a Rua Direita, era uma finura. Hoje, a gente não vai lá, não é possível, você sabe como é.

[Começamos a conversar sobre o que poderia ser feito em relação à pobreza e aos pobres que viviam ali.]

Eles deveriam receber mais apoio do governo. Eles empestearam tudo, deveria voltar tudo pra lá. O governo deveria dar casas pra eles lá no Nordeste pra eles não precisarem vir pra cá...

Hoje aqui na Mooca não se pode nem sair de casa. Faz seis anos que eu fui assaltada, e seis anos que parece que tudo perdeu o gosto. Aqui na Mooca não tem pessoa que não foi assaltada.

[Ela contou então o caso de um segurança de um supermercado da região que havia sido morto poucos dias antes durante um assalto à mão armada. Ele tinha cinco filhos e trabalhava ali havia apenas três meses].

A coisa pior que existe na Mooca é que o povo fica com medo. É muito crime, é muito assalto. De uns oito anos pra cá está mais perigoso. Demasiadamente perigoso. Ninguém sai de noite, ninguém sai com corrente no pescoço, com nada.

– *Quem são os criminosos?*

– Pessoal que assalta é tudo nortista. Tudo gente favelada. Gente do bairro e gente de fora. Mas não adianta nada querer fazer alguma coisa. Você faz ocorrência, depois não resolve nada. Quando eu fui assaltada, eu fiz ocorrência, tinha advogado amigo, não adiantou nada, não encontraram nada...

Hoje ninguém quer saber de morar em casa devido à falta de segurança. Eu morava na Rua Camé, com portão eletrônico, interfone, dobermann dentro de casa. Um dia, às 7 horas da manhã, meu marido saiu para entrar na garagem, um cara veio, pulou em cima dele, tampou a cara dele e deu uma punhalada no coração dele. Depois desse dia, meu marido nunca mais teve saúde, é cardíaco.

[Ela conta, então, que depois de ferirem o marido, os ladrões entraram na casa e lhe pediram dinheiro e joias. Ela entregou prontamente uma grande caixa de joias: "Demos tudo". Os ladrões começaram a encaminhá-la junto com seu filho para os fundos da casa, para o quarto de empregada. No caminho, ela abriu o canil e o dobermann pulou sobre os ladrões, que deram uns tiros mas não acertaram ninguém e acabaram fugindo. Pedi que ela me descrevesse os ladrões:]

Eles tinham cara boa. Um era baixinho, moreninho, se vê que era do Norte. O outro tinha cara branca, mas sempre nortista, devia ser do Ceará.

[Do seu caso específico, ela passa novamente a discutir as mudanças no bairro.]

Lá no Juventus tem casas lindíssimas, mas tudo de grade. Nas ruas, tem guardas com guaritas. Na Mooca, aqui fica todo mundo trancado: o ladrão fica pra fora, e a gente, tudo trancado. E nem isso adianta. A minha casa que foi assaltada tinha portão eletrônico, interfone. Os ladrões entraram no vizinho – uma casa que também era minha, estava alugada – e pularam pra dentro da minha casa e foram se esconder na garagem. No Juventus, todas as casas são fechadas, mas se você for falar com eles, eles vão contar muito assalto. Os moradores da Mooca estão tristes por causa da falta de segurança. Não é só a Mooca, é São Paulo toda. As escolas parecem presídio. Antes era maravilhoso, as crianças ficavam nas ruas, o povo ficava nas portas conversando, existia mais amizade, as pessoas se visitavam. Hoje vive-se de medo na Mooca. Hoje, perguntando na rua, cada um tem uma história pra contar: se não foi assaltado, tiraram a corrente, o anel, a carteira.

[Ela relembra um roubo de que sua irmã foi vítima: estava voltando a pé do mercado com as compras quando alguém pegou sua carteira. Muitas vezes as pessoas levam os carrinhos de compra com as mercadorias. E ela conclui:]

A Mooca está empesteada.

[E quanto ao que deveria ser feito...]

Teria solução. Teria de partir do governo. O governo deveria dar assistência pra pobreza. O bairro tornou-se feio com os cortiços. E pobre é pobre, quando não pode comprar as coisas que precisa, assalta. É falta de cultura também... A Mooca fez muito progresso, engrandeceu muito, fez progresso de casas, prédios, mas tem uma extensão de cortiço que não acaba mais... O governo devia fechar a exportação, terminar com essa vinda de pessoal do Norte. Se você soubesse o que o meu marido fala quando ele passa em frente a uma favela! Ele é tão revoltado! Eu também. Eu não tive mais saúde desde que fui assaltada. Saí de casa no mesmo dia, vendi tudo aquilo lá, joguei fora... O meu marido, você não sabe o que ele fala. Ele vê um cortiço, uma favela, fala que uma garrafa de querosene e um fósforo resolvia aquilo num minuto...

A Mooca teve muito progresso, mas teve regresso também. Os cortiços tiram a beleza da Mooca. O povo hoje vende as casas e vai para apartamento.

[Ela explicou, então, que a sua casa que foi assaltada era uma casa reformada, na qual a família tinha investido durante anos. Era uma casa com piscina e churrasqueira.]

Não pra esnobar, mas pra dar conforto pra família. "O problema hoje em dia é que não dá pra ter o privilégio de possuir o sacrifício que você fez."

[Ela gostou da frase, pediu que eu a anotasse e a repetiu. Continuou a falar de sua casa.]

Como eu vendi tudo, perdi tudo. Vendi de um dia pro outro, vendi por nada, e ainda teve o Plano Cruzado no dia seguinte. Quando a gente foi ver, o dinheiro já não era mais nada. A Mooca regride pelos cortiços. Devia acabar com essa vinda de gente pra cá, devia dar condições pra eles lá. Mas a turma é indolente também, não quer saber de trabalhar. Pior é favela, bandido tá dentro de favela. Eles recebem pouco, mas se você entrar dentro de uma favela, vê um monte de televisão, vídeo, som, daonde é? Tudo roubado...

Vou logo dizendo pra vocês: eu sou a favor da pena de morte a quem mereça. Aqui na Mooca nós somos a favor da pena de morte. Eu sei que a Igreja condena a pena de morte, mas, a meu ver, castigo, tem que ter um castigo pra uma pessoa que comete erro. Por exemplo, uma pessoa que está com 200, 300 anos de pena, ela vai ter tantos anos de vida? Caso tivesse pena de morte, outra pessoa não faria o mesmo. É conversa essa história que vai ser o injusto que vai ser castigado. Seria um exemplo... Deveria se ver o certo, com consciência. Pessoa que tem que cumprir pena por tantos e tantos anos, como é que nós vamos sustentar vagabundo na cadeia a 400 cruzados por dia? Na Mooca todo mundo é a favor da pena de morte.

[Nesse momento, sua empregada entra na sala para servir café com biscoito e a patroa pergunta se ela é a favor da pena de morte. Diante da resposta afirmativa, ela comenta:]

Ela é crente e também defende a pena de morte; eu sou irmã de padre e também defendo. Não teria tanta criança na rua, que mãe coloca filho na rua sem pensar, por pobreza, ou por sem-vergonhice.[2]

[A essa altura, ela fala de forma empolgada e comenta:]

Quando eu fico enfezada, fico com o vocabulário bem bonito... Quando eu estou enfezada posso falar tão bem quanto um advogado. Antigamente, eu falava ainda melhor, mas perdi o hábito... Não tenho mais prática de falar tanto. Estou enfezada! Me mudei tanto com esse assalto, perdi a vontade de fazer as coisas. Antes eu era feliz – a gente era feliz e nem sabia. A casa limpinha, bonitinha, tudo em ordem.

---

[2] A narradora sugere que filhos de mães que "não pensam" e têm filhos de que não podem cuidar, ou porque são pobres demais ou porque os têm fora de um casamento, certamente irão se tornar criminosos. Ela não elabora a ideia, porque esta é bem comum. Analiso a associação de mães solteiras, pobreza e crime no capítulo 2.

[E começa a recontar suas experiências de assalto.]

Dois meses antes do assalto, a minha empregada tinha ido pra Minas. Um dia, às 4 horas da tarde, a casa tava em ordem, e eu tava em casa toda vaidosa, toda bem arrumadinha, com brinco de brilhante [o mesmo que estava usando durante a entrevista], anel igual, que naquela época ainda tinha. Sentei para descansar... Às vezes eu pegava no piano... Tocou a campainha. É bom vocês saberem: era um moço branco, com um guarda-pó. Se eu fico nervosa, não aguento falar. Se ouço um caso, sou capaz de subir no palanque, pôr fogo em São Paulo. Era um moço da minha altura, estatura média, uns 22 anos, magro, avental azul e com o emblema da perfumaria Abaeté no bolso, com um bloquinho e um lápis. Ele me interfonou, falou que tinha uma entrega. Perguntei: "Não tá enganado?". Ele falou: "Não, é aqui". Tinha um pacote assim [mostra o tamanho de uma caixa de sapatos], bem arrumado, com fita, cartão. Perguntou: "Aí não mora o José?".[3] "Mora, é meu filho, mas aqui ninguém comprou nada." Ele se enfezou: "A gente trabalha, é empregado, e não querem receber a mercadoria". Pensei: "Meu filho é moço, vai ver que foi fã, namoradinha que mandou. Minha sorte, ao invés de abrir a porta pelo interfone, eu desci a escada de mármore, peguei a caixa, era pesada, peguei o talãozinho pra assinar, daí me aparece com um revólver, desse tamanho [uns 20 a 30 cm, ela mostra], daí ele disse: "Sobe!". Apareceu mais um, um moreninho, com um estilete. Comecei a gritar, me sentaram, me arrastaram de joelho, me jogaram na garagem. Fiquei ruim do joelho até hoje, do rim... "Dou tudo pra vocês, não me façam nada!" Mas, com o grito, a minha vizinha achou que a Maria José — que era a minha empregada, que era assim um tipo espalhafatoso, que gritava muito —, achou que ela tinha chegado de Minas e abriu a porta dela. Foi a minha salvação, eles se mandaram, eu ainda tive que abrir a porta para eles. Mas dois meses depois exato eles voltaram... Fiquei dois meses de cama, urinei sangue, tirei radiografia do joelho, tive que fazer infiltração... Não saio à noite, não faço nem uma visita. Hoje eu moro em apartamento... Aquele trauma você nunca perde. Meu filho tem 28 anos, o medo que meu filho tem! Eu era tão feliz. Era feliz e não sabia. Era uma pessoa ativa, tava me mexendo o tempo todo, fazia trabalhinho pra pobre...

Na Mooca todo mundo tem medo, por isso que todo mundo vai embora. A população fina vai embora e os nordestinos vão chegando, nós vamos dando espaço pra eles...

Quando fui assaltada pela segunda vez, estava com meu cunhado, irmão do meu marido, em casa, fazia 17 dias que ele estava no Brasil, ele teve enfarto e morreu. Fazia oito dias que ele estava aqui quando foi o assalto. Ele tava dormindo. Tinha vindo pra passear e pra se tratar. Falo pro meu marido que não foi por causa do assalto, mas meu marido acha que não, que ele ficou assustado... Um dos assaltantes tinha um punhal e ficou com ele encostado nos olhos do meu filho. O consultório dele é todo cheio de grade, janela fechada, porta fechada — pode-se viver assim?...

Agora as pessoas só se encontram em enterro. Círculo de amizades, de conterrâneo, de patrício, tá se desfazendo. Vai se distanciando a amizade devido ao medo de sair à noite. Olha que sentença bonitinha!...

A Mooca que eu conheci era tão diferente! Podia-se viver, sair sem esse pavor. Quando a população era menor, existia mais tranquilidade. Empestearam a Mooca, deixaram a Mooca feia.

---

[3] Quando foram usados nomes na narração, eu os substituí por outros fictícios.

A maioria das narrativas de crime que ouvi introduz o episódio do crime mencionando a hora exata em que ele aconteceu. Também sempre fornecem detalhes sobre o lugar, as circunstâncias e o caráter corriqueiro do que estava acontecendo imediatamente antes, criando uma marca precisa de ruptura através da elaboração de pequenos detalhes. Elas representam um acontecimento que teve o poder de interromper o fluxo monótono do dia a dia, mudando sua essência para sempre; um acontecimento que se sobressai por causa de seu absurdo e de sua gratuidade.

Em narrativas de crime, esse acontecimento traumático divide a história em "antes" e "depois". Essa divisão ordenada faz com que o crime assuma na narração o efeito contrário do que teve na experiência: ser vítima de um crime violento é uma experiência extremamente desorientadora. Um crime violento cria uma desordem na experiência vivida e provoca uma desestruturação do mundo, um rompimento. A vida não caminha do mesmo jeito que antes. Como muitos me disseram repetidamente: "Esse medo você nunca mais perde". É uma crença comum que aqueles que foram vítimas de um crime e aqueles que não foram têm opiniões diferentes sobre crime e violência, e mesmo sobre a sociedade e a cidade. Ainda que as entrevistas não sejam totalmente conclusivas a respeito de como as opiniões mudam a partir de experiências de crime, elas mostraram de forma muito clara que a experiência de violência sempre provoca mudanças. Geralmente, a experiência de um crime violento é seguida de reações como cercar a casa, mudar de endereço, controlar as atividades das crianças, contratar seguranças, não sair à noite, evitar certas áreas da cidade e assim por adiante, ações essas que reforçam um sentimento de perda e restrição assim como uma sensação de uma existência caótica num lugar perigoso. Experiências de crime também são seguidas pela fala do crime, na qual o acontecimento é recontado e discutido inúmeras vezes.

Contudo, à medida que a história é contada e recontada, em vez de criar uma ruptura, o crime é exatamente o que organiza toda a narração, estabelecendo marcas temporais estáticas e emprestando suas categorias a outros processos. À medida que as narrativas são repetidas, o bairro, a cidade, a casa, os vizinhos, todos adquirem um significado diferente por causa do crime, e sua existência pode ser realinhada de acordo com as marcas fornecidas pelo crime. No caso acima, a chegada dos nordestinos ao bairro ocupa uma posição equivalente à do crime, dividindo a história local entre antes e depois. O que o crime faz para a biografia da narradora, a chegada de nordestinos/criminosos faz para o bairro.

Nas narrativas, o crime organiza a estrutura de significado e, ao fazer isso, combate a desorganização da vida produzida pela experiência de ser vítima da violência. No entanto, esse uso do crime como divisor entre um tempo bom e outro ruim simplifica o mundo e a experiência. Recurso retórico que dá dramaticidade à narrativa, a divisão entre antes e depois acaba reduzindo o mundo à oposição entre o bem e o mal, que é a oposição central que estrutura as reflexões sobre o crime. Ao fazer essa redução, as pessoas normalmente apresentam relatos simplistas e tendem a criar caricaturas: o antes acaba virando muito bom; o depois, muito ruim. No caso acima, antes do assalto, ela "era feliz e nem sabia". Descrições da felicidade pré-crime são romantizadas: a casa com uma escada de mármore, piscina e churrasqueira; os brilhantes usados numa tarde qualquer; um momento de calma para sentar-se ao piano; numa palavra, conforto, ordem e status interrompidos pela fatídica campainha. Depois do assalto, a vida tornou-se um inferno: tudo perdeu o gosto, ela e o marido perderam a saúde, o filho encheu-se de medo, eles perderam dinheiro e status. Venderam sua linda casa da noite para o dia e se mudaram para um prédio de apartamentos. Não consideram que isso seja um jeito confortável de viver, já que não podem demonstrar seu status e desfrutar dos resultados dos muitos anos de sacrifício que passaram para construir uma residência respeitável e uma boa posição social. Também é interessante notar que dois episódios de crime, dois meses distantes um do outro, são recontados na narrativa acima, mas eles simbolicamente fundem-se em vários momentos para justificar as mudanças na vida cotidiana. Embora as circunstâncias e os atos de cada um sejam diferentes, eles não só são apresentados da mesma forma, mostrados como capazes de provocar efeitos similares (problemas de saúde e perda de dinheiro e status), como também por vezes se fundem para se transformar numa experiência unificada.

As reduções feitas no âmbito da narração chegam ao ponto de distorcer fatos de modo a fazer com que se encaixem na história. A narradora acha que com a mudança para o apartamento não só perdeu conforto e status, como também dinheiro, e culpa o Plano Cruzado pela perda. Nesse ponto a narrativa fica confusa. Ela alega que eles perderam dinheiro porque venderam a casa um dia antes do Plano Cruzado. No entanto, ela disse muitas vezes que o assalto ocorrera seis anos antes e que estava morando no apartamento havia seis anos — o que daria 1983, já que a entrevista foi feita em setembro de 1989. O marido e a irmã, com quem também conversei, confirmaram depois que tinham se mudado seis anos antes, o que significa que provavelmente ela acrescentou o Plano Cruzado à sua narrativa com o objetivo de indicar que sua perda individual fora causada pela crise econômica do país, não por seu fracasso pessoal. Além disso, ela associa a experiência de viver o tempo todo sob uma inflação alta — uma situação em que o valor do dinheiro é volátil e as pessoas não sabem quanto seus bens vão valer no dia seguinte — com a ruptura de bens e valores que o roubo acarreta. Por ter trocado propriedade por dinheiro, ela perdeu. Ao associar em sua narrativa o momento do crime com a ocorrência do plano econômico e o colapso de seu mundo, a narradora revela o quanto crime, crise econômica e queda social estão interligados na percepção dos moradores de São Paulo, isto é, como a biografia e as condições sociais se entrelaçam. É importante notar, no entanto, que é o crime que fornece a linguagem para expressar outras experiências como inflação e queda social, não o contrário.

A biografia e as condições sociais coincidem de uma outra forma nessa narrativa por meio da intervenção do universo do crime: às mudanças no bairro e no espaço da cidade é atribuída a mesma estrutura de significado da experiência do crime, pois ambas têm um antes e um depois cujo ponto de ruptura está relacionado ao crime. Antes, havia progresso; depois, retrocesso. Antes, havia ruas sofisticadas em que homens e mulheres passeavam de luvas e chapéu; depois, apenas lugares onde ninguém pensaria em ir. Antes, o bairro era pequeno, elegante, cheio de conhecidos antigos e cordiais, com crianças brincando nas ruas, conversas na calçada, belas casas, conforto e nenhuma pobreza visível; depois, havia um bairro maior e cheio de medo, moradores pobres e cortiços, cercas e crime, prédios de apartamentos e pessoas aprisionadas em suas moradias. Antes, havia uma intensa sociabilidade local; depois, a redução dos encontros com os amigos aos funerais. Nesse caso, o trauma foi a "invasão" (como o roubo em uma casa) do bairro e da cidade por moradores pobres, os nortistas que vivem nos cortiços e favelas. Muitos moradores da Mooca repetem a mesma história sobre o bairro: entre a metade dos anos 70 e o início da década de 80, velhas casas começaram a ser transformadas em cortiços e uma imensa população nova chegou. Os novos moradores, tidos como mais pobres, são identificados como criminosos pela maioria das pessoas que entrevistei ali. Sua chegada é comparada a uma infestação.

Há duas reduções principais embutidas nessa versão da história do bairro. Primeiro, ela atribui todas as mudanças à chegada dos novos moradores, acusados de serem criminosos (da mesma forma que a narradora reduz a um episódio de crime os fatores que mudaram sua vida). Mais uma vez, o crime oferece um código simplificado para se lidar com outras mudanças sociais. Nas últimas décadas, a Mooca com certeza passou por uma série de transformações. As velhas fábricas da primeira fase da industrialização de São Paulo começaram a fechar à medida que o polo industrial foi mudando para outras partes da região metropolitana e o tipo de atividade industrial foi se modificando. O dinamismo econômico da Mooca diminuiu e com essa mudança o bairro perdeu parte do seu caráter tipicamente industrial. Isso se acentuou com a transformação do meio urbano associada à abertura de novas avenidas e à construção do metrô, que causou a demolição de inúmeros edifícios antigos, tanto residenciais como comerciais. A Mooca também vem perdendo população há quatro décadas, isto é, desde 1950, quando o centro da produção industrial mudou para outras áreas da região metropolitana, e desde que a cidade recebeu o maior contingente de migrantes do Norte e Nordeste durante este século. À medida que a dinâmica econômica e social da cidade mudou, especialmente durante os prósperos anos 70, aqueles moradores da Mooca que tinham recursos preferiram mudar-se para regiões da cidade mais identificadas com as classes médias, em vez de permanecer num lugar ainda visto como industrial, étnico (principalmente italiano), e enfrentando uma decadência econômica. Velhas residências de fato foram abandonadas, mas isso tem a ver com as transformações socioeconômicas, que incluem uma mobilidade ascendente de velhos moradores, assim como com a decadência econômica, mas não necessariamente com o crime. À medida que moradores em melhores condições mudaram-se da região e a indústria local decaiu, muitas construções realmente foram transformadas em cortiços, por meio de um processo que não é apenas típico da Mooca mas de todos os velhos distritos industriais.[4]

---

[4] De acordo com a Fipe (1994: 7-9), em 1993 a Mooca tinha 9,0% dos quase 24 mil cortiços da cidade, além de 16,12% das famílias que viviam nesse tipo de moradia. O número médio de famílias por cortiço na Mooca era de 12,1, quase o dobro da média da cidade. Para mais informações sobre cortiços, ver o capítulo 6.

No entanto, o bairro também mudou devido a um processo que se convencionou chamar de enobrecimento [*gentrification*]. À medida que antigas áreas residenciais se tornaram áreas de comércio, uma nova área decaída foi transformada por investimentos para as classes média e alta. Esta área enobrecida (Juventus) começou a ser construída nos anos 80, com muitos prédios de apartamentos. Integrantes das classes médias que tinham ficado na parte mais antiga do bairro, como a senhora da narrativa com que estamos trabalhando, sentiram profundamente as transformações, já que elas afetaram radicalmente sua vida cotidiana local e seu padrão de sociabilidade. O aspecto que quero enfatizar, no entanto, é como o crime oferece uma linguagem para expressar, de maneira sintética, os sentimentos relacionados às mudanças no bairro, na cidade e na sociedade brasileira de modo geral. Essas mudanças são vistas como um retrocesso pelos velhos moradores e sua associação com a invasão do bairro por "criminosos" expressa seus pontos de vista de uma forma convincente. O crime é ruim, não há dúvidas a respeito disso; associar as mudanças no bairro a criminosos é atribuir um valor claramente negativo a elas.

A segunda redução é aquela embutida na categoria dos nordestinos, caracterizados nos mais depreciativos dos termos: ignorantes, preguiçosos, sujos, imorais. Numa palavra, eles são criminosos. Esses termos depreciativos muitas vezes são os mesmos que têm sido usados no Brasil desde a época da conquista para descrever o índio, o escravo africano, o trabalhador, o pobre, e os analiso com mais detalhe no próximo capítulo. Na Mooca, considera-se que todos esses vizinhos indesejados vieram do Nordeste: migrantes, como os pais de muitos moradores, mas do empobrecido Nordeste, e não da Europa. Está claro, no entanto, que o nordestino da narrativa é uma categoria essencializada, destinada a simbolizar o mal e explicar o crime. É simplista e caricatural (o que não significa que não afete as relações sociais). É produto de um pensamento classificatório relacionado com a produção de categorias essencializadas e a naturalização e legitimação de desigualdades (ver capítulo 2 e Malkki 1995: 256-7). É revelador, no entanto, que migrantes do Nordeste tenham sido selecionados pelos moradores da Mooca para serem alvo de suas acusações e representarem a categoria do criminoso. Embora a fala do crime constantemente elabore categorias essencializadas e preconceitos, seu conteúdo muda em contextos sociais diferentes, isto é, o alvo do pensamento categorizante varia. O preconceito contra os nordestinos existe em todo lugar, mas a questão é por que eles são tão apontados como criminosos na Mooca, enquanto em outros bairros a caracterização principal dos criminosos varia. Provavelmente isso está relacionado ao fato de que a maioria das famílias da Mooca é descendente de imigrantes e que os moradores da cidade normalmente veem o bairro como um local de imigrantes. Pelo fato de o rótulo *imigrante* também se aplicar aos moradores que entrevistei (como a narradora acima, uma filha de imigrantes italianos) e de eles sentirem que há diferenciações sociais no bairro que precisam ser mantidas, sentem-se impelidos a distanciar a si próprios daqueles outros migrantes mais recentes. Em outras palavras, o princípio classificatório que está funcionando aqui é que a categoria que está mais próxima do narrador mas que é diferente deve ser a mais enfaticamente distanciada e condenada. A mistura de categorias produz ansiedade cognitiva e conduz à abominação, como nos lembra Mary Douglas em seu estudo sobre classificação:

"Imundície ou sujeira é o que não deve ser incluído se um padrão precisa ser mantido" (1966: 40). Para distinguir a si mesmos dos novos migrantes, os mais antigos os tratam simbolicamente como poluidores e os associam ao crime e ao perigo.

Hoje, muitos moradores da Mooca são da segunda ou terceira geração, mas sentem como se o lugar fosse definitivamente seu. Eles exibem uma forte identidade local e um senso de território que é geralmente desconhecido em outras áreas em que pesquisei. Além disso, eles sentem que ascenderam socialmente em relação a seus pais — um processo que a crise econômica colocou em risco. Escolhem, então, os recém-chegados, migrantes como eles, mas que vieram depois e são mais pobres, para expressar os limites de sua comunidade e acentuar sua própria superioridade social. Os recém-chegados são tachados de estrangeiros — como os pais dos residentes mais antigos — mas também de invasores que estão destruindo o lugar que os moradores da Mooca e seus pais conquistaram e construíram para si. Os procedimentos para conservar simbolicamente os nordestinos a distância são bem conhecidos: eles são descritos como sendo menos do que humanos, perigosos, sujos e contaminantes; são habitantes de lugares impróprios, como cortiços e favelas. Assim, diz-se que sua presença no bairro estraga todos os arredores: eles "empestearam" o bairro, repete a narradora para pontuar sua história. Sua pobreza ameaça o status social de todos os moradores. Os nordestinos representam o processo de decadência social que muitos no bairro estão atravessando ou temem. Ao mesmo tempo, essa associação mantém esse processo longe deles — os antigos migrantes sugerem que não são tão pobres quanto os nordestinos; eles são mais afortunados, têm suas próprias casas (embora as percam para o crime e o medo ou então para a inflação).

Em suma, o nordestino é, para o morador da Mooca, a imagem sintetizada de tudo o que é ruim e reprovável, e consequentemente criminoso. O nordestino representa perigo, não apenas o perigo do crime, mas também da decadência social. Como uma síntese do mal, a categoria do nordestino não corresponde à realidade, embora seja um poderoso instrumento para expressar avaliações dessa mesma realidade. No entanto, em razão da distância que essa imagem guarda em relação à realidade, há sempre uma tensão entre seu uso na fala do crime e os relatos de detalhes de acontecimentos.

A fala do crime e a elaboração das categorias do criminoso são simultaneamente um tipo de conhecimento e um desreconhecimento (*misrecognition*). Esta não é uma característica exclusiva da fala do crime, mas algo que ela partilha com outros tipos de pensamentos classificatórios, como o racismo. Analisando o racismo como uma espécie de conhecimento, Étienne Balibar argumenta que "o complexo racista combina inextricavelmente uma função crucial de *desreconhecimento* (sem a qual a violência não seria tolerável para as próprias pessoas envolvidas com ele) e uma "vontade de conhecer", um *desejo* violento por *conhecimento* imediato de relações sociais" (1991: 19, grifos do original). Essa combinação gera uma grande ambiguidade quando as pessoas tentam simultaneamente organizar o pensamento e a narrativa usando essas categorias e dar conta de detalhes de experiências específicas. Embora possa-se evitar a ambiguidade quando a tarefa à mão é simplesmente estabelecer as categorias e elaborar um discurso geral sobre o crime, ela torna-se inevitável quando as pessoas lidam com detalhes específicos.

Esse tipo de ambiguidade é claro no caso que estou analisando. A narradora conclui que o homem que a roubou, embora fosse branco e tivesse um "rosto bom", só podia ser do Norte, provavelmente do Ceará. Nos dois roubos, os criminosos não se coadunavam exatamente com a imagem que ela faz de um nordestino/criminoso. Num dos casos, ela chegou mesmo a confundir o ladrão com um trabalhador e insistiu comigo: "Era um moço branco!". Mas em seus comentários sobre o crime, ela insiste em usar a imagem do nordestino/criminoso, já que é inconcebível para ela que pudesse ser de outra forma. Ela tem de prender-se aos estereótipos disponíveis e aplicá-los rigorosamente para entender o absurdo dos assaltos e das mudanças em sua vida e no bairro. As categorias são rígidas: não são feitas para descrever o mundo de forma acurada, mas para organizá-lo e classificá-lo simbolicamente. Elas são feitas para combater a ruptura no nível da experiência, não para descrevê-la. Isso não quer dizer que a descrição seja impossível: está lá, os ladrões eram brancos e de boa aparência, ela confundiu um deles com um trabalhador. Mas isso é parte da desorganização do mundo, da experiência de violência e decadência social que reintroduzi várias vezes na narração ao solicitar detalhes. Na narrativa organizada, os criminosos precisam ser não brancos do Nordeste, dos cortiços e das favelas, o lugar próprio aos criminosos. O desreconhecimento é inerente à reorganização simbólica do mundo. É parte do esforço para dar novo significado a uma realidade que não mais faz sentido, que sofreu uma ruptura e/ou que está mudando.

Algumas vezes a narradora reconheceu o caráter simplista ou mesmo absurdo de suas categorias e opiniões. Por exemplo, num determinado ponto ela distancia a si mesma da versão mais extrema dos preconceitos contra os favelados dizendo que a ideia de queimá-los todos é de seu marido, não dela. Mais adiante, ela modera sua defesa da pena de morte e sua difamação dos nordestinos ao refletir sobre sua ira e o caráter veemente de seu discurso: "quando estou enfezada posso falar tão bem quanto um advogado", observou ela. Um advogado é também um personagem estereotipado, associado com corrupção, com a manipulação da lei possível para aqueles que têm o poder e com a maestria no uso das palavras para ludibriar.

Em suma, a fala do crime lida não com descrições detalhadas dos criminosos, mas com um conjunto de categorias simplistas, algumas imagens essencializadas que eliminam as ambiguidades e misturas de categorias da vida cotidiana, e que circulam especialmente em momentos de mudança social. A fala do crime não é feita de visões equilibradas, mas da repetição de estereótipos, ainda que se reconheça seu caráter simplista. A fala do crime elabora preconceitos. No entanto, pelo fato de o desreconhecimento poder ser reconhecido, a fala do crime é também ambígua, com deslizes que revelam possíveis dúvidas do narrador em relação às suas essencializações. Essas ambiguidades persistem em narrativas de crimes na forma de alternâncias de categorias bem definidas e pequenos comentários dando conta desses aspectos da realidade que não se enquadram na descrição estereotipada. Elas ficam especialmente aparentes nos inúmeros comentários sobre os pobres. Em geral, as pessoas mais pobres de uma área são associadas a criminosos e sempre referidas nos termos mais depreciativos, inclusive pelos próprios pobres. No entanto, todos reconhecem que a pobreza não só é excessiva, mas tem crescido muito nos últimos tempos, à medida que a sociedade brasileira vem se tornando mais desigual do que nunca. Isso é reconhecido por todos com que falei, mesmo pela entrevistada que venho citando, que acha que as condições de vida dos pobres estão se deteriorando, que as políticas governamentais em relação à pobreza são ineficazes, e que considera seu trabalho filantrópico como parte do "antes", ou seja, o período no qual ela era feliz e sua vida estava em ordem. Sua piedade e seu entendimento das condições sociais, no entanto, têm de ser praticamente silenciados para que sua história faça sentido e para que seja apresentada a mim como um caso convincente. Eles são silenciados para que os estereótipos possam tomar o primeiro plano.

O crime fornece um simbolismo com que discutir sobre outras coisas que são percebidas como erradas ou ruins, mas sobre as quais pode não existir consenso de interpretação ou vocabulário. Também oferece o simbolismo com que discutir sobre outros processos de perda, como os processos de mobilidade descendente. Além disso, o crime fornece uma dramatização para a narrativa de eventos aos quais falta esse caráter dramático — por exemplo, um processo de quatro décadas de mudanças num bairro —, mas cujas consequências podem ser perturbadoras para os indivíduos que as experienciam. Na fala do crime, o medo do crime se mistura com a ansiedade sobre inflação e posição social; a condição individual se entrelaça com a situação social e com as transformações na cidade, no espaço público e no bairro; as experiências biográficas refletem as condições sociais. Na verdade, é a translação recorrente e a reflexão contínua desses diferentes níveis por meio do vocabulário do crime e suas categorias que trazem dramaticidade para a avaliação dos atuais dilemas da sociedade.

Violência e significação

A violência sempre apresenta problemas de significação. A experiência de violência rompe o significado, uma ruptura que a narração tenta contrabalançar. Mas as narrativas também podem fazer a violência proliferar. Discussões teóricas sobre violência frequentemente trazem embutidas em si teorias de linguagem e simbolismo assim como discussões sobre a construção ou destruição da ordem cultural. A seguir, considero algumas dessas discussões, que podem ser divididas em duas perspectivas. Em primeiro lugar, há aqueles autores que analisam a violência da perspectiva da ordem cultural e que consideram que a violência coloca em risco a linguagem e, inversamente, que a clareza simbólica ajuda a controlar a violência. Em segundo, estão aqueles que argumentam que a narração faz a mediação da violência e a ajuda a proliferar. Minha intenção não é desenvolver uma teoria geral da relação entre violência e significação, mas chamar a atenção para as particularidades das narrativas do crime e indicar como estão relacionadas à reprodução da violência e a outros processos sociais, especialmente a democratização. As narrativas de crime, ao lidar com a desordem da experiência causada pelo crime (ou por um dos processos de ruptura que o crime simbolicamente expressa), produzem *um certo tipo de significação*. Essas narrativas são simplistas, intolerantes e marcadas por preconceitos e estereótipos. Elas contradizem o discurso e as iniciativas democráticas, exatamente os tipos de prática que a sociedade brasileira estava tentando consolidar quando o crime tornou-se a fala da cidade. Além disso, embora as distinções aguçadas da fala do crime reordenem de fato as experiências perturbadas pela violência, não são eficazes para controlar a violência. Ao contrário, elas reproduzem o medo e a violência.

Em seu ambicioso estudo *A violência e o sagrado* (1977), René Girard oferece o que chama de uma teoria científica da transformação da violência em cultura, mais exatamente, do mecanismo generativo capaz de controlar a violência e simbolizar a passagem do não humano para o humano (1977: 309, 311). Girard descreve os processos sociais de violência recíproca generalizada (como uma série de vinganças privadas) como crise sacrifical, que ele define como

> "uma crise de distinções — ou seja, uma crise que afeta a ordem cultural. A ordem cultural nada mais é que um sistema regulado de distinções em que as diferenças entre indivíduos são usadas para estabelecer sua 'identidade' e suas relações mútuas... Ordem, paz e fecundidade dependem de distinções culturais: não são essas distinções mas a perda delas que dá origem a rivalidades ferozes e lança membros da mesma família ou grupo social uns contra os outros... Essa perda força os homens a um confronto perpétuo, que os despoja de suas características distintivas — em resumo, de sua 'identidade'. A própria linguagem é posta em risco." (Girard 1977: 49, 51)

Assim, uma crise sacrifical é uma espécie de guerra de todos contra todos na qual os homens (esta é a linguagem de Girard) perdem suas distinções na medida em que são nivelados pela violência. A solução que ele propõe para essa crise é uma substituição sacrifical, na qual a sociedade unanimemente concorda com um ato de violência contra uma vítima solitária, a vítima expiatória, que simbolicamente representa todas as vítimas potenciais (Girard, 1977: 81-2). Analisada por Girard por meio da tragédia e do mito de Édipo, a vítima expiatória transforma a violência generalizada e o caos em ordem social. Seu sacrifício combina violência boa e ruim, a violência que mata e a violência que restaura a ordem. A violência unânime exercida contra a vítima expiatória inicia um ciclo construtivo, aquele dos ritos sacrificais e da religião. Nesse ciclo, a violência generativa (a unânime) é constantemente evocada por meio de rituais repetitivos, mantendo a violência recíproca sob controle e permitindo que a cultura floresça. Para Girard, "o ato original de violência é a matriz de *todas* as significações mitológicas e rituais" (1977: 113, grifo do autor). O propósito dos rituais é consolidar a diferença entre o bem e o mal, selecionar uma certa forma de violência e marcá-la como boa e necessária em oposição a outras formas, que são consideradas ruins.

A teoria de Girard apoia-se na suposição não comprovada de que a violência é inerente aos seres humanos, que tanto a agressividade quanto a vingança são próprias da natureza humana e que a violência é contaminadora, comunicável e "se alastra como fogo" (1977: 31). Além disso, seu argumento pressupõe que a violência é paradoxal em sua natureza: é como sangue, uma substância que pode "macular ou limpar, contaminar ou purificar, levar os homens à fúria e ao assassinato ou apaziguar sua raiva e restaurar sua vida" (1977: 37). A violência só pode ser controlada por meio de violência, isto é, a boa e legítima violência que direciona a violência ruim para os "canais adequados" (1977: 31). Assim, o tema principal no controle da violência é a capacidade da sociedade de manter a distinção e a separação entre violência boa e má. "Enquanto pureza e impureza permanecem distintas, até mesmo a pior poluição pode ser lavada; mas uma vez que se permite sua mistura, a purificação não é mais possível" (1977: 38). De acordo com Girard, essa distinção só pode ser mantida por uma autoridade de ampla legitimidade, que, sendo capaz de sancionar a violência numa forma culturalmente enclausurada, mantenha as distinções entre bem e mal, violência legítima e ilegítima, o sistema judiciário e a vingança. Essa autoridade seria, então, capaz de desempenhar repetidamente os rituais controlados (violência boa) necessários para reproduzir a ordem e o simbolismo.

A teoria de Girard sobre a crise sacrifical e seu controle certamente não está em conflito com a análise da matéria fora de lugar de Mary Douglas. Em ambos os casos, é a clareza das categorias que permite o controle do perigo e a manutenção da ordem social. Douglas iguala a desordem à sujeira e considera os esforços para evitá-la como criativos e úteis para ajudar a unificar a experiência. "Acredito que as ideias de separação, purificação, demarcação e punição das transgressões têm como principal função impor sistematização numa experiência inerentemente desordenada. Só exagerando a diferença entre dentro e fora, acima e abaixo, macho e fêmea, a favor e contra, é que uma aparência de ordem é criada. Nesse sentido, não tenho medo da acusação de ter feito a estrutura social parecer excessivamente rígida" (1966: 4). Para ela, rejeitar a poluição equivale a rejeitar a ambiguidade, a anomalia e a desordem. "A reflexão sobre a sujeira envolve a reflexão sobre a relação de ordem e desordem, ser e não ser, forma e ausência de forma, vida e morte" (1966: 5). Dessa forma, para Douglas, os esforços para criar ordem e distinção (que combatem o perigo, a poluição e, poderíamos acrescentar, a violência) são empreendimentos culturais fundamentais.

A análise de Elaine Scarry, embora também oponha violência e linguagem como Girard, apresenta um argumento diferente, uma vez que ela não se preocupa com a questão da ordem social. Sua análise da tortura começa com o pressuposto de que "o sofrimento físico não só se contrapõe à linguagem como a destrói ativamente, causando uma reversão imediata a um estado anterior à linguagem, aos sons e gritos que um ser humano produz antes de aprender a linguagem" (1985: 4).[5] A tortura também "imita (objetiva no ambiente externo) essa capacidade de destruição da linguagem em sua interrogação, cujo propósito não é extrair informação neces-

---

[5] Ver Daniel (1996: cap. 5) para uma análise etnográfica da tortura e do terror que corrobora a hipótese de Scarry. Discussões sobre tortura sempre se referem à produção de significado uma vez que a tortura é comumente associada às questões da verdade e da lei. Discuto esses temas no capítulo 9.

sária mas visivelmente desconstruir a voz do prisioneiro" (1985: 20). A estrutura da tortura é a estrutura do desfazer. Para Scarry, o ponto principal da tortura não é a verdade, mas o poder. Essa estrutura se opõe àquela do fazer, criar, significar, em resumo, à estrutura da linguagem.

Enquanto autores como Girard e Scarry opõem violência e linguagem, há outros que sustentam o argumento contrário, isto é, que a narrativa ajuda a violência a circular e a proliferar. Em seu estudo sobre terror e violência durante o *boom* da borracha na região de Putumayo, na Colômbia, Michael Taussig argumenta que o terror é mediado pela narração (1987: 127). Para ele, o embate colonial foi um embate moldado num espaço de desentendimento e criou uma cultura de terror baseada no imaginar e na reprodução do medo. Por meio do trabalho colonial de fabulação, a realidade tornou-se incerta e foi a violência que estruturou as interações sociais. Reconhecer a imbricação de violência com narração tem, segundo Taussig, implicações para o trabalho do antropólogo: como o terror é alimentado pela narração, é difícil escrever contra ele (ver também Taussig 1992). Todavia, ele escreve contra a violência e tenta encontrar um meio de produzir estranhamento em relação a ela. Além disso, ele sugere que o terror pode ter efeitos inesperados, uma vez que seu simbolismo ajuda a dar aos xamãs contemporâneos seu poder de curar. As imbricações de violência, ordem e significação tornam-se, então, substancialmente mais complexas.

A análise da violência política na Irlanda do Norte feita por Allen Feldman (1991) também contribui para expor a complexidade dessas imbricações. Como Taussig, que considera que a cultura do colonialismo é inscrita no corpo e que o significado é produzido no corpo dos dominados, Feldman argumenta que a cultura política da Irlanda do Norte é baseada na "comodificação do corpo" (1991: 8). Para ele, o instrumento político por excelência na Irlanda é o corpo, o qual é simultaneamente vítima e perpetrador da violência e por meio do qual não apenas as transformações sociais acontecem, como a história é visualizada (1991: 9). "A formação múltipla do corpo pela violência, pelas tecnologias políticas e pelo ritual jurídico convertem-no num texto inscrito e num agente de inscrição, num instrumento contaminado e contaminador, um 'fazendo' e um sendo 'feito'. Essa construção ambivalente do corpo e seu estabelecimento como uma forma política são contemporâneos da institucionalização da violência como um mecanismo que se perpetua por meio de trocas e de mimese" (1991: 144-5). Feldman argumenta que as narrativas orais remontam o corpo que foi fragmentado pela violência. Ao fazer isto, no entanto, as narrativas têm o mesmo efeito da violência política: testemunham a emergência da *agency* política (1991: 10-6). "Muitos dos textos transcritos neste livro podem ser entendidos como um projeto político-cultural da parte dos autores e de minha parte, de localizar a narrativa na violência ao localizar a violência por meio da narrativa" (1991: 14).

Analisando a reprodução da violência sectária na Irlanda do Norte, Feldman mostra não só como cada espaço e personagem político tornam-se implicados na violência e são então recriados na narração, mas também — em contradição direta com Girard — como as ações que supostamente combatem a violência, como o sacrifício (greve de fome, por exemplo), podem acabar tendo o efeito exatamente oposto, reproduzindo-a. Isso acontece porque na Irlanda do Norte a significação política é sempre obtida por meio da violência e do corpo. Nesse contexto, um ato sacrifical não pode quebrar o ciclo da violência recíproca ao ressimbolizá-lo, como teoriza Girard, mas acaba reforçando o mesmo simbolismo e perpetuando a violência. Pelo fato de a "produção recíproca e a troca dos objetos sacrificais" (1991: 264) não serem estranhos à cultura política, um ato de sacrifício é incapaz de estabelecer a diferença entre a violência ilegítima que mata e a violência legítima que cura. Ele apenas repete o mesmo significado e dessa forma se acrescenta à "circularidade da mimese violenta" (1991: 264). Ao salientar como a violência assimila aquilo que supostamente deveria estancá-la (sacrifício e narração), Feldman nos apresenta uma formação cultural destinada a repetir a si própria e sua violência política indefinidamente. Nesse cenário, não há possibilidade de mudança e ressignificação, já que tudo permanece dentro do ciclo de violência mimética.

As análises de Taussig e Feldman sobre o papel do simbolismo na reprodução da violência, assim como minha análise sobre os efeitos da fala do crime na reprodução do medo e da violência em São Paulo, indicam que os problemas de significação apresentados pela violência não são simplesmente uma questão de estabilizar distinções e tentar estabelecer a ordem. A fala do crime e o crescimento da violência na São Paulo atual indicam a existência de intricadas relações entre violência, significação e ordem, nas quais a narração tanto combate quanto reproduz a violência. De fato, *a fala do crime faz a violência proliferar ao combater e simbolicamente reorganizar o mundo*. A ordem simbólica engendrada na fala do crime não apenas discrimina alguns grupos, promove sua criminalização e os transforma em vítimas da violência, mas também faz o medo circular através da repetição de histórias e, sobretudo, ajuda a deslegitimar as instituições da ordem e a legitimar a privatização da justiça e o uso de meios de vingança violentos e ilegais. Se a fala do crime promove uma ressimbolização da violência, não o faz legitimando a violência legal para combater a violência ilegal, mas fazendo exatamente o contrário. Ao operar com oposições bem definidas e categorias essencializadas derivadas da polaridade bem *versus* mal, as narrativas sobre o crime ressignificam e organizam o mundo de uma maneira complexa e particular. Além disso, essa reorganização específica do mundo tanto tenta contrabalançar as rupturas causadas pela violência quanto medeia a violência, fazendo com que ela prolifere. Mais do que manter um sistema de distinções, as narrativas sobre o crime criam estereótipos e preconceitos, separam e reforçam desigualdades. Além disso, na medida em que a ordem categorial articulada na fala do crime é a ordem dominante de uma sociedade extremamente desigual, ela tampouco incorpora experiências dos grupos dominados (os pobres, os nordestinos, as mulheres etc.); ao contrário, ela normalmente os discrimina e criminaliza. Dessa forma, as experiências desses grupos precisam encontrar maneiras alternativas de expressão, as quais são frequentemente muito ambíguas, já que simultaneamente reafirmam e negam a ordem categorial. Finalmente, a fala do crime também está em desacordo com os valores de igualdade social, tolerância e respeito pelos direitos alheios. A fala do crime é produtiva, mas o que ela ajuda a produzir é segregação (social e espacial), abusos por parte das instituições da ordem, contestação dos direitos da cidadania e, especialmente, a própria violência. Se a fala do crime gera ordem, esta não é uma ordem democrática, igualitária e tolerante, mas exatamente o seu oposto. A democracia tem a ver com a abertura e indefinição de fronteiras (como argumento no capítulo 8), não com enclausuramentos, fronteiras rígidas e distinções dicotomizadas.

No universo do crime, as barreiras estão enraizadas não apenas nos discursos mas também materialmente nos muros da cidade, nas residências das pessoas de todas as classes sociais e nas tecnologias de segurança. Preconceitos e derrogações não apenas são verbais, mas se reproduzem em rituais de suspeita e investigação nas entradas de edifícios públicos e privados. À medida que os pensamentos e atos das pessoas são moldados pelo raciocínio categorizante da fala do crime, sua influência se espalha, afetando não apenas as interações sociais mas também as políticas públicas e o comportamento político. Assim, a ordem simbólica da fala do crime visível e materialmente faz a mediação da violência. Na São Paulo de hoje, o apoio a soluções privadas e violentas para o crime não apenas gera discursos, mas também alimenta o crescimento fenomenal da indústria de segurança privada (tanto legal como ilegal). Além disso, esse apoio gera indiferença em relação às ações ilegais de uma força policial que em 1992 matou 1.470 suspeitos de crimes em São Paulo. A nova Constituição, aprovada após o fim do regime militar, é descrita por muitos depreciativamente como "protetora de bandidos" porque estabelece regras para a detenção de suspeitos e limites para a busca e apreensão por parte da polícia. Muitos residentes da cidade consideram que as pessoas que defendem os direitos humanos dos presos advogam "privilégios de bandidos". Se o medo do crime e a expansão da violência são reais em São Paulo, e se o crime está fornecendo uma linguagem com a qual se pode falar e pensar sobre muitos outros processos de desestabilização, também é verdade que, com a ajuda da fala do crime, o que está sendo forjado é uma cidade muito mais segregada e uma sociedade muito mais desigual, na qual as noções de justiça e os direitos de cidadania são diretamente contestados, apesar do sistema político democrático.

Neste livro, analiso as complexas e multifacetadas equações que conectaram o crime, a violência e o medo com outros processos que têm transformado a sociedade brasileira nas duas últimas décadas. Na São Paulo dos anos 80 e 90, e especialmente na época em que fiz a maioria das entrevistas (1989-1990), o crime não era o único processo desestabilizador. Esse período da história brasileira foi marcado por uma série de processos de transformação e por uma considerável instabilidade. Esses vários processos, embora obviamente interligados e dialogando entre si, não tiveram significados coincidentes. Alguns foram restritivos e resultaram em perda e deterioração (inflação alta, crise econômica, desemprego e violência). Outros, no entanto, especialmente a democratização política, foram expansivos e geraram liberdade e respeito a direitos. Nesse contexto, o crime ofereceu não só uma linguagem para dar sentido a outros processos desestabilizantes, mas também, através de suas ordenações simbólicas peculiares, um campo no qual muitos cidadãos resistiram à democratização. Embora essa resistência tenha sido significativa em alguns momentos, e apesar da cidade de muros criada pelas estratégias de segurança ser basicamente antidemocrática, a resistência não impediu que a democracia criasse raízes ou que a cidadania se expandisse. No entanto, ela as desafiou e expôs alguns de seus limites e disjunções.

Em suma, neste livro concentro-me nos processos que fazem o medo circular e a violência proliferar, assim como naqueles que contrapõem-se ao medo e à violência. No entanto, como meu foco principal é o crime, o medo que ele provoca, o simbolismo que ele gera e as reações de proteção que ele promove, vou lidar principalmente com o que se poderia chamar de "o lado escuro da realidade social". Este lado não apenas se refere à violência, mas também reforça o autoritarismo e a segregação, estimula o preconceito e o racismo, e torna naturais as desigualdades sociais. Concentrar-se nesse universo e expor seu poder não significa desprezar a capacidade dos cidadãos de São Paulo de resistir à dominação ou desdenhar seus esforços para consolidar a democracia. Ao contrário, significa expor em toda a sua complexidade os processos que criam obstáculos à democratização e apresentam severos desafios para sua consolidação para além do sistema político. Para que possa criar raízes na sociedade brasileira, a democracia terá de enfrentar e neutralizar os processos de violência, discriminação e segregação que o universo do crime articula. A violência e o crime não existem isoladamente na sociedade brasileira, mas sim num tenso diálogo com a consolidação democrática.

Do progresso à crise econômica; do autoritarismo à democracia

Mais de uma geração de paulistanos cresceu acreditando que o destino de sua região metropolitana era ser "a locomotiva do país". Uma das mais fortes imagens da modernidade moldou suas mentes e sua cidade. A partir dos anos 50, o lema que acompanhou o intenso processo de industrialização e urbanização era: "São Paulo não pode parar!". Até muito recentemente, o progresso realmente pareceu ser o destino de São Paulo e do Brasil. No entanto, os anos 80 acabaram sendo "a década perdida": em vez de crescimento, houve uma recessão profunda. A inflação alta, associada a um fraco desempenho econômico e ao empobrecimento da população, reverteram o quadro. No início dos anos 90, a crença no progresso deu lugar ao pessimismo e à frustração, sentimentos expressos em discussões sobre o crime. Resumo brevemente aqui os principais processos de mudança que transformaram a sociedade brasileira e São Paulo ao longo dos últimos vinte anos. Minha intenção não é oferecer uma história completa, mas apenas destacar alguns dos principais eventos de modo a contextualizar a análise que apresentarei a seguir.

A noção de desenvolvimentismo serviu como pano de fundo às políticas públicas brasileiras desde os anos 50. Em poucas palavras, a ideia era promover, num período concentrado de tempo, uma industrialização baseada na substituição de importações e voltada para o mercado interno. Isso deveria ser alcançado a partir de uma política de atração do capital estrangeiro, incentivos estatais, e que atribuía ao Estado um papel econômico central. Embora alguns aspectos da política desenvolvimentista tenham sido postos em prática durante os governos de Getúlio Vargas (1930-45 e 1950-54), tornou-se emblemática sob a presidência de Juscelino Kubitschek, com seu "Plano de Metas" e o *slogan* dos "50 anos em 5". A criação de Brasília deveria simbolizar e ajudar a promover o salto que se esperava que o país desse do atraso à modernidade.[6]

A indústria metalúrgica baseada em São Paulo foi o centro da nova industrialização. Em 1907, a produção industrial do estado de São Paulo representava 16% da produção nacional; essa porcentagem cresceu para 31% em 1919, 38% em 1929, 49% em 1950 e 55% em 1960 (Brant 1989: 19). Em 1970, o estado de São Paulo contribuiu com 58,2% do valor nacional da indústria de transformação (Rolnik s.d.: 27). Embora muitas outras regiões tenham aumentado consideravelmente sua produção, e ainda que a crise econômica e o recente processo de desindustrialização tenham afetado consideravelmente sua posição, São Paulo ainda é o principal polo industrial do país.

Como era de se esperar, o crescimento industrial esteve associado a uma intensa urbanização. A população da região metropolitana de São Paulo cresceu a taxas em torno de 5,5% ao ano entre 1940 e 1970. Durante esse período, a migração interna foi responsável por 50% do crescimento demográfico: ela trouxe mais de 1 milhão de novos habitantes para a região nos anos 50 e 2 milhões nos anos 60 (Perillo 1993: 2). A construção civil e a transformação eram intensas e o governo local repetia o lema "São Paulo não pode parar!".[7]

Os militares, que fecharam à força todas as organizações políticas e de oposição, não interromperam o desenvolvimentismo: também eles queriam transformar o Brasil num país moderno. Sob o regime militar, o PIB alcançou taxas de 12% de crescimento anual no início dos anos 70. O progresso econômico era baseado no endividamento externo e na intervenção direta do Estado na economia. Essa intervenção foi responsável, entre outras coisas, pela criação de uma nova infraestrutura de estradas e telecomunicações, e pela expansão de instalações e serviços de consumo coletivos como um sistema nacional de saúde e seguridade social. No entanto, tudo foi feito sem a participação política das massas e sem distribuição da riqueza. Durante os "anos do milagre", os militares anunciaram que era preciso primeiro crescer para depois "dividir o bolo". Apesar da desigualdade persistente, o Brasil mudou rapidamente nos últimos sessenta anos e, não obstante a repressão política, a população passou a se orgulhar do seu país "miraculosamente" moderno.

Embora São Paulo apresente o exemplo mais expressivo de industrialização e urbanização, esta foi intensa em todo o país. A população urbana do Brasil, que em 1950 constituía 36% da população total, em 1980 representava mais de 50% (cerca de 80 milhões de pessoas). Metade dessa população urbana vivia em 30 centros urbanos de mais de 250 mil habitantes. Por volta de 1980, o Brasil possuía nove

---

[6] Sobre teorias econômicas nacional-desenvolvimentistas na América Latina, ver F. H. Cardoso (1980). Sobre a história da industrialização, ver Dean (1969) e Singer (1984). Para uma análise da criação de Brasília e seu simbolismo, ver Holston (1989); para análises do governo de Kubitschek e do desenvolvimentismo, ver Benevides (1976) e M. L. Cardoso (1978).

[7] No capítulo 6, apresento uma análise detalhada da urbanização e das recentes transformações de São Paulo.

regiões metropolitanas com mais de 1 milhão de habitantes, cuja população tinha crescido a uma taxa de 4,5% ao ano entre 1940 e 1970. Nessas regiões metropolitanas estão concentrados cerca de 30% da população brasileira, que, em 1996, alcançava 157 milhões, 78% na região urbana.[8]

A expansão econômica dos anos 70 e a consolidação de um "sistema de cidades" — isto é, um complexo padrão de divisão territorial do trabalho entre o campo e a cidade e entre as cidades (Faria 1991: 103) — estão associadas a mudanças complexas na estrutura produtiva.[9] Seu setor mais dinâmico tem sido a indústria de bens de consumo duráveis para o mercado interno, associada ao crescimento de bens de capital e intermediários. Apesar das crises cíclicas, esse setor mais dinâmico foi capaz, até o início dos anos 80, de criar um número considerável de novos empregos. Como resultado, um número crescente de trabalhadores foi incorporado ao mundo dos salários e contratos formais de trabalho. Ao mesmo tempo, constituiu-se um mercado nacional de trabalho e bens (Faria 1991: 104). O mesmo dinamismo econômico, no entanto, fomentou a expansão de um mercado de trabalho informal e mal pago (serviços domésticos e pessoais, indústria de construção marginal etc.) baseado no trabalho intensivo e na baixa produtividade, e na proliferação do subemprego. Finalmente, a expansão econômica dos anos 70 agravou uma distribuição da riqueza já desigual, pela qual, no fim dos anos 70, os 50% mais pobres da população recebiam apenas 14% da renda total. Resumindo o tipo de estrutura social urbana criado durante os anos 70, Faria (1991: 105) sustenta que ele era constituído por três grandes segmentos. O primeiro, formado por grupos ocupacionais de renda alta ou muito alta, numericamente reduzido mas com grande poder de compra e influência social e política numa sociedade que se tornou mais autoritária e elitista durante esse período. O segundo, contingentes significativos — colarinhos brancos e azuis — de pessoas incorporadas aos setores produtivos mais dinâmicos e modernos. Finalmente, uma massa de pobres subempregados.

O mercado nacional de consumo consolidado nesse tipo de sociedade nos anos 70 exibia importantes peculiaridades. O crescimento da indústria nacional estava baseado na expansão do mercado interno. Massas consideráveis da população foram integradas ao mercado de consumo a partir de uma vigorosa política de crédito que, como mostrou Wells (1976), permitiu às camadas baixas o acesso a alguns bens de consumo duráveis (como um televisor, por exemplo) e a roupas. Essa política permite entender a presença de televisores nas favelas e basicamente explica como foi possível expandir o mercado interno e ao mesmo tempo manter uma distribuição desigual da renda e salários muito baixos.

---

[8] Todos os dados demográficos são dos censos. Essas áreas metropolitanas são Belém, Fortaleza, Recife, Salvador, Belo Horizonte, Rio de Janeiro, São Paulo, Curitiba e Porto Alegre. São todas capitais. Há também algumas cidades que não são capitais e têm mais de 1 milhão de habitantes, tais como Santos e Campinas, no estado de São Paulo.

[9] Ver Faria (1983 e 1991) para análises do padrão de urbanização nos últimos cinquenta anos, da consolidação de um "sistema de cidades" nacional e de mudanças na estrutura de emprego.

Na verdade, a combinação de crescimento e desigualdade marcou os mais variados aspectos do desenvolvimento dos anos 70. Esse é o caso dos equipamentos e serviços de consumo coletivo. De acordo com Faria (1991: 107-8), os serviços de saúde, previdência social e educação básica se expandiram, mas ao custo de uma queda da qualidade dos serviços e de salários extremamente baixos pagos aos profissionais que os forneciam. Além disso, pelo fato de o controle exercido pela sociedade civil sobre esses serviços ser frágil, eles têm sido oferecidos de uma maneira distorcida (por exemplo, há falta de serviços médicos básicos ao lado de um alto investimento em sofisticadas tecnologias, corrupção na administração de fundos de previdência social etc.). Em áreas que exigem altos investimentos públicos, como habitação, transporte público e saneamento básico, os resultados foram ainda piores.

Em suma, dos anos 40 ao final dos anos 70, tanto o Brasil como a região metropolitana de São Paulo mudaram de forma dramática mas paradoxal: urbanização significativa, industrialização, sofisticação e expansão do mercado de consumo e complexificação da estrutura social foram acompanhados por autoritarismo, supressão da participação política da maioria da população, uma distribuição extremamente desigual da renda e uma constante tentativa de manter a hierarquia social e a dominação pessoal. Em outras palavras, o Brasil tornou-se um país moderno com base numa combinação paradoxal de rápido desenvolvimento capitalista, desigualdade crescente e falta de liberdade política e de respeito aos direitos dos cidadãos. São Paulo é a região que melhor representa a modernidade brasileira com todos os seus paradoxos. Com seus mais de 16 milhões de habitantes, indústrias e arranha-céus, escritórios *high-tech* e favelas, metrôs sofisticados e altas taxas de mortalidade infantil, comunicações via satélite e baixos níveis de alfabetização, a metrópole de São Paulo tornou-se um dos melhores símbolos de uma sociedade de consumo industrial pobre mas moderna, heterogênea e profundamente desigual.

Apesar dos seus desequilíbrios, o processo de industrialização e crescimento ajudou a sustentar muitas promessas: de progresso, mobilidade social e incorporação do Brasil ao mercado de consumo internacional e à modernidade. Quando o PIB estava crescendo a uma taxa de 10% ao ano, quando a renda per capita crescia a 6,1% ao ano, quando a maioria dos migrantes tornavam-se proprietários e construíam casas para suas famílias nas maiores cidades do país, quando essas casas eram decoradas com todo tipo de bens industrializados produzidos (sobretudo a televisão) e quando as crianças dessas famílias recebiam educação e serviços médicos (ainda que esses serviços fossem ruins), era possível acreditar que o Brasil realmente estava se tornando moderno, que o futuro seria melhor, que a nova geração seria mais afortunada e que a participação política e a diminuição da desigualdade viriam com o tempo.[10] Embora a elite continuasse a sentir-se pouco à

---

[10] Durante os anos 70, segundo Rocha, "a renda per capita expandiu-se 6,1% por ano, a taxa de analfabetismo caiu de 40% para 33%, e a população urbana aumentou de 55% para 68%. Embora as desigualdades de renda e regionais tenham claramente se intensificado nos anos 70, isso foi compensado pelo fato de que a maioria das pessoas, contudo, estava em melhor situação.

vontade com a incorporação das classes trabalhadoras ao mundo moderno, isso era aceitável enquanto seu próprio enriquecimento estivesse garantido.

A fé nas promessas de progresso e o padrão de crescimento mantiveram-se até a crise econômica de 1980, quando mudanças demográficas, políticas, econômicas e sociais começaram a transformar a sociedade brasileira. Elas combinaram para trazer um fim ao padrão de desenvolvimento, urbanização e crescimento que tinha sido consolidado nos anos anteriores. As mudanças demográficas que se tornaram claras nos anos 80 foram tão espetaculares que se costuma dizer que marcaram uma "transição demográfica" e mudaram o padrão demográfico brasileiro. Dos anos 40 aos anos 60, o Brasil experimentou um declínio nas taxas de mortalidade e taxas de fecundidade total constantemente altas (cerca de 6,0). Como resultado, a taxa média de crescimento da população também foi alta (cerca de 3,0% ao ano) e a distribuição etária da população era jovem. Nos anos 70, as taxas de fecundidade total começaram a declinar. Inicialmente, o processo limitou-se às áreas mais ricas e urbanizadas, mas nos anos 80 já se manifestava por todo o país. Como resultado, a taxa de fecundidade total caiu de 5,8, em 1970, para 4,3 em 1975 e 3,6 em 1984, isto é, um declínio acentuado de 37% em 15 anos. Estimativas para 1990 indicavam uma taxa de no máximo 2,9 filhos por mulher em idade fértil.[11] Vilmar Faria (1989) sugeriu uma hipótese instigante para explicar esse declínio acentuado num curto período de tempo e na ausência de qualquer política pública de controle populacional. Segundo ele, a mudança no comportamento reprodutivo foi um efeito inesperado de quatro políticas sociais governamentais que seguiram a urbanização e que criaram o sistema nacional de saúde, o sistema de previdência social, o sistema de telecomunicações que permitiu a difusão dos meios de comunicação de massa e o programa de crédito direto ao consumidor. A mudança foi possível, pelo menos em parte, por causa da crescente disponibilidade dos serviços médicos, que afetou especialmente as mulheres e sua percepção de seu corpo. O acesso a esses serviços legitimou e naturalizou intervenções nos corpos das mulheres e abriu caminho para a adoção generalizada de métodos anticoncepcionais. A essa transformação associaram-se outras mudanças significativas nas percepções e atitudes das mulheres, por exemplo sobre trabalho e educação, e uma completa reavaliação da importância de se ter famílias grandes. O caminho dessas mudanças de valores passa pela urbanização mas especialmente pela integração da maioria da população aos meios de comunicação de massa, que sempre divulgaram um modelo de família moderna que é o da família de classe média com poucos filhos e frequentemente com uma mulher que trabalha.[12]

Do ângulo da renda, a pobreza absoluta diminuiu drasticamente: estima-se que a proporção de pobres caiu de 53% em 1970 para 27% em 1980" (1996: 2).

[11] Os dados sobre taxas de fecundidade são da PNUD-IPEA (1996: 65-7). Para uma discussão dos tipos radicais de controle de natalidade adotados por mulheres brasileiras, ver o capítulo 9.

[12] Ver Hamburger (1998) para uma análise da televisão no Brasil pós-64 e especialmente sobre o papel das telenovelas.

Um dos resultados da queda nas taxas de fecundidade total é o declínio da taxa média anual de crescimento da população, que na primeira metade de 1990 foi de apenas 1,9%. Um segundo resultado é a mudança na pirâmide etária da população, que se tornou mais velha. Finalmente, um terceiro resultado é a mudança no padrão de urbanização. Durante os anos 80 e especialmente durante os anos 90, houve um importante declínio nas taxas de crescimento da população urbana. Isso fica especialmente claro nas nove maiores regiões metropolitanas, onde as taxas caíram de 4,5% ao ano no período 1940-1970, para 3,8% durante os anos 70 e 2% durante os anos 80. Depois de ter crescido apenas 1,16% durante os anos 80 e ter registrado uma significativa emigração pela primeira vez na história, São Paulo, a cidade que não podia parar, o paraíso dos migrantes, teve uma taxa de crescimento da população de apenas 0,4% entre 1991 e 1996.

Como é bastante sabido, os anos 80 também foram "a década perdida" para a crise econômica. O PIB caiu 5,5% e o salário mínimo real diminuiu 46% durante o período de 1980-1990 (Serra 1991). Entre 1940 e 1980, o PIB crescera 6,9% anualmente (4% no caso do PIB per capita). Entre 1980 e 1992, cresceu apenas 1,25% ao ano e a renda per capita caiu 7,6% (PNUD-IPEA 1996: 73). Um dos principais componentes da crise econômica foram as persistentes taxas elevadas de inflação (ver Tabela 1).

Tabela 1
Inflação anual (%)
Brasil, 1980-1998

Ano	Inflação	Ano	Inflação
1980	99,7	1990	1.585,2
1981	93,5	1991	475,1
1982	100,3	1992	1.149,1
1983	178,0	1993	2.489,1
1984	209,1	1994	929,3
1985	239,1	1995	21,9
1986	58,6	1996	9,1
1987	396,0	1997	4,3
1988	994,3	1998	2,5
1989	1.863,6		

Fonte: IBGE: INPC (Índice Nacional de Preços ao Consumidor).
Obs: Valores relativos à variação anual dos preços ao consumidor medidos em dezembro.

Os sucessivos planos para combater a inflação falharam até meados dos anos 90 — inclusive o famoso Plano Cruzado em 1986 e o Plano Collor em 1990. Além disso, eles tiveram fortes efeitos na vida dos cidadãos, que, como as pessoas que entrevistei e cujos depoimentos analiso no capítulo 2, sentiram que sua qualidade de vida se deteriorou continuamente durante o período. Além disso, a recessão econômica gerou desemprego e poucas oportunidades de recuperação. Durante a vigência de altas taxas de inflação, fica mais difícil prever o futuro e aumenta a sensação de insegurança das pessoas em relação à sua posição social. A decadência social passa a ser uma perspectiva mais realista do que as possibilidades de ascensão, ao contrário do que ocorrera desde os anos 50 até os 80.

De acordo com alguns analistas (por exemplo PNUD-IPEA 1996: 73-6), o fracasso das políticas econômicas nos anos 80 e 90 deve-se pelo menos em parte à sua incapacidade de promover as mudanças estruturais necessárias para dar início a um outro padrão de desenvolvimento. Eles reconhecem que o padrão anterior — baseado na substituição das importações, forte intervenção estatal na economia e endividamento externo — alcançou seu limite nos anos 80. A inflação só foi controlada depois de 1994, com o Plano Real, elaborado pelo então ministro da Fazenda Fernando Henrique Cardoso. Eleito presidente com base no sucesso do plano, Cardoso vem adotando uma série de políticas que estão transformando o padrão anterior de crescimento e o papel do estado. Elas incluem o agressivo programa de privatização de empresas públicas (incluindo telecomunicações, energia e petróleo), a tentativa de reforma do sistema de previdência social e a de controlar o déficit público. Cardoso foi reeleito em 1998, mas seu segundo mandato começou em meio a uma crise econômica associada ao endividamento público e desvalorização da moeda que trouxe de volta ao Brasil o FMI, e afetou substancialmente seu apoio junto à população. Uma análise definitiva sobre o rumo das mudanças na estrutura da produção ainda está por ser feita, mas os dados disponíveis para o estado de São Paulo indicam algumas importantes transformações.[13] Desde os anos 80, decresceu a participação de São Paulo no valor da transformação industrial. Ela era de 58,2% em 1970, caiu para 49,6% em 1984 e para 41% em 1991 (Rolnik s.d.: 27; e Leme e Biderman 1997). Os efeitos da crise econômica foram especialmente fortes na cidade de São Paulo e na maioria das áreas industrializadas da região metropolitana, exatamente aquelas que tinham passado por um *boom* durante o padrão de desenvolvimento anterior. O centro industrial do país fechou indústrias e começou a reestruturar sua economia durante os anos 80 e 90.

As consequências sociais da crise econômica foram devastadoras. Depois de uma década de inflação, desemprego e recessão, a pobreza adquiriu proporções alarmantes no começo dos anos 90.[14] Pesquisas recentes demonstram que os efeitos da crise foram especialmente duros para os pobres e agravaram a já desigual distribuição da renda.[15] Rocha (1991: 37) mostra que a proporção de pessoas pobres nas nove regiões metropolitanas acompanhou as oscilações da crise econômica: ela alcançou um pico durante a recessão de 1983 (38,2%) e atingiu sua taxa mais baixa durante o ano de recuperação de 1986 (22,8%). Para todo o país, em

[13] O último censo industrial no Brasil foi em 1985.

[14] De acordo com o Dieese-Seade, as taxas de desemprego estavam por volta dos 6% no final dos anos 80 e ao redor de 8,5% na primeira metade dos anos 90.

[15] Entre os estudos recentes sobre a pobreza e a distribuição de renda incluem-se: Barros e Mendonça (1992), Barros, Camargo e Mendonça (1996), Barros, Machado e Mendonça (1997), Barros, Mendonça e Duarte (1997), Leme e Biderman (1997), Lopes (1993), Lopes e Gottschalk (1990) e Rocha (1991, 1995 e 1996).

1990, a proporção de pobres era de 30% (Rocha 1996: 1).[16] Embora esse nível seja mais baixo que o de 1980 (34%), em comparação com o longo período de mobilidade social e diminuição da pobreza dos anos 70, ele esconde uma forte reversão de expectativas. Num contexto de crise e de inflação no qual esperanças de mobilidade foram se frustrando, a insatisfação se tornou generalizada, especialmente nas áreas metropolitanas, onde a proporção de pobres é maior do que nas pequenas cidades (ver Leme e Biderman 1997 para uma análise do estado de São Paulo). As entrevistas que analiso no capítulo 2 demonstram claramente essa reversão de expectativas.

Em 1995, o Brasil tinha um PIB de US$ 536 bilhões e uma renda per capita de US$ 3.370. Atualmente seu PIB está entre os dez maiores do mundo. Todavia, sua distribuição de renda é uma das piores. A proporção da renda apropriada pelos 20% mais ricos da população cresceu de 54% em 1960 para 62% em 1970, 63% em 1980 e 65% em 1990, enquanto a proporção correspondente aos 50% mais pobres caiu de 18% em 1960 para 15% em 1970, 14% em 1980 e 12% em 1990 (Barros, Mendonça e Duarte 1997). Estudos recentes mostraram que a maior concentração de renda ocorre no topo da distribuição, especialmente nos 1% mais ricos, enquanto a diferença entre os decis mais baixos não é acentuada e é comparável à de outros países latino-americanos. Na última década, de acordo com os resultados das PNADs,[17] a proporção da renda nas mãos dos 1% mais ricos da população cresceu de 13,0% em 1981 para 17,3% em 1989 e para 15,5% em 1993. Um estudo recente do PNUD (Programa das Nações Unidas para o Desenvolvimento) comparando 55 países mostrou que, medida pela razão entre a renda média per capita dos 10% mais ricos e dos 40% mais pobres da população, o Brasil tinha a pior situação de desigualdade. Enquanto na maioria desses países (incluindo todos os países desenvolvidos e todos os outros principais países da América Latina) a renda dos 10% mais ricos é em média dez vezes mais alta do que aquela dos 40% mais pobres, no Brasil ela é quase trinta vezes mais alta (PNUD-IPEA 1996: 17). A região metropolitana de São Paulo é uma das menos pobres e tem uma das melhores distribuições de renda do país. Em 1990, os pobres constituíam 17% da população do estado (a segunda proporção mais baixa do país; PNUD-IPEA 1996: 182). Todavia, o coeficiente de GINI cresceu de 0,516 em 1981 para 0,566 em 1989 e

[16] As linhas de pobreza variam de acordo com as cidades e regiões do país. Rocha apresenta sua metodologia para calculá-las em Rocha (1996). Ela calculou a linha de pobreza da região metropolitana de São Paulo em 1990 como sendo o equivalente a uma renda mensal per capita de US$ 43,29. Esse era o nível mais alto do país. Na região metropolitana de São Paulo, a proporção dos pobres era de 22,0% em 1981, 34,4% em 1983, 16,9% em 1986 e 20,9% em 1989 (Rocha 1991: 37). Esses dados indicam que os piores anos da recessão foram os de 1981 e 1983, o que é confirmado por Lopes e Gottschalk (1990: 104).

[17] PNAD refere-se à Pesquisa Nacional por Amostra de Domicílios, realizada pelo IBGE (Instituto Brasileiro de Geografia e Estatística). Todos os dados acima sobre distribuição de renda vêm das PNADs.

para 0,5748 em 1991 (Rocha 1991: 38; e Censo de 1991).[18] No estado de São Paulo, os 1% mais ricos detêm 13,8% da renda (Leme e Biderman 1997: 192).[19]

Alguns grupos, como mulheres e pessoas de cor, são mais adversamente afetados pela pobreza. Em 1996, as mulheres representavam 41,6% da população economicamente ativa, de acordo com o PNAD. Elas trabalhavam principalmente no setor de serviços (cerca de 70%) e sua renda média era somente 55,3% da dos homens. Embora as mulheres sejam ligeiramente mais instruídas que os homens, sua renda é sistematicamente mais baixa que a dos homens em todas as categorias ocupacionais e em todos os níveis educacionais (PNAD 96). Lopes (1993) mostra que os efeitos da crise econômica foram piores em domicílios chefiados por mulheres. Esse tipo de domicílio cresceu consideravelmente nos últimos anos: em 1960, 10,7% do número total de domicílios eram chefiados por mulheres; em 1989 esse número era de 20% (Goldani 1994: 309-10). Em 1989, 33% dos domicílios chefiados por mulheres estavam abaixo da linha de pobreza, em comparação com 23% do número total de domicílios (Goldani 1994: 320). A situação é especialmente grave no caso das mulheres negras. Domicílios chefiados por mulheres são mais comuns entre famílias negras do que entre famílias brancas (21% comparados com 14% em 1989). Além disso, no mesmo ano quase metade (49%) dos domicílios chefiados por mulheres negras estavam abaixo da linha de pobreza (Goldani 1994: 309, 320). Embora muitos ainda gostem de pensar no Brasil como uma "democracia racial", qualquer leitura de indicadores socioeconômicos mostra a situação desfavorável da população negra e indica o grau de discriminação de que é vítima. Em média, a renda das pessoas de cor está em torno de apenas 65% daquela da população branca (PNUD-IPEA 1996: 22).[20] Além disso, Lopes (1993) mostra que 68% dos domicílios urbanos abaixo da linha de indigência tem um negro ou um pardo à sua frente, enquanto domicílios negros ou pardos representam apenas 41% do número total de lares urbanos.

O outro processo importante de mudança dos anos 80 foi a democratização política. O final dos anos 70 e o início dos anos 80 foram marcados por uma expansão significativa dos direitos e da cidadania política. É importante relembrar

---

[18] O coeficiente de GINI é uma medida de distribuição de renda. Ele varia de 0 a 1. Seria zero se todas as pessoas tivessem a mesma renda e 1 se uma pessoa concentrasse toda a renda nacional. Em outras palavras, quanto maior o valor, maior o nível de desigualdade. Para o Brasil, o coeficiente de GINI era de 0,580 em 1985, 0,627 em 1989 e 0,6366 em 1991 (Rocha 1991: 38, e Censo de 1991).

[19] Como no resto do Brasil, no estado de São Paulo e na região metropolitana a renda é altamente concentrada no decil mais rico. Enquanto a diferença entre o primeiro e o segundo decis está por volta de 75%, e entre o segundo e terceiro é de cerca de 38%, a diferença entre o nono e o décimo decis é de 180% (Leme e Biderman 1997: 198).

[20] O Censo Brasileiro usa as seguintes categorias raciais: branca, preta, parda e amarela. Normalmente as análises de relações raciais consideram preto e pardo de forma agrupada, pois foi demonstrado que eles compartilham de condições sociais semelhantes. Em 1991, os brancos eram 55,3% da população, os pardos 39,3%, os negros 4,9% e os amarelos 0,5%.

alguns grandes marcos desse processo. Um deles foi a recriação do movimento sindical a partir do ABCD paulista, que gerou um novo tipo de liderança sindical e política que desempenhou um papel central no novo regime democrático. Outro marco foi a eclosão dos movimentos sociais de bairro nas periferias pobres urbanas, frequentemente apoiados pela Igreja Católica, e que garantiram legitimidade à noção de que os moradores desses bairros tinham o "direito de ter direitos". Os participantes desses movimentos eram os proprietários de casas autoconstruídas e que perceberam que a organização política era o único meio de forçar as autoridades da cidade a ampliar a infraestrutura urbana e os serviços para seus bairros. No começo dos anos oitenta, quando foi possível a reorganização de partidos políticos, representantes de movimentos sindicais e de movimentos sociais, junto com representantes dos movimentos de minorias (mulheres, negros, homossexuais etc.), que também se expandiram nesse período, fundaram o PT — Partido dos Trabalhadores —, provavelmente o primeiro partido político na história brasileira que não foi gerado ou comandado pela elite.

Em suma, enquanto a crise econômica se acentuava, havia esperança na transformação política. De fato, os movimentos sociais e a abertura política ampliaram de forma significativa os direitos políticos dos cidadãos. Por um tempo, o entusiasmo que essa expansão gerou foi partilhado por todas as classes sociais e sintetizado no desejo de que a ditadura militar terminasse. O movimento "Diretas Já!" capturou esse anseio. Todos conhecemos a história que se seguiu, marcada pela frustração de expectativas dada a decisão de se manter o voto indireto em 1984, pela dramática morte de Tancredo Neves, pelo Plano Cruzado de 1986, pelos trabalhos da Assembleia Nacional Constituinte, que envolveram grande participação dos cidadãos, e, finalmente, pela aprovação da nova constituição em 1988. Em 1989, quando os brasileiros finalmente puderam votar para presidente, o Brasil tinha 82 milhões de eleitores registrados. A sociedade e a comunidade política que eles representavam eram radicalmente diferentes daquelas representadas pelos 15 milhões de eleitores que em 1961 tinham participado da última eleição para presidente. Em 1989, a campanha eleitoral aconteceu principalmente na televisão — presente em quase 60% dos domicílios —, os dois candidatos que foram para o segundo turno eram ambos jovens (na casa dos 40 anos) e representavam o que poderia ser chamado de novo jeito de fazer política. Fernando Collor de Mello, eleito no segundo turno, era um neoconservador oriundo das oligarquias do Nordeste e versado na vida de Brasília. Seu adversário era o líder do PT, Luís Inácio Lula da Silva, um migrante do Nordeste que tinha sido metalúrgico na região do ABCD e se tornara seu mais importante líder sindical nos anos 70. O fato de ele ter vencido uma série de famosos políticos nacionais e ter participado do segundo turno atesta o quanto o país tinha mudado. Mas não mudara o suficiente.

Os brasileiros preferiram eleger o produto dos meios de comunicação das oligarquias conservadoras, acreditando que ele poderia trazer modernização e levar uma imagem "apropriada" do Brasil para as "nações adiantadas do mundo", como afirmou uma pessoa que entrevistei. No entanto, no contexto de crise que acabei de descrever, as esperanças de uma modernização fácil logo foram frustradas. Em março de 1990, era visível que a inflação estava fora de controle (ver Tabela 1). No dia seguinte à posse, Collor adotou o Plano Collor para tentar "matar a inflação com um único tiro". Como se sabe, esse plano congelou todas as contas bancárias com saldo acima de Cz$ 50 mil (cerca de US$ 1.250) por um ano e meio, literalmente deixando a economia sem nenhuma liquidez. Ao invés de derrotar a inflação, o Plano afetou imensamente o cotidiano e a vida das pessoas, como indicam todas as entrevistas que fiz após ele ter sido adotado. Junto com os efeitos da própria inflação, que desvalorizou totalmente as contas bancárias congeladas e foi acompanhada por uma queda nos salários reais, o Plano Collor serviu basicamente para acentuar e simbolizar um sentimento de deterioração da posição social mesmo entre as classes médias altas. As entrevistas mostram com muita clareza que o Plano Collor tornou-se um divisor simbólico crucial entre "antes e depois", "melhor e pior". As desilusões com o governo Collor culminaram em 1992 com as denúncias de corrupção que levaram ao seu *impeachmemt*.

Um outro processo que vem marcando profundamente a sociedade brasileira e especialmente suas regiões metropolitanas desde os anos 80 é o aumento do crime violento. Esse aumento obviamente acrescenta insegurança às já intensas ansiedades relacionadas à inflação, ao desemprego, e a uma transformação política que vinha afetando as configurações tradicionais de poder e expandindo os direitos de cidadania. Discussões sobre o medo do crime revelam a angústia que se gera quando as relações sociais não mais podem ser decodificadas e controladas de acordo com antigos critérios. Embora haja certamente muitos aspectos positivos na desintegração de velhas relações de autoridade e poder no Brasil, fica claro que muitos grupos sociais reagiram negativamente à ampliação da arena política e à expansão dos direitos. Esses grupos encontraram no problema do crime uma forma de articular sua oposição. O universo do crime — incluindo a fala do crime e o medo, mas também o crescimento da violência, o fracasso das instituições da ordem, especialmente a polícia e o sistema judiciário, a privatização da segurança e da justiça e o contínuo cercamento e segregação das cidades — revela de uma forma sintética e marcante o caráter disjuntivo da democracia brasileira. James Holston e eu (1998) desenvolvemos o conceito de democracia disjuntiva para dar conta dos processos contraditórios que marcam a sociedade brasileira e indicar a esfera na qual a expansão dos direitos é mais problemática.[21] Uma das principais contradições que marcam o Brasil contemporâneo é a que existe entre expansão da cidadania política e deslegitimação da cidadania civil. De um lado, houve uma expansão real da cidadania política, expressa nas eleições livres e regulares, livre organização de partidos, nova liderança política e funcionamento regular do legislativo em todos os níveis, associados à liberdade de expressão e fim da censura aos meios de comunicação. De outro, no entanto, há o universo do crime e um dos mais intrigantes fatos da consolidação democrática brasileira: o de que a violência, tanto civil quanto

---

[21] O conceito de democracia disjuntiva não se aplica apenas à sociedade brasileira, mas aponta para processos contraditórios de desenvolvimento que podem ocorrer em qualquer democracia (ver Holston e Caldeira 1998). No entanto, disjunções muito claras parecem caracterizar especialmente países que passaram recentemente por transições democráticas (Holston, no prelo).

de aparatos do Estado, aumentou consideravelmente desde o fim do regime militar. Esse aumento no crime e na violência está associado à falência do sistema judiciário, à privatização da justiça, aos abusos da polícia, à fortificação das cidades e à destruição dos espaços públicos. Em outras palavras, no Brasil, a democracia política não trouxe consigo o respeito pelos direitos, pela justiça e pela vida humana, mas, sim, exatamente os seus opostos. Nesse contexto, o crime não só expressa e articula outros processos negativos de mudança, mas também representa os limites e desafios da democratização brasileira. Na verdade, o universo do crime indica o caráter disjuntivo da democracia brasileira de duas maneiras: em primeiro lugar, porque o crescimento da violência em si deteriora os direitos dos cidadãos; e em segundo, porque ele oferece um campo no qual as reações à violência tornam-se não apenas violentas e desrespeitadoras dos direitos, mas ajudam a deteriorar o espaço público, a segregar grupos sociais e a desestabilizar o estado de direito.

Neste livro, analiso especialmente aqueles aspectos da sociedade brasileira em que a democracia deitou raízes de forma apenas relutante, ou nas quais simplesmente não se enraizou. Analiso a violência e as várias dimensões da deslegitimação da justiça e dos direitos civis. Essa é a esfera na qual a democratização é desafiada e na qual a resistência às transformações que poderiam levar a uma sociedade mais igualitária estão articuladas de forma explícita. Pelo fato de estar insistindo no caráter disjuntivo da sociedade brasileira, nunca pressuponho que os sombrios processos sociais que analiso constituem a marca principal ou a única marca da sociedade brasileira, ou mesmo a única tentativa de criação de ordem. No entanto, argumento que o universo da violência e do crime, incluindo a falência do sistema judiciário, o desrespeito aos direitos individuais, os abusos por parte das instituições da ordem, preconceitos e intolerância contrapõem-se às tendências democráticas e ajudam a sustentar uma das sociedades mais desiguais do mundo.

2.
A CRISE, OS CRIMINOSOS E O MAL

A fala do crime estende sua lógica particular a inúmeros temas. Discussões sobre crime quase sempre levam a reflexões sobre a situação do país. Crise econômica, inflação e desemprego foram repetidamente associados à violência por pessoas que estavam perdendo a esperança de mobilidade social. Elas falaram sobre seus problemas e experiências de decadência e violência, mas também discutiram a situação do país e expressaram seu diagnóstico de que o projeto de modernidade que tinha prevalecido até então estava simplesmente chegando ao fim. Antes de discussões sobre a exaustão do modelo nacional-desenvolvimentista, o fim da fase fordista do capitalismo, a reestruturação industrial, políticas neoliberais e a nova ordem internacional tornarem-se temas de debate público no Brasil para além de um círculo acadêmico muito restrito, era nítida a percepção do fim de uma era entre as pessoas que entrevistei entre 1989 e 1991.

Visões sobre a natureza do contexto socioeconômico no qual a violência cresce e sobre o futuro do país foram expressas de maneiras semelhantes por entrevistados de diferentes grupos sociais. Entretanto, as experiências de violência tendem a ser específicas em cada classe. Embora todos os grupos sociais sejam vítimas do crime, elas são vítimas de diferentes tipos de delitos, sendo as classes trabalhadoras as mais vitimizadas pelos crimes violentos. É óbvio que essas diferentes experiências marcam a percepção que cada classe tem do crime. No entanto, paulistanos de diferentes grupos sociais — pelo menos aqueles que entrevistei — compartilham algumas concepções sobre o crime e o mal. Eles parecem achar que os espaços do crime são espaços marginais, como as favelas e cortiços, e que seus habitantes, criminosos em potencial, são pessoas que estão no limite da sociedade, da humanidade e da comunidade política. Eles ainda veem o crime como algo associado ao mal, que se espalha e contamina facilmente, e que requer instituições fortes e autoridades para controlá-lo. Este controle é visto como uma tarefa da cultura contra as forças da natureza.

A seguir, analiso as explicações para o crime, que na verdade são diagnósticos sobre as transformações do país, e as opiniões sobre o crime e sobre os criminosos que obtive nas entrevistas com moradores de diferentes grupos sociais de São Paulo. Esta análise aborda apenas uma parte dos temas das entrevistas: aqueles relevantes para entender as interligações entre crime violento, segregação urbana e cidadania na São Paulo de hoje. Minha atenção volta-se sobretudo às tensões, ambiguidades e contradições que emergem no discurso das pessoas como um resultado de duas situações distintas. Primeiro, quando declarações genéricas inspiradas pelas categorizações derivadas da oposição entre o bem e o mal devem coexistir com explicações mais detalhadas que lidam com experiências do dia a dia que são nuançadas e ambíguas. Segundo, quando as pessoas têm de lidar com estereótipos que discriminam a si mesmas e ao invés de questionarem os estereótipos, tentam afastá-los de si mesmas e associá-los a outras pessoas próximas, geralmente vizinhos. Ao interpretar as entrevistas, tentei entender o que cada pessoa me disse. Entretanto, o que apresento aqui não são opiniões individuais, mas sim um resumo que obtive ao justapor todas as entrevistas.[1] Na minha narrativa, uso citações das entrevistas de duas maneiras. Primeiro, como exemplos, quando uma citação representa várias outras parecidas, sintetizando comentários e imagens encontrados de maneiras mais fragmentadas em todo o material. Segundo, particularmente, quando analiso casos específicos que considero ser especialmente ou até excepcionalmente reveladores a respeito de uma certa articulação. Não é preciso dizer que o essencial ao se empreender uma análise qualitativa é capturar parte da riqueza de significados embutida nas práticas sociais e que desafiam grandes categorizações e descrições. Utilizo outras metodologias a fim de entender outras dimensões do universo do crime.

Limites à modernização

Em 1989-1991, quando fiz as entrevistas, os moradores de São Paulo ainda pensavam em sua cidade e em seu país nos termos da ideologia de progresso que havia sido forjada nas décadas anteriores. Entretanto, no auge da inflação e recessão econômica, o sonho de progresso ininterrupto era apenas uma lembrança das possibilidades perdidas: o "país do futuro" parecia estar perdendo o trem da história.

---

[1] As entrevistas transcritas geraram milhares de páginas, difíceis de manejar e de tornar inteligíveis. Desenvolvi a seguinte técnica para analisar o material: primeiro, no dia de cada entrevista, descrevia detalhadamente a situação em que ela se dera. Tratava-se de uma interpretação preliminar, lidando tanto com os elementos não verbais da interação quanto com algumas das minhas reações aos temas discutidos. Esses exercícios eram importantes não apenas para entender a entrevista como também para gerar questões para entrevistas futuras. Segundo, cada entrevista era transcrita de maneira literal. Terceiro, depois que terminei todas as entrevistas e tinha uma ideia do material como um todo, revi cada entrevista e escrevi uma análise da estrutura da narrativa e das opiniões dos entrevistados sobre temas diferentes. Esse tipo de análise é semelhante àquela apresentada no capítulo 1. A intenção era gravar em minha mente a individualidade de cada narrativa e suas articulações antes de começar a pensar em termos de comparações, justaposições e talvez generalizações. De fato, lidar com material qualitativo é concentrar-se na riqueza dos detalhes. Quarto, gerei uma lista de temas que pareciam centrais e recorrentes. Esses temas expressavam associações de questões (por exemplo: mal *versus* autoridade, em vez de mal e autoridade em separado). Quinto, voltei ao arquivo eletrônico de cada entrevista e introduzi marcas de índice correspondentes aos temas que tinha identificado. Sexto, produzi um índice para cada entrevista. Sétimo, produzi um índice geral de índices. Esses dois tipos de índices guiaram-me através do processo de escrita e me permitiram navegar com certa confiança pelas entrevistas. A primeira versão da análise continha todas as citações pertinentes a cada tema analisado. Era praticamente ilegível, por causa do tamanho, da quantidade de repetições e da atenção aos detalhes. Esta é a terceira versão, na qual tento estabelecer um compromisso entre as exigências de legibilidade e referência ao material.

Se antes houvera progresso, agora era o retrocesso que marcava a realidade. As entrevistas revelam uma inversão de expectativas e as frustrações e a ansiedade que a acompanham. Elas indicam como as pessoas tentavam lidar com as mudanças negativas que afetavam sua vida e que lhes pareciam permanentes. Essas discussões sobre a crise econômica, o declínio social que ela produziu e a inversão de expectativas contextualizam o crescimento do crime sentido por todos.

Do trabalhador desempregado da periferia ao homem de negócios do Morumbi, a maioria das pessoas entrevistadas viveu o fim dos anos 80 e o começo dos 90 com pessimismo, incerteza e desilusão. Muitos não conseguiam lembrar um outro momento da história recente em que as coisas tenham estado tão ruins, nem mesmo nos anos da ditadura, que as pessoas viam como tempos de repressão política mas com prosperidade econômica. Uns poucos, geralmente de classes mais altas, conseguiram manter sua crença no progresso e seu otimismo ao ver as possibilidades de uma nova ordem internacional. A maioria, entretanto, só achava fundamento para descrença. Acima de tudo, estava a realidade palpável da inflação alta e do desemprego, provocando fortes sentimentos de incerteza, perplexidade e desorientação em pessoas de todos os grupos sociais.

2.1

— Inflação é isso: você compra hoje e amanhã não sabe se dá para comprar. Você come hoje e amanhã não sabe se come. Quem perde? Sempre o povo, o pobre. Infelizmente é a parte que pôs os homens lá. Quem perde mais geralmente é o povo, é a massa. Eles perdem.

Vendedor desempregado, 32 anos, solteiro; mora com uma irmã casada na Mooca.

2.2

— A inflação e essa desorganização que houve no sistema fez com que se perdessem as referências, então nós não temos mais referência; o que é melhor, pagar bem um funcionário ou dar uma cesta básica, ou dar uma segurança, ou dar um serviço hospitalar pro funcionário? Então, nós perdemos a referência... Eu acho que um dos motivos que provocam essa criminalidade crescente é essa inflação que é desumana, que atinge muito a classe de renda menor... O Plano tirou o poder de compra do comprador. O Plano Collor — eu votei no Collor —, o Plano Collor veio pra diminuir o empobrecimento, pra tirar do rico e pôr... eu acho que aconteceu o contrário, até agora tem sido o contrário, o pobre tá mais pobre e o rico tá mais rico... A hiperinflação corrói completamente os conceitos de moralidade, de tudo que você possa ter, mudam seus conceitos... Então, eu acho que na hiperinflação todos perdem tudo, ninguém ganha nada... A inflação faz com que você perca os teus conceitos. (...) Então, sem querer, sem querer, não, a inflação faz com que você pague muito pouco pro teu empregado, e a inflação, ela traz o dinheiro pro rico, ela concentra renda, então eu acho imoral, é como roubo; roubo pra mim é imoral.

Empresário do ramo imobiliário, cerca de 40 anos, mora com a mulher e três filhos no Morumbi.

Era comum a opinião de que os remédios para lidar com a inflação alta haviam sido consistentemente ineficazes, culminando com o Plano Collor. Esse plano afetou todo mundo, e os entrevistados concordaram que, apesar de suas intenções, o plano acentuou a desigualdade social e tornou a distribuição da renda ainda mais injusta.

2.3

— Olha, por incrível que pareça, na época, pode ter sido até uma ilusão, o milagre brasileiro no tempo do Delfim Neto, mas naquela época a inflação não subia com esta aceleração. Eu acho que era uma inflação mais estável. Eu acho que aquela época era uma época melhor. (...) Eu acho que a geração de 50 anos de idade, que pegou o Plano Collor, é uma geração que economicamente acabou. Não tem mais chance. Porque o pessoal que tinha dinheiro pra viajar, ou que poupou pra comprar um apartamento para os filhos, ou que poupou até para a casa própria, ficou com o dinheiro preso. E muito dificilmente vai se recuperar, foi um golpe muito grande mesmo (...) Hoje a expansão da riqueza no país aumentou, embora a distribuição seja péssima. Agora, o que eu acho que aumentou muito mais é o número de pobres. Porque rico tem poucos filhos, quem tem filho aí que nem cobaia é pobre. Então, eu acho que a pobreza aumentou muito mais que a riqueza. Porque ganhar dinheiro não é fácil. Principalmente honestamente, não é nada fácil. Mas aumentou porque o país cresceu economicamente, dizem que é a oitava economia do mundo. Só que a distribuição de renda é pior que nos países da África. Do que o Senegal... que eu andei lendo por aí. Dizem que é uma vergonha. É incrível!

Corretora imobiliária, 56 anos, divorciada; começou a trabalhar em 1990; mora com uma filha no Alto de Pinheiros.

O Plano Collor foi considerado devastador principalmente para as classes médias, cujas poupanças foram totalmente desvalorizadas ao ficarem congeladas em contas bancárias por 18 meses enquanto a inflação subia. Entretanto, até pessoas da classe trabalhadora que achavam que o plano teve virtudes, já que afetara os ricos pela primeira vez, reconheceram que seu poder aquisitivo diminuiu depois da implantação do plano. Além disso, as entrevistas de pessoas da classe trabalhadora estavam cheias de comentários sobre o crescimento do desemprego e a situação desesperada das famílias cujos membros perderam seus empregos. O maior motivo de frustração relacionava-se ao governo e aos políticos. A maioria dos entrevistados achava que o governo tinha traído as expectativas do povo, enganando-o com promessas não cumpridas, adotando políticas que contrariavam o que tinha sido dito em campanhas eleitorais, e resguardando os interesses de uma minoria de ricos e poderosos. Eles achavam que os políticos tinham sido ineficazes ao tratar dos problemas do país. Algumas pessoas achavam que não havia mais uma liderança de fato e que o governo era tão instável e volátil como a inflação. Nesse contexto, alguns voltavam suas esperanças, ainda que confusamente, para a ideia de um governo forte, "constante, durável", como um deles disse (2.5).

2.4

— O Brasil está um caos. Porque nós estamos vivendo de várias mentiras, e uma das maiores é a inflação. (...) O Brasil precisaria, por exemplo, de um presidente que pudesse ter braço de ferro, democraticamente, e poder ser reeleito, e poder ser reeleito, até endireitar.

Contador, 63 anos, mora com a mulher e o filho na Mooca.

É velha no Brasil a ideia de que um bom presidente, principalmente um que trabalhe pelos pobres, tem de ser forte. Essa imagem tem sido associada a Getúlio Vargas, especialmente por membros da classe operária. Muitos trabalhadores desculpam o autoritarismo de Vargas com base no argumento de que ele tinha de ser forte para controlar os poderosos — os tubarões — e que ele foi o primeiro a governar de fato em favor dos trabalhadores ao criar a legislação trabalhista.[2] Algumas vezes, os governantes do regime militar e seus ministros foram mencionados em associação a um período em que as coisas eram melhores — como no caso de Delfim Neto, que é defendido por uma simpatizante do PT na citação 2.3. Dada a grave situação econômica do começo dos anos 90, associada ao primeiro presidente eleito diretamente, para muitos o regime militar não parecia tão ruim.

A atração por uma autoridade forte e perpétua personifica uma ameaça à ordem democrática — uma ordem que até mesmo as pessoas que buscam um "braço de ferro" pareciam estar ambiguamente tentando preservar. O que essa ambiguidade revela é mais uma preocupação em resolver um problema imediato (às vezes adotando a solução mais comum — neste século, o autoritarismo tem sido mais a norma do que uma exceção no Brasil) do que em analisar as consequências da solução a longo prazo. Mas também revela a relação ambígua que se mantêm com o regime democrático. O desencanto com os líderes e suas promessas não cumpridas combina-se a frustrações relacionadas ao progresso do país e sua modernização ameaçada. Apesar de a crença no progresso ter sido basicamente incontestada até há pouco tempo, vários entrevistados expressaram a ideia de que o progresso é uma ilusão e não uma promessa, e consideraram que o país nunca foi capaz de viver de acordo com suas expectativas e nunca seria. Um jovem morador da Mooca expressou seu ceticismo de maneira especialmente convincente.

2.5

— Eu não consigo ver como o nosso país vai conseguir se unir ao resto do mundo. Você não saca. Está superindefinido. Eu acho que a situação é otimista em certo ponto, porque eu reconheço que nós somos uma história nova (...) A nossa tristeza, vamos dizer assim, é que a gente está vendo ali na tela do cinema os países prosperando e a gente quer se igualar a eles. A gente encurta a ponte. Tá achando que a gente está no mesmo patamar, mas não, é uma ilusão. Aquilo é uma tela, aquilo está num tempo muito na frente e a gente tem que trabalhar muito para fazer isto aqui um país.[3] (...) É preciso haver um segunda... uma verdadeira independência do Brasil. (...) Eu acho que o Brasil nunca esteve numa época adequada, porque justamente o Brasil nunca foi independente. Ele nunca se assumiu, nunca pôde se assumir como um país independente, e isso já dá uma certa insegurança. (...) O Brasil nunca teve uma época

---

[2] Para uma discussão sobre o que os membros das camadas trabalhadoras pensam de Vargas e de seu governo, e especialmente do Estado corporativista, ver Caldeira (1984: cap. 4).

[3] Esse tema teve muitas outras expressões na época. Por exemplo, numa famosa canção do final dos anos 80, Caetano Veloso pergunta: "Quando é que em vez de rico ou polícia ou mendigo ou pivete serei cidadão, e quem vai equacionar as pressões do PT, da UDR e fazer dessa vergonha uma nação?" (*Vamo Comer*, de Caetano Veloso e Tony Costa).

boa, se teve foi uma ilusão, mas passou. Talvez a era Vargas criou uma ilusão assim (...) Hoje eu escuto muito senhores falando da era Vargas e tal. Mas isso foi um período de cheia, porque o poder deles é limitado, por mais grande que seja, é por um momento. O que a gente precisa é de um poder constante, durável. Não adianta chegar um poderoso e fazer uma coisa maravilhosa no país e de repente (...) é a mesma coisa que construir um castelo na areia. Construir um maravilhoso castelo em cima de areia movediça, mole, de água. Isto é simplesmente ilusão. Se alguém me dizer que houve períodos melhores eu vou dizer que realmente houve, mas foi só o tempo de fotografar aquele castelo, porque logo veio a água e "tchuf". E se é para ter um castelo por um segundo, eu acho melhor nem ter. Tem muitas pessoas que falam desta época, eu concordo, mas compreendo a ilusão que o cara viveu, eu não vivi, eu só vi esta fotografia.

Desempregado formado em comunicações com especialização em rádio, 23 anos; mora com os pais na Mooca.

Certamente é muito comum em situações pós-coloniais e em países em desenvolvimento pensar em progresso em termos de um modelo exterior de modernidade em relação ao qual a realidade local é uma versão imperfeita, incompleta, subdesenvolvida ou, no mínimo, especial. Nesse sentido, ansiedades a respeito de cópia, identidade, independência e modernidade são inerentes ao projeto da nação e seu desenvolvimento. Consequentemente, elas estão difundidas, não apenas entre os cidadãos, mas nas teorias de ciências sociais e políticas públicas.[4] Mesmo no auge da crença no progresso e em mobilidade social, no período de 1950-1980, a distância entre o ideal de desenvolvimento e a realidade brasileira oferecia um pano de fundo para discussões sobre o futuro. Uma das fórmulas para se lidar com essa distância tem sido a famosa frase "o Brasil é o país do futuro". Entretanto, os brasileiros sempre trataram essa observação com uma dose de ironia. Isso é expresso, por exemplo, por uma piada que muitos entrevistados me lembraram e que tem sido contada no Brasil há várias gerações. De acordo com a piada, houve um tempo em que o país estava à beira de um abismo, mas finalmente fez algum progresso e deu um passo à frente... Há várias outras imagens estereotipadas sobre as potencialidades do país repetidas com uma ponta de cinismo.[5] Apesar da ambiguidade produzida pelo fato de simultaneamente se afirmar e negar a possibilidade de progresso ser

---

[4] Essa tensão entre um ideal moderno e a realidade retrógrada da nação vem à tona nos mais diferentes modelos inventados pelas ciências sociais brasileiras para conceber a realidade brasileira. Ela está presente nas discussões raciais do final do século XIX sobre "branqueamento da população" (cf. Skidmore 1974) e nos debates sobre o relacionamento entre liberalismo e escravidão (cf. a famosa discussão sobre as "ideias fora do lugar" de Schwarz (1977). Ela também está obviamente presente nas discussões sobre o desenvolvimentismo nacional e a necessidade de pular etapas de desenvolvimento e acelerar a industrialização (cf. Furtado 1969 e a discussão sobre a "originalidade da cópia", de F. H. Cardoso 1980), e sobre a teoria da dependência (Cardoso, F. H. e Faletto 1967). O modelo antropológico mais famoso articulando a tensão entre as especificidades locais e a modernidade completa é o de DaMatta (ver especialmente 1991).

[5] Algumas dessas imagens são tão velhas como o próprio país. Elas ecoam a famosa frase "uma terra onde, em se plantando, tudo dá", usada em 1500 pelo escrivão Pero Vaz de Caminha para descrever a nova terra para o rei de Portugal.

comum, ela parece ter ficado mais profunda recentemente, à medida que as pessoas se deram conta de que o desenvolvimento de fato nunca coincidiu com suas promessas. Por um lado, há a ideia de ilusão, belamente comentada na citação 2.5:[6] os modelos de desenvolvimento na tela de cinema e os alegados períodos de crescimento brasileiro capturados em velhas fotografias imaginárias são como castelos de areia, ilusórios e impermanentes. Por outro lado, as piadas estão dando lugar a um claro pessimismo e às vezes até mesmo ao desespero.

2.6

– O Brasil está cada vez... cada vez assim... não digo menos viável, mas é um país que não está dando muita projeção de um bom futuro para o povo brasileiro. A gente está preocupado. Eu como jovem fico preocupado porque eu não sou jovem alienado. Eu estou achando que esse novo governo que vai entrar vai enfrentar sérias dificuldades, porque nós somos um país do Terceiro Mundo, nós somos um país que... culturalmente é um país do Terceiro Mundo, nós temos uma dívida externa muito grande, nós temos uma qualidade de vida, de saúde, ruim, de alimentação ruim. Nós temos problema a nível de... até de... problemas gerais, sabe, de posicionamento perante o mundo desenvolvido. É um país que, tudo bem, é rico, é um país que tem muita terra, tem muito futuro, dizem que vai ser o celeiro do mundo. Mas meu pai já falava isso, meu avô já falava isso, e eu estou vendo que o tempo vai passando e as coisas vão ficando iguais e cada vez piores. Nunca se teve tanta miséria no Brasil, acho, como agora.

Funcionário público do médio escalão, 32 anos, solteiro, nível universitário, mora com os pais na Mooca.

As ansiedades originadas na condição colonial ainda balizam algumas reflexões sobre o futuro do país, levando à repetição da questão: "Qual será o lugar do Brasil na ordem internacional?". Na medida em que o desenvolvimentismo mostrava sinais de exaustão, algumas pessoas expressaram seu pessimismo. Mas também havia alguns otimistas, pessoas entusiasmadas com os primeiros movimentos do governo Collor redefinindo a relação do Brasil com a ordem internacional e adotando políticas neoliberais que contradiziam o antigo modelo baseado em substituição de importações, protecionismo, subsídio estatal e fechamento do mercado nacional.

2.7

– Eu acho que a coisa está caminhando para uma internacionalização. Eu acho que o Estado nacional está sendo ultrapassado, está tudo muito interligado, uma nação não vive sozinha. Quer dizer, aquele espírito: "vamos fechar as fronteiras e fomentar o mercado interno", esse negócio não existe mais. A velocidade do conhecimento está muito grande e é uma velocidade que se dá por uma sinergia que existe, uma relação sinérgica entre as nações; se fechar, vai ficar para trás...

---

[6] Ilusão é também uma boa metáfora para o que acontece sob a inflação e para a ciranda financeira que a acompanha: as pessoas pensam que ganharam dinheiro com a especulação financeira, mas é apenas uma ilusão, pois o poder de compra desaparece; as pessoas pensam que o salário aumentou, quando ele apenas acompanhou a inflação.

Eu não acho que o Brasil perdeu o bonde da história. Eu acho, sim, que nós perdemos dez anos, infelizmente, esse troço todo, mas eu acho que dá para recuperar. Eu sou um cara otimista. Eu não compartilho de pessimismo, sou um cara otimista, eu vibro muito com tudo isso que está acontecendo, a nível político, essas mudanças todas (...) Acho que nós tamos num processo correto. Nesse ponto até, o Collor, não votei nele, votei no Lula no segundo turno; quase me mataram no meu meio empresarial, esse troço todo, quase me jogaram pela janela, mas eu votei nele mais porque eu achava que o Lula trazia uma ameaça menor ao sistema democrático do que o Collor.

Diretor geral e coproprietário de uma indústria química, Morumbi, 37 anos, dois filhos; a mulher é dona de casa.

2.8

— Olha, eu acho que não é fácil, mas acho que é um primeiro passo para a gente partir para uma coisa nova. Nós não podíamos mais continuar no mundo atual sendo uma coisa que não tinha mais nada a ver, precisava realmente uma sacudida (...) Eu acho que toda essa mentalidade nova tem que ser introduzida no país. Nós não podemos mais ficar tão fora do mundo. E não sei como, mas quem sabe a gente vai conseguir. Me dá a sensação às vezes que nós estamos começando a melhorar (...) Eu acho que já se conversa num nível um pouco mais internacional, uma coisa assim um pouco mais ampla. Acho que já se vislumbra que não pode ser como era (...) Não é fácil. A nossa mentalidade é muito..., eu não sei, eu acho que um pouco primitiva até, né? Essa falta de noção que nós temos de economia, essa coisa de não saber consumir adequadamente. Enquanto a gente não entender — a gente que eu estou falando é nós todos, o povo —, não entendermos que a gente tem que poupar, que a gente tem que consumir adequadamente, tudo vai ser difícil. Eu acho que pior é o consumo do pessoal mais miúdo, pessoal que não tem noção nenhuma de nada... Enquanto não mudar essa mentalidade, eu acho muito difícil.

[Mais tarde ela argumentou que São Paulo é um lugar especial. Explicou que se uma pessoa viaja no interior do estado de São Paulo, realmente fica surpresa com seu desenvolvimento. Durante os primeiros dias que se seguiram ao Plano, "quando era aquela miséria nacional", ela teve de voar para Minas. Olhando para baixo do avião, pensando que ninguém tinha dinheiro naquela época, mas vendo toda a terra cultivada, "essa coisa fantástica", ela pensou:]

Puxa! o Brasil é um fenômeno, não pode afundar. Eu acho que é uma diferença grande para o resto do Brasil. (...) O pessoal aqui em São Paulo, o pessoal trabalha, o pessoal não se deixa... o pessoal está trabalhando e está tocando a sua vida. Isso aí não tem como parar, eu acho. Essa parte do país eu acho que não tem o que faça parar. O pessoal quer trabalhar. Enquanto nós não nos desligarmos dessa mentalidade de governo protetor, isso aí não tem jeito. Tudo o governo, o governo que tem que dar, o governo que tem que fazer, o governo... Isso aí... isso aí é um desastre. O que a gente precisa é livre iniciativa, é trabalhar, tocar a vida pra frente.

Dona de casa, 52 anos, Morumbi, dois filhos; o marido é executivo de uma multinacional.

As poucas pessoas que estavam otimistas a respeito do país em 1990-1991 eram das classes mais altas. Elas viam uma nova fórmula de progresso, de incorporação ao sistema mundial e à modernidade (que Collor representava), e que talvez pudesse deixar para trás o lado atrasado do país (os pobres, o Nordeste), fortalecendo as relações diretas da moderna e trabalhadora São Paulo com o exterior. Mas esse discurso elitista sobre a modernidade era frequentemente marcado por um profundo preconceito social. A culpa do atraso do país é geralmente associada não só ao governo mas também ao povo, sobretudo os mais pobres, o "pessoal mais miúdo". O reconhecimento da imensa injustiça social e do efeito devastador da inflação nos mais pobres não impede que algumas pessoas das classes média e alta afirmem que os pobres são pelos menos parcialmente culpados por sua situação e pelos problemas do país. A citação 2.8, à qual retorno abaixo, expressa essa posição elitista: ela destaca o potencial do país e a excepcionalidade de São Paulo, atribuindo aos pobres atitudes que impedem essas potencialidades de se concretizarem.

O otimismo das classes mais altas, entretanto, não era compartilhado por outros grupos sociais. O que as classes mais altas viam como sinais de melhora parecia mais uma ilusão àqueles para quem a crise não tinha nenhuma conotação de progresso.

Decaindo socialmente e menosprezando os pobres

> "O salário só dá pra comer mesmo, não dá nem pra ir no parque levar a Maria pra brincar de roda-gigante."
>
> Mecânico de automóveis, 22 anos, casado; mora no Jardim das Camélias com a mulher Maria e dois irmãos.

Os mesmos sentimentos de pessimismo e incerteza expressos em comentários sobre o país marcam as discussões sobre experiências individuais. Se o progresso do país estava se tornando mais uma ilusão do que uma promessa, para os indivíduos a experiência de decadência social era cada vez mais a realidade. Isso acontecia em todos os grupos sociais, mas obviamente era expresso de maneiras diversas e associado a dificuldades extremamente diferentes de acordo com a classe social.

Pouco antes do Natal de 1990, entrevistei três irmãos no Jardim da Camélias, os quais conhecia desde 1978, quando eram garotos. Em dezembro de 1990, o mais velho (A) estava com 22 anos, tinha acabado de casar e trabalhava como mecânico de automóveis, ganhando Cr$ 35 mil (quase três salários mínimos) por mês; seu irmão (B) tinha 16 anos e era trabalhador não qualificado numa fábrica têxtil, ganhando Cr$ 18 mil (um salário mínimo e meio); e seu irmão (C), com 19 anos, estava procurando um emprego: acabara de voltar da Bahia, para onde a família tinha se mudado alguns anos antes. A entrevista revelou não apenas o nível de pobreza e as restrições que moldam seu dia a dia, mas também sua falta de esperança num futuro melhor. Esse pessimismo fica especialmente claro quando contrastado a uma outra série de entrevistas que fiz dez anos antes com um grupos de jovens rapazes no Jardim das Camélias: todos acreditavam no progresso e achavam que em alguns anos estariam em melhor situação social, apesar de acreditarem que para isso precisariam se esforçar muito, trabalhando pesado e estudando (Caldeira 1984: 168-72). Entretanto, em 1990, os jovens do Jardim das Camélias sentiam que havia pouco que pudessem fazer para melhorar sua qualidade de vida. Mesmo se trabalhassem e estudassem duro — como faziam —, ainda não conseguiriam muito. Para eles, a ideia totalmente consensual dez anos antes de que São Paulo era um bom lugar porque oferecia emprego e mobilidade social não era mais válida. Ainda podia até ser um bom lugar para se achar um emprego, mas os salários não permitiam sua incorporação à sociedade de consumo — como acontecia uma década antes — ou mobilidade social. Os salários eram gastos em alimentação e transporte, e os jovens que entrevistei falaram com tristeza e ironia sobre as possibilidades que lhes eram oferecidas: como disse um deles, ele não podia nem mesmo levar sua mulher ao parque de diversões de vez em quando. Construir a casa própria estava fora de cogitação. No fim dos anos 70, quando comecei a fazer trabalho de campo no Jardim das Camélias, todos no bairro acreditavam no progresso. As pessoas estavam construindo suas casas e organizando todos os tipos de associações e movimentos sociais para obter melhores serviços e infraestrutura para o bairro (Caldeira 1984, 1987 e 1990). Elas apoiavam a democracia e queriam eleições diretas, algumas estavam entusiasticamente organizando um núcleo local do PT, e muitas outras participavam de campanhas eleitorais por candidatos de diferentes partidos (Caldeira 1987). Elas obtiveram a maior parte da infraestrutura (asfalto, iluminação pública, esgoto) e dos serviços públicos (creche, posto de saúde) para o bairro nos anos 80 e dessa forma ajudaram a urbanizar a periferia. Muitas pessoas conseguiram aumentar e terminar suas casas autoconstruídas. Seus filhos, todavia, que no início dos anos 90 estavam na casa dos 20 anos, se casando, e que já tinham estado no mercado de trabalho por um período, sentiam que não tinham as oportunidades que seus pais tinham tido. Como me disseram muitas vezes, não conseguiam ver os resultados de seus esforços. Tudo o que puderam ver ao longo dos últimos anos era, como um deles disse, que "os ricos ficaram mais ricos e os pobres não têm mais chance de subir na vida". Para completar esse sentimento de desesperança, percebiam que em seu bairro, o lugar calmo e pacato onde cresceram jogando bola nas ruas, estava ficando perigoso. Alguns de seus colegas tinham sido mortos nas mesmas ruas onde costumavam brincar juntos. Os pais dos três rapazes que entrevistei em 1990 estavam entre os líderes mais ativos das associações locais no fim dos anos 70 e começo dos anos 80 e entre os fundadores do comitê local do PT. Em meados dos anos 80, porém, ao sentir que as coisas estavam ficando muito difíceis e violentas, voltaram para sua terra natal, a Bahia. Desde então, cada um de seus sete filhos tem retornado a São Paulo em algum momento em busca de melhores oportunidades.

A descrição dos irmãos sobre a situação econômica do país era desanimadora: "ninguém tem dinheiro, os empregadores estão todos indo à falência, despedindo funcionários; o Plano Collor ferrou com muita gente", disse o mais velho. Apesar de dois deles ainda estarem empregados, eles não esperavam manter o emprego por muito tempo. Um tinha certeza de que seria demitido depois das festas de fim de ano. Especialmente convincentes e desalentadores foram seus relatos sobre tentativas de encontrar trabalho — apesar da pouca idade, todos já tinham tentado muitos empregos —, as longas horas gastas em trabalho e condução, as tentativas de baixar as expectativas e as contínuas frustrações de suas esperanças. Eles sabiam das oportunidades de consumo que a cidade oferecia e queriam participar desse mercado pelo menos num nível modesto, compatível com uma vida digna de trabalhador; mas sabiam que eram excluídos. Sentiam que eram vítimas de injustiça, um sentimento que expressavam usando imagens emprestadas do universo da cultura de massa e se referindo a Rambo, o personagem de Sylvester Stallone, como um advogado dos direitos dos trabalhadores. Seu conhecimento da cultura urbana contrastado às marcas de sua exclusão expressa a injustiça que sofrem. Suas entrevistas são tão persuasivas que tornam supérflua qualquer interpretação.

2.9

A — O salário só dá pra comer mesmo, não dá nem pra ir no parque levar a Maria pra brincar de roda-gigante. Se eu gastar com condução, vai faltar pra eu ir trabalhar o outro dia. Então eu vou ficar em casa mesmo, porque é melhor, então eu fico em casa. (...) O cinema eu acho que também não compensa, não. A pessoa, alguém que tem um videocassete, vai numa locadora, aluga uma fita por 150, e passa o dia só vendo o filme que quiser. Eu gosto mesmo é de ver filme de Rambo, aí fico o dia todo vendo filme de Rambo.

— Por que você gosta de Rambo?

A — Porque é um cabra violento. Você já viu o Rambo lá nos Estados Unidos?

— Eu já vi filme dele.

A — Quando você for lá pros Estados Unidos, você ver ele, você fala que tem um cara aqui que quer um autógrafo dele.

— Vou falar pra ele, mas acho que vai ser difícil encontrar com ele, só na televisão...

A — Eu vejo Rambo mesmo por que ele faz um papel defendendo, querendo ter os direitos, defendendo o bem, defendendo os pobres e o bem, acabando com a ambição, você vê que ele vai atrás de gente ambicioso e tudo acaba bem. Era bom se o pessoal pegasse desse jeito, pegasse esses caras ricos assim, muito ambicioso, e metesse fogo. (...) Se isso acontecesse o Sílvio Santos tava morto, Roberto Marinho tava morto, que é tudo ambicioso, é tudo rico, esse pessoal rico é tudo ambicioso, só pra ter alguma coisinha tem que ser ambicioso.

— Você acha que hoje em dia a pessoa que trabalha a vida inteira tem chance de subir na vida?

A — Eu acho que quem trabalha a vida inteira... acho que não tem chance de subir na vida, não.

C — Antigamente tinha, hoje não pode, não.

— Antigamente quando?

C — Dez, vinte anos atrás, e agora você ganha um dinheiro, mostrou, o ladrão vem e leva, você não pode nem gastar.

B — Não vale a pena comprar coisa boa mais não. Você ganha vinte mil, você vai comprar uma calça: é quase quinze mil.

A — Trabalha um mês pra comprar uma calça!

B — Sapato, se você for andar na moda, você tem que ganhar na faixa de uns cem mil pra andar na marca, como dizem.

C — Tem que ganhar na loto ou na sena.

A — O cara ganha uns dinheirinho mais ou menos, vai querer comprar uns móveis bom pra por dentro de casa, vai querer passear um dia, quando chega os ladrão já rapou tudo. Tem que sair e pedir pro vizinho dar uma vigiada.

— E como é que as pessoas fazem pra andar na moda?

B – Ah, muitas pessoa compra roubada, como lá na firma mesmo, os caras compra é roubada – os cara vai, assalta lá a loja e aí vende mais barato – a calça tá por quinze, eles vendem por cinco, o tanto que o cara der eles aceitam, e muitos lá andam na marca é por causa disso aí, que trabalhando em firma mesmo não dá pra andar de marca.

C – Se saísse essa moda de andar nu por aí tudo...

A – Se o governo liberasse, eu andava nu só pra não ficar sujando roupa.

C – Aí eu botava uma marca: importada.

– Mas você tinha vontade de comprar umas roupas de marca?

B – Eu, eu não tenho esse negócio, não, de andar de marca, mas andar mais bonito, umas roupas mais bonitas, umas roupas bem-acabadas.

C – Você, nem reza braba deixa você mais bonito.

B – Eu tinha que ganhar na faixa de cem mil. Pra andar do jeito que eu quero tem que ganhar na faixa de uns cem mil. Ganhando dezoito só dá mesmo pra condução do mês. Só de passagem vai na faixa de uns sete mil, depois aí vem comida pra levar todo dia, tem despesa, e aí não dá pra andar nos trinques.

– Que direito que você acha que gente pobre tem hoje em dia?

A – Que direito? Nenhum, só o direito de ir trabalhar, de vir pra casa e dormir, pra no outro dia ir trabalhar. Leva quatro horas no trânsito pra chegar no trabalho, duas horas pra ir, duas horas pra voltar.

– Você acha que se o Lula fosse eleito ele ia poder te defender mais?

A – Ah, ele ia, podia dar uma vida digna pra todos nós, né... todos nós queremos não só comer, mas ter uma boa casa, um bom móvel, um carro, uma casa boa, uma boa roupa, ter um bom tudo, ter dinheiro suficiente para ajudar a nossa família. A gente não tá tendo dinheiro pra comer, vai ter dinheiro pra ajudar a família! Essa época de Collor está sendo a pior de todas (...) Eu acho que se Lula ganhasse ele ia fazer alguma coisa por nós, que ele já passou por isso que a gente passa, e Collor nunca passou, nem Collor nem esses outros que entrou, tudo já nasceu de berço de ouro.

C – Tudo a mesma coisa quando chega lá em cima...

As pessoas de outros grupos sociais que entrevistei, na Mooca e especialmente no Alto de Pinheiros e Morumbi, vivem em condições muito diferentes da pobreza do Jardim das Camélias. Entretanto, elas também sentiam que estavam mais pobres do que antes, que estavam decaindo socialmente, que a desigualdade social havia aumentado e que as perspectivas para o futuro não eram encorajadoras. Embora em variados graus, as descrições de deterioração das condições sociais eram basicamente as mesmas. As pessoas expressaram um sentimento de restrição e de serem incapazes de aproveitar o que a cidade tem a oferecer; todos tinham consciência de que os salários evaporaram e que o consumo diminuiu. Restrição não apenas ao consumo, mas também à sociabilidade e ao uso do espaço público. O crime soma-se a essas percepções e as amplia: até o pouco que as pessoas conseguem ter pode ser roubado.

Os moradores da Mooca, que em geral consideravam-se de classe média e que sentiram que suas possibilidades de mobilidade social estavam diminuindo, mostravam-se preocupados em manter sua posição social e frequentemente concluíam que eram o grupo social mais afetado pela recessão econômica.

2.10

— Nós estamos tudo caindo de classe e ninguém está fazendo nada. E é claro que os pobres e a classe média é que estão piores; os ricos continuam ricos, numa boa.

Professora numa creche e decoradora de igrejas para casamentos, Mooca, cerca de 40 anos, solteira, mora com a mãe viúva.

2.11

— A classe média desapareceu. Hoje é classe pobre e milionária só. Eu me considerava classe média, hoje eu me considero classe pobre. Hoje não me considero mais classe média porque... se eu não tivesse essa casa, hoje eu não teria condições de comprar uma outra de jeito nenhum. Não teria mesmo.

— *E a classe pobre? O pessoal que mora mais na periferia?*

— Pra eles eu acho que não está tão ruim, porque nós, classe média, a gente tem que ter uma apresentação, você não pode andar de qualquer jeito e tal. E pra eles não. Então, geralmente na família são quatro, cinco pessoas que trabalham, eles conseguem sobreviver. Não estão vivendo, sobrevivem. Eu acho que quem está sofrendo mais é a classe média mesmo, que tem que ter uma certa aparência, você tem que ter uma casa razoável, você não vai morar num cortiço, né? É uma dificuldade mesmo. Pra classe rica tá bom. Haja visto os apartamentos que estão construindo agora, todos de 4, 5 suítes, 5 garagens, tudo nessa base, sala pra tudo.[7]

Viúva, cerca de 50 anos, Mooca. Ela divide a casa com a irmã, também viúva, de modo que a família do sobrinho possa morar na casa da irmã sem pagar aluguel.

Apesar de alguns elementos que ainda garantem uma certa qualidade de vida, como a casa própria, as pessoas que entrevistei estavam convencidas de que estavam decaindo socialmente. Numa situação como essa, a preocupação com a posição social se torna aguda. Para ressaltar a deterioração de sua posição social, as pessoas que se consideram de classe média podem retoricamente associar-se aos pobres. Mas esse exercício não dura muito, e as marcas de distinção em relação àqueles que estão abaixo são apresentadas sem demora. A citação 2.11 exemplifica uma das maneiras mais comuns usadas para diferenciar os pobres: considera-se que eles estão mais perto da necessidade, preocupados apenas com a sobrevivência, e sem preocupação com boa aparência ou estilo.

Essas suposições em relação aos pobres obviamente não são exclusivas às classes alta e média brasileiras. Há, por exemplo, uma longa tradição em estudos de estética que afirma que o gosto das pessoas pobres é uma função da necessidade; de fato, as pessoas pobres não teriam uma percepção estética já que não se distanciam da necessidade. Uma versão recente e sofisticada dessa perspectiva é apresentada por Bourdieu (1984, especialmente o capítulo 7), para quem as classes trabalhadoras estão confinadas à "escolha do necessário". O diálogo dos irmãos do Jar-

---

[7] Ver o capítulo 7 para uma análise dos empreendimentos imobiliários. Essa opinião sobre empreendimentos imobiliários de luxo era muito comum na época na imprensa e entre os corretores de imóveis.

dim das Camélias (citação 2.9) e muitas outras entrevistas com pessoas da classe trabalhadora sobre a decoração de suas casas e estilos de roupas demonstra que eles entendem de moda e estilo, e que articulam julgamentos estéticos nas suas escolhas de consumo.[8] Se não expressam seu gosto e conhecimento com mais frequência, é porque são superexplorados e não têm recursos para isso, e não por não terem senso estético ou desejo de consumir. Descrever os pobres como limitados à necessidade é apenas mais um preconceito contra eles, um preconceito recorrente entre aqueles que se pensam superiores socialmente. Além disso, localizar os pobres perto do necessário, identificá-los com necessidade, natureza e falta de racionalidade ou de uma cultura sofisticada pode ser uma maneira de associá-los ao espaço do crime, que é frequentemente descrito com os mesmos traços.

Mas a questão da aparência introduzida na citação 2.11 tem ainda um outro aspecto. Uma das razões pelas quais as classes médias estavam particularmente sensíveis às transformações recentes era porque estavam tendo dificuldades em manter as aparências e distâncias que julgavam adequadas. Antes, isso era fácil, basicamente uma questão de usar a roupa certa e manter uma casa confortável num bairro calmo. Mas com as mudanças rápidas no bairro, a ampliação do mercado de consumo a outros grupos sociais, a crise econômica reduzindo o poder de compra, as novas práticas democráticas transformando a vida política e as velhas crenças no futuro sendo minadas, as pessoas sentiam-se inseguras a respeito de sua posição social. Uma das maneiras de lidar com a incerteza é elaborar diferenças sociais. Assim, discussões sobre declínio social viram discussões sobre diferenças sociais e a manutenção do lugar de cada um na hierarquia social.

A distância social é marcada de várias maneiras. Ela pode ser criada materialmente através do uso de grades, que ajudam a marcar uma casa própria como algo claramente distinto de cortiços e favelas. O uso de cercamentos ainda oferece o sentimento de proteção, crucial em tempos de medo do crime. Mas concepções depreciativas dos pobres também cumprem a função de criar distanciamento social: elas formam uma espécie de cerca simbólica que tanto marca fronteiras quanto encerra uma categoria e, portanto, previne as perigosas misturas de categorias. Na citação 2.11, a narradora, que considerava que a classe média estava desaparecendo, descreve os pobres como pessoas acostumadas à indignidade e que aceitam sua posição quase que fora da sociedade e de seu mercado de consumo. Quando essa imagem é contradita pelos pobres e eles exibem sinais de participação na sociedade e no mercado de consumo, aqueles que querem mantê-los fora podem reagir fortemente. Essa irritação em relação ao consumo dos pobres muitas vezes foi expressa nas entrevistas, especialmente em comentários laterais feitos por pessoas

---

[8] James Holston e eu estamos desenvolvendo o projeto de pesquisa "Interiores da Classe Trabalhadora: A Estética das Casas Autoconstruídas em São Paulo", na qual analisamos a estética arquitetônica e do consumo das camadas trabalhadoras — a estética que lhes fornece um idioma público para avaliar suas experiências de construir a cidade e tornar-se cidadãos modernos. Ver Caldeira (1986) e Holston (1991a) para uma análise do gosto da classe trabalhadora e uma crítica da visão de Bourdieu baseada em material brasileiro.

da classe alta. Na citação 2.8, a narradora critica "o pessoal mais miúdo" que impede o progresso do país. Ela continua:

2.12

– Eu acho que pior é o consumo do pessoal mais miúdo, pessoal que não tem noção nenhuma de nada. São criaturas que largam uma torneira aberta e vão lá para dentro fazer não sei o quê e aquela torneira está aberta ali. Eu vejo isso dentro da minha casa. Estou falando para você de uma coisa do dia a dia. Você pode entrar na cozinha, está lá a torneira aberta. Agora, por exemplo, se eu chego, a torneira está aberta, eu sinto que a criatura volta para fechar a torneira porque eu já disse: Olha, a água não cai do céu, a água é uma coisa cara, é uma coisa que custou um tratamento de água, foi captada, foi juntada, foi tratada, até chegar na tua torneira.

– *Quer dizer, você acha que tem uma coisa que é meio esbanjadora?*

– Muito. Mais no pessoal miúdo ainda do que os outros.

– *Mas esse não seria o pessoal que teria menos o que esbanjar?*

– É, mas você não imagina o que esbanjam, é uma coisa, assim, fenomenal. É uma coisa que você não... Você diz assim: mas como esbanja se não tem? Mas se tiver, esbanja. O que tem, esbanja. Não sabe preservar, não sabe guardar, não sabe... não há a menor... Agora, no Sul do país é completamente diferente. No Sul do país você vai ver um pessoal que é poupador, que vai e compra a sua casa, sai do neca e vai juntando e vai poupando e compra sua casa.

A ideia de que os pobres não sabem consumir adequadamente, que desperdiçam recursos e que têm uma "mentalidade esbanjadora" é muito difundida entre as classes média e alta. Isso é obviamente negado pela realidade de qualquer periferia urbana no Brasil, onde os trabalhadores pobres construíram e decoraram suas casas por conta própria, e urbanizaram seus bairros sem nenhum tipo de financiamento. Entretanto, aqueles que se consideram em melhor situação frequentemente negam aos pobres as características e comportamentos associados a capitalismo e modernidade, como racionalidade, conhecimento, capacidade de poupar, de planejar e de aproveitar ao máximo os recursos. Esse tipo de argumento é aplicado não só aos indivíduos pobres, mas também às regiões pobres. Os paulistanos dizem que São Paulo é o melhor, o Sul é quase tão bom quanto, mas o Norte e Nordeste não têm jeito, como as pessoas de lá, que não sabem como economizar ou trabalhar eficientemente. Esses temas também aparecem na citação 2.3 acima. A entrevistada, para a qual o Plano Collor foi imensamente prejudicial, ainda possui uma casa com cinco quartos e piscina num bairro de classe alta onde mora com uma filha, mas perdeu todas as suas economias e teve de começar a trabalhar aos 55 anos. Ela era extremamente crítica em relação à desigualdade social no Brasil, mas também considerava que os pobres tinham sua culpa, já que "têm filhos que nem cobaia". Ela acha que a desigualdade social está associada ao crescimento da violência. Entretanto, comentando sobre o consumo dos pobres, ela continua:

2.13

– Isto é uma coisa revoltante. Você vai em qualquer maloca, e no Rio de Janeiro também, e aqui em São Paulo, que tem perto das marginais, que tem nessas favelas, você vê em todas essas casinhas antenas de televisão. Não tem geladeira, mas tem televisão. Geladeira seria até mais útil, mas eles não têm geladeira e têm televisão. Eles estão acompanhando isto, o jeito que os ricos vivem e que a televisão mostra.

A imagem da televisão nos barracos da favela serve como símbolo da irracionalidade e extravagância dos pobres. É uma imagem usada até mesmo por aqueles que são críticos em relação à desigualdade social no Brasil e à arrogância dos ricos brasileiros, como no caso da entrevistada que acabei de citar. Ela é invocada repetidamente para indicar a suposta incapacidade dos pobres de administrar seu parco dinheiro inteligentemente. Se eles gastassem dinheiro em uma geladeira, raciocina a entrevistada, isso seria aceitável, já que estaria mais próximo do necessário; e de tudo o que existe para se comprar, comida é o mais necessário. Dessa perspectiva, os pobres não deveriam é ousar entrar no universo dos bens de consumo ou imitar o estilo de vida das classes mais altas que eles veem na TV. A televisão é o melhor símbolo dessa transgressão não por seu preço — já que é mais barata que uma geladeira —, mas por causa do acesso à informação que ela permite. Pela televisão, os favelados têm acesso ao mesmo universo simbólico que os ricos e podem se tornar mais conscientes da imensa desigualdade social de uma sociedade onde qualquer um pode comprar uma televisão a crédito, mas na qual o estilo de vida que ela exibe é território exclusivo da elite. Na televisão, provavelmente a única forma de lazer ainda disponível diariamente para os pobres, eles gostam de assistir ao Rambo e imaginam que um dia ele irá declarar guerra aos "homens ambiciosos" do Brasil. E talvez não seja por acaso que os exemplos citados pelos irmãos do Jardim das Camélias sejam Roberto Marinho e Sílvio Santos, os donos das duas mais poderosas redes de televisão do país.

A irritação com a participação das pessoas pobres nos mercados de consumo de classe média também foi expressa em discussões com membros da classe alta sobre a deterioração das condições de vida na cidade. Este é o caso da conversa seguinte entre três mulheres (M, O e P) que vivem em casas no Morumbi. Elas também acham que foram afetadas pela crise econômica, mas os termos em que apresentam sua deterioração social constituem uma mostra da imensa desigualdade entre as classe sociais em São Paulo.

2.14

M — Antigamente, a gente tinha mais dinheiro também! Eu comia camarão todo sábado — camarão, lagosta... Agora, pra comprar camarão... Pra mim tá mais duro. Eu trabalho a mesma coisa, meu marido também, mas hoje em dia, não... Eu cobro em dólar pra não ficar todo mês reajustando, mas eu sinto, a gente antigamente fazia muito mais comidinha, o meu marido também, a gente vivia com o salário dele, hoje em dia não dá nem 15 dias o salário dele. Sério. O fator dinheiro, você também fica mais apreensivo, fica mais irritado.

O — Eu senti [diferença] a partir do Plano Collor.

M — Acho que as diferenças sociais antigamente não eram tão grandes, não se sentia tanto, hoje em dia tá maior. A classe alta de antigamente, de uns dez anos atrás, a alta não tá mais tão alta assim, ficou mais pra média, e nós médios, obviamente que despencamos em relação do que a gente era. Então, esses que eram altos, ainda querem se firmar, e então nisso existe muita agressividade, são poucas as pessoas que...

O — Pra você ter uma ideia também, você pode ver por aí, vai procurar um bairro mais simples, as casinhas, casicas assim pequenininhas, daí você vê aqueles portão assim, assim, assim, que é pra caber o Del Rey, uma Caravan. A família passa o ano inteiro ali, assim, economizando tudo, mas o carrão tá ali na frente da casa pra mostrar que tem o carrão do ano. Não viaja, não vai de férias, não faz nada, todo mundo histérico dentro da casa, quer dizer, o que que é isso? É pra se mostrar! Eu fico boba de ver.

C — É autoafirmação. Isso foi sempre. Aquela pessoa que não pode ter, então ela tem que viver pela aparência...

O — Ai, que horror, que horror! Acho ridículo.

C — Tem um rapaz na fábrica, um encarregado da produção da fábrica... então era muito engraçado, porque ele tava ganhando bem, tava ganhando comissão de lucro, então, se a empresa fatura mais, então divide, e ele ganhou um bom dinheiro. Ele mora — ele é cearense — ele mora com a mulher e quatro filhos num quarto-sala-cozinha-banheiro próprio, dele, e tem um bom terreno, que meu marido já foi lá. Quando recebeu aquele dinheiro, em vez dele pegar e aumentar mais um quarto na casa, ou melhorar a casa, o que ele fez? Trocou o fusquinha dele na época por um Voyage zero. Então você vê a mentalidade ainda de aparentar, eles trocam a aparência por um nível de vida melhor, mas isso acho que foi sempre assim. Isso traz uma agressividade, porque tá vivendo num mundo... Eles querem uma coisa e não conseguem, então acho que isso, indiretamente, quando eles pegam aquele carrão pra dirigir no trânsito, eles se sentem os maiores, põem tudo aquilo pra fora, que no fundo é o recalque que eles têm.

M, O e P são vizinhas no Morumbi, todas com mais de 30 anos, cada uma com dois filhos. O e P são donas de casa e casadas com homens de negócios; M trabalha como instrutora de esporte num clube de elite e é casada com um funcionário público de alto escalão que também tem uma pequena empresa.

Pessoas da classe alta podem ter problemas para consumir itens de luxo como faziam outrora, mas acreditam que deveriam poder fazê-lo. Mas o consumo dos pobres é repreensível se parece transgredir as linhas imaginárias que separam os grupos sociais e mantêm cada um no lugar que lhe é "próprio". Como pode um empregado ousar comprar o mesmo tipo de carro que seu patrão? Como pode ele ousar parecer-se com eles e deixar-se tomar por alguém de outra classe? O mal-estar que as pessoas da classe alta sentem com a incorporação de trabalhadores à sociedade de consumo, mesmo que modestamente, é evidente. Se eles gastam dinheiro em algo considerado de classe alta, são "ridículos", é "um horror" — mesmo quando os pobres estão demonstrando sua incorporação às relações capitalistas.[9] Policiar as fronteiras das posições sociais é uma operação crucial da fala do crime, e isso é realizado não apenas pela elite, mas por todos os grupos sociais — os pobres também o fazem, depreciando os moradores de favelas e cortiços.

---

[9] Esses tipos de preconceito são bem difundidos. Em anos recentes eles ressurgiram no contexto da oposição ao programa de "Renda Mínima". Esse é um programa adotado por alguns municípios no Brasil para lidar com o crescente empobrecimento da população. Ele fornece a famílias abaixo da linha de pobreza um valor mínimo em dinheiro com a condição de que essas famílias mantenham seus filhos na escola. Esse programa tem sofrido oposição de vários setores da

Os preconceitos em relação aos pobres não impedem as pessoas das classes altas de reconhecer que as condições de vida da classe trabalhadora aproximam-se do intolerável. Entretanto, elas sempre acham um meio de culpar os pobres por sua própria pobreza e de descartar argumentos contrários. As três mulheres que acabei de citar concordam que a desigualdade na distribuição de renda no Brasil é absurda e a contrastam com a de alguns países europeus. No entanto, compartilham do preconceito de que os trabalhadores são preguiçosos e têm má vontade na hora de trabalhar duro, e é por isso que pessoas como seus maridos não se dispõem a pagá-los melhor. Além disso, elas compartilham do preconceito de que os pobres não estão mais bem de vida porque têm filhos como "cobaias". Elas não conseguiram acreditar nos meus relatos sobre o declínio das taxas de fecundidade entre os pobres e sobre os resultados da minha pesquisa no Jardim das Camélias indicando que as mulheres pobres não estavam tendo mais que dois ou três filhos. Elas continuaram a insistir em que a redução da fecundidade era "basicamente das classes média para cima" e que a população continuava a "crescer nas classes pobres" (P). Desse modo, a má distribuição de renda é explicada pelo mito do alto crescimento populacional entre os pobres.

O preconceito de que as mulheres pobres "têm filhos como coelhos" é muito difundido e até mesmo quando a diminuição nas taxas de fecundidade é admitida, como nos meios de comunicação de massa, por exemplo, frequentemente se reforça a opinião de que os pobres são dominados por irracionalidade e necessidade. Uma explicação comum aponta supostas "organizações internacionais" como responsáveis pela esterilização de mulheres pobres, que não estariam conscientes do que teria sido feito a elas. Outra aponta a crescente pobreza como causa da diminuição da fecundidade. Nos últimos vinte anos, conversei com inúmeras mulheres no Jardim das Camélias que não querem mais ter uma família numerosa. E não é por razões econômicas, e sim porque, como qualquer mulher de classe média, elas querem ter tempo para poder fazer outras coisas, inclusive conseguir empregos melhores que o de empregadas domésticas (Caldeira 1990).[10] Elas não querem ser pri-

---

população — inclusive várias instituições filantrópicas e organizações de esquerda — com o argumento de que não se deve dar dinheiro para os pobres porque eles não saberão como gastá-lo da melhor maneira. Em vez disso, propõe-se que eles recebam comida em lugar de dinheiro. A despeito da oposição, o programa foi adotado com sucesso em várias cidades, tais como Brasília e Campinas, onde pesquisei seu impacto, junto com os membros do NEPP (Núcleo de Estudos de Políticas Públicas) e estudantes da Unicamp, em 1995.

[10] Quando cheguei pela primeira vez ao Jardim das Camélias, em 1978, pediram-me para organizar um grupo de discussão de mulheres. Entre 1978 e 1980, Cynthia Sarti, que também estava fazendo pesquisas no bairro, e eu mantivemos essas reuniões. Seu tema central era a sexualidade feminina, e um dos principais pedidos que Cynthia e eu recebemos foi o de explicar métodos de controle de natalidade e indicar onde se poderia obtê-los. Um dos movimentos sociais mais importantes na periferia exigia a construção de creches para que as mulheres pudessem ter empregos regulares não apenas como trabalhadoras domésticas, caso em que há uma certa flexibilidade de horário e algumas vezes a possibilidade de levar os filhos, mas cuja remuneração é baixa e a exploração, alta.

sioneiras da necessidade e muitas delas escolheram ser esterilizadas depois do nascimento de um segundo ou terceiro filho. Consideram isso uma libertação real. Elas aprenderam — e a televisão, mostrando o comportamento das mulheres da classe alta e de seus padrões familiares, ensinou-lhes bastante sobre esse assunto — que controlar sua sexualidade e fertilidade pode proporcionar uma imensa liberação não só dos fardos da natureza, mas da dominação dos homens. Contudo, pessoas de outros grupos sociais — inclusive intelectuais que acreditam estar escrevendo em favor das mulheres quando atacam, em jornais, as poucas clínicas que oferecem controle de natalidade aos pobres — se recusam a aceitar tal transformação. O planejamento familiar é considerado um comportamento moderno e de classe média; o lugar das mulheres pobres ainda é considerado o da natureza e da necessidade. O outro argumento, de que as taxas de fertilidade diminuíram porque a intensa pobreza causou infertilidade, faz a mesma coisa: mantém os pobres prisioneiros tanto de sua situação social como de suas consequências "naturais".

É difícil para qualquer um, em qualquer grupo social, aceitar mudanças nas condições sociais que representam uma deterioração do seu padrão de vida. Entretanto, para as classes altas e médias é também difícil aceitar algumas das mudanças das últimas décadas que, apesar da recessão, significaram a incorporação das classes trabalhadoras à sociedade de consumo e à cidadania política e ao que pode ser considerado como padrões modernos de comportamento. Pessoas das classes mais altas duvidam da capacidade dos pobres de fazer escolhas de consumo e controlar sua fecundidade, mas também de sua capacidade de votar racionalmente. Assim como ficam irritadas com as televisões dos pobres, ficam irritadas com a incorporação dos pobres à cidadania política através dos movimentos sociais e do voto. A ideia de que os pobres não sabem como votar é tradicional no Brasil e serviu para justificar mais de um golpe autoritário. Essa ideia é invocada toda vez que um resultado eleitoral desfavorável tem de ser explicado. Ela reapareceu, por exemplo, no fim dos anos 80, quando Lula estava concorrendo à presidência contra Collor, e quando Luiza Erundina — a prefeita do PT na época das entrevistas — foi eleita.

Ao pôr em risco posições através de todo espectro social, a crise econômica alimenta um sentimento de incerteza e desordem. Um contexto de incerteza no qual as pessoas se sentem socialmente ameaçadas e veem transformações ocorrerem parece estimular o policiamento de fronteiras sociais. Uma das maneiras de fazer isso é elaborar preconceitos e marcas de distinção. As depreciações mais explícitas e veementes aparecem quando a proximidade e a ameaça da mistura aumentam. Isso acontece quando um funcionário compra um carro similar ao do seu patrão; quando novos migrantes vêm viver perto de antigos migrantes que se consideram mais bem de vida; quando alguém que mora na periferia tem de provar que está numa condição melhor do que um vizinho que mora na favela, e assim por diante. Em outras palavras, a proximidade leva ao refinamento das separações para que a percepção de diferença seja mantida. O contexto do aumento da violência e o medo do crime intensifica incertezas mas ao mesmo tempo fornece um contexto em que as depreciações e separações podem proliferar praticamente sem censura.

As experiências de violência

Apesar de pessoas de todas as camadas sociais estarem preocupadas com o crime, as experiências de violência são claramente distintas em cada classe social. A maioria das pessoas que entrevistei já havia sofrido algum tipo de violência, direta ou indiretamente (um amigo, um parente ou alguém próximo a elas já tinha sido vítima). Entretanto, suas experiências — e medos — variam bastante. Na Mooca e no Morumbi, os crimes contra a propriedade, sobretudo arrombamento e furto de residências e roubo, são os mais frequentes. A preocupação com sequestro é também grande entre a elite. Na periferia, os crimes contra pessoas, inclusive assassinato, são frequentes. A maioria das pessoas que entrevistei não tinha sido vítima direta do crime violento, mas tinha testemunhado uma grande violência em seus bairros ou entre pessoas que conheciam. As estatísticas do crime analisadas no capítulo 3 confirmam essa distribuição social do crime.

No Jardim das Camélias, o crescimento da violência é algo novo, mas afeta a todos. Uma das mulheres, que eu conhecia desde 1978 e que é muito ativa nos movimentos sociais e associações locais, contou-me que acha que o bairro melhorou nos últimos dez anos se considerarmos sua infraestrutura de comércio e serviços. Todavia, também se tornou mais violento. Apesar de suas avaliações paralelas àquelas analisadas no capítulo 1 — houve progresso mas também regresso — a qualidade da sua experiência é diferente.

2.15

— Esses que mataram era molequinho, só que era bandido da pesada e tudo, andava aí na favela. Então, uns a polícia que matou. Eu sei que aqui até que acalmou mais, mas teve uma época, não sei se foi esse ano... não posso te dizer certo se foi esse ano ou o ano passado, que teve um bandido, ele morava na rua da igreja, ele matou dois irmão aqui. Matou os dois irmão... Nossa! Foi uma coisa que aqui na vila todo mundo se revoltou, mas passado alguns dias, mataram ele também. Mataram, depois, um colega dele também que tava junto, mataram; depois mataram acho que mais quatro também. Aí, depois parou.

Dona de casa do Jardim das Camélias, 33 anos, quatro filhos; seu marido é trabalhador especializado de uma pequena indústria têxtil.

Pessoas da classe trabalhadora vivenciam a violência no dia a dia não apenas em seu bairro, mas especialmente nele. As estatísticas que analiso no capítulo 3 mostram que as taxas de homicídio são incomparavelmente mais altas na periferia do que nos bairros centrais das classes média e alta. Entretanto, a violência também ocorre em outros espaços onde as classes trabalhadoras passam seu dia, como no local de trabalho e no transporte público. As pessoas na periferia também têm medo da polícia, e por uma boa razão, já que ela é responsável por um número incrivelmente alto de assassinatos, a maior parte deles na periferia, como discuto no capítulo 5. A maioria das pessoas que entrevistei na periferia mencionaram homicídios e agressões físicas que aconteceram ao seu redor, e duas vezes cheguei ao Jardim das Camélias e ouvi relatos de assassinatos da noite anterior. Os moradores estão assustados com o que veem acontecer em seu bairro, que era calmo e seguro. A, um dos irmãos que entrevistei, comentou:

2.16

A – É que nesses dez anos pra cá o que já morreu de colega da gente, acho até que gente que tem nesse livro *[meu livro sobre o Jardim das Camélias]* aí que já morreu, que tá naquelas fotos que você tirou, que minha mãe tem um monte lá, já deve ter morrido muita gente. Tem uns que morre pela polícia, tem outros que é pelos bandidos, tem outros que é porque é rixa. É briga na rua, depois o outro cisma de matar dentro de casa que nem matou os dois irmãos aqui.

– *Como foi a história? Foi na rua de baixo, não foi?*

A – Foi, passou até no Gil Gomes...[11] Chamou um pra matar, aí o outro saiu, mataram os dois. Depois, desse tempo pra cá, daí mataram outros colegas da gente aqui embaixo. E daí mataram o Roberto aqui em baixo. Antes de matar os dois, mataram o que gostava de brigar comigo na escola, aí se ele tivesse vivo acho que ele ia querer me matar. A gente brigava direto na escola. E daí pra cá...

O contato diário com a violência pode ser recente no Jardim das Camélias, mas não é uma novidade na periferia de São Paulo. A pesquisa da equipe do Cebrap em 1981-1982 em outros bairros da periferia já havia indicado que o contato diário com a morte e o crime é apenas um fato a mais na vida da classe trabalhadora. Em várias entrevistas para aquela pesquisa, assim como nas que fiz em 1989-1991, ouvimos muitas histórias de crimes violentos que aconteceram nas redondezas. Em muitos relatos, como nas citações 2.15 e 2.16 acima, mencionaram-se vários assassinatos em sequência, enfatizando sua ocorrência rotineira no bairro. As narrativas também estavam pontuadas por detalhes, especialmente em relação ao tempo em que ocorreram, como quebraram o fluxo do dia a dia e como vitimaram pessoas inocentes, a maioria trabalhadores no caminho de ida ou de volta do trabalho.

A narrativa no capítulo 1 é um exemplo dos sentimentos dos moradores da Mooca, e mostra algumas diferenças em relação àqueles da periferia. Vários moradores da Mooca mencionaram que suas casas tinham sido roubadas, que os vizinhos haviam sido roubados, que suas bolsas e carteiras tinham sido furtadas em ônibus ou em áreas do centro. Cada um desses acontecimentos foi sempre seguido por novas medidas de segurança e, frequentemente, mais preocupação com os cortiços. Mas esses moradores não mencionaram assassinatos.

No Morumbi, quase todas as pessoas com quem conversei haviam sido vítimas de furto ou roubo. Os crimes que relataram tinham ocorrido em diferentes lugares: em restaurantes, nas ruas, em cruzamentos com semáforos, ou em suas

---

[11] Gil Gomes apresentava um conhecido programa de rádio no qual narrava crimes. Narrar crimes é um gênero popular de programas de rádio. Nos anos 80 e no começo da década de 90, havia dois programas imensamente populares desse gênero e que eram sempre mencionados nas entrevistas na periferia. Um era o de Gil Gomes, que em meados da década de 90 introduziu o gênero na televisão (programa "Aqui, Agora", no SBT). O outro era o de Afanasio Jazadji, um opositor aos direitos humanos cujas opiniões discuto no capítulo 9. Esses programas tinham o efeito de reproduzir o medo e promover uma polícia violenta e o desrespeito aos direitos civis (ver os capítulos 5 e 9). Eram também usados frequentemente como uma forma de prova: se Gil Gomes falou a respeito, então se tratava de um crime sério e real.

próprias casas. Foi comum no Morumbi ouvir relatos de vários episódios de assalto à residência. Uma entrevistada me disse que tinha sido vítima em quatro episódios, outra em cinco e muitas tinham sido pelo menos em um. Cada um desses episódios originou novas medidas de segurança, novos sistemas de alarmes e vigilância eletrônica, muitos fins de semana sem sair de casa, menos viagens e assim por diante. O maior medo que se tinha no Morumbi, contudo, era da possibilidade de sequestro.

2.17

— A gente achava que aquela falta de liberdade, a censura, era ruim — hoje eu acho que tinha que vir de novo um regime militar. Por exemplo, o caso do sequestro. É um absurdo a falta de segurança que você sente. Eu não sou ninguém, eu não tenho grandes posses nem nada, mas eu tenho medo que de repente qualquer camarada pegue o meu filho pra pedir um resgate, de repente, de 5 milhões, eu morro de medo (...) Porque qualquer um pode ser sequestrado. Eu tenho medo do meu marido chegar do trabalho e na hora de entrar em casa... porque agora virou moda o sequestro, por quê? pela impunidade. Nós estávamos falando do regime militar... Quando apareceu o AI-5, lembra?, acabou o assalto a bancos, acabou, porque todo mundo sabe que aquele dinheiro de assalto a bancos era pra financiar movimentos políticos e pra mandar dinheiro pro exterior. Acabou. Então, a impunidade faz com que a gente se sinta insegura.

Dona de casa casada com um homem de negócios; quase 40 anos, dois filhos, mora no Morumbi.

Dilemas de classificação e discriminação

Apesar de as experiências da violência e o medo das pessoas variar segundo a classe social a que pertencem, todos estão igualmente preocupados com medidas de proteção e com aquilo que se poderia chamar de trabalho simbólico para dar sentido a suas várias experiências de violência. Uma das atividades principais desse trabalho simbólico, que ocorre na fala do crime, é a elaboração da imagem do criminoso como alguém que está o mais distante possível. Quando me refiro à categoria do criminoso, obviamente não estou me referindo a uma análise sociológica, mas a uma categoria classificatória que atua na vida cotidiana e cuja função principal é dar sentido à experiência. Assim, é uma categoria de pensamento embutida na prática cotidiana e que simbolicamente organiza e dá forma a essa prática. Do mesmo modo que as outras categorias da fala do crime, a categoria do criminoso generaliza e simplifica. Ela é produzida por distinções nítidas e rígidas entre o que faz parte dela e o que não faz. A base para essas distinções é a oposição entre o bem e o mal; claramente, crime e criminoso estão do lado do mal.

As categorias da fala do crime simultaneamente carregam um desejo de conhecimento e um desreconhecimento (*misrecognition*, Balibar 1991: 19). A categoria do criminoso é uma simplificação radical que o reduz à encarnação do mal, e sua construção coincide exatamente com a descrição de Mary Douglas (1966) sobre o tratamento de coisas fora do lugar. Elemento perigoso e que quebra as regras da sociedade, o criminoso é visto como alguém que vem dos espaços marginais e polui e contamina. Apesar de esse tipo de categorização ser uma maneira poderosa de pensar o mundo, organizar as narrativas e ressignificar a experiência, quando se precisa de descrições mais específicas e detalhadas, a função do desreconhecimento se torna óbvia e necessariamente surgem ambiguidades.

No capítulo 1, apontei essas ambiguidades em relação aos nordestinos na narrativa de uma moradora da Mooca, e assinalei que elas estão especialmente presentes na associação de criminalidade a pobreza. As discussões sobre o crime que se referem à pobreza e aos pobres são cheias de ambiguidades e oscilam entre dois registros: o nível categorizante marcado por estereótipos e afirmações genéricas, e os relatos detalhados e específicos que frequentemente contradizem as categorias e geram discursos ambíguos. Ambos os níveis produzem conhecimento e não há sentido em achar que um falsifica a realidade que o outro descreve. A categoria do criminoso pode ser uma representação enviesada dos acontecimentos, mas, como uma representação do mal, é crucial para ordenar o mundo e dar sentido à experiência. Além disso, o discurso categorizante é importante porque é a linguagem da maioria dos conflitos políticos sobre a questão do crime e assim dá forma a políticas públicas. Ele também serve de referência a atos individuais de proteção e à interação social. Entretanto, o nível categorizante é insuficiente para dar conta das experiências, e quando as categorias vão contra as experiências, os discursos se tornam contraditórios e ambíguos.

As tensões e ambiguidades entre esses dois níveis de discurso nunca podem ser resolvidas porque a fala do crime nunca abandona suas categorias preconceituosas; de fato, essas categorias a constituem. O raciocínio categorizante é sempre a referência em relação à qual as pessoas dão sentido às suas experiências, até mesmo as pessoas que são discriminadas pelas categorias. Não é de surpreender que a tensão aumente à medida que a inadequação das categorias se torna mais evidente, e que as relativizações sejam maiores onde existe mais proximidade com aqueles que são estereotipados. Portanto, é entre os pobres que os discursos se tornam mais contraditórios e elaborados.

O crime e os criminosos são associados aos espaços que supostamente lhes dão origem, isto é, as favelas e os cortiços, vistos como os principais espaços do crime. Ambos são espaços liminares: são habitações, mas não o que as pessoas consideram residências apropriadas. Os cortiços são casas subdivididas sem os espaços, instalações e separações que se espera de uma casa considerada apropriada. As favelas são residências erguidas em terra invadida. Embora os barracos possam se parecer com algumas residências na periferia, a principal diferença é que na periferia a maioria das pessoas compram o terreno onde constroem suas casas (mesmo que sejam barracos) ou pagam aluguel. Numa favela, apesar de os moradores também construírem suas habitações e às vezes as alugarem, as residências são construídas em terra obtida ilegalmente, e considera-se que seus residentes não se coadunam à classificação de cidadãos: eles vivem num terreno usurpado, não pagam impostos municipais, não têm um endereço oficial e não são proprietários. Além disso, nas favelas, as casas são precárias, geralmente feitas de material descartável e bem pequenas (novamente, sem as separações e alocações de espaço que se considera apropriadas para uma casa). Como residências um tanto anômalas, ou seja, que não se encaixam totalmente na classificação de casas apropriadas, favelas e cortiços acabam classificados como sujos e poluidores. Eles coincidem, então, com a fórmula de Douglas de que "sujeira e imundície é aquilo que não pode ser incluído se se quer manter um padrão" (1966: 40). Excluídos do universo do que é adequado, eles são simbolicamente constituídos como espaços do crime, espaços de características impróprias, poluidoras e perigosas.

Como seria de esperar, os habitantes desses espaços são tidos como marginais. A lista de preconceitos contra eles é infinita. São considerados intrusos: nordestinos, recém-chegados, estrangeiros, pessoas de fora e que não são na verdade da cidade. São também considerados socialmente marginais: diz-se que têm famílias divididas, que são filhos de mães solteiras, crianças que não foram criadas devidamente. Condena-se seu comportamento: diz-se que usam palavrões, são sem-vergonha, consomem drogas e assim por diante. De certo modo, tudo o que quebra os padrões do que se considera boa conduta pode ser associado a criminosos, ao crime e a seus espaços. O que pertence ao crime é tudo o que a sociedade considera impróprio.

Essas categorias genéricas do crime e dos criminosos resultam da clara oposição entre o que é ruim e o que é bom. Falar de favelas, cortiços, nordestinos em particular, é mais complexo. Os discursos mais ambíguos e elaborados ocorrem quando há uma proximidade dos narradores com os espaços do crime, ou seja, quando eles moram perto ou nas próprias favelas e cortiços.

Nas entrevistas na periferia, apesar de muitas pessoas falarem com cuidado sobre os moradores de favelas próximas e de quererem considerá-los como iguais, havia também uma certa suspeita, expressa de maneiras ambíguas. Mas quando a conversa era sobre crime, maior era a probabilidade de que se usassem os preconceitos. Segue uma entrevista de 1981, na Cidade Júlia, com a dona de um pequeno bazar que havia sido roubada algumas vezes.[12]

2.18

— *Mas de onde a senhora acha que é esse pessoal que tanto assalta por aqui?*

— Ah, só pode ser da favela! Não vou dizer que é da favela, porque na favela tem tanta gente boa também. Então, eu acho que vem de outros lugares; inclusive, esses dois que me assaltou, assaltou duas vezes essa mesma moça, assaltou o irmão dela, assaltou os dois inquilinos que moram no quintal e assaltou esse vizinho que mora do meu lado. Num período de cinco a sete dias foi assaltado todo esse pessoal. Passando uns dias, a mãe de um dos rapazes que foi assaltado me contou que os policiais apagaram uns três fulaninhos lá embaixo. Depois disso, ninguém viu e ninguém foi assaltado (...) Então, eu acredito que esses dois que fizeram comigo, com a turma, a gente não deseja o mal, mas se foi, graças a Deus, não apareceu ninguém mais aqui não.

— *O pessoal que mora nessa favela, eles vêm comprar aqui também?*

---

[12] As entrevistas na Cidade Júlia em 1981 e 1982 foram feitas por Antonio Manuel Texeira Mendes, integrante da equipe do Cebrap.

— Claro que vêm. Vem tanta gente aqui que eu nem sei de onde eles vêm.

— *Mas a senhora conhece o pessoal de lá?*

— Pelo cheiro deve ser de lá, pelo cheiro eu acredito que seja! (...) Talvez seja até gente muito bacana que passa por aqui e mora num barraco daquele. Não sei se são do barraco ou não. Tem gente que mora numa "big" duma casa e não quer se mostrar. Tem gente que é assim, que tem do bom e do melhor e acha que tem que viver igual aos outros. Às vezes tem gente que mora num barraco, que gostaria de ser madame e se veste como madame, e daí? (...) Então é essas coisas aí: você não sabe quem é fulano.

Proprietária de um bazar em frente à sua casa, na Cidade Júlia, 37 anos, casada, dois filhos; o marido está desempregado.

É difícil saber qual a verdadeira natureza de uma pessoa, sugerem os entrevistados. A aparência não é tudo, mas às vezes é tudo em que alguém pode se basear. Geralmente as pessoas se baseiam nas aparências e em categorias genéricas para fazer julgamentos, mas o fazem de maneira muito relutante e cheia de dúvidas. Por um lado, as pessoas associam o crime às favelas e denigrem os favelados, mas, por outro lado, elas levam em conta sua condição de pobreza e o fato de que os que conhecem pessoalmente são trabalhadores (ou seja, gente boa). Entretanto, as relativizações não excluem difamações, que aparecem sempre em pequenos comentários; por exemplo, a observação de que se pode identificar um favelado pelo mau cheiro. Os estereótipos que explicam o crime e os criminosos são depreciativos e até pessoas que vivem perto dos favelados e dos mais pobres e pensam neles como trabalhadores honestos não encontram outras maneiras de explicação. Na verdade, como argumentei, eles precisam de tais estereótipos mais do que os outros porque sua proximidade social com os favelados exige que reafirmem suas diferenças; consequentemente, eles enfatizam sua dignidade, limpeza, sua condição de serem bons cidadãos, proprietários e membros de boas famílias.

As ambiguidades da narrativa e o conflito com os estereótipos foram expressos de maneira especialmente convincente numa série de entrevistas de 1981 com uma senhora que era líder de bairro no Jaguaré, na zona oeste. Como moradora em lote legalmente adquirido do outro lado da rua de uma famosa favela, ela tinha que diferenciar a si própria e a sua família dos favelados. Entretanto, enquanto líder do bairro, reivindicando melhoras na região e em sua rua, ela também se sentia obrigada a incluir os favelados em suas petições e discursos. Ela intuía que sua legitimidade como representante do bairro derivava do apoio amplo de moradores, não de apenas um lado do bairro. Suas descrições de suas atividades no bairro e de suas interações com o prefeito e representantes da administração municipal revelam o quanto ela oscilava entre excluir e incluir a favela em seus argumentos e em seu ativismo.

Quando essa líder de bairro foi entrevistada em 1981, ela já morava no Jaguaré havia treze anos.[13] Usando as estratégias típicas da fala do crime, ela dividiu a história do bairro entre os bons tempos antes da chegada da favela e o tempo ruim

[13] As entrevistas no Jaguaré foram feitas por Maria Cristina Guarnieri, integrante da equipe do Cebrap. Nessa entrevista, "M" refere-se ao marido da entrevistada.

que a isso se seguiu. No caso do Jaguaré, é adequado falar sobre a "chegada" da favela, já que ela foi transferida pela administração municipal de outro bairro (Vergueiro), que estava passando por uma intensa remodelação para a construção da linha do metrô. Como ela disse: "Depois que trouxeram a favela, virou um inferno!". Ela decidiu ir à prefeitura e reclamar da situação.

2.19a

— Então fui direto ao gabinete [do prefeito]. Quando eu cheguei lá, expus a situação, que eu falei que fui em nome do bairro, né? Ele perguntou se era problema de buraco na rua, se era problema de lixo, né?

— *A senhora falou diretamente com o prefeito?*

— Com ele, então eu falei pra ele: não senhor! Não é problema de buraco, porque se fosse buraco nós não viríamos amolar, porque tem muita terra em todos os terrenos aqui — a gente taparia, certo? E lixo, a gente tacaria fogo, exterminaria o pior, né? Eu falei: é pior do que lixo! Porque daí a gente vai tacar fogo e vai preso e é uma calamidade. Nem se pense nisso! E ele então: "O que é?". Eu falei: "A favela que o senhor tá apoiando"... Aí ele quis me dar uma lição de moral, né?, virou pra mim e falou: "Minha senhora, são gente!". Falei: "Não senhor! São indigente!... Gente é o meu marido, que trabalha de dia pra gente comer de noite. Esses são gente! Agora, lá, o senhor tá apoiando uma escola de latrocínio, banditismo... e nós, como pobre, quero dar uma moralidade pros meus filhos, e não tem condições. Não tem condições! Se 9 horas da noite é bang-bang, assassinato em frente à nossa casa! Certo? Não precisa televisão em casa. É ao vivo! Dez horas da manhã num domingo, que a gente levanta, sai na frente da casa geralmente pra ver, não se pode: é palavrões de alto calibre ali, é umas nega aí que fazia strip-tease direto! Quer dizer: não há condições de nós, como pobre, querer instruir os filhos pra uma vida melhor! (...) Não é questão de desfazer, entende, que a gente sabe: você trabalha, você é honesta, você é trabalhadora, mas se você é uma vagabunda, uma salafrária que fica aí esfolando os outros, ninguém vai te dar apoio! E não tem lógica em te dar... Certo?". Daí ele mandou a "operação pente-fino". É, ele mandou um quartel.

Dona de casa e líder de bairro, Jaguaré, 35 anos, 4 filhos; o marido é trabalhador especializado de uma fábrica têxtil.

Como cidadã, proprietária e líder de bairro, a entrevistada não hesitou em ir diretamente ao prefeito para pedir uma repressão armada às pessoas que viviam na favela e que ela sentiu que estavam atrapalhando sua vida e impedindo-a de ter o padrão de vida que merecia. O fato de ter sido recebida pelo prefeito não era tão estranho em São Paulo no contexto de democratização e de organização de movimentos sociais. As organizações de bairro sabiam que tinham uma chance de ser recebidas pelos políticos, que estavam começando a pensar na mudança do sistema de nomeação pelos militares para o de eleições diretas. Na verdade, muitas associações e líderes tiraram vantagem dessa situação e foram de fato recebidos.[14] O

[14] Eu mesma fui uma testemunha dessas diversas visitas de surpresa à Prefeitura. É importante mencionar que os prefeitos indicados pelo regime militar preferiam receber líderes individuais do que grandes grupos de pessoas. Em geral, as pessoas que iam sozinhas eram identificadas com

que é especialmente revelador em relação à narrativa acima é a série de contradições que ela apresenta. O prefeito nomeado pelo regime militar recebe democraticamente a representante, que afirma representar o bairro e inicialmente tenta defender os moradores da favela que depois atacará. Entretanto, da maneira autoritária mais tradicional, ele aparentemente acaba por mandar a polícia militar fazer uma "operação pente-fino" — e ganha o apoio da entrevistada, que disse que as coisas melhoraram depois disso.

Apesar de sua ação contra os seus vizinhos do outro lado da rua, essa líder local logo percebeu que seu relacionamento com a favela não podia permanecer hostil. Sua visita ao prefeito ocorreu em meados dos anos 70, ou seja, no começo do processo de abertura. À medida que esse processo se desenvolvia, entretanto, e que mais e mais movimentos sociais alcançaram o gabinete do prefeito, as ações individuais foram perdendo eficácia. Os movimentos sociais criaram um padrão de interação com a prefeitura em que a legitimidade das reivindicações tinha de ser demonstrada.[15] Essa líder mudou suas ações para se adaptar a esse novo padrão. Poucos anos depois da "operação pente-fino", ela percebeu que não tinha outra opção a não ser tentar se aliar aos moradores da favela a fim de exigir algumas melhoras para o bairro, inclusive asfalto e iluminação para a rua que ela dividia com os favelados, e melhores condições para a escola pública que servia tanto a seus filhos como às crianças da favela. Para legitimar suas reivindicações, ela precisava de suas assinaturas nos abaixo-assinados e ser reconhecida como sua representante.

A descrição de seus esforços é uma tentativa de equilibrar suas opiniões negativas sobre a favela e seus moradores com seu reconhecimento de que eles eram pessoas que enfrentavam problemas semelhantes aos seus na cidade. Trata-se de um exercício complexo de simultaneamente alegar coisas em comum e manter diferenças. Ela nos disse, por exemplo, como iria redigir um abaixo-assinado reivindicando asfalto ao prefeito:

2.19b

— Eu ia pôr, inclusive, no abaixo-assinado me dirigindo ao prefeito Reynaldo de Barros, eu ia pôr: Nós, contribuintes do senhor — porque eu me atrasei no impostinho e já me mandaram uma carta do judiciário —, nós, os contribuintes do senhor, moradores da rua tal, e os não contribuintes, que do senhor dependem — que é da favela —, porque tanto nós que pagamos imposto quanto eles necessitamos desse asfalto, dessas melhorias aqui (...)

Mas a escolha das palavras não era seu único problema. Ela tinha dificuldades em se aproximar das pessoas da favela contra as quais fizera campanha e em

partidos políticos de centro e da direita, enquanto pessoas afiliadas ao PT faziam questão de ir em grande número. A primeira eleição para prefeito em São Paulo ocorreu apenas em 1985, embora a primeira eleição para governador no estado tenha ocorrido em 1982.

[15] Para uma análise de diferentes tipos de liderança de bairro, especialmente mulheres, e suas diferentes táticas para mobilizar os moradores e abordar a administração da cidade, ver Caldeira (1990).

convencê-las a apoiá-la. Ela nos disse que era difícil porque as pessoas estavam assustadas, perguntando se sua assinatura significaria que teriam de pagar por alguma coisa, ou pior, desconfiando que ela estaria interessada em caçar "os bandidos". Ela lhes garantiu que não estava lá para pegar bandidos, porque sabia que esse não era um problema só deles, mas algo comum a toda a cidade. Ela lhes disse: "eu só quero melhoria pra nós, pra mim e pros meus filhos, e pra vocês e seus filhos". E ao continuar a descrever suas interações com eles, as diferenciações começaram a surgir:

2.19c

— Eles sempre tiveram medo, mas dessa vez eu meti a cara e entrei lá dentro, acho que pensaram que eu era da assistência social. E como eu tava te falando, tem uns barraquinhos ali que tão caindo, um mau cheiro horroroso, cinco crianças dormindo no chão — ali o barraco tá cai não cai.

Um de seus empreendimentos era melhorar a escola pública local, que, de acordo com ela, fora afetada pelo crime. Ela decidiu que o objetivo mais importante era ter polícia na frente da escola, especialmente no período da manhã, frequentado pelas crianças menores, que talvez não soubessem atravessar a rua.

2.19d

— Eu ensino meus filhos a cruzar a rua; eu saio, levo eles, mostro como é que é, mas enfim, eu vou espionar. Mas são crianças, geralmente essa gente [da favela], eles não vão com os filhos numa Lapa, numa cidade, não vão falar pro filho: ó, filho, é assim que atravessa a rua. Não têm tempo! Então, são crianças que anda avuaçada... e os carros anda adoidado, eles não têm... A maioria dos motoristas, homens, porque as mulheres são responsáveis, são mães.

Mesmo quando é politicamente necessário que os moradores de uma mesma rua trabalhem juntos, suas diferenças têm de ser mantidas. Ela sentiu que era necessário deixar distinguir no seu abaixo-assinado os cidadãos de verdade dos "não contribuintes", apesar de que ambos seriam beneficiados pelo asfalto e pelas melhorias na escola. Essa diferenciação não era apenas uma questão da condição de cidadania, mas também uma questão de pertencer ou ao espaço social adequado ou ao espaço impróprio do crime, um lugar de criminosos, lares desfeitos, mau cheiro, crianças dormindo no chão, mães que não ensinam seus filhos a atravessar a rua, mulheres negras fazendo strip-tease na janela, palavrões, cenas contra os padrões morais, pobreza extrema... uma lista infinita. No fim da entrevista, talvez sentindo que havia expressado preconceitos demais, ela sentiu que era necessário negá-los:

2.19e

— Então eu me entrosei com eles [os favelados]... eles são gente! No começo eles tiveram medo, porque eles acharam que eu queria mexer com banditismo. Mas jamais eu vou mexer com banditismo, porque nenhum bandido, se houver bandido nessa favela, nenhum deles vieram perturbar nós, entende?... É que favelado é nome marginalizado. Infelizmente, pra sociedade favelado é marginalizado. E eles se traumatizam com isso. Agora, aqui da nossa favela, não. A maioria, eu garanto, provo, reúno pra quem quiser, pra ver que eles são gente tanto quanto a gente.

O reconhecimento da humanidade dos favelados, que os iguala à entrevistada, e do fato de que são estereotipados — "o nome deles significa marginalidade" — não a impede de usar esses mesmos estereótipos para manter os não contribuintes longe de si mesma, de suas demonstrações de ser uma boa cidadã, e dos padrões que ela quer garantir para sua família. As ambiguidades e contradições do seu discurso derivam do fato de que as marcas de distinção usadas pelos pobres geralmente se valem de estereótipos como aquele dos favelados, que têm que ser simultaneamente impostos e relativizados. Como esse tipo de estereótipo é feito de preconceitos que afetam sobretudo os pobres, e como são eles que moldam as explicações e tentativas de exprimir distinção dos próprios pobres, seu uso sempre implica num esforço de deslocamento: os estereótipos têm que ser direcionados a um outro lugar pior, mesmo se esse lugar é o outro lado da rua. A dimensão dramática desse esforço, que acaba criminalizando e discriminando pessoas do mesmo grupo social, é que os dominados não têm um repertório alternativo para pensar a si mesmos e são obrigados a dar sentido ao mundo e à sua experiência usando a linguagem que os discrimina.[16]

O mesmo tipo de ambiguidades e contradições marca a fala dos moradores da Mooca em relação aos cortiços e seus moradores, os nordestinos (ver, por exemplo, a citação 1.1). Tanto na fala dos moradores da periferia sobre as favelas como nas discussões dos mooquenses sobre os cortiços, encontramos depreciações parecidas contra os habitantes de espaços inadequados, assim como relativizações, ambiguidades e contradições similares.

2.20

– Eu só acho o seguinte: que de alguns anos pra cá tem havido muita entrada de estrangeiros – entre aspas, que são de outros estados (...) Então, é diferente daquela Mooca de antigamente, que eram todas pessoas tradicionais, eu digo descendentes de italianos, de espanhóis, principalmente, e também de portugueses. E hoje, não, hoje nós temos muita infiltração de brasileiros, nossos, mas que vieram do Nordeste. Então o índice de capacidade, de estudo, é muito menor. Pessoas que vieram, vamos dizer, da roça lá do Nordeste, que se fixaram aqui. Então mudou muito nesse aspecto a vida da Mooca. A Mooca antigamente, eu me lembro, eram todas pessoas que se conheciam há vinte, trinta, quarenta anos. E devido também ao progresso ter avançado, aquelas avenidas que passaram, e também o metrô, que também chega a afetar a Mooca; lá embaixo também é Mooca, então muitas famílias tradicionais tiveram que se mudar pra ir pra uma região bem distante (...) No local onde eu moro, ali é um local que ainda não houve infiltração praticamente de "estrangeiros" (...) Eu digo "estrangeiros" com todo o carinho porque eles também merecem todo o respeito (...) Não quero colocar

---

[16] Para uma análise dos esforços dos pobres para controlar as narrativas dominantes e distanciar-se de seus estereótipos, ver Caldeira (1984: cap. 4, e 1987). Ver também De Certeau (1984).

nunca em xeque o fato de você ter vindo do Norte, do Nordeste, ser especificamente criminoso. Não é isso. A gente conhece muitos deles, sabe que são honestos e tal. Mas a diferenciação que eu quero fazer é a seguinte: de que a gente conhecia... a Mooca, por exemplo, de vinte anos atrás, pessoas que a gente conhecia há vinte anos, e hoje vem uma pessoa morar perto da gente que a gente mal conhece. Então, até que a gente sinta segurança ao lado dessas famílias que vieram, é diferente. Essa é a colocação que eu queria fazer. Nunca em termos de dizer que a pessoa que veio é criminoso. Não é isso. Mas que mudou muito pra pior, mudou.

Atacadista, Mooca, 45 anos, casado; mora com a mulher e dois filhos.

Apesar de ser impossível dizer que todos os nordestinos — os "estrangeiros" que se infiltraram no bairro e ocuparam os cortiços — são criminosos, para esse entrevistado sua presença certamente simboliza as transformações negativas no bairro. Algumas das mudanças se referem menos ao crime do que à reorganização do espaço urbano e dos padrões de sociabilidade local. As pessoas se sentem perdidas e inseguras com as transformações no bairro, e culpam o crescimento da criminalidade e os "invasores", cuja imagem estereotipada vem do repertório de maus caracteres sociais disponível. Chamá-los de estrangeiros obviamente é um modo de distingui-los da comunidade local. O fato de que essa distinção é feita por filhos de imigrantes em relação a brasileiros de outros estados indica mais uma vez a hegemonia do repertório de depreciações: usa-se contra os outros o mesmo repertório usado contra si mesmo. O poder da categoria que iguala nordestinos e criminosos se manifesta mesmo na fala de pessoas que querem questionar a associação. Um morador da Mooca já tinha sido roubado cinco vezes e, de acordo com ele, por pessoas muito diferentes: um loiro bonitão, três pessoas brancas e dois que pareciam nordestinos. Ele insistiu que é impossível generalizar, que dentro de cada categoria de pessoa há bons e maus. Mas sua categoria de nordestino é constituída basicamente de qualidades negativas.

2.21

— Dentro de São Paulo tem gente que presta e gente que não presta, a gente não pode generalizar a coisa. Agora, o que estraga geralmente o nordestino é que eles são sangue quente, às vezes eles não são nem assaltantes nem bandidos, mas se eles esquentam a cabeça, eles puxam a faca e matam (...) Mas esse negócio não tem nada a ver, não; se eu fosse assaltado toda vez por nordestino eu ia falar que tem tudo a ver, mas não é verdade. Na verdade, quem é contra nordestino são os descendentes de europeus, de italianos. O meu cunhado fala assim: os nordestinos chegam aqui e já compram "raiban", compram peixeira, arrancam os dentes e colocam dentadura ou ficam banguela. Eu acho que não são todos, você não pode generalizar uma coisa assim. Não é porque uma meia dúzia faz isso, todos têm que pagar. Pelo contrário, se São Paulo cresceu tanto, foi também graças a eles. Se eles não viessem para cá, nós é que íamos ter que pegar na massa. Só que a nossa mão de obra já ia ser mais cara, não é? Para construir o metrô, eles pagam quanto eles querem; nós não íamos querer, a gente ia exigir, não ia querer isso. O meu sonho, ainda, para não dizer que não tenho vontade de sair de São Paulo, é um dia ir para o Norte para ajudar a melhorar o Norte. Por exemplo: criar um sistema de irrigação para que eles não sofram mais o que eles sofrem, educar esse pessoal, começar por baixo, instruindo eles, mostrar o que é a vida para eles, dar cultura (...) Não que eu seja contra eles virem para cá. Eu acho que eles vêm para cá, são tachados de burro, ignorante, matador, de tudo isso, não é? O que eles vêm fazer aqui em São Paulo, para melhorar São Paulo, eles deveriam fazer na terra deles, para melhorar lá.

Vendedor desempregado, 32 anos, solteiro; mora com uma irmã casada na Mooca.

Os nordestinos podem não ser todos criminosos, mas a lista de derrogações usadas contra eles é imensa: eles têm "sangue quente", são mão de obra barata que não sabe como reivindicar um pagamento justo, são mal-educados, sem cultura, ignorantes. Além disso, o paternalismo implícito na ideia de trabalhar para civilizá-los (assim eles não teriam que vir a São Paulo) é evidente, assim como o preconceito de classe média contra seus padrões de consumo: eles chegam a São Paulo, compram óculos de sol *ray-ban*, vão ao dentista e, talvez por não serem racionais, substituem os dentes por dentadura.

É óbvio que os preconceitos contra os nordestinos, que frequentemente coincidem com aqueles contra os favelados, não são exclusivos dos moradores da Mooca: eles são parte de um repertório comum aos habitantes de toda a cidade. Nas entrevistas, por exemplo, eles foram usados por um executivo, descendente de imigrantes libaneses, que mora no Morumbi. Ele acha que o empobrecimento brasileiro começou com a crise do petróleo de 1972-1973, mas que o problema não é apenas econômico ou social, mas uma questão de educação.

2.22

— Eu me lembro muito bem quando São Paulo era um lugar onde se encontrava muito europeu. Quando começou vir o pessoal do Norte, os costumes foram modificados, eles trouxeram costumes... Nós éramos mais educados; não sou contra o nortista, mas é o que acontece. Mudou o costume, mudou o respeito que se tinha pelo que era do outro, pelo aquilo que é seu e que a gente vê tão bem, tão bonito nos Estados Unidos. Fecha o sinal, você para, todo mundo para, você pode andar com sossego na rua, exatamente o contrário do que acontece aqui.

Empreendedor imobiliário, quarenta e poucos anos, proprietário de uma empresa de desenvolvimento imobiliário; mora com a mulher e três filhos no Morumbi.

Tenho interpretado as repetidas e simultâneas afirmações e negações dos preconceitos em relação a algumas categorias sociais como uma oscilação entre dois tipos de registros da fala do crime. Há, entretanto, outra interpretação complementar. As citações indicam como as pessoas tentam se dissociar do que sabem que são preconceitos e depreciações apesar de obviamente compartilharem deles. Essa consciência e ambiguidade marca outras dimensões da sociedade brasileira, como o caso do preconceito contra os negros. Considerando o que foi dito contra os favelados e nordestinos, é especialmente significativo que em nenhuma ocasião durante as entrevistas alguém tenha feito uma declaração direta contra os negros ou afirmado que eles fossem criminosos. Quando muito, ouvi frases como uma da citação 2.19, na qual as mulheres que faziam "strip-tease" na favela foram identificadas como negras, mas sem mais elaboração. Apesar dessa ausência na fala do crime, sabe-se que a discriminação contra os negros atravessa a sociedade brasileira. Estudos recentes usando dados de Censo de 1980 e 1991 mostram que, seja qual for o indicador utilizado, os negros estão em pior situação social (Goldani 1994, Hasenbalg 1996, Lopes 1993, Silvia e Hasenbalg 1992, e Telles 1992, 1993 e 1995). Esses estudos, junto com o Movimento Negro, desafiam o mito da democracia racial. Uma das principais táticas que têm ajudado a manter esse mito é um sofisticado código de polidez que considera de mau gosto nomear pessoas negras diretamente "negras" e colocar em palavras qualquer ofensa a elas, como se fosse possível eliminar o racismo ao não se pronunciar certas palavras. Essa é uma das razões pelas quais vários recenseamentos brasileiros omitem questões sobre raça e pela qual as pessoas usam todo tipo de eufemismos (moreno, escurinho, por exemplo) para se referir a uma pessoa negra.[17] É por isso também que o Movimento Negro encontra dificuldade em recrutar ativistas que optem por identificar-se publicamente como negros (abandonando categorias "mais brancas" como mulato) e que os julgamentos, desde que a Constituição de 1988 definiu o racismo como um crime, têm sido raros e frustrantes (ver Guimarães 1997). A constante necessidade de censurar as palavras aprendidas no contexto das relações raciais pode muito bem ter influenciado a expressão de depreciações em relação a outras categorias sociais. Apesar de as pessoas expressarem julgamentos negativos em relação aos nordestinos e favelados (também possíveis eufemismos para negros) e aos pobres em geral, elas procuram corrigir-se, atribuir a opinião a outros, relativizá-la. A arte de discriminar e ao mesmo tempo negar que se faz isso só pode ser cheia de ambiguidades. Mas é uma arte em que os brasileiros são mestres (Caldeira 1988).

Em formas às vezes mais elaboradas, às vezes menos, os moradores que entrevistei em todos os bairros usaram alguns desses modos de expressão paradoxais em relação aos pobres, aos favelados, às pessoas que vivem nos cortiços e aos nordestinos. Entretanto, alguns moradores do Morumbi ofereceram uma descrição diferente dos criminosos. Eles associam o aumento do crime ao tráfico de drogas e a operações criminais cada vez mais sofisticadas. Uma dona de casa me disse que nenhuma das pessoas que ela conhecia que haviam sido assaltadas tinha sido roubada por um "mendigo". "Grandes assaltos" — argumentou ela — "são feitos por gente muito bem-vestida, muito bem-arrumada, e se um tipo com jaqueta se aproximar de você, você deve tomar cuidado, porque a jaqueta sempre esconde uma arma". Outro casal, que foi roubado num restaurante e que decidiu aceitar o medo do crime como um preço que tem de pagar para viver em São Paulo, cidade de que eles gostam, falou sobre a discrepância entre a imagem comum do criminoso como pobre e a realidade mais provável de ser roubado por alguém que não parece pobre.

---

[17] A negação de categorias raciais é compartilhada por outros países latino-americanos que também tiveram escravidão e na virada do século XIX adotaram versões da "teoria do branqueamento". Esses são países que habitualmente não registram raça nos seus censos (Hasenbalg 1996). Para a Venezuela, ver Wright (1990); para a Colômbia, ver Wade (1993); e para Cuba, ver Helg (1990).

2.23

Q (esposa) – Hoje em dia, acho que qualquer pessoa atravessando a rua a gente já fica assim.

P (marido) – É, mas normalmente é ligado à figura de um cara mais pobre. Tá certo? Hoje se ouve muito falar de negócio de assalto de carro de uma dupla que vem de moto. Vêm dois caras numa moto, param do lado dum carro, te tiram, apontam uma arma e falam "sai fora", desce o da garupa e pega o carro e vai, e os dois fogem. Você vê, numa moto! Esse troço deve ser... eu nunca vi, mas não deve ser cara malvestido.

Diretor geral e coproprietário de uma indústria química, 37 anos, e sua esposa, que é dona de casa, 36 anos. Eles moram com os dois filhos no Morumbi.

Nos bairros ricos, a imagem do criminoso pobre não é muito detalhada, provavelmente pela simples razão de que os moradores não temem ser confundidos com criminosos. Seus discursos sobre criminosos raramente deixam o campo do genérico e essa distância social segura lhes permite até mesmo uma certa proximidade simbólica: alguém que é um criminoso pode não coincidir com o estereótipo do criminoso; pode até estar bem-vestido. Foi apenas no Morumbi que residentes se referiram à imagem do moderno profissional do crime, com jaquetas de couro, motocicletas e armas, interessado em dólares e com recursos para crimes sofisticados como sequestro, o crime que a elite mais teme.

A proximidade real com o estereótipo do criminoso, entretanto, requer um discurso elaborado de distanciamento e separação. Quando entrevistei as pessoas na periferia ou na Mooca, perguntei-me várias vezes se a minha insistência no assunto do crime não iria automaticamente gerar ansiedade, dúvidas sobre se eu suspeitava que eles fossem criminosos, e a consequente necessidade de enfatizar as diferenças. As pessoas pobres que entrevistei sempre se esforçaram para distanciar a si mesmos e a outras "pessoas honestas, trabalhadoras" da imagem do criminoso. Essa ansiedade em relação à separação não tem origem exclusiva num esforço para exibir um status social melhor ou num exercício simbólico. Na verdade, a "confusão" entre pessoas pobres e criminosos pode ter sérias consequências, considerando-se que a polícia também opera com os mesmos estereótipos, frequentemente confundindo os pobres com criminosos e às vezes até matando-os. O aspecto paradoxal da tentativa dos pobres trabalhadores de separarem-se do estereótipo do criminoso é que isso é feito usando-se contra o vizinho as mesmas estratégias que são usadas contra a própria pessoa. Como consequência, a categoria do criminoso e seu repertório de preconceitos e depreciações raramente são contestados. Ao contrário, a categoria é continuamente legitimada e os preconceitos e estereótipos contra os pobres (favelados, nordestinos, moradores de cortiços) são reencenados diariamente.

O universo simbólico do crime não está limitado a referências de caráter socioeconômico e não está restrito aos tipos de preconceitos e difamações que acabei de analisar. O crime é também uma questão do mal, e suas explicações também têm a ver com autoridade e construções culturais destinadas a domesticar as forças do mal. É importante investigar essas concepções sobre o controle da difusão do mal porque os paulistanos as usam para atacar os direitos humanos, para apoiar abusos da polícia, justiceiros e esquadrões de morte, e para justificar a pena de morte.

Mal e autoridade

O crime é uma questão de autoridade. As pessoas que entrevistei em São Paulo acham que o crescimento do crime é um sinal de autoridade fraca, seja ela da escola, família, mãe, igreja, governo, polícia ou sistema judiciário. Essas autoridades são responsabilizadas por controlar a difusão do mal. Na fala do crime, o mal é tido como algo poderoso e que se espalha facilmente. Uma vez que atinge alguém numa posição fraca — por exemplo, alguém nos espaços impróprios ou sem os atributos apropriados a um membro da sociedade — é provável que domine essa pessoa, e é difícil livrar-se dele. As pessoas que entrevistei sentiam que as autoridades e instituições estavam claramente fracassando em sua tarefa de controlar lugares e comportamentos, ou seja, estavam deixando espaços abertos para o mal se espraiar.

Os verbos usados para descrever o crescimento do crime e o contexto em que ele ocorre foram *infiltrar*, *infestar* e *contaminar*. Uma consequência importante dessa teoria de contágio e do fracasso das autoridades em controlar o mal é que as pessoas intensificam suas próprias medidas de encerramento e controle, de separação e construção de barreiras, tanto simbólicas (como preconceito e estigmatização de alguns grupos) como materiais (muros, cercas e toda parafernália eletrônica de segurança). Além disso, elas tendem a apoiar medidas privadas de proteção que são violentas e ilegais, tais como a ação de justiceiros e abusos da polícia.

As entrevistas sugerem que as pessoas de todas as classes pensam no mal como uma força natural e que pode ser controlada apenas pelos trabalhos da cultura e da razão. O modelo que muitos moradores de São Paulo parecem ter assemelha-se à concepção de Hobbes do estado natural que fundamenta a necessidade do contrato social. Na falta de um contrato atando as pessoas a regras restritivas, e na falta de autoridades que possam impor esse contrato, existe uma "guerra de todos contra todos". Quando o contrato social falha, as pessoas retrocedem à violência do estado natural, ou seja, a um universo de hostilidade, retaliação e vingança. Enquanto o mal se espalha facilmente, a ordem e a paz são difíceis de manter. Essas concepções são também similares às de Girard (1977; ver também capítulo 1).

O mal é também concebido em oposição à razão. É aquilo que não faz sentido e que se aproveita de pessoas cuja racionalidade é vista como precária. Crianças, mulheres, adolescentes, os pobres e pessoas cuja consciência pode estar perturbada, como os usuários de drogas, são tidos como os mais vulneráveis e que mais necessitam ser controlados. Como se considera que as crianças pequenas e as mulheres são mais fáceis de controlar, o grupo que corre maior risco de ser afetado pelo mal é o dos rapazes. Eles são considerados muito jovens para se protegerem do mal por si mesmos, e por não serem totalmente racionais, ainda precisam ser controlados. Por serem homens, entretanto, resistem ao controle e são atraídos pelos ambientes em que o mal abunda, principalmente a rua. Ali encontram as drogas, que perturbam sua consciência e os transformam em alvos fáceis para as forças do mal.

O mal é algo associado à natureza humana, algo a que qualquer um é vulnerável. No entanto, como os pobres são vistos como mais próximos da natureza e da necessidade e mais distantes da razão e do comportamento racional que as outras pessoas, e como estão fisicamente mais próximos dos espaços do crime, consequentemente, são tidos também como outro grupo que corre o risco de ser infectado pelo mal.

No que constitui uma concepção bastante difundida da ordem social, autoridade, instituições, trabalho, razão e controle são vistos como as armas contra o mal. Quando as pessoas veem o crime aumentando, elas frequentemente culpam as instituições públicas e diagnosticam a necessidade de uma autoridade forte (citações 2.4, 2.17). Quando as instituições públicas falham, as pessoas sentem que têm que resolver os problemas por seus próprios meios. Quando se considera que o ambiente ficou muito perigoso, a melhor resposta é construir barreiras por toda parte e intensificar todos os tipos de controle privado. As pessoas intensificam seus preconceitos, e para isso a fala do crime é instrumental, mas elas também contratam guardas particulares, constroem muros, adotam medidas eletrônicas de vigilância, apoiam grupos de justiceiros e os atos ilegais e particulares de vingança da polícia.

Perguntei a moradores de São Paulo tanto em 1981-1982 como em 1989-1991 o que transformaria uma pessoa num criminoso. As respostas foram surpreendentemente parecidas. Algumas reuniam vários elementos associados ao mal e ao que é considerado impróprio, enquanto outras mencionavam apenas poucos elementos. Um exemplo de resposta abrangente é aquela dada por uma moradora do Jardim Peri-Peri, na periferia oeste da cidade, comentando um assassinato perto de sua casa que foi aparentemente motivado por uma disputa por um suéter.[18]

2.24

– Eu acho que é a própria cidade que contribui pra isso. Sabe, eu acho que, por exemplo: decerto ele viu o outro com um monte de blusa, casaco, tudo, e ele sem blusa, passando um frio desgraçado, vendo o outro vestido, ele foi lá, deu não sei quantas facadas e arrancou a blusa dele e foi embora (...) Agora, eu acho que é a própria cidade que contribui pra isso. Porque você vê: a maioria que tá aqui, vieram de onde? Vieram lá do Nordeste, vieram lá do Sul – apesar que o pessoal do Sul eu acho mais, assim, civilizado, né? Eu acho que o pessoal do Nordeste, eles vivem numa condição, do Norte e do Nordeste... ah, numa condição, assim, horrível de vida, horrível (...) Já essa maldita propaganda que eles fazem na televisão e levam pra lá, essa imagem vai pra eles: 'Olha, pessoal que vai pra São Paulo consegue ficar rico'. Então, que que eles fazem? Eles pegam toda a família, vendem o pouco que eles têm lá, e vêm pra cá. Quando eles chegam aqui, eles não têm lugar pra ficar. Às vezes tem um conhecido, vão lá na casa do conhecido, aí fica aquela montoeira, né?, numa casinha, sei lá, de um par de sala, quarto e sala ou quarto e banheiro, cozinha, ou numa favela mesmo. Então fica assim: dez, vinte, trinta pessoas dentro duma casa... você imagina o que não acontece. Então, os filhos, vendo os pais saindo, sei lá, pra irem pro trabalho, ficam lá o dia inteiro. Aí junta esses filhos mais os filhos do outro, mais os filhos do outro... E mais os filhos de não sei mais quem lá... E sem comer, sabe? Os pais ganham pouco, né?, não têm condições. Então, o que acontece? Já é uma violência, porque daí ele vê um que tem tudo, sabe?: 'pô, aquele cara tem tudo e eu não tenho nada! Eu vou tirar um pouco do que ele tem, quem sabe vai me beneficiar'. Você vê: a maioria dos ladrões,

---

[18] Entrevistas no Jardim Peri-Peri foram feitas em 1981 por Célia Sakurai, integrante da equipe de pesquisa do Cebrap.

o que eles pensam? Que eles vão poder tirar aquilo que os caras têm, sabe, que a polícia nunca vai descobrir o que eles roubaram, entende? Então eu acho que é a própria condição de vida do pessoal (...) A fome é a pior coisa que tem. Então, esse pessoal que vem de lá pra cá, eles passam fome. Então, eles não têm com que lutar. Não têm! Não têm com que lutar. Então, sabe, eles vão assaltar, vão matar, entende?, pra ter uma coisa.

Digitadora de computador numa grande fábrica, 33 anos, Jardim Peri-Peri; mora com a mãe, que é faxineira, e com uma tia.

Essa versão estereotipada das causas do crime acumula uma longa lista de elementos. Há sempre a questão dos lugares impróprios. Mesmo se todos os nordestinos não vivem em favelas, diz-se que moram em casas promíscuas com excesso de pessoas e sem as devidas separações, onde crianças se misturam com inúmeras outras crianças desconhecidas, todas sem o devido acompanhamento dos pais. Como pano de fundo, as condições sociais de sempre: fome, pobreza, e a perturbadora desigualdade na distribuição da renda. Finalmente, há a impunidade, o fracasso da polícia e do sistema judiciário em punir os crimes. A combinação de todos esses elementos cria uma condição de vida que enfraquece as pessoas, deixando-as sem a capacidade para lutar. Lutar é um verbo comumente associado à ideia de persistência e trabalho duro; é o que leva as pessoas a ascender socialmente (ver Caldeira 1984: cap. 4). O verbo lutar e o substantivo luta são também usados na periferia para se referir aos movimentos sociais. Acredita-se que pessoas em uma posição enfraquecida, que não podem lutar adequadamente, correm um alto risco de serem infectadas pelo mal.

Os mesmos elementos foram repetidos em muitas entrevistas. Quando perguntamos a um rapaz na Mooca se ele concordava que o crime estava relacionado aos nordestinos, ele respondeu que poderia ser, já que as migrações e os roubos eram ambos motivados por razões econômicas. Entretanto, quando lhe foi pedido que descrevesse que tipo de pessoa ele imaginava que tinha tomado seu relógio, a resposta foi bem diferente.

2.25

— Olha, essa pessoa, eu imagino que ela pode até ser desempregada, possa ser uma pessoa que... olha, para cair nessas condições é muito fácil. Basta você ter, por exemplo, um mau relacionamento familiar, basta você ter uma esposa que... sei lá, um mau relacionamento em geral. Um insucesso no trabalho. Basta pequenas coisas. E também tem um detalhe: basta você ter uma moral fraca, uma educação insignificante, basta você ter uma cultura medíocre. O que que é isso? Isso infelizmente é a maioria. Então é dessa maioria que surge essas coisas. O assaltante pode até ter vindo de uma família classe média. Outro pode ter vindo realmente da favela. Então, eu acho que favorece, essas coisas gerais, sociais, que é da cultura, que atinge todo mundo, pode favorecer todo mundo que é atingido maciçamente por isso.

Desempregado formado em comunicações com especialização em rádio, 23 anos, Mooca, mora com os pais.

É preciso mais do que condições econômicas e políticas para se produzir um criminoso, mas esse mais é muito pouco: qualquer pequeno empurrão em direção ao impróprio — desemprego, uma má esposa, uma frustração no emprego ou na família — pode fazer pender a balança. Resistir ao perigo requer uma mente forte, algo que se acredita que os pobres não têm.

2.26
– Tudo aumentou 100% e o salário da pessoa não aumentou nem um tostão. Quer dizer, pra quem ganha pouco, o salário ou um pouquinho mais, quer dizer, uma pessoa dessas eu acho que se apincha no abismo. Você pensa bem: um pai de família, tem três, quatro filhos, ele vai trabalhar, trabalha, trabalha, trabalha, o serviço já é aborrecido, depois chega em casa também e não vê condições, não vê saída, então isso aí eu acho que joga muitas pessoas que não pensa bem no abismo. E aí começa a querer assaltar, a querer roubar, a querer matar, querer fazer vingança com a família, fazer vingança com o colega de trabalho, com o patrão.
Trabalhador semiespecializado, 39 anos, Jardim das Camélias.

Perguntei à militante dos movimentos de bairro citada em 2.19 o que ela achava que transformava os meninos do Jardim das Camélias em bandidos.

2.27
– Eu não sei... Às vezes eu penso assim, às vezes pode ser a convivência do pai e da mãe, uma separação, é o filho que às vezes já nasce revoltado com a vida, até mesmo com o pai e a mãe. Eu acho que para a pessoa levar isso, será que é só um vício? Muitos bebem e diz que bebem porque é um vício, fuma porque... sei lá, é tudo confuso. Acho que para a pessoa levar a isso, sei lá, eu acho que é as más companhias também. Às vezes os colegas mesmo... às vezes os próprios colegas que leva, às vezes não quer ir e tudo, mas vamos ali e tal e tal. Quer dizer, que é tudo isso, né? Já vem de casa, às vezes é da rua, sei lá, perde a cabeça. Depois que perde a cabeça, pronto.

Muitos dos entrevistados acham que as pessoas que têm de enfrentar condições de vida muito difíceis ou que crescem em ambientes adversos precisam de uma mente forte para evitar o desespero e resistir às más influências. Mas, se perdem a cabeça (isto é, sua razão e capacidade de julgamento), elas estão perdidas. E não há melhor maneira de perder a cabeça do que se envolver com drogas. Na verdade, a correlação de drogas e crime foi uma das mais comuns nas entrevistas, e foi persistentemente descrita como um ciclo: as pessoas vêm de um meio inadequado, ficam sujeitas às más influências nas ruas, conseguem drogas de graça, ficam perdidas e se tornam viciadas, e finalmente viram criminosos para poder sustentar seu vício.

Pessoas de todos os grupos sociais acreditam que uma mente forte se origina dentro de uma família forte, que discipline adequadamente seus filhos e os mantenha à distância das más companhias.

2.28
E (mãe) – Eu acho. Eu acho que, olha aí, esses moleques criados aí, você vê moleque de 15, 16, 17 anos, fica o dia na rua. Eles não ficam pensando em outra coisa, se eles não fazem nada. Você pelo menos estuda, é diferente. Eles não estuda, não trabalha, quer dinheiro, eles não têm de onde tirar, que é que eles vão fazer?

D (filha) – E onde entra o desemprego?

E – Ah, existe o desemprego, mas se procurasse, encontrava – e por que que aqueles que procuram, encontram?

D – Quanta gente tem aí desempregada, procurando emprego e não acha!

E – Eu acho que se procurasse, encontrava, sim. Agora, fica aí na malandragem, numa boa... tem moleque aí com 13 anos que já anda com revólver na mão!

D – Agora, por quê? Por que que eles estão com o revólver na mão? Porque a maior parte desses garotos foram criados sem as mães tarem em casa! Por quê? Porque as mães precisavam trabalhar pra pôr alimento pra dentro de casa. Então, quer dizer, o que que esse garoto vai aprender na rua? Roubar! Vai faltar as coisas em casa porque a mãe ganha um salário pequeno, não dá pra ter tudo em casa, então ele começa a roubar. Então, quer dizer, o culpado não são eles: é uma culpa da sociedade!

E – Eu acho que a culpa tá em todo mundo, não tá só na sociedade, não.

D – Então, a sociedade é todo mundo.

[A discussão continua e E argumenta que as mães não deviam ir trabalhar e deixar seus filhos de 15, 16 anos em casa sem trabalhar. Ela acha que se as mães tivessem mais autoridade, isso não aconteceria. No entanto, ela diz que autoridade não significa autoritarismo, porque o relacionamento entre pais e filhos deveria ser baseado na amizade e confiança, não na imposição do ponto de vista de uma das partes. Ela argumenta que se a criança não sente que pode confiar nos pais e conversar com eles, ela pode acabar preferindo confiar em outra pessoa na rua. Ela acha que tudo seria mais fácil se houvesse mais diálogo entre pais e filhos, e se os pais pudessem ver menos televisão e conversar mais com os filhos. Nesse ponto, o entrevistador perguntou se o seu filho de 10 anos costumava brincar na rua.]

– Esse menino, filho da senhora, ele brinca na rua?

E – Ele não, ele tava trabalhando até essa semana.

– Esse garotinho?

E – Tava trabalhando na farmácia até essa semana. Saiu essa semana, que tá no fim do ano e ele tá com problema da escola.

D – Ele só foi na farmácia porque a gente trancava ele dentro de casa...

E – Pra não ter contato com os outros.

D – Então, acontece que ele escapava, sabe. Ele pegava a chave, e quando você descuidava, tava ele na rua. Então, quer dizer, o contato que ele tem com o pessoal não ia ser legal pra ele. Então a gente pôs ele na farmácia. Ele não recebia praticamente nada, era assim um dinheirinho pra ele mesmo, mas que já empatava dele ficar na rua.

E – Eu acho que o ambiente, a amizade influi bastante. As amizades influem bastante. E tem amizade que a gente é obrigada a evitar um pouco. Tem certas amizades que a gente é obrigado a evitar, então isso foi uma maneira de manter ele afastado do... das más companhias.

Dona de casa, Cidade Júlia, cerca de 40 anos, e sua filha de 20 anos. A mãe tem outro filho biológico e dois adotados.

A opinião de que é preciso controlar os filhos e mantê-los afastados de desconhecidos é bem difundida entre todas as classes sociais. Ela constitui um forte argumento contra viver em prédios: dada a proximidade, as pessoas em apartamentos e condomínios têm mais dificuldade em controlar os filhos e mantê-los afastados de qualquer um que possa ser considerado "inadequado". Quando se trata de proximidade e "amizades", pessoas de todas as classes usam exatamente as mesmas frases. Aqui estão as opiniões de M, O e P, três moradoras do Morumbi citadas em 2.14.

2.29

— E por que vocês preferem morar em casa e não num desses condomínios?

O — Liberdade. Pra mim, liberdade em primeiro lugar, e contato de muitas crianças que eu não ia poder separar, controlar a amizade dos meus filhos.

P — Certo.

O — Famosa: o medo da droga. Minha cunhada mora num condomínio. É o dia inteiro crianças daqui, dali, daqui; você não sabe de quem são os filhos...

M — Porque lá as casas não são cercadas, a casa não tem cerca, não tem nada...

O — O muro bem grande em volta.

M — Só o muro do condomínio, mas a casa, só a graminha, dali a pouco já é a outra casa. Tipo americano.

O — Tudo aberto, e você não sabe o contato que o seu filho tem... Se você quer que seja com esse, tudo bem, mas como é que você vai separar? Você não tem um muro, como é que você vai dizer: não, meu filho, você recebe os amigos que eu acho melhor, vou selecionar esses amigos. Que hoje em dia você deve selecionar, eu acho, né?, você deve pelo menos selecionar a amizade. E não dá, então eu não vou de jeito nenhum. (...) Sabe, ideias de crianças que passam pra outras crianças, porque a criança pode ser muito calma, tranquila, mas com influência de um bando mais pesado... Porque teve caso de criança roubar casa de outra criança pra roubar dólar pra comprar maconha, não vou dizer nome, mas foi casos que aconteceram... Eu não ia aguentar, eu não moro mesmo, de jeito nenhum. Pode acontecer pros meus filhos também, mas aí, paciência, mas eu tentei fazer o possível, e no momento só quando eu sentir que eles realmente têm a cabecinha boa pra enfrentar o mundo sozinhos, abro as portas tranquila, que façam o que quiser — mas até então quero ter o controle.

Qualquer que seja a classe social, as pessoas parecem compartilhar da ideia de que más influências se propagam facilmente e que a principal forma de evitar sua propagação é controlar os filhos com cuidado. Duas das mulheres da classe alta que acabei de citar e a mulher da classe trabalhadora que citei anteriormente são donas de casa que decidiram não trabalhar para controlar adequadamente seus filhos. Elas se sentem desconfortáveis com isso. A mulher da classe trabalhadora sente que a carga para seu marido é realmente pesada; e as mulheres da classe alta (uma das quais tem educação universitária) sentem a pressão de seu ambiente social, em que um número crescente de mulheres trabalha. Todas acham, entretanto, que seu sacrifício é necessário para o bem-estar dos filhos. Elas e vários outros entrevistados sugeriram que mulheres que trabalham fora são responsáveis pelos eventuais desvios dos filhos. Assim, as mulheres que trabalham têm que lidar com um forte sentimento de culpa. Apesar de os homens correrem um risco maior de se tornarem criminosos, as mães são mais responsabilizadas do que os pais pelo comportamento criminoso de seus filhos. De acordo com o estereótipo compartilhado por muitas pessoas que entrevistei, as mulheres que trabalham abandonam seus filhos às ruas e não conseguem mantê-los no "caminho certo" (por exemplo, nas citações

2.19, 2.24, 2.28). É óbvio que esse ponto de vista desconsidera o fato de que a maioria das crianças cujas mães trabalham não fica em casa sozinha e abandonada, mas com as avós, tias, vizinhos, irmãos e irmãs, professoras, empregadas e assim por diante. Muitas pessoas insistem, entretanto, que a mãe deve ficar por perto, como se apenas sua presença pudesse manter as coisas como se deve.

Pode-se argumentar que o mal é um dos elementos mais democráticos no universo do crime. Ele vem de todo lugar, pode afetar qualquer um (embora os fracos sejam mais vulneráveis), e consequentemente requer que todos sejam controlados. Entretanto, as consequências dessa preocupação com a vigilância constante transcendem o universo do crime. Pessoas acostumadas a exercitar um alto nível de controle têm grande dificuldade para aceitar qualquer limite à sua vigilância ou reconhecer os direitos individuais de outros. Elas não acham que seus filhos têm direito à privacidade ou à escolha, como, por exemplo, selecionando com quem brincar. Crianças devem fazer o que seus pais querem que façam e brincar com as crianças que eles selecionarem — as lições sobre separação e preconceito começam cedo. Só resta indagar quando o direito de escolha das pessoas começa, especialmente o direito daqueles "que precisam" de um controle mais rígido, como os jovens e as mulheres. Pode-se também especular que a falência da escola pública no Brasil não é apenas uma questão de falha institucional: será que os pais da classe alta considerariam as crianças da classe trabalhadora como possíveis companheiros para as brincadeiras de seus filhos? Os pais da Mooca deixariam seus filhos brincar com nordestinos?

Um outro elemento revelado nas discussões sobre controle das más influências é a necessidade de ocupar a mente e o tempo das pessoas. Um senhor do Jardim das Camélias me disse uma vez que "uma mente vazia é oficina do diabo".[19] Na cultura popular, considera-se que a melhor proteção contra a influência do diabo é o trabalho, como também demonstrou Alba Zaluar em muitos de seus estudos sobre o universo do crime no Rio de Janeiro e sobre as relações entre trabalhadores e bandidos nos bairros pobres.[20] Entretanto, se as pessoas não estão trabalhando, elas devem pelo menos estar ocupadas com algo. O menino mencionado na citação 2.28 foi mandado trabalhar na farmácia para que se mantivesse ocupado e fora das ruas. Tempo ocioso é um risco para todos. Os homens podem perder a cabeça quando desempregados, e diz-se que as mulheres que não têm nada para fazer deixam a mente aberta às más influências.

As pessoas também acham que é difícil ressocializar os presos tanto porque não é fácil erradicar o mal depois que ele já infectou uma pessoa, como porque nos presídios eles ficam sem fazer nada. Assim, muitos pensam que o único caminho para ressocializar prisioneiros é forçá-los a adquirir alguma especialização profissional durante o tempo de prisão. Esta é, por exemplo, a opinião de um entrevistado da Mooca. Ele acha que um dos problemas das prisões é que as pessoas que estão

---

[19] Outra versão disso é o ditado popular "o ócio é o pai de todos os males".

[20] Ver Zaluar (1983, 1985, 1987, 1990, 1994). Sobre as concepções do trabalho no Jardim das Camélias, ver Caldeira (1984: cap. 4).

lá por coisas pequenas, por exemplo rapazes pobres que roubaram algo por necessidade, são colocadas junto com criminosos perigosos e "absorvem por osmose todo o conhecimento ruim". Ao invés disso, eles deveriam ser forçados a escolher um tipo de trabalho e aprender a exercê-lo.

2.30

— É não deixar que ele fique ocioso, é como aquela história, é como... vai agora o meu lado machista: é como mulher que fica em casa sozinha, né?, sem trabalhar, fica o dia inteiro e aí fica pensando em bobagem... "Onde será que ele tá que não chegou ainda?" Então, põe pra trabalhar que vai estar mais ocupado![21]

Dono de bar, Mooca, tem diploma de advogado mas não exerce a profissão; solteiro, mora com três companheiros de quarto.

As pessoas acham que reabilitar alguém que "entra no caminho errado" é quase sempre impossível. Muitos que defendem a pena de morte apontam o perigo representado por aqueles dominados pelo mal. Eles dizem que a morte é a única maneira eficaz de extinguir o mal. Controlar o mal é sempre uma tarefa intensa, difícil. O mal se espalha facilmente por "osmose", através do contato; basta um momento de distração, uma mente temporariamente ociosa, uma situação de instabilidade, com seus limites indefinidos e o medo de misturas. Como consequência, as pessoas querem barreiras para evitar a difusão do mal e para reorganizar um mundo muito facilmente tomado pelo caos.

Os elementos que analisei até agora não esgotam as explicações do crime dadas pelos moradores de São Paulo. Uma outra série aborda os problemas do indivíduo, tanto morais como psicológicos. Essas explicações são frequentemente evocadas quando as referências ao ambiente e ao que é considerado apropriado são insuficientes para explicar um crime. Quando as pessoas vêm dos lugares certos e tiveram um supervisionamento adequado, quando as aparências contradizem o comportamento, uma compreensão da violência pode ainda ser encontrada na "natureza" — ou mais exatamente na "natureza pervertida" — e, em alguns casos, na consciência pervertida. Moradores de São Paulo dizem que as pessoas ricas podem roubar por "malvadeza". A violência pode também ser justificada por um "drama psicológico" ou loucura, um caso extremo de "perder a cabeça". Às vezes as pessoas se tornam criminosas simplesmente porque esse é o seu "destino".

Esses tipos de argumentos são usados especialmente para explicar o uso excessivo da violência. O estupro, por exemplo, em geral requer uma explicação baseada na perversidade. Além disso, referências a um desvio da natureza humana e da razão surgem para justificar crimes em que o uso excessivo da violência é considerado gratuito, como no caso de um ladrão que, depois de pegar tudo o que queria, mata a pessoa que foi roubada. Como um estudante universitário que mora na Mooca com os pais disse: "Algo assim não tem explicação; só pode ser que ele es-

[21] A equivalência entre mulher e prisioneira nessa citação de um "macho" não deve passar despercebida.

tava fora de si, drogado". Apenas os crimes contra a propriedade podem ser explicados puramente por razões socioeconômicas.

As explicações que se referem a perversão, destino, azar e emoção são também usadas para explicar crimes cometidos por aqueles que não se encaixam em nenhum dos estereótipos. Crimes cometidos por pessoas das classes mais altas, que, como se diz, "têm tudo do bom e do melhor", só podem ser explicados por algum tipo de perversidade. Dois estudantes universitários entrevistados na Mooca separaram claramente crimes motivados por razões econômicas (cometidos por alguém que está, por exemplo, desempregado e desesperado) e crimes cometidos por pessoas "que têm aquela natureza". Eles acham que o uso das drogas é muito disseminado, não apenas entre as pessoas das classes baixas, mas também nas classes média e alta, com as quais eles têm contato em bairros como os Jardins. Na verdade, eles acham que o uso é mais comum nos grupos mais ricos, porque eles têm mais dinheiro para viciar-se e roubam por razões estúpidas, como para pegar pequenas coisas, como um par de tênis.

Os jovens da classe trabalhadora do Jardim das Camélias também acham que os crimes cometidos pelas pessoas da classe alta estão associados a drogas — como estão os crimes em geral, na sua opinião. Entretanto, no caso das classes altas, as drogas apenas não oferecem uma explicação.

2.31

A — E tem gente até que rouba e nem precisa, rouba por que é descarado. Que nem uma época aí que tinha os filho de barão jogando bomba dentro de restaurante. Por que faz aquilo? Acho que é uma diversão pra eles, não têm o que fazer, vai ver quer tirar a paciência da gente mesmo.

C — Se fosse pobre, a polícia pegava, batia...

A — Se fosse pobre, a polícia pegava, batia, fazia tudo; mas como é rico, podia até ser filho de general, de major, se a polícia pegar, tem que soltar.

Para os moradores do Jardim das Camélias e da Mooca, as pessoas ricas desfrutam do privilégio de estar acima da lei e da sociedade porque sua posição social garante que elas não serão punidas. A percepção dessa desigualdade adicional, que perverte as classificações e os contratos sociais, está no centro do total pessimismo que muitos moradores de São Paulo sentem a respeito das possibilidades de criação de uma sociedade mais justa no Brasil. Como é difícil impor a ordem por meio das instituições existentes, que são incapazes de controlar o mal e portanto de construir uma sociedade melhor, as pessoas sentem que estão constantemente expostas às forças naturais do mal e ao abuso daqueles que se colocam acima da lei. Para se proteger, elas têm de confiar em seus próprios meios de isolamento, controle, separação e distanciamento. Ou seja, para se sentirem seguras, elas têm de construir muros.

Parte II

O CRIME VIOLENTO E A FALÊNCIA DO ESTADO DE DIREITO

3.
O AUMENTO DO CRIME VIOLENTO

A violência aumentou em São Paulo nos últimos quinze anos. Não apenas o crime violento aumentou, mas também os abusos e a violência das instituições responsáveis pela prevenção do crime e pela proteção dos cidadãos. Neste capítulo, discuto algumas das dificuldades em medir e explicar esses aumentos. As estatísticas de crimes produzidas pela polícia sofrem várias distorções. As explicações disponíveis sobre o crime, baseadas em modelos que o associam a variáveis socioeconômicas e de urbanização, assim como a variáveis de gastos com segurança pública (incluindo o número de policiais e equipamentos), não conseguem elucidar o que mais interessa à população entender: o aumento da violência, e não apenas do crime. Para compreender o crescimento da violência, é necessário considerar tanto o colapso das instituições da ordem (polícia e judiciário) e de tentativas de consolidar um estado de direito, quanto a crescente adoção, tanto por agentes do Estado quanto por civis, de medidas extralegais e privadas para enfrentar o crime. É necessário também examinar as experiências dos moradores da cidade com a polícia e suas percepções sobre ela, assim como suas concepções de direitos individuais, punição e do corpo. O aumento da violência é resultado de um ciclo complexo que envolve fatores como o padrão violento de ação da polícia; descrença no sistema judiciário como mediador público e legítimo de conflitos e provedor de justa reparação; respostas violentas e privadas ao crime; resistência à democratização; e a débil percepção de direitos individuais e o apoio a formas violentas de punição por parte da população.

Moldando as estatísticas

A preocupação com a produção de estatísticas populacionais tem sido central nas sociedades ocidentais modernas desde pelo menos o início do século XIX. O desenvolvimento de estatísticas associa-se à consolidação da percepção moderna da sociedade como um "objeto *sui generis*, com suas próprias leis, sua própria ciência e finalmente sua própria arte de governar, (...) como um objeto para ser entendido e reformado" (Rabinow 1989: 67). Foucault (1977) nos ensinou a entender as estatísticas como parte do poder disciplinar e como elemento central da tecnologia de poder dos Estados modernos. Informações criminais — sempre registros oficiais — têm estado entre as estatísticas mais antigas e mais cuidadosamente produzidas. Elas fornecem dados não só sobre o crime, ou comportamento anormal, mas também sobre como uma sociedade funciona normalmente. Como diz Chevalier, o crime é registrado como "um fato normal da vida urbana" e com o objetivo de se promover "um conhecimento mais íntimo" das formas dessa vida urbana (1973 [1958]:8).[1] Supostamente, as estatísticas seriam um instrumento neutro para o conhecimento da realidade social, uma ferramenta científica para demonstrar com confiança os traços mais gerais da sociedade. Ao invés disso, elas produzem visões peculiares e específicas da realidade social.

Estatísticas criminais não são exceção. Elas são construções que geram visões particulares de alguns segmentos da realidade social. Elas constroem imagens de padrões de crime e comportamento criminoso. Hoje, é difícil sustentar a ideia de que sejam uma representação do crime "real" — se é que ainda se pode falar nesses termos. No máximo, pode-se afirmar que as estatísticas indicam algumas tendências da criminalidade. Mas se as informações que elas dão sobre o crime são restritas, elas podem no entanto revelar outros fatos sobre a sociedade que as produz. As estatísticas criminais de São Paulo podem não representar o crime "real", mas uma análise de suas peculiaridades contribui para um entendimento das instituições da ordem e da falta de respeito pelo estado de direito.

A maioria das estatísticas analisadas neste capítulo provém de registros policiais de crimes (chamados BOs, Boletins de Ocorrência), produzidos pela polícia civil. Em outras palavras, lido principalmente com crimes *registrados oficialmente*. Eles são apenas uma indicação da criminalidade: referem-se ao primeiro registro feito pelas delegacias de polícia quando acontece um delito e precedem qualquer investigação. Dessa forma, muitos desses registros podem ser inconclusivos quanto à existência ou não de um crime. Além disso, eles são produzidos por uma instituição específica, a Polícia Civil do Estado de São Paulo, cujas práticas e percepções particulares da criminalidade moldam a elaboração dos registros. É impossível medir todas as distorções nas estatísticas causadas pelo modo como são produzidas, mas alguns dos problemas mais importantes precisam ser discutidos antes que possamos ler as estatísticas, já que eles limitam bastante o que podemos concluir a partir dos números.

Em geral, estudos sobre crime partem do pressuposto de que as estatísticas registram apenas uma fração do crime total. De um lado, pessoas que praticam atos ilegais muitas vezes conseguem escondê-los. De outro, muitas pessoas que são vítimas de crimes também não apresentam queixa à polícia, como têm mostrado várias pesquisas de vitimização. No caso do Brasil, a única pesquisa de vitimização é de 1988 e foi realizada pelo IBGE (Instituto Brasileiro de Geografia e Estatística).[2]

---

[1] O papel fundamental do crime no entendimento da vida urbana moderna é revelado não apenas no desenvolvimento de estatísticas sociais, mas também da sociologia urbana, como o trabalho da Escola de Chicago exemplifica. Para uma análise de como, na segunda metade do século XIX, os crimes e os criminosos começaram a ser vistos como fatos normais da vida social, ver Leps (1992).

[2] O questionário da PNAD de 1998 incluiu uma série de questões sobre vitimização pelo crime e uso do sistema judiciário. Agradeço a Márcia Bandeira de Mello Leite, do IBGE, por tornar os dados da região metropolitana de São Paulo (ainda não publicados) disponíveis para mim. Os resultados das PNADs estão disponíveis apenas para regiões metropolitanas, não para municípios.

Essa pesquisa identificou pessoas que tinham sido vítimas de furto, roubo ou agressão física entre outubro de 1987 e setembro de 1988.[3]

Na região metropolitana de São Paulo, 5,67% da população disse ter sido vítima de algum desses crimes, enquanto outros 1,85% declararam-se vítimas de tentativa de roubo ou furto. Do número total de pessoas que foram vítimas ou de roubo ou furto, 61,72% não relatou o incidente à polícia, o que significa que a maioria desses crimes não foram representados nas estatísticas oficiais. Entre as razões que as pessoas deram para não relatar os crimes estavam: primeiro, o fato de que "não acreditavam na polícia" (34,33%); e segundo, a alegação de que "não era importante" (22,33%). Além disso, 14,4% disseram "não ter provas" e 9,1% declararam que "não queriam envolver a polícia". Em resumo, as imagens negativas da polícia foram associadas à maioria dos casos de não relatamento.

Entre as pessoas que disseram ter sido vítimas de agressão física na região metropolitana de São Paulo (1,08% da população), 55,67% não deram parte à polícia.[4] A porcentagem de mulheres (62,2%) que não denunciaram o crime é maior que a porcentagem de homens (56,46%). As razões para não terem feito isso também variam de acordo com o gênero. Entre os homens, os principais motivos foram desconfiança em relação à polícia (22,64%); a afirmação de que não era importante (20,75%); que resolveram os conflitos por si mesmos (15,09%); que não queriam envolver a polícia (13,2%); e o medo de vingança (também 13,2%). Entre as mulheres, a razão principal foi o medo de vingança (25,99%). Logo após vem a desconfiança em relação à polícia (24%); o fato de que não queriam envolver a polícia (18%); que tinham resolvido o conflito por si mesmas (16%); e, finalmente, que não era importante (9,99%). Embora a maioria tanto de homens quanto de mulheres que não foram à polícia tenha afirmado que a pessoa que os agrediu era desconhecida, 17,99% das mulheres foram agredidas por um parente, enquanto apenas 0,76% dos homens o foram. Esses dados constituem, consequentemente, uma indicação da violência doméstica sofrida pelas mulheres.[5]

Em suma, a maioria das ocorrências de furto, roubo e agressão física não é relatada à polícia. Entre as principais razões para isso estão as opiniões que as pessoas têm da polícia: ou não acreditam que ela seja capaz de lidar com conflitos e

[3] O IBGE não usa a denominação legal dos crimes: em vez de *lesão corporal dolosa* ele usa a categoria *agressão física*, que pode incluir vários tipos de crime, como o estupro, por exemplo.

[4] O número de pessoas que são vítimas de violência física é provavelmente maior, mas essa agressão tanto pode não ser considerada como algo errado que valha a pena ser denunciado, quanto pode não ser declarada porque as pessoas se sentem envergonhadas. Embora bater em crianças seja uma prática comum em todas as classes sociais, a porcentagem de pessoas menores de 9 anos de idade apontadas como vítimas de agressão física na PNAD foi de apenas 3,78% do número total de vítimas de agressão. Ver o capítulo 9 para uma discussão sobre este tema.

[5] Enquanto no Brasil os homens são vitimados principalmente em espaços públicos (54,73% dos casos nas ruas), as mulheres são vitimadas principalmente dentro de suas casas (48,2%). Essa informação não está disponível para a região metropolitana de São Paulo isoladamente.

crimes, ou a temem por seu conhecido padrão de brutalidade (analisado nos capítulos 4 e 5). De modo semelhante, o sistema judiciário é visto como ineficiente pela maioria da população. De acordo com a mesma pesquisa, do total de pessoas envolvidas em ao menos um tipo de conflito durante os anos de 1983-1988 na região Sudeste do Brasil, 50,71% não recorreram ao sistema judiciário.[6] As principais razões dadas foram as seguintes: as pessoas resolveram os problemas por si mesmas (41,70%); o incidente não era importante (11,09%); não queriam envolver o sistema judiciário (10,87%); não tinham provas (10,46%); e achavam que o sistema judiciário não iria resolver o conflito (6,31%). A desconfiança tanto em relação à polícia quanto ao sistema judiciário, isto é, em relação às instituições públicas encarregadas da ordem, provavelmente está associada ao fato de que as pessoas preferem resolver seus problemas por si mesmas, mesmo quando o problema é crime. Na verdade, de todas as pessoas envolvidas em disputas criminais no Sudeste do Brasil, 72,56% não entraram no sistema judiciário. O tipo de conflito que mais frequentemente leva as pessoas a esse sistema são disputas trabalhistas (70,83% dessas disputas detectadas pela PNAD foram parar na justiça).

A distorção das estatísticas de crime não é só uma questão quantitativa, mas também qualitativa. Tendo em vista que é a polícia que produz as estatísticas, sua visão do que seja a população potencialmente criminosa, sua avaliação sobre os diversos crimes e sua maneira de agir em relação aos diferentes tipos de eventos são todos elementos que influenciam os resultados — ou seja, as estatísticas. Paixão (1982, 1983) estudou os métodos de classificação da polícia brasileira seguindo parcialmente a abordagem da etnometodologia. Ele mostra que as práticas de classificação não são moldadas por classificações legais e formais, mas se baseiam num código prático que chama de "lógica-em-uso" (Paixão 1983), o qual transforma eventos e indivíduos em categorias e artigos do Código Penal. Em consequência,

> "Estatísticas oficiais de criminalidade devem ser vistas não como indicadores do comportamento criminoso e de sua distribuição social, mas como produtos organizacionais, refletindo condições operacionais, ideológicas e políticas da organização policial. Assim, por um lado, descontinuidade e mudanças nas rotinas organizacionais de coleta e classificação, sensibilidades variáveis das autoridades policiais em relação a certos tipos de crimes ou respostas policiais a 'cruzadas morais' e a pressões políticas geram distorções na contabilidade criminal que de forma alguma são negligenciáveis." (Paixão 1983: 19)

A lógica em uso da polícia que molda a translação entre os eventos do dia a dia e as classificações do Código Penal — e consequentemente as categorias das

---

[6] Dados sobre o uso do sistema judiciário estão disponíveis apenas para regiões brasileiras. O Sudeste inclui os estados de Minas Gerais, Espírito Santo, Rio de Janeiro e São Paulo.

estatísticas — foi claramente identificada por Paixão (1982, 1983), Lima (1986) e Mingardi (1992). Embora Paixão desenvolva uma importante discussão teórica sobre as diferenças entre as classificações formais e informais ausentes no trabalho de Mingardi, daqui em diante vou me referir basicamente a este último. A pesquisa de Mingardi é específica sobre São Paulo, enquanto a de Lima foi realizada no Rio de Janeiro e a de Paixão em Belo Horizonte, lugares onde a polícia e as estatísticas são organizadas de forma diferente.

Antes de discutir o estudo de Mingardi, é necessário acrescentar algumas informações sobre a organização da polícia no estado de São Paulo e no Brasil em geral. As polícias são organizadas em âmbito estadual e divididas em duas corporações: a Polícia Civil e a Polícia Militar, PM, ambas sob a autoridade da Secretaria de Segurança Pública do Estado. A polícia civil está encarregada da polícia administrativa (emissão de cédulas de identidade, registros de armas etc.) e da polícia judiciária. Os deveres desta última incluem registrar queixas e eventos criminais, investigar crimes, produzir provas e a instalação (ou não) de inquéritos. Este é o trabalho principal da polícia civil, que, em consequência, produz os relatórios nos quais as estatísticas são baseadas, assim como registros e evidências com base nos quais o sistema judiciário vai trabalhar. A polícia militar atual foi criada pelo regime militar em 1969 e está encarregada do policiamento uniformizado de rua. Ela tem organização militar e sistema de recrutamento e instrução separados. A rivalidade e o conflito entre as duas corporações é tradicional e marca sua performance cotidiana. Em cada estado também há um ramo da Polícia Federal, basicamente encarregada das questões de fronteira e segurança nacional, mas que também controla o tráfico de drogas e o contrabando. Finalmente, algumas cidades, tais como São Paulo, têm uma Guarda Metropolitana local com pouco poder, cujo trabalho é mais manter a ordem em alguns espaços públicos (parques, prédios da administração pública, teatros etc.) do que lidar com o crime.

Depois de completar um curso na Academia de Polícia (Acadepol), Guaracy Mingardi trabalhou como investigador da polícia civil numa delegacia de bairro na periferia de São Paulo durante 1985 e 1986. Seu livro apresenta uma detalhada etnografia da vida cotidiana numa delegacia e revela sua lógica-em-uso e os tipos de distorções introduzidas na produção de estatísticas e no tratamento das denúncias. De acordo com Mingardi (1992: Parte I), práticas ilegais como a corrupção e a tortura não só são uma norma na polícia civil como são interdependentes, isto é, costumam ocorrer juntas. Elas constituem o que ele chama de método de trabalho dos policiais civis.

> "Pretendemos aqui mostrar que o mau tratamento infligido ao preso faz parte de um processo, que inicia-se com a seleção do suspeito e termina na entrega dele à justiça, ou então no acerto que o liberta." (Mingardi 1992: 52)

Esse método é usado principalmente em relação a criminosos profissionais. Mingardi argumenta que tão logo os policiais civis prendem alguém com ficha criminal, eles põe em ação um conhecido esquema de três etapas. Primeiro, o suspeito é torturado (comumente no pau de arara[7]) a fim de que confesse um ou mais crimes. Segundo, a polícia chama o advogado do suspeito, que negocia um "acerto". Esse advogado, normalmente conhecido como um "advogado de porta de cadeia", trabalha apenas com certas delegacias e é responsável por todas as negociações e pelo pagamento do suborno. O terceiro passo é o pagamento do "acerto". "Acerto", na gíria policial, significa a quantia combinada entre a polícia e o suspeito, com a mediação de um advogado, para ser dividida entre todos os policiais envolvidos. De acordo com Mingardi, existem muitas modalidades de corrupção, mas a forma mais comum é aquela em que alguém paga para a polícia não instaurar inquérito. Uma vez que o "acerto" tenha sido pago, o suspeito é solto e o registro é "limpo" para mostrar crimes de menor importância (furto em vez de roubo, por exemplo), ou mesmo para fazer alguns deles desaparecerem.

Mingardi argumenta que as regras sobre quem é torturado são claras. Ele afirma que a lógica instrumental dos policiais civis revela uma racionalidade que ele não encontra entre os policiais militares, os quais, afirma ele, "em linhas gerais... batem por motivos emocionais" (1992: 58). Comentários como esse revelam até que ponto as rivalidades entre as duas corporações policiais marcam seu relacionamento cotidiano, resistindo até a importantes esforços de descrição e crítica das suas práticas. Mingardi, um ex-policial civil, é capaz de encontrar racionalidade na tortura praticada por sua corporação, mas não na violência praticada pela PM!

A análise etnográfica de Roberto Kant de Lima (1986) sobre o cotidiano de operações da polícia civil no Rio de Janeiro confirma os dados de Mingardi. Lima observa que a prática da tortura está "profundamente enraizada na rotina policial" (1986: 156). Todavia, sua explicação para essa prática é bem diferente. Para Mingardi, a lógica da tortura é inseparável da lógica da corrupção: o dinheiro é o objetivo. Lima, no entanto, não relaciona a rotina da tortura com a da corrupção, um tema marginal na sua análise da polícia. Para ele, a lógica da tortura deve ser encontrada no fato de que os procedimentos de investigação policial baseiam-se fortemente na confissão. "A necessidade de descobrir a verdade por meio da confissão torna-se responsável pelo uso socialmente legitimado da tortura como uma técnica de investigação." (1986: 154). Lima também afirma que a prática da tortura está tão entranhada nas práticas investigativas da polícia civil que "quando eles são impedidos de usar a tortura, diz-se que com certeza é de se esperar um fracasso da investigação" (1986: 156). A prática da tortura e sua aceitação tácita pela população é uma questão complexa que não pode ser atribuída a uma única lógica, seja ela a da corrupção ou a do papel da confissão nos procedimentos investigativos. Ela relaciona-se a ambas as lógicas, assim como a outros padrões de brutalidade policial e a várias concepções de punição e castigo físico que prevalecem na sociedade brasileira (ver capítulo 9).

---

[7] O pau de arara parece ser a forma mais comum de tortura usada pela polícia em São Paulo. Também foi a forma mais comum utilizada contra presos políticos durante o regime militar. O preso é suspenso por uma barra pela parte de trás dos joelhos, com as mãos amarradas à frente das pernas. Descrições desse e de outros métodos comuns de tortura são encontradas em Arquidiocese de São Paulo (1986: cap. 2), Americas Watch (1987: cap. 5), Anistia Internacional (1990).

O fato é que a tortura introduz desvios na maneira pela qual eventos que são classificados como crimes são moldados e, consequentemente, aparecem nas estatísticas. De acordo com Mingardi, as principais regras sobre tortura entre os policiais civis de São Paulo são as seguintes: 1) a maneira correta de torturar é o pau de arara, porque outras formas podem deixar marcas. Mingardi declarou que aprendeu essa lição na Academia de Polícia (1992: 55-6); 2) pessoas das classes altas e aquelas que não têm antecedentes criminais não devem ser torturadas (1992: 56); e 3) uma pessoa com antecedentes criminais e dinheiro não é torturada, se pagar por sua libertação já de saída (1992: 56-7). Pessoas com dinheiro podem sempre evitar acusações legais. Como resultado: "Quem apanha é pobre; *colarinho branco* não apanha, faz acerto", como diz um dos seus informantes (1992: 57). Além disso, aqueles que não podem pagar correm o risco de acabar com acusações legais. "Em um crime que envolva pessoas de classes diferentes, o peso da *justiça policial* cairá geralmente sobre a parte mais pobre", conclui Mingardi (1992: 178, grifo do original).

Em suma, o método peculiar de trabalho da polícia civil não apenas se baseia no comportamento ilegal, mas também impõe um claro desvio de classe. Consequentemente, membros das classes trabalhadoras têm boas razões para desconfiar da polícia e evitar envolver-se com ela. "O crime do colarinho branco", principalmente relacionado às várias formas de corrupção e fraude, é com frequência notícia nos jornais, mas raramente leva à cadeia. O noticiário da imprensa sobre esses crimes é em muitos casos mais expressivo que os registros policiais. Isso é também uma indicação do nível de impunidade que existe na sociedade brasileira e da falta de *accountability*[8] das instituições judiciárias: em várias ocasiões, o público pode saber sobre crimes que são ignorados pelo sistema judiciário, mas esse conhecimento gera pouca reação seja ela oficial ou da opinião pública.

Com todos os acertos e limpeza de registros fica claro que as estatísticas são inevitavelmente distorcidas. Mingardi tenta ser específico sobre o tipo de distorção relacionado a diferentes crimes. De acordo com ele, roubo e furto não são levados a sério pela polícia: especialmente quando o valor da propriedade é pequeno, eles tendem a não ser registrados.[9] Quando a vítima insiste, o policial pode lhe dar um documento sem valor legal que na gíria da polícia é chamado de *papel de bala*, "porque não serve pra nada, só pra embrulhar" (1992: 42). De acordo com dois ex-secretários da Segurança Pública que entrevistei, esse método foi também usado no período anterior a 1983 para baixar o nível oficial de alguns crimes quando a população estava reclamando da alta criminalidade.

Furtos a residências são bem investigados quando afetam pessoas das classes altas. Pessoas das classes altas podem pagar para ter de volta seus bens que foram roubados ou furtados; elas podem também pedir à polícia que "seja dura" (ou seja,

---

[8] Responsabilidade, dever de uma instituição de prestar contas diante da sociedade.

[9] As análises de Lima sobre a polícia do Rio de Janeiro também indicam que as estatísticas policiais são distorcidas, especialmente em casos de furtos, roubos, vadiagem e jogo do bicho (1986: 124).

torture) para conseguir informação. Arrombamentos de residências tendem a ser ignorados quando se trata de casas de pessoas pobres. Roubos e assaltos recebem o mesmo tipo de tratamento: os casos das classes altas merecem atenção e os das classes trabalhadoras, não (1992: 43, 45).

De acordo com Mingardi, é "com muita má vontade" que casos de violência contra mulheres são registrados, porque os policiais acreditam que as mulheres irão mudar de ideia no dia seguinte e retornar para retirar a queixa (1992: 46). Ele acrescenta também que os eventos que não são transformados em boletins de ocorrência usualmente acontecem em delegacias localizadas em bairros da periferia (1992: 47). As investigações sobre homicídios são conduzidas por uma divisão especial da polícia (o DHPP, Departamento de Homicídio e Proteção à Pessoa, antes chamado de DEIC, Departamento Estadual de Investigações Criminais).

Assim, a etnografia de Mingardi indica que a lógica da população para não relatar crimes e sua descrença na polícia têm base sólida. Suas informações também indicam que a distribuição social do crime é distorcida nos registros policiais e nas estatísticas. As pesquisas de Lima também sugerem que os registros policiais são arbitrários (Lima 1986: cap. 4). De acordo com ele, o "registro de ocorrência depende do discernimento das autoridades policiais, quase sempre exercido em desobediência à lei" (Lima 1986: 103). A prática policial mostra um claro viés no sentido de criminalizar os pobres e descriminalizar as classes altas (1986: 114-21). As análises de Lima e Mingardi — cujas conclusões também coincidem com as de Paixão (1982 e 1983) e Coelho (1978) — nos levam a concluir que as estatísticas super-representam crimes nos quais a vítima é da classe alta e sub-representam aqueles nos quais a vítima é das classes trabalhadoras. Além disso, elas tendem a sub-representar os crimes cometidos pelas classes mais altas e super-representar aqueles cometidos pelos pobres, especialmente por criminosos não profissionais que não podem ou não sabem como pagar pelo acerto. Também é provável que crimes qualificados sejam sub-representados, já que podem ser classificados como crimes mais leves. É difícil estimar a extensão dessas distorções. O que se sabe com certeza é, por um lado, que existem várias possibilidades de manipulação das informações criminais e que, por outro, a São Paulo de hoje exemplifica de uma maneira clara e perversa como a classe trabalhadora é não apenas estigmatizada como uma classe perigosa, mas de fato forjada como tal na prática da polícia e nas estatísticas que ela produz.

Outros pesquisadores indicam a existência de outros tipos comuns de distorções. A análise de Brant (1986) da população carcerária do estado de São Paulo mostra claras distorções em relação à população negra. Enquanto as pessoas classificadas como brancas correspondiam a 75% da população do estado de São Paulo em 1980 (Censo), a população branca nas prisões era de apenas 47,6%. Para a população negra e mulata as porcentagens eram de 22,5% da população e 52% nas prisões. Como argumenta Brant, isso não significa necessariamente que os negros estão mais envolvidos com o crime, mas sim que eles são mais frequentemente tidos como criminosos. Como disseram alguns dos policiais entrevistados por Brant, "um negro correndo é um suspeito" (1986: 43). Isso provavelmente está associado com o dado de Pinheiro *et al.* (1991: 110) de que os negros estão super-representados no número total de pessoas mortas em confrontos com a polícia. Finalmente, um estudo recente de Adorno (1995) sobre a justiça criminal de São Paulo mostra que, embora brancos e negros cometam crimes violentos em proporção idêntica, os negros tendem a ser mais molestados pela polícia, a enfrentar grandes obstáculos em seu acesso ao sistema judiciário e a ter mais dificuldades para garantir seus direitos a uma defesa adequada. Como resultado, os negros são mais propensos a ser considerados culpados do que os réus brancos.

As distorções também acontecem no registro de crimes em que a vítima é uma mulher, como estupro e assalto. A PNAD de 1988 mostrou que mais mulheres do que homens deixam de relatar agressões físicas à polícia, e Mingardi confirmou que os policiais recebem seus casos sem simpatia. O estupro é comumente considerado um tipo de crime sobre o qual os registros são geralmente ruins. Sabe-se que no Brasil as mulheres que apresentam queixa de estupro são tratadas como se fossem responsáveis pela agressão e passam por exames físicos humilhantes. Se o caso acaba sendo julgado, têm poucas chances de ver os homens que as agrediram serem considerados culpados.[10] Ciente desses problemas, durante a administração de André Franco Montoro, o governo de São Paulo estabeleceu a primeira Delegacia de Defesa da Mulher, em 1985. (Esta mesma administração já tinha criado o primeiro Conselho Estadual da Condição Feminina.) — Como se sabe, todas as pessoas que trabalham nessas delegacias são mulheres e uma campanha nos meios de comunicação encorajou as mulheres a reportarem crimes de que fossem vítimas a essas delegacias especiais. Em 1996 existiam 9 delegacias da mulher na cidade de São Paulo, 11 nos outros municípios da região metropolitana e mais 104 no interior do estado.[11] No ano que se seguiu à instalação da primeira delas, o número de estupros registrados na região metropolitana de São Paulo cresceu 25%. Esse aumento é provavelmente uma boa indicação de como os registros refletem condições outras que não apenas a incidência dos crimes.

Em casos de furto ou roubo de veículos, as companhias de seguro de automóvel exigem uma cópia do boletim de ocorrência para processar os pedidos de pagamento do seguro. Isso provavelmente torna as estatísticas para furto de veículos mais acuradas do que as de outros tipos de furto.

Por fim, é normalmente aceito em estudos sobre crime que as estatísticas de homicídios são as mais precisas e as melhores para comparação, porque são relativamente imunes a problemas de definição ou a variações devido a práticas policiais escusas. Provavelmente isso também vale para o Brasil, onde os homicídios são registrados de várias maneiras. Eles são reportados não só pela família das vítimas, mas também por outras instituições, como os hospitais, que têm de preencher atestados de óbito para a Secretaria da Saúde e para a polícia, e pelo IML — Instituto

---

[10] Para uma análise dos estereótipos que distorcem julgamentos de crimes violentos nos quais a vítima é uma mulher, ver Ardaillon e Debert (1988), Americas Watch Committee (1991a) e Correa (1981, 1983). Sobre violência contra mulheres, ver Gregori (1993).

[11] Para uma análise das delegacias da mulher, ver Ardaillon (1989) e Nelson (1995). Dados sobre o número de delegacias foram fornecidos pela assessoria de imprensa da Secretaria de Segurança Pública.

Médico Legal —, que está encarregado de verificar as mortes. Mesmo assim, nem todos os homicídios são registrados. Quem quer que leia os jornais sabe sobre vários corpos não identificados, encontrados em terrenos baldios com ferimentos à bala.

O fato de que as estatísticas de mortalidade podem ser menos distorcidas não significa que estejam livres de problemas. As circunstâncias da morte determinam quem a reporta e a qual instituição, consequentemente afetando a elaboração de estatísticas diferentes. Além disso, nem todas as mortes provocadas são classificadas como homicídio. O grande número de mortes provocadas pela polícia militar são registradas pela polícia civil não como homicídios, mas sim como um tipo especial de ocorrência chamado "resistência seguida de morte", depois classificada como "outras ocorrências" nas tabulações finais do crime.[12] Em consequência, essas mortes (1.470 em 1992, comparadas a um total de 2.838 homicídios registrados) não são representadas nas estatísticas que analiso aqui. Elas são discutidas separadamente no capítulo 5.

Há também diferentes registros para mortes violentas. Na maioria dos países há pelo menos dois registros: um criminal ou judiciário e um das autoridades de saúde. No Brasil, as coisas se complicam ainda mais pela existência de dois ramos da polícia. Por exemplo, as mortes em acidente de automóvel têm pelo menos três registros oficiais em São Paulo: um pela polícia civil, que registra casos levados à delegacia de polícia, muitas vezes por parentes desejando abrir um processo; um pela polícia militar, que é chamada para a cena do acidente, conta as vítimas e recebe relatórios do IML; e um pelo Registro Civil, que registra nascimentos e mortes, e elabora as estatísticas vitais.[13] De 1981 a 1986, a polícia civil registrou menos da metade dos casos registrados pela polícia militar para o município de São Paulo (3.017 comparado a 1.141 em 1983, por exemplo). Além disso, os dados do Registro Civil não coincidem com nenhuma das fontes policiais e, desde 1987, são significativamente mais altos que as duas. Por exemplo, em 1996 a polícia militar registrou 1.113 mortes em acidentes de automóveis no município de São Paulo, a polícia civil registrou 1.436 e o Registro Civil, 2.368. Em alguns anos os números do Registro Civil são menores do que os dados da polícia militar, talvez porque ele classifique as vítimas de acordo com seu local de residência (que pode ser fora do município de São Paulo), enquanto os dados da polícia militar são classificados em função do local do acidente. Além disso, em 1986 a polícia militar mudou sua metodologia: em vez de se basear nos relatórios do IML, começou a contar as vítimas no local do acidente. Isso provavelmente está relacionado à queda brusca no número de vítimas nos anos posteriores, pois todas as vítimas de acidentes que morreram em hospitais não foram contadas. Além disso, nenhuma das duas fontes de polícia leva em conta as mortes em estradas federais, que são registradas pela

[12] A informação de que as mortes causadas por policiais militares não aparecem no total de homicídios foi oficialmente confirmada pela Secretaria de Segurança Pública (assessoria de imprensa).

[13] As mortes registradas pelo Registro Civil são classificadas de acordo com as categorias da CID (Classificação Internacional de Doenças, Versão 9, até 1996), da Organização Mundial de Saúde.

Polícia Rodoviária Federal. Este é só um exemplo da natureza problemática dos números disponíveis. Dadas as distorções descritas acima, pode-se perguntar se ainda vale a pena levar em conta as estatísticas. A resposta afirmativa baseia-se em dois fatos. Primeiro, os registros policiais são a única fonte de dados quantitativos disponível. Segundo, pode-se pressupor que as distorções são relativamente constantes ao longo do tempo, o que permite identificar tendências temporais. No entanto, mesmo essa possibilidade é limitada, porque mudanças na metodologia do registro dos dados não permitem a construção de longas séries históricas. Em 1980, a Secretaria de Segurança Pública do Estado de São Paulo mudou a forma pela qual os crimes eram agrupados, introduzindo problemas de comparação. Depois dessa data, no entanto, as estatísticas começaram a ser publicadas em categorias mais detalhadas, permitindo uma análise mais sofisticada para o período de 1981-1996. Por essa razão, minha análise se concentra nesses anos. Só duas categorias puderam ser comparadas nos anos anteriores. Elas são as categorias abrangentes dos "crimes contra a pessoa" e "crimes contra a propriedade", para as quais consegui construir uma série para o período de 1973-1996 para a região metropolitana de São Paulo — mais exatamente, a Região Policial da Grande São Paulo, que não coincide exatamente com a divisão administrativa da região metropolitana.[14]

Tendências do crime, 1973-1996

O Quadro 1, a seguir, apresenta as mais importantes categorias de crime usadas pela polícia civil para produzir estatísticas. Elas se baseiam em definições estabelecidas pelo Código Penal. Essas classificações têm algumas peculiaridades. Uma delas é considerar a morte que ocorre durante um assalto (latrocínio) como crime contra a propriedade e não contra a pessoa, junto com homicídio doloso. Outra é considerar o estupro como um crime contra os costumes e não contra a pessoa. Na mesma categoria estão crimes como "atos sexuais não usuais", sedução, prostituição, sexo oral etc. (Código Penal, Título IV). Além disso, o código mantém uma diferença entre mulher "honesta" e "desonesta". De acordo com o Código Penal — que é de 1940 e contém artigos que contrariam a Constituição de 1988 —, no

[14] Embora os limites do que é oficialmente chamado de Região Metropolitana da Grande São Paulo tenham permanecido constantes, os limites da Região de Polícia da Grande São Paulo mudaram várias vezes durante o período considerado. Todas as estatísticas criminais referem-se à Região de Polícia e, consequentemente, têm uma base geográfica ligeiramente diferente, dependendo do ano. As mudanças não afetam o município de São Paulo. As mudanças foram as seguintes: de 1973 a 1985, a Região de Polícia excluiu os municípios de Cajamar e Salesópolis (parte da RMSP) e incluiu o município de Igaratá (que não faz parte da RMSP); em 1986, Salesópolis foi incluída; em 1987, ela incluiu Cajamar e excluiu Igaratá, coincidindo com a RMSP; em 1988, Guararema, Salesópolis e Santa Isabel foram excluídas e essa configuração continua até o momento. Para todos os tipos de crime, forneci no texto as informações mais recentes disponíveis. Na maioria dos casos, isso refere-se a 1996. Quando menciono datas anteriores, é porque informações mais recentes não estavam disponíveis.

caso de estupro o objeto judicial a ser protegido são os costumes, não o corpo da mulher. Como o estupro não aparece como uma classificação isolada nas estatísticas que estou considerando antes de 1981, é impossível analisar sua evolução anterior, e sua incidência não se reflete na análise a seguir, baseada apenas nas categorias "crimes contra a pessoa" e "crimes contra a propriedade". Essas classificações de crime são uma boa indicação da concepção de direitos individuais que prevalece na sociedade brasileira e do desdém pelo indivíduo e seus direitos nela embutida, e que pode ser extremo no caso de mulheres e crianças. Elas são também reveladoras das concepções de papéis sexuais e sexualidade feminina. Embora as feministas tenham atuado ativamente para tentar modificar essas concepções bem como as legislações que dizem respeito a elas, e ainda que elas tenham sido capazes de introduzir cláusulas importantes visando a igualdade entre os gêneros na Constituição de 1988 e tenham mudado consideravelmente as leis relativas à família (por exemplo, eliminando a noção de que o marido é o chefe da família e que a mulher lhe deve obediência), a legislação existente e as estatísticas criminais são ainda moldadas por concepções tradicionais e machistas.[15]

Quadro 1
Classificação de crimes usada nas estatísticas oficiais

- Crimes contra a pessoa
  - Homicídio
    - Homicídio doloso
    - Homicídio culposo
  - Lesão corporal dolosa
  - Acidentes de trânsito
    - Homicídio culposo
    - Lesão corporal
  - Outros (infanticídio, aborto, omissão de socorro)
- Crimes contra o patrimônio
  - Furto
  - Furto qualificado
  - Roubo
  - Latrocínio
  - Estelionato
  - Outros
- Crimes contra os costumes
  - Estupro
  - Sedução
  - Prostituição
  - Outros
- Crimes contra a incolumidade pública
  - Tráfico de entorpecentes
  - Uso de entorpecentes
  - Outros
- Outros crimes

[15] Um Fórum de Presidentes de Conselhos da Condição Feminina elaborou uma proposta feminista de reforma dos Códigos Civil e Penal e apresentou-a ao Congresso Nacional em março

O número de mortes e ferimentos físicos causados por acidentes de automóvel em São Paulo é alto. De acordo com os dados da polícia civil,[16] durante o período de 1981-1996, eles representaram uma média de 12% de todos os registros policiais na região metropolitana e 40% dos registros de crimes contra a pessoa. Apesar de sua importância, não incluí as mortes e ferimentos provocados por acidentes de trânsito no cálculo geral dos crimes contra a pessoa do período de 1973-1996, levando em conta que, sendo acidentes, eles são crimes muito diferentes de homicídio doloso e lesão corporal dolosa.

A evolução dos crimes contra a pessoa e contra a propriedade na região metropolitana de São Paulo (RMSP) entre 1973 e 1996 é mostrada no Gráfico 1.[17] Os crimes contra a propriedade têm sido responsáveis por mais de 50% dos registros desde o início dos anos 80.[18] Em média, eles cresceram 6,09% ao ano durante

---

de 1991. Essa proposta sugere a eliminação da categoria "crimes contra os costumes" e a inclusão de estupro na categoria "crimes contra a pessoa". Uma proposta semelhante que circula entre os grupos feministas defende a criminalização do assédio sexual e da violência doméstica, e propõe a legalização do aborto. Uma versão dessa proposta aparece como "Manifesto das Mulheres Contra a Violência — Proposta para Mudanças no Código Penal Brasileiro", em *Estudos Feministas* (1[1]: 190-1, 1993). Para uma proposta feminista de transformação da legislação que trata da violência dentro da família, ver Pimentel e Pierro (1993: 169-75). Até março de 2000, a reforma do Código Penal ainda estava sob discussão. Parece haver um consenso entre os membros da comissão encarregada de propor um novo código quanto a eliminar a categoria "crimes contra os costumes". No entanto, a maioria dos membros da comissão, dos quais só um é mulher, é contra a legalização do aborto. Em 8 de março de 1996, o presidente brasileiro e o Conselho Nacional dos Direitos da Mulher anunciaram uma série de medidas para celebrar o Dia da Mulher. Essas medidas incluíam enviar um projeto ao Congresso Nacional para mudar a classificação de estupro para "crime contra a pessoa". A proposta ainda não havia sido votada em dezembro de 1999. Para uma análise do *lobby* feminista durante os trabalhos da Assembleia Constituinte, ver Ardaillon (1989).

[16] Os dados da polícia civil indicam um número menor de mortes em acidentes de trânsito do que as outras fontes. Uso-as aqui por uma questão de consistência, já que para todos os outros tipos de crime os dados da polícia civil são os únicos disponíveis.

[17] Dados separados para o município de São Paulo estão disponíveis apenas de 1976 em diante. Salvo menção em contrário, todos os dados criminais citados aqui são da Secretaria de Segurança Pública do Estado de São Paulo, Delegacia Geral de Polícia, Departamento de Planejamento e Controle da Polícia Civil, Centro de Análise de Dados, organizados pelo Seade — Fundação Sistema Estadual de Análise de Dados. O Seade também está encarregado da publicação oficial de dados na sua série anual de estatísticas para o estado de São Paulo, o *Anuário estatístico do estado de São Paulo*, de onde cito. Gostaria de agradecer a Dora Feiguin e Renato Sérgio de Lima, do Seade, por facilitarem meu acesso aos dados e por me ajudarem a navegar através das estatísticas. Salvo menção em contrário, em todos os cálculos estou considerando taxas de crime por 100 mil habitantes. As estimativas de população são também do Seade e foram corrigidas de acordo com os resultados do Censo de 1991 e da *Contagem da População* de 1996.

[18] É difícil saber quanto esse padrão mudou em relação a períodos anteriores, dada a falta de estudos e a dificuldade em comparar dados de estudos diferentes e seus resultados contraditórios. De acordo com Fausto (1984: 445), do número total de prisões por crimes (não incluindo contravenções) em São Paulo no período de 1892-1916, 39,5% foram crimes contra a pessoa (ele os chama de "crimes de sangue") e 54,6% foram crimes contra a propriedade. No entanto, para

o período considerado, enquanto os crimes contra a pessoa cresceram em média 2,18% ao ano. Como resultado, a proporção de crimes contra a propriedade pulou de cerca de 30% do total de crimes em meados dos anos 70 para mais de 60% de meados dos anos 80 até os dias atuais, alcançando 69,36% em 1996. Ao mesmo tempo, a proporção dos crimes contra a pessoa no total de crimes permaneceu relativamente estável, oscilando entre 15% e 23%. Como o número de crimes contra a pessoa em 1980 foi subestimado em razão da mudança na metodologia de agregação dos crimes, não considero na análise que se segue a diminuição de 1980 e o aumento de 1981. O total de crimes é mais do que a soma dos crimes contra a pessoa e dos crimes contra a propriedade.

Gráfico 1
Taxas de crimes
Região metropolitana de São Paulo, 1973-1996

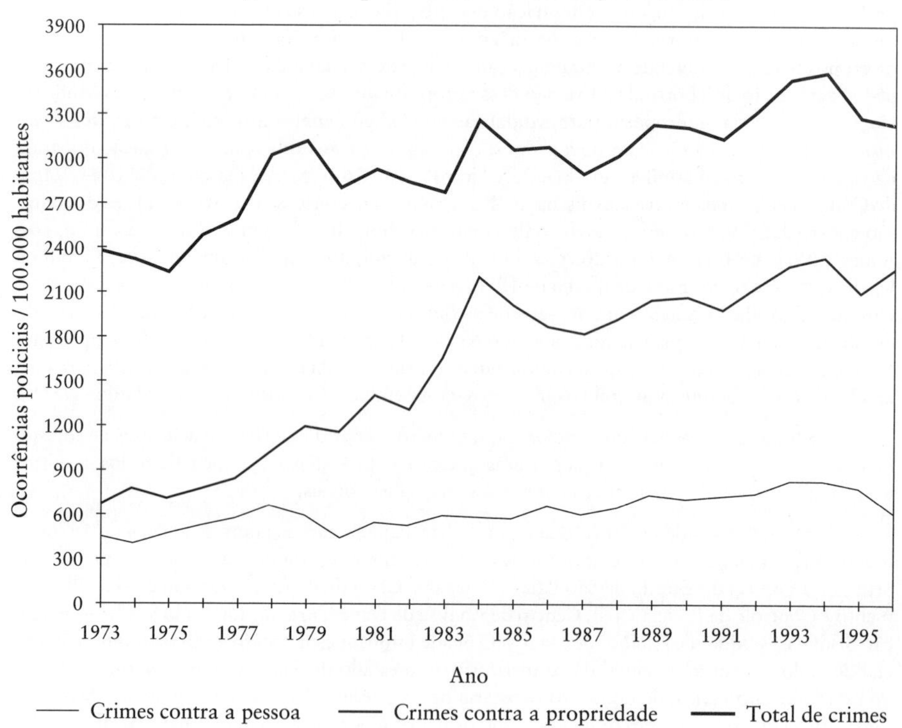

o Rio de Janeiro durante o período de 1908-1929, Bretas (1995: 108) argumenta que "crimes violentos representam a maior parte dos crimes no Rio, principalmente por meio de casos de agressão, que constituíram mais de um terço dos crimes anuais". Para o Rio de Janeiro da época do império, Holloway (1993: 213, 256) indica que a proporção de prisões para crimes contra a propriedade era maior do aquela para crimes contra a pessoa em 1862, 1865, e 1875.

No período considerado, o crime contra a propriedade alcançou seu nível mais alto em 1994 (2.339 crimes por 100 mil habitantes). No entanto, os anos que marcaram uma mudança no nível de crimes contra a propriedade foram 1983 e 1984, quando as taxas cresceram 26,78% e 33,34% respectivamente e estabilizaram-se num novo patamar. Os crimes contra a propriedade já tinham crescido consideravelmente durante 1978 (22,14%) e 1979 (16,99%), mas nessa época a taxa por 100 mil habitantes (1.187) era metade do que seria a partir de meados dos anos 80 (cerca de 2 mil de 1984 em diante).

As taxas de crescimento dos crimes contra a pessoa não são tão altas se considerarmos todos os tipos de ocorrências nessa categoria em conjunto. Os piores anos foram os mais recentes, especialmente 1993 e 1994 (com 817 e 819 crimes por 100 mil habitantes). Embora no final da década de 70 as taxas de crimes contra a pessoa tenham sido elevadas (656 crimes por 100 mil habitantes em 1978, por exemplo), está claro que, desde meados dos anos 80, esses crimes cresceram consideravelmente e sua taxa em 1994 foi quase o dobro do que tinha sido vinte anos antes (412 por 100 mil).

O padrão de criminalidade no município de São Paulo (que daqui em diante chamarei de MSP) mostra algumas diferenças importantes em relação a outros municípios da região metropolitana (agrupados numa categoria que a partir daqui designarei como OM). O Gráfico 2 mostra que as taxas de crime total por 100 mil habitantes são consideravelmente mais altas na cidade de São Paulo do que nos outros municípios. Além disso, em alguns anos a criminalidade na capital e nos outros municípios apresentou padrões opostos, sendo 1986 o exemplo mais claro. Os dados também indicam que enquanto os crimes contra a pessoa cresceram a uma média de 0,39% ao ano na cidade de São Paulo entre 1976 e 1996, nos outros municípios eles aumentaram em média 4,89% anualmente. Como resultado, os OM mais que dobraram sua participação no número total de crimes contra a pessoa na região metropolitana durante o período considerado (de 20,92% para 46,35%). A taxa média de crescimento dos crimes contra a propriedade também foi maior nos OM (7,66% ao ano) do que no MSP (6,36%) no período de 1976-1996. Em suma, como também indicam as entrevistas no capítulo 2, o crescimento da violência tem sido menor no centro, onde vive a população mais rica, do que nas áreas periféricas, onde a maioria da população é pobre. Um estudo recente feito pelo Núcleo de Estudos de Seguridade e Assistência Social indica que no município de São Paulo as maiores taxas de crimes contra a propriedade estão nos bairros de classe média e alta, enquanto as maiores taxas de homicídio estão nos distritos mais pobres da cidade (1995: Tabelas 42A E 42B do anexo).

Estatísticas são construções, e, dependendo de como elas são desenhadas e os números agregados ou separados, podem originar diferentes imagens da "realidade social". Essas diferenças ficam claras quando, ao invés de focalizar categorias amplas, podemos examinar tipos específicos de crime. Este tipo de análise é possível para o período de 1981 a 1996. É importante ter em mente que embora em 1981 o nível do crime já tivesse caído depois do pico de 1978/1979, ele cresceu consideravelmente no final dos anos 70.

Gráfico 2
Taxas de crime total
RMSP, MSP e OM, 1973-1996

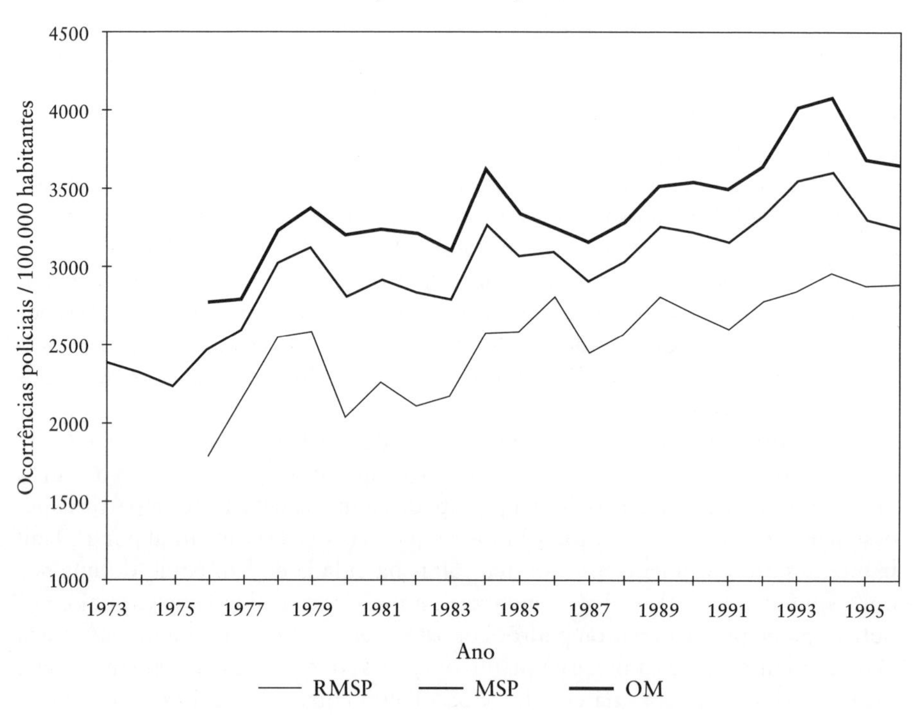

CRIMES VIOLENTOS

O fato de que as formas mais violentas de crime cresceram mais do que as menos violentas pode ser visto ao se juntarem os totais de homicídios, tentativas homicídio, lesão corporal dolosa, estupro, tentativa de estupro, roubo e latrocínio numa única categoria de "crimes violentos". No início dos anos 80, esses crimes representavam cerca de 20% do total de crimes registrados; depois de 1984, eles passaram a representar cerca de 30% do total, chegando a 36,28% em 1996. Essa mudança considerável indica que no começo dos anos 80 não só a quantidade de crimes cresceu, mas também, e o que é talvez mais importante, sua *qualidade* mudou.

Além de indicar um crescimento da violência, os dados também mostram que os crimes violentos cresceram mais nos OM (média de 5% ao ano) do que no MSP (4,22%). No entanto, as taxas per capita ainda são mais altas na cidade de São Paulo. O Gráfico 3 também mostra que o pico dos crimes violentos tanto no MSP quanto nos OM no período considerado ocorreu em 1996, depois de aumentos significativos em 1983 e 1984 (1986 nos OM). As taxas de crimes violentos têm crescido de forma constante desde 1988, especialmente no MSP. Desde 1990, os crimes violentos representam mais de mil ocorrências por 100 mil habitantes no MSP e mais de 850 nos OM.

Gráfico 3
Taxas de crime violento
MSP e OM, 1981-1996

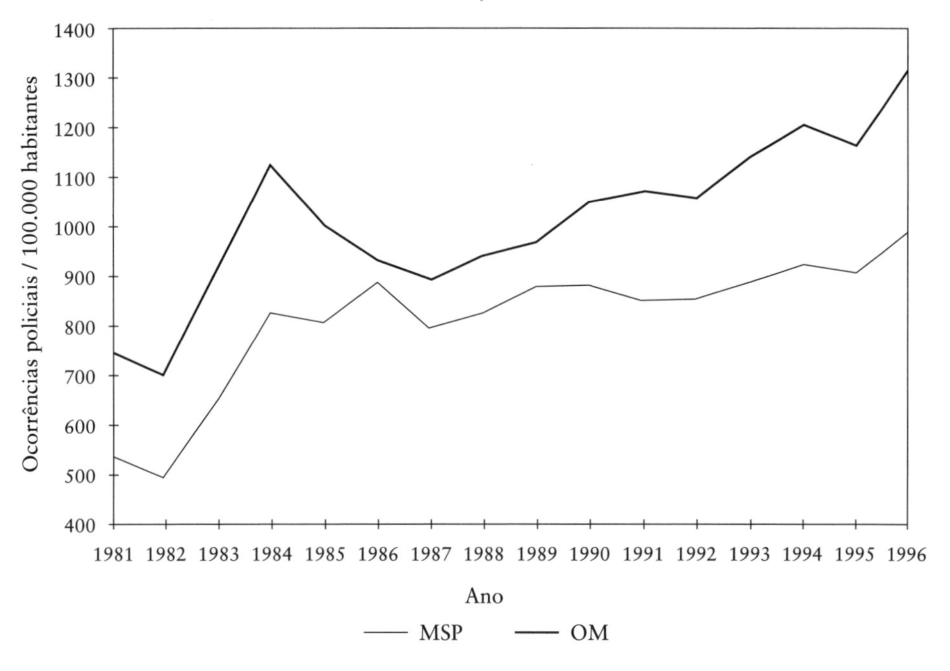

Crimes contra a pessoa

Considero separadamente três tipos principais de crimes contra a pessoa: homicídio (homicídio doloso mais homicídio culposo), lesão corporal dolosa e estupro. Eles não correspondem à categoria de crimes contra a pessoa que considerei antes, por causa da inclusão do estupro e da exclusão da categoria "outros", e não correspondem à categoria de crimes violentos, porque excluem crimes violentos contra a propriedade. Frequentemente, nas estatísticas oficiais, o número de registros para uma categoria de crime inclui "tentativas" de crime, por exemplo, homicídio e tentativa de homicídio. Na análise a seguir, especifico quando também estou considerando as tentativas. Na maioria dos casos, não levo em consideração os números de tentativas de homicídio, mas apenas os homicídios, como é comum nas análises de crimes. No entanto, considero as tentativas de estupro, porque no Brasil os registros de estupro são precários e provavelmente muitos estupros são classificados apenas como "tentativas de estupro". O Gráfico 4 compara as taxas de homicídio e tentativas de homicídio, lesão corporal dolosa, estupro e tentativas de estupro e vítimas de acidentes de automóvel (tanto mortos quanto feridos) em toda a região metropolitana. Como seria de esperar, as taxas de lesão corporal dolosa são significativamente mais altas que as outras. De fato, a lesão corporal dolosa representa uma média de 10% do total de crimes registrados, enquanto os homicídios representam menos de 1% e o estupro cerca de 0,5%. Consequentemente, lesão corporal dolosa influencia o formato da curva de crimes contra a pessoa mais do que outros tipos de crime. Pelo fato de lesão corporal dolosa ter decrescido (no MSP) ou crescido pouco (nos OM), o aumento nas taxas de crime contra a pessoa foi relativamente moderado no período analisado. No entanto, se analisarmos cada categoria separadamente, o quadro é bem diferente.

Gráfico 4
Taxas de crimes contra a pessoa
Região metropolitana de São Paulo, 1981-1996

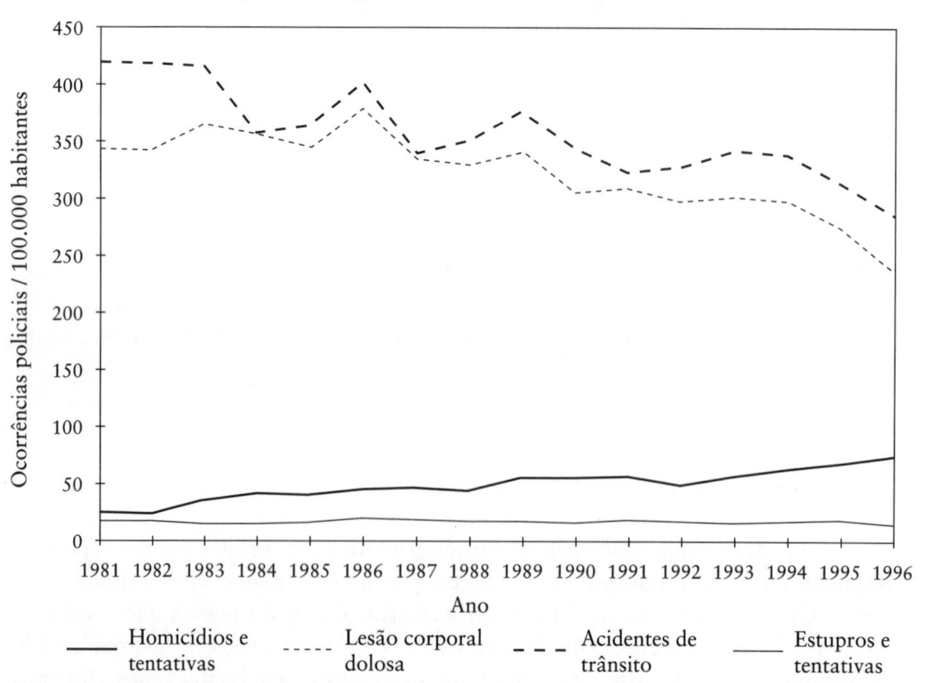

Como mencionei anteriormente, as diferenças entre o MSP e os OM são importantes, com os crimes contra a pessoa aumentando mais nos OM. No caso de lesão corporal dolosa, houve uma diminuição no MSP (taxa anual de -2,50%) e um crescimento nos OM (taxa anual de 1,96%), que ultrapassou as taxas por 100 mil habitantes do MSP em 1985. Em 1996, as taxas de lesão corporal dolosa por 100 mil habitantes foram de 371,70 nos OM e de 243,15 no MSP, o nível mais baixo desde 1981. No caso do estupro, as variações foram semelhantes até os anos 90, quando as taxas da cidade começaram a declinar. As taxas nos OM foram mais altas do que as do MSP durante todo o período (cerca de 19 por 100 mil habitantes, comparada a 14 no MSP). Porém, tanto lesões corporais quanto estupros estão provavelmente bastante subestimados, dado que as pessoas tendem a não reportá-los. O maior número de registros de estupro ocorreu em 1986, ano seguinte à abertura da primeira delegacia da mulher.

O homicídio doloso foi o crime com as mais altas taxas de crescimento médio entre 1981 e 1996. As variações anuais médias foram semelhantes na cidade de São Paulo (9,28%) e nos OM (10,05%). Como mostra o Gráfico 5, tanto no centro como na periferia da região metropolitana, a taxa de homicídios dolosos cresceu constantemente nos anos 80, alcançando 47,29 por 100 mil habitantes em 1996, um valor significativamente mais alto do que os 14,62 de 1981. Essas taxas foram produzidas de acordo com os registros policiais e diferem daquelas produzidas com base no registro compulsório de morte e classificadas de acordo as categorias CID.[19] Como mostra a Tabela 2, os diferenciais são altos durante todo o período considerado. No entanto, a discrepância parece representar um problema de volume mas não de tendência de crescimento, como o Gráfico 6 torna evidente: as taxas anuais de crescimento de homicídios dolosos registrados pela polícia civil e pelo Registro Civil foram muito similares, especialmente no município de São Paulo. Em outras palavras, embora os dados do registro de óbitos indiquem constantemente um número maior de homicídios do que os dados da polícia civil, ambos mostram um padrão similar de crescimento entre 1981 e 1996.

Gráfico 5
Taxas de homicídio doloso
MSP e OM, 1981-1996

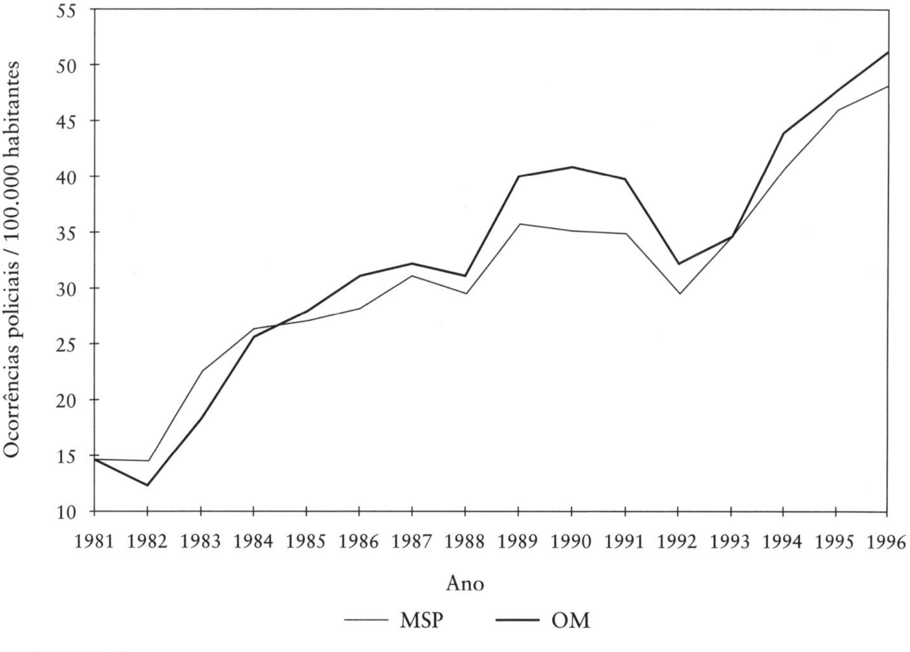

Ocorrências policiais / 100.000 habitantes
55
50
45
40
35
30
25
20
15
10
1981 1982 1983 1984 1985 1986 1987 1988 1989 1990 1991 1992 1993 1994 1995 1996
Ano
MSP OM

[19] Dados do registro de óbitos compilados de acordo com a Classificação Internacional de Doenças (Versão 9, usada até 1996) também são elaborados pelo Seade e publicados no *Anuário estatístico do estado de São Paulo*. Desde 1991, eles também têm sido elaborados pelo Pro-Aim (Programa de Aprimoramento de Informações de Mortalidade no Município de São Paulo), que

Tabela 2
Homicídios dolosos segundo a fonte
MSP, RMSP, e OM
1981-1996

Ano	RMGSP Polícia Civil	RMGSP Registro Civil	% Diferença	MSP Polícia Civil	MSP Registro Civil	% Diferença	OM Polícia Civil	OM Registro Civil	% Diferença
1981	1.875	2.758	47,09	1.251	1.754	40,21	624	1.004	60,90
1982	1.820	2.645	45,33	1.275	1.737	36,24	545	908	66,61
1983	2.837	3.964	39,73	2.009	2.613	30,06	828	1.351	63,16
1984	3.559	4.907	37,88	2.369	3.248	37,10	1.190	1.659	39,41
1985	3.766	4.914	30,48	2.436	3.186	30,79	1.330	1.728	29,92
1986	4.110	5.117	24,50	2.576	3.209	24,57	1.534	1.908	24,38
1987	4.462	5.734	28,51	2.868	3.573	24,58	1.594	2.161	35,57
1988	4.402	5.419	23,10	2.772	3.258	17,53	1.630	2.161	32,58
1989	5.546	6.492	17,06	3.370	3.819	13,32	2.176	2.673	22,84
1990	5.639	6.911	22,56	3.345	4.025	20,33	2.294	2.886	25,81
1991	5.634	6.973	23,77	3.342	4.305	28,82	2.292	2.668	16,40
1992	4.749	6.307	32,81	2.838	3.895	37,24	1.911	2.412	26,22
1993	5.434	6.459	18,86	3.324	3.894	17,15	2.110	2.565	21,56
1994	6.652	7.419	11,53	3.959	4.432	11,95	2.693	2.987	10,92
1995	7.410	8.802	18,79	4.485	5.379	19,93	2.925	3.423	17,03
1996	7.842	n.d.	n.d.	4.710	5.465	16,03	3.132	n.d.	n.d.

Fonte: Seade - *Anuário Estatístico do Estado de São Paulo*, diversos anos.
Obs: Os dados do Registro Civil correspondem às categorias ICD E960 e E969, normalmente denominadas homicídio. Uma vez que esta classificação não inclui as mortes cuja intencionalidade é indeterminada, ela é comparável à classificação da polícia civil de "homicídio doloso", que exclui homicídio culposo. Os dados do Registro Civil se referem a pessoas que residem no município de São Paulo.
n.d. = não disponível

Feiguin e Lima (1995: 77) sugerem que a grande discrepância nos registros de homicídios pode ser explicada pelo fato de que os registros da polícia se referem aos eventos em vez de se referirem a mortes individuais, como ocorre no registro de óbitos. Um evento de homicídio pode envolver várias mortes. Como resultado, quando analisam dados de 1988 a 1993, Feiguin e Lima (1995: 77) sugerem que a discrepância pode ser associada a um crescimento das mortes coletivas — as chacinas — em anos mais recentes. No entanto, como a diferença no início dos anos 80 é mais alta do que a dos últimos anos ou comparável a ela (Tabela 2), é difícil de-

mantém as informações mais detalhadas, mas apenas para os últimos anos e apenas para o município de São Paulo. Dados do registro de óbitos têm uma classificação muito mais complexa e acurada das causas de morte do que os da polícia, permitindo diferenciar, por exemplo, o instrumento usado e o motivo (intencional ou não intencional, ou, ainda, de intencionalidade indeterminada). Em geral, mortes provocadas intencionalmente são denominadas homicídios em estatísticas sanitárias. No entanto, como as categorias incluídas nessa classificação (E960 a E969) excluem as mortes provocadas em relação às quais a intencionalidade é indeterminada, eu as considero como homicídio doloso, tornando-as comparáveis à categoria da polícia civil que exclui homicídio culposo.

monstrar uma tendência do aumento de chacinas nos últimos anos.[20] Feiguin e Lima também sugerem duas outras hipóteses para explicar a discrepância entre os registros. A primeira é que eles têm referências espaciais diferentes, sendo que os registros das polícias se referem ao local do evento e os atestados de óbito ao local da morte, que pode ser um hospital longe do local do crime.[21] No entanto, não parece ser este o caso. Se fosse, os diferenciais na cidade de São Paulo, que tem maior concentração de hospitais, deveriam ser maiores do que as diferenças nos OM, onde se poderia argumentar que mais eventos ocorrem.[22] No entanto, em alguns anos acontece exatamente o contrário, com as diferenças nos OM sendo maiores. Finalmente, a segunda hipótese adicional mencionada por Feiguin e Lima (1995: 78) é que as diferenças exprimiriam uma tentativa de "evitar a disseminação do pânico entre a população". Para que isso fosse correto, no entanto, seria necessário a exis-

Gráfico 6
Evolução do registro de homicídio doloso
MSP e OM, 1981-1996

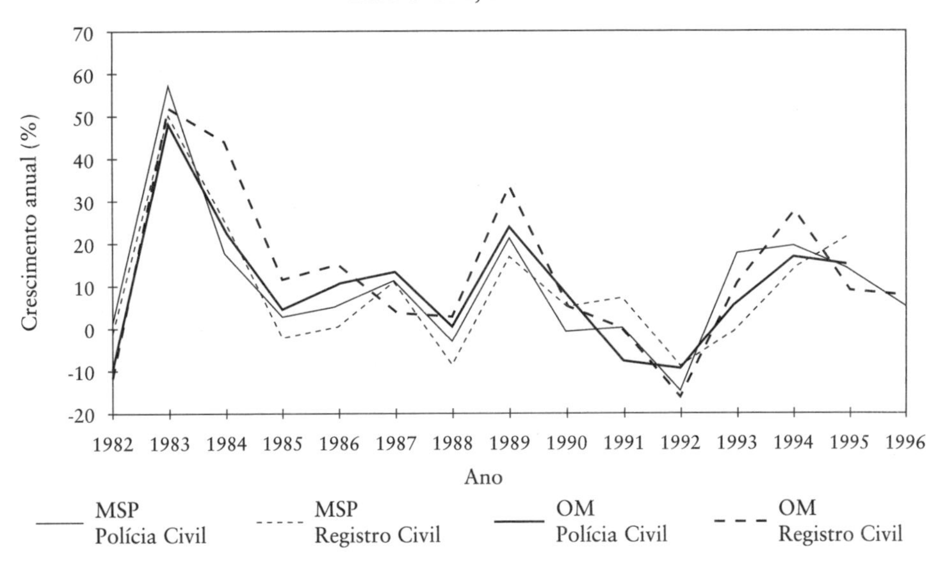

---

[20] De acordo com a Secretaria de Segurança Pública, em 1994 houve 19 chacinas na cidade de São Paulo, com um total de 61 mortes. Em 1995 houve 30 chacinas e 96 mortes. Embora esses números sejam elevados, eles não explicam a diferença entre as ocorrências policiais e os dados do Registro Civil, que em 1994 foi de 473 e em 1995 foi de 894 na cidade de São Paulo.

[21] Feiguin e Lima (1995) usam uma tabulação especial de homicídios que difere dos dados habitualmente publicados pelo Seade que utilizo aqui. Para os dados da polícia civil, eles agrupam homicídio doloso e homicídio culposo. Para os dados do Registro Civil, usam uma tabulação de acordo com o lugar da morte em vez do lugar de residência da vítima.

[22] Feiguin e Lima (1995) analisam apenas dados do município de São Paulo, mas formulam essa hipótese para os outros municípios.

tência de uma política explícita de esconder informação, que não parece provável, dada a insistência das autoridades em que tem havido um crescimento na violência. Além disso, parece improvável que esse tipo de política pudesse afetar o Registro Civil.

Uma explicação alternativa leva em consideração as mortes causadas pela polícia militar. De acordo com a Secretaria de Segurança Pública, essas mortes são registradas como "resistência seguida de morte" na categoria "outros crimes", e dessa forma não são registradas nem como homicídio doloso nem como homicídio culposo pela polícia civil, embora possam ser registradas dessa maneira pelo Registro Civil. Considerando que em alguns anos o número dessas mortes é elevado (mais de mil, ver abaixo), elas poderiam ajudar a explicar as diferenças. Outra explicação é a exclusão das estatísticas da polícia sobre homicídio doloso das mortes que ocorreram durante um roubo (latrocínio). Estas são provavelmente classificadas como homicídio doloso pelo Registro Civil, e recentemente têm sido ao redor de 400 por ano na RMSP. Se somarmos o número de mortes pela polícia não classificadas como homicídio doloso, o número de latrocínios também não incluídos nos totais da polícia civil para homicídios e o número de múltiplas mortes em chacinas registradas como um evento de homicídio, podemos justificar uma porção significativa da diferença total entre as duas fontes. Por exemplo, em 1993 a diferença foi de 1.025. Naquele ano, houve 333 latrocínios e 243 mortes pela polícia na RMSP, ou um total de 576, que representa 56% da diferença. Em 1994, latrocínios e mortes pela polícia respondem por 87,2% da diferença, e em 1995, por 46,7%.

Além de indicar que os registros da polícia subestimam os números de homicídios dolosos, os dados baseados no registro compulsório de mortes permite uma análise mais complexa do crescimento recente da violência. Nos últimos quinze anos, a proporção de mortes violentas (acidentes, homicídios e suicídios) no total de mortes quase dobrou na região metropolitana de São Paulo (elas representavam 8,95% das mortes em 1978; 15,82% em 1991; e 14,11% em 1993). Desde 1989, as mortes violentas têm sido a segunda causa de morte no Brasil, enquanto em 1980 elas eram a quarta (Souza e Minayo 1995: 90). Em São Paulo, elas foram a segunda causa nos últimos anos (depois das doenças respiratórias).

Os homicídios dolosos são responsáveis pelo significativo aumento nesse grupo de causas, considerando-se que a proporção de outras "causas externas" no número total de mortes permaneceu relativamente constante. Enquanto em 1978 o homicídio doloso foi causa de 1,44% das mortes na cidade de São Paulo, em 1994 essa proporção foi de 6,57%, um aumento de 356%. Em 1994, os homicídios perfizeram 6,57% do total das mortes e 19,15% das mortes de pessoas entre 20 e 49 anos de idade no MSP, tornando-se a principal causa de morte nesse grupo etário. Essa taxa é drasticamente diferente da de 1976, quando o homicídio doloso foi responsável por apenas 4,9% das mortes nesse mesmo grupo etário. A taxa foi especialmente elevada entre a juventude. Em 1994, 44,4% das mortes de pessoas de 15 a 24 anos foram causadas por homicídio. Durante os anos 80, os homicídios cresceram 80% entre pessoas de 10 a 14 anos (Souza 1994: 49). Em 1994, 61,6% das vítimas de homicídios dolosos na RMSP tinham entre 15 e 29 anos. A criminalidade adolescente também cresceu, mas numa proporção menor do que a da vitimização adolescente (ver Feiguin e Lima 1995: 78-80). Além disso, as mortes violentas afetam cinco vezes mais rapazes do que moças (Souza e Minayo 1995: 94). Em 1994, na RMSP, 93% de todas as vítimas de homicídio doloso eram homens.

Além de afetar cada vez mais os jovens, e mais rapazes do que moças, há indicações de que o homicídio também afeta desproporcionalmente as pessoas pobres. Um estudo recente do Núcleo de Estudos de Seguridade e Assistência Social, que compara taxas de homicídio e indicadores socioeconômicos nos 96 distritos da cidade de São Paulo, mostrou que os distritos com incidência mais alta de homicídios têm uma má qualidade de vida e uma predominância de famílias de baixa renda (1995: especialmente tabelas 40A, 42A e 43A). De acordo com informações do Pro-aim (Programa de Aprimoramento de Informações de Mortalidade no Município de São Paulo) para 1995, a maioria dos distritos da cidade de São Paulo com taxas altas de homicídio doloso era muito pobre (96,87 no Jardim Ângela, 88,44 no Grajaú, 83,20 em Parelheiros, 76,86 no Jardim São Luís, 75,28 em Capão Redondo). Outros com taxas elevadas estavam entre os distritos deteriorados da área central da cidade (87,93 na Sé e 79,51 no Brás). As taxas mais baixas eram de distritos de classe média e alta nas áreas centrais (2,87 em Perdizes, 11,50 em Moema, 12,54 na Vila Mariana, 13,52 na Bela Vista, 13,78 em Pinheiros).

Ao contrário de tendências anteriores a 1979, assim como do padrão nos Estados Unidos, onde as mortes por acidentes de automóvel são em média o dobro dos homicídios, na cidade de São Paulo os homicídios causam mais mortes do que o trânsito desde 1983, e em 1992 essa proporção era o dobro (6,18% do total de mortes, comparados a 2,98%). Essas são informações dos registros de óbitos. Como mencionei antes, as estatísticas sobre mortes em acidentes de automóvel variam enormemente dependendo da fonte utilizada. De acordo as fontes tanto da polícia civil quanto da militar, o número de ferimentos e/ou mortes em acidentes de automóvel decresceu no MSP (em média -4,31% ao ano) e nos OM (-0,45%) entre 1981 e 1996. No entanto, de acordo com os dados do ministério da saúde analisados por Jorge Mello e Latorre (1994: 30), as taxas de mortes por acidentes de automóvel por 100 mil habitantes permaneceram relativamente estáveis desde 1970 (cerca de 25), depois de terem aumentado 151% entre 1960 e 1970. Embora as mortes e ferimentos não tenham aumentado muito nos últimos anos, o número de acidentes de automóvel no MSP mais que dobrou nas últimas duas décadas, de acordo com a polícia militar. Em 1996, houve 195.378 acidentes de automóvel no MSP, uma média de 535 acidentes por dia. De todos os acidentes, 13,16% resultaram em mortes ou ferimentos.

O crescimento de mortes violentas não é algo exclusivo de São Paulo. As taxas de homicídio cresceram na maioria das regiões metropolitanas brasileiras durante os anos 80 (Souza 1994: 53-5). Como consequência, no final dos anos 80 as taxas de homicídio para o Brasil, que eram semelhantes (cerca de 10) às dos Estados Unidos no começo da década, atingiram mais que o dobro das taxas americanas. A taxa de homicídio dos EUA é historicamente alta se comparada àquelas da Europa e do Japão. Dos anos 70 aos 90, enquanto as taxas americanas oscilaram entre 8 e 10 homicídios por 100 mil habitantes, as taxas europeias oscilaram entre 0,3 e 3,5, e as japonesas permaneceram em torno de 1 homicídio por 100 mil habitantes (Chesnais 1981: 471).[23] Em outras palavras, as atuais taxas de homicídio brasileiras, acima de 20, são realmente muito altas se comparadas às americanas, europeias e japonesas das últimas décadas. No entanto, as taxas nacionais escondem disparidades locais e muitas áreas urbanas têm taxas de homicídio consideravelmente mais altas que a média nacional. No caso do Brasil, no final dos anos 80 e na década de 90, o Rio de Janeiro, Recife e São Paulo são as três regiões metropolitanas mais violentas, com taxas de homicídio mais altas do que 40 por 100 mil, de acordo com dados do registro de óbitos (Souza 1994). Nos EUA, em 1993, algumas cidades tinham taxas muito maiores, como Nova Orleans (80,34), Washington, DC (78,54), Detroit (56,76) e Atlanta (50,38). Em outras grandes cidades, as taxas eram comparáveis às de São Paulo, mas ainda menores. Em 1993, esse era o caso de Miami (34,09), Los Angeles (30,52) e Nova York (26,48). É preciso observar, no entanto, que as taxas de homicídio têm oscilado menos nos EUA do que no Brasil, e têm diminuído de forma significativa desde o início dos anos 90. É difícil obter informações comparáveis relativas a outras cidades e países do Terceiro Mundo. Os dados nacionais sobre as causas de morte compilados pelas Nações Unidas não estão disponíveis para a maioria dos países africanos e asiáticos. Nos anos 1990, os países da América Latina tiveram taxas relativamente altas (em média, maiores do que 5 por 100 mil), e os caribenhos tiveram taxas ainda mais altas (maiores do que 10). A Colômbia tem uma das taxas mais altas do mundo: 74,4 em 1990. O Brasil (20,2 em 1989), o México (17,2 em 1991) e a Venezuela (12,1 em 1989) vêm em seguida, com as taxas mais altas da América Latina.[24]

---

[23] Chesnais analisa as estatísticas disponíveis para a Europa e os Estados Unidos comparativamente desde pelo menos a metade do século XIX. A falta de informações e de análises para períodos anteriores torna difícil falar sobre a tendência histórica das taxas de homicídio no Brasil, mas há indicações de que nas primeiras décadas desse século elas eram maiores do que na Europa e nos EUA. Para o caso de São Paulo, Fausto (1984: 95) indica que entre 1910 e 1916 a taxa de prisões por homicídio por 100 mil habitantes estava ao redor de 10,7. De acordo com Bretas (1995: 111), as taxas de homicídios por 100 mil habitantes no Rio de Janeiro entre 1908 e 1929 oscilaram entre 3 (1918) e 12,33 (1926). A média foi de 8,09. Segundo Chesnais, a taxa de homicídio de Paris entre 1910 e 1913 era de 3,4, e entre 1921 e 1930, 1,9 (1981: 79). Na França, a taxa de homicídio doloso para o período de 1901-1913 era de 1,13, e para o período de 1920-1933, 1,06 (Chesnais 1981: 74). Para os EUA, a taxa para o período 1901-1910 era de 2,93, e entre 1911 e 1920 era de 6,28 (Chesnais 1981: 93). Os dados de Chesnais baseiam-se em estatísticas da Organização Mundial de Saúde. Conforme essa fonte, nos anos 90, as taxas de homicídio foram de: 9,8 nos Estados Unidos (a taxa de 1990 de acordo com o FBI foi de 9,4); 1,1 na França (1991); 1,2 na Alemanha (1992); 2,9 na Itália (1991); 1,0 na Espanha (1990); 0,9 no Reino Unido (1992); 0,6 no Japão (1992) (Nações Unidas 1995: 484-505).

[24] Os dados para as cidades americanas são dos *Uniform Crime Reports for the United States*, baseados em ocorrências policiais e publicados pelo FBI. Os dados para a América Latina e para o Caribe são das Nações Unidas (1995: 484-505) e referem-se às taxas de morte compiladas pelas autoridades de saúde. Situações locais podem diferir consideravelmente das médias nacionais. De acordo com um estudo feito pelo Population Crisis Committee, em 1985 algumas das piores taxas de homicídio por 100 mil habitantes ocorreram em Cape Town (64,6), Cairo (56,3), Alexandria (49,3), Rio de Janeiro (49,3), Manila (36,5), Cidade do México (27,6) e São Paulo (26,0) (*Veja*,

Os crimes contra a propriedade em São Paulo representam a maioria dos crimes registrados: os furtos respondem por cerca de 37% dos registros e os roubos, por cerca de 17%. Os roubos apresentaram o segundo maior crescimento (média de crescimento anual de 8,95%) entre 1981 e 1996, logo atrás dos homicídios. Os piores anos para os crimes contra a propriedade foram 1984 e 1985, e meados dos anos 90, como pode ser visto no Gráfico 7. Os roubos cresceram mais do que os furtos (com médias de 8,95% e de 2,44% respectivamente), e a média de crescimento dos roubos nos OM (10,56%) foi um pouco mais alta do que no MSP (9,18%). Isso repete o padrão de crescimento já detectado para os crimes contra a pessoa: formas mais violentas de crime crescem mais e as taxas de crescimento são mais altas na periferia do que no centro da região metropolitana. No entanto, é preciso tomar cuidado com essas conclusões, porque em geral os crimes violentos tendem a ser mais bem registrados em razão de sua gravidade. Além disso, as taxas de crimes contra a propriedade por 100 mil habitantes são mais altas no MSP do que nos OM.

Gráfico 7
Taxas de furto e roubo
MSP e OM, 1981-1996

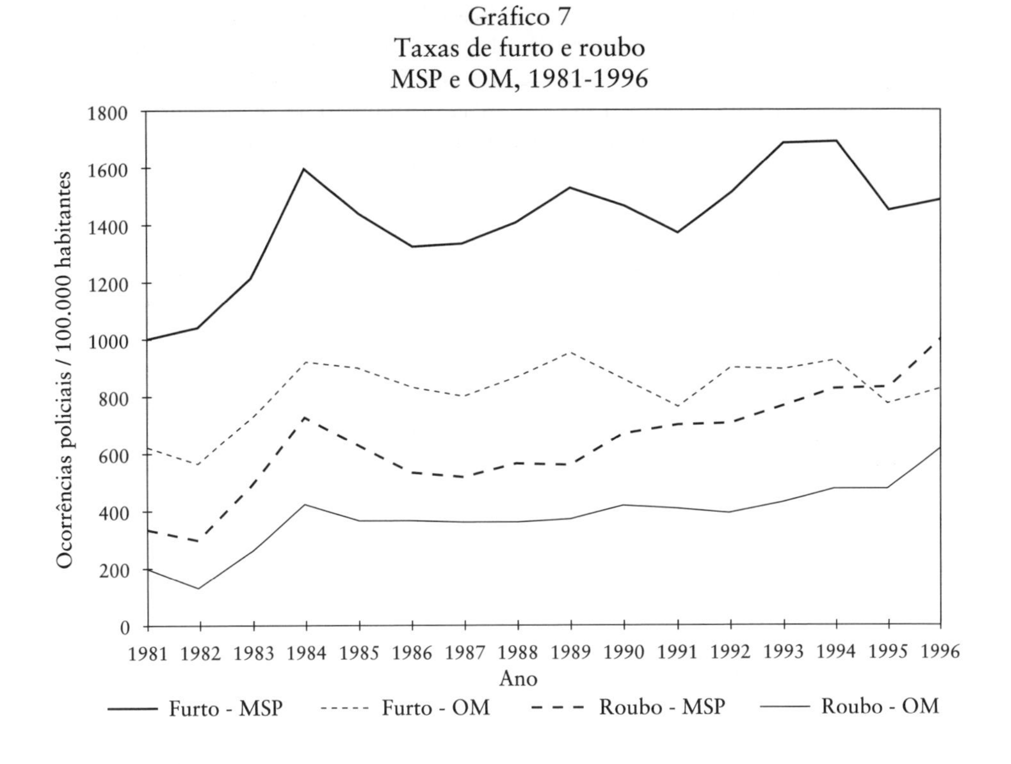

28 de novembro de 1990, p. 66). Devemos ser cuidadosos ao examinar essas taxas internacionais. Para 1985, as taxas para a cidade de São Paulo apresentadas nesse estudo quase coincidiram com as ocorrências da polícia (26,98), mas são bem diferentes daquelas produzidas com base no registro de óbitos tanto para São Paulo (35,8) quanto para o Rio de Janeiro (41,0).

Furto e roubo de veículos correspondem a uma média de 20% dos furtos e roubos. Esses crimes cresceram a taxas semelhantes no MSP e nos OM (5,44% e 5,78% respectivamente), mas a taxa per capita é o dobro no centro (854 por 100 mil comparados a 443 por 100 mil em 1996). De acordo com o estudo do Núcleo de Estudos de Seguridade e Assistência Social relativo à cidade de São Paulo, os distritos com as taxas mais altas de roubo são os distritos centrais e abastados (1995: Tabela 43A).

Uma outra forma de avaliar o crescimento da violência é examinar o registro de armas e as ocorrências de posse ilegal de armas. O número anual de armas adquiridas na região metropolitana pulou de 9.832 em 1983 para 66.870 em 1994, um crescimento de 580%. Esses números, no entanto, estão longe de retratar o crescimento do número de armas entre a população, já que a apreensão de armas não registradas também cresceu consideravelmente. As ocorrências policiais de posse ilegal de armas cresceram a uma média de 8,62% ao ano entre 1981 e 1996 no MSP e 10,51% nos OM. Em 1996, a polícia registrou 5.563 casos de posse ilegal de armas na RMSP. Como divulgado pela mídia, muitas dessas armas são contrabandeadas e algumas (especialmente aquelas usadas por traficantes de drogas) são mais potentes do que as usadas pela polícia. À medida que aumenta o número de armas nas mãos da população, aumenta a proporção de homicídios cometidos com elas. De acordo com os dados de registros de óbitos, em 1980, os homicídios por armas de fogo eram 14,8% do total de homicídios em São Paulo; em 1989, eles já eram 31,2% (Souza 1994: 55) e em 1992, 29,26%. O aumento da posse de armas indica não só um aumento do crime e da violência, mas também mostra como os moradores de São Paulo estão cada vez mais tomando para si a tarefa da defesa. Para obter um quadro completo das tendências do crime no período de 1981-1996, resta observar o que aconteceu com o tráfico de drogas e a violência policial. Esta última é muito alta e constitui um componente crucial do crescimento da violência no Brasil. Analiso-a separadamente no capítulo 5. Os registros de tráfico de drogas oscilaram entre 18 e 30 incidentes por 100 mil habitantes na RMSP. No entanto, é difícil detectar um padrão, pois as taxas flutuaram consideravelmente. Apesar disso, tanto as autoridades públicas como os meios de comunicação têm insistido que o tráfico de drogas — especialmente a disseminação do crack em São Paulo — tem levado a um aumento da violência. Mas é difícil avaliar essa influência dada a falta de informações concretas.

Buscando explicações

Os cientistas sociais geralmente oferecem três tipos de explicações para a criminalidade e suas variações. Primeiro, o crime é relacionado a fatores como urbanização, migração, pobreza, industrialização e analfabetismo. Segundo, ele é associado ao desempenho e características das instituições encarregadas de manter a ordem, sobretudo a polícia, mas também tribunais, prisões e legislação. Terceiro, há explicações psicológicas que focalizam a personalidade de criminosos individuais. Na análise a seguir, considero os dois primeiros tipos de explicações, que em geral se combinam, mas não vou tratar dos fatores psicológicos, pois não estou me concentrando nos fenômenos individuais e sim nos sociais. Além disso, para entender o atual quadro da criminalidade em São Paulo, é necessário ir além daquelas perspectivas e considerar três outros tipos de fatores que não podem ser quantificados. Primeiro, os elementos culturais, como as concepções dominantes sobre a disseminação do mal, o papel da autoridade e concepções do corpo manipulável (que analiso no capítulo 9). No Brasil, esses conceitos estão associados ao apoio a práticas violentas e à deslegitimação dos direitos individuais. Segundo, a adoção disseminada de medidas ilegais e privadas para combater a criminalidade, cujos efeitos solapam o papel mediador e regulador do sistema judiciário e alimentam um ciclo de vingança privada. Esse ciclo só pode fazer aumentar a violência. Terceiro, há que considerar as políticas relativas à segurança pública e os padrões tradicionais de desempenho da polícia: a ação violenta do Estado ao lidar com o crime acentua a violência, ao invés de controlá-la. Começo a desenvolver esses argumentos neste capítulo e continuo a fazê-lo nos capítulos 4, 5 e 9.

Qualquer tentativa de explicar o crime em São Paulo é fortemente limitada pela qualidade das informações. Os estudos mais detalhados disponíveis, tanto em relação ao Brasil quanto à América Latina, examinam a criminalidade no começo do século XX, e quase todos abordam a questão do crime no início da industrialização, seguindo uma abordagem internacional do tema que enfatiza os efeitos da imposição de uma ordem social urbana.[25] Estudos mais recentes da violência na América Latina em geral citam situações excepcionais, como as guerras sujas no Chile, Argentina e Uruguai, as guerras na América Central, os conflitos do narcotráfico na Colômbia e o movimento guerrilheiro no Peru.[26]

Depois que a criminalidade se tornou um problema no início dos anos 80 alguns pesquisadores se voltaram para as estatísticas da região metropolitana de São Paulo. A maioria dos estudos, no entanto, ou se concentra em séries históricas ainda mais curtas do que as que consegui reunir (Batich 1988, Feiguin 1985, Feiguin e Lima 1995, Mingardi 1992, Nepp 1990), ou analisam tipos específicos de crime separadamente (Minayo 1994, Souza 1994, Souza e Minayo 1995). Em geral, esses estudos são descritivos e não apresentam explicações detalhadas, sugerindo que o aumento do crime poderia ser associado à crise econômica do início dos anos 80

---

[25] No caso de São Paulo, para o período de 1880-1924 há o estudo das estatísticas criminais de Fausto (1984). Para o Rio de Janeiro durante o período de 1907-1930, há o estudo de Bretas (1995), que também analisa as estatísticas e relatórios produzidos pela polícia. Para o Rio de Janeiro da virada do século, há o estudo de Chalhoub (1986), que não analisa estatísticas, mas tenta descobrir por meio dos registros judiciários um quadro dos relacionamentos cotidianos e conflitos da classe trabalhadora. Para os períodos Colonial e Imperial, há os estudos de Aufderheide 1975, Chalhoub 1990, Franco 1974, Holloway 1993, Huggins 1985 e Lara 1988, mas apenas Aufderheide, Holloway e Huggins analisam estatísticas. Para outros países na América Latina, há os estudos de Johnson 1990, Rohlfes 1983, Taylor 1979, Vanderwood 1981. Sobre os bandidos sociais brasileiros do começo do século XX, o estudo clássico é Queiroz 1977.

[26] A bibliografia nesses casos é vasta. Sumários interessantes são, para o caso da Colômbia, *Comisión de estudios sobre la Violencia* (1987), e para o caso do Peru, *Comisión Especial de Senado* (1989).

e às altas taxas de desemprego. A única exceção no caso de São Paulo é o estudo de Pezzin (1987) que discuto abaixo. Há estudos sobre outras cidades, como os de Paixão (1983, 1986, 1988, 1990) sobre Belo Horizonte, e os de Coelho (1978, 1980, 1988) sobre o Rio de Janeiro. Suas principais contribuições foram críticas metodológicas indicando as limitações e desvios das estatísticas oficiais e pondo por terra visões tradicionais que associam o crime à pobreza e à marginalidade. Mais recentemente, há uma série de estudos da distribuição espacial do crime que tentam analisar o risco da violência em cidades brasileiras.[27] Embora esses mapas mostrem uma forte correlação entre áreas pobres e risco de violência, eles não apresentam explicações para o crescimento da violência. No caso do Rio de Janeiro atual, há também importantes estudos etnográficos feitos por Zaluar, em áreas de classes trabalhadoras, e Velho (1987, 1991), entre as classes médias. Zaluar analisou as inter-relações entre trabalhadores e "bandidos", e suas visões do crime e da sociedade (Zaluar 1983, 1985, 1987, 1990, 1994). Ela não desenvolve nenhuma análise quantitativa.

Estudos recentes sobre padrões criminais nos EUA e na Europa questionam seriamente a associação entre pobreza e criminalidade, considerada como óbvia nas conversas do dia a dia sobre o crime (Chesnais 1981, Gurr 1979, Lane 1980 e 1986, Tittle, Villemez e Smith 1978). Esses estudos reconsideram a associação convencional entre aumento do crime e rápido crescimento das cidades e pobreza urbana que marcou o início da industrialização — um argumento exposto, por exemplo, por Chevalier (1973 [1958]). Além disso, alguns estudos põem em xeque a noção bastante comum de que a violência cresce com a urbanização e a industrialização. Num amplo estudo comparando estatísticas de crime para países europeus e os Estados Unidos de meados do século XIX até o final dos anos 70, Jean-Claude Chesnais argumenta que, embora o medo da insegurança possa ter aumentado, "houve durante os últimos séculos e as últimas décadas uma considerável regressão da criminalidade violenta" (1981: 14). De acordo com ele, observando esse longo período,

> "globalmente, a *violência direta contra as pessoas* (...) está em franca diminuição em relação ao passado e é justamente em relação aos crimes mais graves que o recuo é mais nítido. A tendência é incontestável, talvez até mais acentuada do que sugerem os números, pois o registro tem melhorado e quanto mais grave o crime, melhor o registro." (p. 441, grifo no original)

Para Chesnais (Pref. e cap. 1), esse padrão de longa duração de diminuição da violência contra as pessoas foi condicionado por processos como a diminuição da escassez e da pobreza, a revolução demográfica com a diminuição da mortalidade e a valorização da vida, e especialmente o crescimento do Estado, com suas institui-

[27] Vários desses estudos foram patrocinados pelo Ministério da Justiça e pela Secretaria Nacional de Direitos Humanos e fazem parte do projeto "Mapas do Risco da Violência", coordenado pelo Cedec em São Paulo. Para São Paulo, ver Núcleo de Estudos de Seguridade Social (1995), e para o Rio de Janeiro, ver Cano (1997).

ções repressivas (a polícia e o sistema judiciário), e das instituições disciplinares como as escolas e o exército. Esses processos foram acompanhados por uma profunda transformação dos costumes e mentalidades descrita por Norbert Elias (1994 [1939]) como uma domesticação dos instintos. A hipótese de Chesnais é de que esse processo teve efeitos diferentes em várias regiões da Europa e nos Estados Unidos, mas por fim espalhou-se por toda parte, reduzindo a violência interpessoal. Chesnais chega mesmo a argumentar que "seguindo uma lei clássica da criminologia, o *movimento da criminalidade global cresce com o desenvolvimento econômico, enquanto a criminalidade grave regride*" (1981: 443, grifo do original). Para Chesnais, o crime violento diminuiu de forma consistente da Idade Média até o final dos anos 1970, e para entender essa transformação é necessário observar as transformações institucionais e culturais em vez de focalizar-se apenas variáveis socioeconômicas.

Roger Lane também questiona a simples associação de aumento do crime ao crescimento das cidades e à industrialização, argumentando que as famosas "afrontas contra a ordem" do início da urbanização "oscilaram mais frequentemente em resposta à mudança das políticas públicas do que às mudanças de comportamento" (1986: 2). Além disso, tanto os crimes violentos — especialmente homicídio, o mais sério e mais bem registrado de todos os crimes — como alguns crimes contra a propriedade parecem ter diminuído continuamente durante a urbanização.

> "Apesar de que os crimes contra a propriedade habitualmente tenderam a crescer em épocas de privação e a decrescer em épocas de prosperidade, enquanto os crimes de violência reagiram ao ciclo econômico de forma exatamente oposta, essas oscilações de curto prazo apenas mascararam o fato de que ambos os tipos de crime estavam diminuindo a longo prazo, às vezes de forma acentuada. A tendência de queda começou tipicamente por volta da metade do século XIX. Continuou por um longo tempo, na maioria dos lugares até a metade do século XX. Só recentemente a incidência do crime começou a aumentar de novo, sobretudo a partir de 1960. O padrão típico, então, tem sido uma longa curva em 'U', mais do que uma simples linha correndo paralelamente ao crescimento urbano e ao desenvolvimento. (...) Essa curva em 'U' em criminalidade provou ser um padrão quase universal." (Lane 1986: 2)

Provavelmente por ter se concentrado em períodos mais recentes, Lane descreve uma curva em "U" em vez do declínio linear indicado por Chesnais, que tende a desprezar variações de curto prazo para enfatizar tendências mais abrangentes. Mas essas variações são importantes para o entendimento de questões contemporâneas. As explicações para a curva em "U" e especialmente para o crescimento da violência depois dos anos 60 ainda são vagas. Para o período anterior, a importância da consolidação do Estado e das instituições da ordem parece incontestável, assim como o "processo civilizatório" e a consequente pacificação interna das sociedades europeias descritos por Elias. Parece também claro que a parte de baixo da curva em "U" coincide com a maturidade do capitalismo (o que alguns chamam de fase fordista) e o otimismo do período pós-guerra.

Os padrões atuais de crime, no entanto, diferem daqueles do início da industrialização. Por exemplo, a violência associada a crimes contra a propriedade está crescendo, como mostra o fato de que o roubo armado cresceu mais rapidamente do que qualquer outro crime nos EUA (Lane 1986: 173) e em São Paulo. Além disso, o formato geral da curva não reflete experiências específicas. Para a população afro-americana, por exemplo, a experiência do crime violento tem seguido não uma curva em "U", mas uma tendência linear crescente. Para Lane (1986), a experiência cultural e histórica, mais do que a pobreza ou a renda, explica essa realidade. Se tivéssemos dados disponíveis, provavelmente encontraríamos um padrão semelhante para os negros brasileiros, que são a maioria entre os mortos pela polícia em São Paulo (Pinheiro et al. 1991) e constituem uma parte desproporcional da população carcerária (Brant 1986).

Essas análises de padrões criminais nos EUA e na Europa podem nos ajudar a formular algumas explicações para a criminalidade violenta na São Paulo atual. Essa perspectiva sugere que tendências da criminalidade violenta podem ser explicadas em parte pela história das instituições da ordem e por padrões culturais de longa duração que moldam o comportamento individual e as relações interpessoais. Por serem as estatísticas muito precárias — não há forma de provar ou refutar a existência da curva em "U" em São Paulo —, as hipóteses que podemos formular são restritas. No entanto, ao contrário do que sugere a análise de Pezzin, o padrão recente de crescimento do crime violento não pode ser explicado somente por variáveis econômicas e de urbanização.[28]

Embora os estudos de Pezzin e Coelho permaneçam atados às explicações socioeconômicas para o aumento do crime, suas análises podem ajudar a qualificar a hipótese alternativa que apresento no final deste capítulo. O estudo de Liliana Pezzin (1987) baseia-se em modelos nos quais ela correlaciona as taxas de crimes contra a pessoa e crimes contra a propriedade a variáveis como níveis de urbanização, densidade demográfica, crescimento da população, distância da residência do centro da cidade, taxa de pobreza, taxa de desemprego, atividade industrial, migração e gastos per capita do Estado com segurança. O desenho dessas variáveis inspirou-se diretamente na longa tradição dos estudos sobre o crime em contextos de industrialização e urbanização. No entanto, para o período de 1970-1984 que estudou, ela poderia estar se deparando com o outro lado da curva em "U", que exige novas explicações. Além disso, para explicar o crescimento da violência e não só o dos crimes contra a propriedade, que é de fato a mudança mais importante no padrão de criminalidade nos anos 80, ela talvez devesse olhar para outros processos.

Pezzin foi incapaz de encontrar correlação estatística significativa entre suas variáveis e os crimes contra a pessoa. Ela concluiu que os crimes contra a pessoa

[28] Um estudo recente de Cláudio Beato sustenta a interpretação que estou propondo. Ele não consegue encontrar correlações entre taxas de crime violento e indicadores de desigualdade social, disponibilidade de serviços públicos, desemprego e qualidade de vida urbana. Resultados parciais dessa pesquisa ainda em andamento foram apresentados na Conferência "Rising Violence and the Criminal Justice Response in Latin America: Towards an Agenda for Collaborative Research in the Twenty-first Century", Universidade do Texas em Austin, maio de 1999.

(crimes de "força psicológica", como ela os chama) não são muito afetados nem pelas variáveis socioeconômicas e níveis de urbanização nem pelos gastos do Estado com segurança pública (Pezzin 1987: 108-9). Esse achado contradiz outros estudos sobre a criminalidade que mostram que o crime violento, a longo prazo, diminuiu com as mudanças culturais e institucionais que acompanharam a urbanização, a industrialização, a transição demográfica, a consolidação dos Estados nacionais modernos e a institucionalização das forças policiais (por exemplo, Chesnais 1981: Intr. e cap. 1, e Gurr 1979: 356-8). Além disso, a curto prazo, a expectativa seria de que o crime violento diminuísse com uma crise econômica (Lane 1986: 2), exatamente o contrário do que aconteceu em São Paulo no período analisado por Pezzin. Pelo fato de as variáveis socioeconômicas utilizadas por Pezzin provavelmente não serem capazes de explicar o aumento do crime violento, ela encontrou-se sem explicações e desconsiderou algumas descobertas ao associá-las, por exemplo, a fatores psicológicos.

Pezzin descobriu que, ao contrário do que aconteceu aos crimes contra a pessoa, os crimes contra a propriedade estavam positiva e significativamente correlacionados aos indicadores de urbanização, pobreza, migração e desemprego (1987: 108-9). Os gastos com segurança do estado também estavam significativamente correlacionados aos crimes contra a propriedade e, neste caso, os valores eram claramente maiores do que aqueles associados às variáveis concernentes à urbanização e à pobreza. No entanto, Pezzin baseou suas conclusões exclusivamente na correlação dos crimes contra a propriedade com as variáveis de urbanização e pobreza, insistindo em que o crescimento do crime estava relacionado à recessão econômica do começo dos anos 80 e ao nível de pobreza que ela gerou.

No entanto, nem todos os indicadores socioeconômicos de Pezzin se comportaram como o esperado em relação aos crimes contra a propriedade. Um deles, o analfabetismo, embora significativamente relacionado tanto aos crimes contra a pessoa como contra a propriedade, demonstrou relações negativas, ou seja, o inverso do que era esperado. Incapaz de explicar essa descoberta, Pezzin atribuiu-a a problemas de colinearidade (1987: 109). No entanto, a pesquisa de Brant (1986) entre a população carcerária do estado de São Paulo mostrou que o nível de educação formal dos presos (apenas 3% analfabetos, 54,9% com 4 anos da escola primária e 36% com colegial) "está acima da média da população do país e, em alguns casos, acima até da média do estado de São Paulo" (Brant 1986: 50). Além disso, ele mostrou que 54,3% dos presos estavam empregados quando foram detidos (1986: 81) e que 37,2% dos desempregados haviam perdido o emprego há menos de 6 meses (1986: 82). Um grande número de presos tinha uma história ocupacional contínua e tinha tido vários empregos regulares (1986: 50). Em suma, esses dados indicam não problemas de colinearidade, mas sim aspectos de uma realidade social que não se explicam por velhas teorias e estereótipos. Além disso, as conclusões de Brant contradizem a única hipótese que Pezzin apresentou para dar conta daquilo que nenhuma outra variável pôde explicar: o aumento da violência.

> "A intensificação crescente da incidência de violência nos delitos patrimoniais parece ser... um sintoma de novos fluxos de contingentes (de

criminosos) sem a necessária *habilidade* ou *experiência*, suprindo tal deficiência mediante o uso de armas." (Pezzin 1987: 111, grifo no original)

Além de não ser apoiada pelos dados, essa hipótese pressupõe que os profissionais do crime não são violentos, e que basicamente são os principiantes — talvez aqueles empurrados para a criminalidade pela crise econômica — que se voltam para a violência. Além disso, a hipótese pressupõe que a maioria dos crimes violentos são cometidos por não profissionais. Isso está em total desacordo com as afirmações de Coelho (1988), Paixão (1983), Mingardi (1992), Zaluar (1994) e outros analistas do crime (como repórteres que cobrem diariamente a polícia e as autoridades da Segurança Pública), que insistem que na última década o crime tornou-se cada vez mais organizado e profissional, e que esta tendência se expressa principalmente no uso de armas, tráfico de drogas e em grandes empreitadas como o roubo de edifícios inteiros e o sequestro de executivos. Como os jornais têm registrado, as redes associadas a alguns sequestros envolvem traficantes de drogas, o jogo do bicho, vários políticos, advogados, gangues organizadas dentro das prisões e até a polícia. Estamos lidando com o aumento do crime organizado e armado, não com indivíduos inexperientes levados ao crime por um contexto de crise.

Mas, se a hipótese de Pezzin parece não ter mérito, é no entanto fácil ver como ela é coerente com o universo no qual foi formulada, aquele que concebe o crime e a violência em relação a indicadores de pobreza urbana e marginalidade. Quando a realidade resiste a esse modelo, essas explicações se enfraquecem. De fato, explicações socioeconômicas parecem se enfraquecer ainda mais quando a questão não é apenas o crime, mas sim o crime *violento*. É sobretudo a violência que estamos tentando explicar, porque, como argumentei acima, *foi a violência que mudou radicalmente o padrão do crime em 1983-1984.*

Em sua análise, Pezzin concentra-se quase exclusivamente nas variáveis socioeconômicas e não dá muita atenção à correlação entre níveis de criminalidade e gastos do Estado com segurança pública. Coelho (1988), ao contrário, parece desconsiderar variáveis socioeconômicas e se concentrar principalmente naquelas associadas à repressão ao crime.

> "Em primeiro lugar, até que surjam confirmações empíricas em contrário, seria oportuno arquivar as teorias segundo as quais a pobreza, o analfabetismo, o desemprego, os desníveis de renda ou as crises econômicas constituem fatores causais ou determinantes da criminalidade (...) Em segundo lugar, não há nada de surpreendente na constatação de que as variáveis de dissuasão têm efeito mais pronunciado sobre os níveis de criminalidade do que as variáveis socioeconômicas: o número de policiais nas ruas tem uma relação direta com as opções disponíveis para o infrator em potencial, o que não ocorre, por exemplo, com o número de desempregados num dado momento." (Coelho 1988: 153)

Parece-me, no entanto, que devemos ter mais cuidado com essas conclusões. Um maior investimento em segurança pública depois de 1984 de fato não fez diminuir o nível de crimes violentos. Além disso, as suposições de Coelho parecem ser baseadas numa imagem da polícia que não coincide com a realidade brasileira recente, marcada por uma polícia violenta e que se envolve com a criminalidade. Assim, sua capacidade de controlar o crime é questionável e seu papel no agravamento da violência pode ser significativo. No entanto, a maioria da população parece pensar como Coelho, pedindo mais policiamento na rua e, pior ainda, uma força policial mais violenta. Em suma, o caso da polícia pode nos fornecer algumas indicações importantes sobre como considerar a violência em relação a outras questões além das variáveis de desempenho econômico e crescimento urbano.

É importante considerar o investimento do Estado na segurança pública. Taxas de gastos estatais per capita em segurança pública apresentadas tanto por Pezzin (1987: 150) como por Coelho (1988: 180), embora não coincidentes, mostram a mesma tendência: uma acentuada diminuição nos investimentos de 1979 em diante, atingindo seu nível mais baixo em 1984. Em outras palavras, os anos das maiores taxas de crescimento do crime coincidem com os piores níveis de investimento estatal em segurança pública e com os piores anos da crise econômica. Portanto, é difícil determinar qual fator teve mais influência. Os dados de Pezzin mostram que o nível mais alto de investimento ocorreu durante os anos economicamente prósperos de 1974 a 1978, quando os crimes contra a propriedade também cresceram (1987: 150). Além disso, um investimento acentuado depois de 1984 foi incapaz de fazer baixar as taxas do crime violento no final da década.

Um estudo feito pelo Nepp dos gastos com segurança pública para o período de 1983 a 1989 mostra que eles cresceram continuamente depois de 1984 (Nepp 1990: 157). Os gastos se referem ao aumento de pessoal e equipamento. O número total de pessoal (policiais e serviços administrativos) na polícia militar no estado de São Paulo pulou de 53.829 em 1980 para 69.281 em 1989, e para 73 mil em 1995; na polícia civil, ele aumentou de 15.874 em 1980 para 26.383 em 1989 e 31.987 em 1995 (Nepp 1990: 64, e Secretaria da Segurança Pública). Considerados conjuntamente, isso significa que houve um aumento de 50,62% com pessoal nas duas corporações, enquanto a população do estado cresceu 31,38%. Como resultado, a relação população/polícia caiu de 359:1 em 1980 para 308:1 em 1989, e para 313:1 em 1995. Houve também um aumento no número de veículos policiais. Entre 1979 e 1982 — administração de Paulo Maluf, o último governador eleito indiretamente durante o regime militar — apenas 391 veículos foram comprados. Entre 1983 e 1986, durante o governo de Franco Montoro, 1.181 novos veículos foram adquiridos, e entre 1987 e 1988, os dois primeiros anos do governo Orestes Quércia (1987-1988), 1.136 foram adicionados (Nepp 1990: 52). Além disso, estas duas últimas administrações investiram pesadamente na renovação do sistema de telecomunicações e do equipamento eletrônico da polícia, na criação de novas delegacias e no acréscimo de novos serviços, como delegacias especializadas em problemas das mulheres e do consumidor, ambas inicialmente criadas durante o governo Montoro. Em suma, todas as variáveis analisadas pelo Nepp indicam uma expansão dos investimentos em segurança pública de 1984 em diante. Mas ainda assim a violência continuou a crescer. Poder-se-ia argumentar que os efeitos desses investimentos só serão percebidos a longo prazo. Se isso é verdade, no entanto, as taxas de gastos anuais não deveriam ser relacionadas com as taxas de crime no mesmo ano.

Nos capítulos seguintes, sugiro que o crescimento *da violência* não pode ser explicado nem pelas variáveis socioeconômicas e de urbanização nem pelos gastos estatais em segurança pública apenas, mas está relacionado também a uma combinação de fatores socioculturais que culminam na deslegitimação do sistema judiciário como mediador de conflitos e na privatização de processos de vingança, tendências que só podem fazer a violência proliferar. Para explicar o aumento da violência, temos que entender o contexto sociocultural em que se dá o apoio da população ao uso da violência como forma de punição e repressão ao crime, concepções do corpo que legitimam intervenções violentas, o status dos direitos individuais, a descrença no judiciário e sua capacidade de mediar conflitos, o padrão violento do desempenho da polícia e reações à consolidação do regime democrático.

A profunda desigualdade que permeia a sociedade brasileira certamente serve de pano de fundo à violência cotidiana e ao crime. A associação de pobreza e crime é sempre a primeira que vem à mente das pessoas quando se fala de violência. Além disso, todos os dados indicam que o crime violento está distribuído desigualmente e afeta especialmente os pobres. No entanto, desigualdade e pobreza sempre caracterizaram a sociedade brasileira e é difícil argumentar que apenas elas explicam o recente aumento da criminalidade violenta. Na verdade, se a desigualdade é um fator explicativo importante, não é pelo fato de a pobreza estar correlacionada diretamente com a criminalidade, mas sim porque ela reproduz a vitimização e a criminalização dos pobres, o desrespeito aos seus direitos e a sua falta de acesso à justiça. De maneira similar, se o desempenho da polícia é um fator importante para explicar os altos níveis de violência, isso está relacionado menos ao número de policiais e a seu equipamento e mais aos seus padrões de comportamento, padrões esses que parecem ter se tornado cada vez mais ilegais e violentos nos últimos anos. A polícia, mais do que garantir direitos e coibir a violência, está de fato contribuindo para a erosão dos direitos dos cidadãos e para o aumento da violência.

4. A POLÍCIA: UMA LONGA HISTÓRIA DE ABUSOS

Um dos aspectos mais perturbadores do crescimento da violência em São Paulo não é que o crime violento esteja aumentando — algo que acontece em várias cidades ao redor do mundo em proporções semelhantes —, mas o fato de que as instituições da ordem parecem contribuir para esse crescimento em vez de controlá-lo. Estudos sobre criminalidade em sociedades modernas mostram que as instituições da ordem (polícia, legislação criminal, tribunais e prisões) "podem reprimir o crime comum apenas se reforçarem outras forças sociais que estejam se movendo na mesma direção" (Gurr 1979: 370). A São Paulo de hoje parece representar um caso em que as instituições da ordem estão de fato reforçando forças sociais. Entretanto, isso acontece de uma maneira perversa: o que está sendo reforçado é a violência, a ilegalidade e a tendência de se ignorar o sistema judiciário na resolução de conflitos. Mesmo tentativas explícitas de fazer cumprir o estado de direito, como as do governador Franco Montoro (1983-1987), foram rechaçadas pela população, que prefere métodos privados, extralegais e violentos de lidar com a criminalidade ao invés do reconhecimento e do respeito aos direitos civis. Como resultado, a violência é alta e o número de pessoas que morrem todo dia, tanto nas mãos de vigilantes particulares e justiceiros como nas da polícia, é impressionante. Em 1991, apenas a polícia militar matou 1.140 pessoas no estado de São Paulo durante "confrontos com criminosos"; em 1992, o número de mortes foi de 1.470. Este último número inclui 111 presos massacrados na Casa de Detenção, a maior prisão de São Paulo, em 2 de outubro. A maioria das mortes causadas por policiais (87,5% em 1992) ocorreram na cidade de São Paulo e em sua região metropolitana. Uma comparação revela o absurdo desses números: em 1992, a polícia de Los Angeles matou 25 civis em confrontos, e em Nova York, a polícia matou 24 civis (Chevigny 1995: 46, 67). Em 1992, as mortes provocadas pela polícia representaram 20,63% de todos os homicídios na região metropolitana de São Paulo, mas apenas 1,2% do total em Nova York e 2,1% em Los Angeles.[1]

Em São Paulo, assim como em outras cidades brasileiras, a polícia é parte do problema da violência. O uso de métodos violentos, ilegais ou extralegais por parte da polícia é antigo e amplamente documentado. Durante toda a história republicana, o Estado encontrou maneiras tanto de legalizar formas de abuso e violação de direitos, como de desenvolver atividades extralegais sem punição. A repres-

[1] Valor relativo ao total de homicídios calculado pelo Registro Civil, que provavelmente inclui as mortes causadas pela polícia. Se considerarmos o total de homicídios registrado pela polícia civil, a porcentagem de mortes causadas pela polícia seria de 27,6%.

são ao crime tem tido como alvo sobretudo as classes trabalhadoras e frequentemente esteve ligada à repressão política: "a questão social" continua sendo "uma questão de polícia". Consequentemente, a população, e especialmente os setores mais pobres, tem sofrido continuamente várias formas de violência policial e injustiça legal, e aprendeu não apenas a desconfiar do sistema judiciário mas também a ter medo da polícia.

A persistência da violência policial e seu crescimento recente foi possível pelo menos em parte por causa do apoio popular. Paradoxalmente, mesmo as camadas trabalhadoras, que são as principais vítimas dessa violência, apoiam algumas de suas formas. O comportamento da polícia parece estar em acordo com as concepções da maioria, que não apenas acredita que a boa polícia é dura (isto é, violenta) e que seus atos ilegais são aceitáveis, como também reluta em apoiar as tentativas de alguns governantes de impor o estado de direito e o respeito aos direitos individuais. Assim sendo, o apoio popular aos abusos da polícia sugere a existência não de uma simples disfunção institucional mas de um padrão cultural muito difundido e incontestado que identifica a ordem e a autoridade ao uso da violência. A deslegitimação dos direitos civis é inerente a esse padrão.

A história da redução do crime violento nas cidades europeias ocidentais nos últimos dois séculos é também a história da consolidação da autoridade do Estado e de suas instituições da ordem — a polícia e o sistema judiciário —, e do seu monopólio do uso da força. Esse processo coincide com profundas mudanças culturais no que diz respeito ao controle dos instintos e do corpo, ao disciplinamento das populações e à expansão e legitimação da noção dos direitos individuais (Elias 1994 [1939]; Foucault 1977; Marshall 1965 [1949]; Chesnais 1981). A sociedade brasileira, apesar de ligada de maneiras complexas ao liberalismo europeu e a suas instituições, tem uma história específica e diferente. Embora se possa falar de um monopólio progressivo do uso da força pelo Estado desde a Independência, as forças policiais brasileiras nunca deixaram de usar a violência e nunca pautaram seu trabalho de controle da população civil em termos de respeito aos direitos dos cidadãos. Durante o Império e a vigência do sistema escravista, as tentativas de criação de uma ordem legal obviamente conviveram com a legitimidade das punições corpóreas inerentes à escravidão. Mesmo depois do fim da escravidão e da ampliação legal da cidadania com a primeira constituição republicana, a ação violenta da polícia continuou a interligar-se de maneiras complexas com o estado de direito e com padrões de dominação. Essa violência teve apoio legal em alguns contextos e foi ilegal em outros, mas na maior parte das vezes tem sido praticada com impunidade e com significativa legitimidade, se por isso se entende o apoio do público. Além disso, essa violência é o lado complementar da deslegitimação do sistema judiciário. Este último é desacreditado pela população, que, em contextos de intenso medo do crime, apoia a contratação e o uso de seguranças particulares e de justiceiros, e cada vez mais transforma suas residências em enclaves fortificados. Em contextos como este, a possibilidade de que as instituições públicas da ordem façam a mediação legítima de conflitos e contenham a violência é drasticamente reduzida. O resultado é um ciclo de vingança privada e ilegal que provoca a difusão e a proliferação da violência. Ao entrarem num ciclo da vingança em vez de agirem contra ela, as instituições da ordem apenas contribuem para o aumento da violência e para sua própria deslegitimação.

Neste capítulo, analiso a história das polícias brasileiras e paulistas e seu padrão de uso da violência e de meios ilegais para controlar a população. Começo estabelecendo uma referência teórica para a análise das instituições da ordem no Brasil. Critico algumas interpretações do caso brasileiro como um exemplo de "modernidade incompleta", interpretações que tomam como parâmetro os padrões europeus e americano. Minha intenção não é "desculpar" o padrão brasileiro de abuso e injustiça ao remontar ao seu passado (colonial), mas demonstrar que a violência e o abuso são constitutivos das instituições da ordem brasileiras, da dominação de classe, do padrão de expansão dos direitos do cidadão, e, portanto, da democracia atual. Ao fazer isso, estabeleço um pano de fundo para outros argumentos que desenvolvo nos capítulos 5 e 9. No capítulo 5, mostro que a prática de violência pela polícia e a deslegitimação do sistema judiciário e dos direitos individuais coexistem com a consolidação da democracia política nos últimos quinze anos e constituem o caráter disjuntivo da cidadania brasileira. No capítulo 9, analiso a questão dos direitos humanos, da pena de morte, e as concepções populares de punição corpórea e violenta. Argumento que o desrespeito aos direitos humanos é inseparável de uma certa noção do corpo que chamo de "corpo incircunscrito".

Uma crítica à noção de modernidade incompleta

A violência e o desrespeito aos direitos pela polícia têm uma longa história no Brasil. Um padrão constante de abuso da população pelas forças policiais, sobretudo no caso das camadas trabalhadoras, tem-se repetido em governos liberais ou conservadores, em períodos ditatoriais ou democráticos. Entretanto, pelo fato de o número de abusos sérios pela polícia no final dos anos 80 e começo dos anos 90 ser especialmente alto, e também por terem acontecido durante uma consolidação democrática em que o respeito aos direitos do cidadão expandiu-se em várias outras áreas (especialmente os direitos políticos), eles apresentam um desafio para a análise. Tendências aparentemente contraditórias não representam um paradoxo raro na história brasileira. Na verdade, elas são tão frequentes que há uma tendência de se pensar a sociedade brasileira como marcada por algumas fissuras profundas, articuladas em argumentos dualísticos, que opõem os aspectos modernos e retrógrados da sociedade.[2] Examino a seguir algumas das versões mais influentes dessa ideia, especialmente ao lidarem com a questão da violência e das instituições da ordem, para contrastá-las com a minha interpretação sobre a democracia brasileira atual e suas instituições violentas.

---

[2] Essa tendência pode ser rastreada ao longo de toda a história das ciências sociais, tanto brasileira quanto de brasilianistas. Ela é algumas vezes expressa sob a ideia de "dois Brasis": um moderno, industrial e urbano, o outro retrógrado e rural.

Na sua formulação mais geral, a interpretação dualista dos desenvolvimentos paradoxais brasileiros sugere que o Brasil nunca se tornou uma sociedade totalmente moderna (um modelo identificado com a Europa ocidental ou com os Estados Unidos). Em vez disso, o Brasil seria marcado pela cisão entre uma ordem hierárquica (privada, informal, pessoal) e uma ordem igualitária (pública, formal, legal), que se relacionam de modo complexo para produzir a cultura brasileira. A principal fonte contemporânea dessa interpretação é o trabalho de Roberto DaMatta (1979, 1982, 1985).[3] Para ele, a ordem hierárquica é a herança das relações e instituições coloniais (isto é, baseadas na escravidão). Ela representaria a organização da vida social com base num código moral holístico, não escrito e implícito, em vínculos pessoais e desiguais, dos quais os mais importantes seriam aqueles do clientelismo e do favor. A ordem igualitária é o modelo do liberalismo ocidental (para DaMatta sobretudo americano), seus valores, procedimentos e suas instituições, especialmente o individualismo, a administração pública racional, o código constitucional explícito e escrito e o estado de direito, que — adicionaria — representaria o paradigma de uma modernidade completa.

> "Tudo leva a crer, então, que as relações entre a nossa 'modernidade' — que se faz certamente dentro da égide da ideologia igualitária e individualista — e a nossa moralidade (que parece hierarquizante, complementar e 'holística') são complexas e tendem a operar num jogo circular. Reforçando-se o eixo da igualdade, nosso esqueleto hierarquizante não desaparece automaticamente, mas se reforça e reage, inventando e descobrindo novas formas de manter-se." (DaMatta 1979: 156; ver também DaMatta 1991: 154-5)

A violência é um elemento crucial no arcabouço de DaMatta: ela é um instrumento de desigualdade e funciona como uma espécie de operador entre dois códigos sociais opostos, dois universos. "[É] claro que a violência no mundo brasileiro é mais um instrumento utilizado quando os outros meios de hierarquizar uma dada situação falham irremediavelmente" (1979: 165). Descrita nestes termos, a violência é algo extraordinário, o último recurso. Em um trabalho posterior centrado diretamente na questão da violência, DaMatta (1982) torna seu argumento mais complexo. Ele ainda apresenta dois universos opostos, mas adiciona mais um: "o outro mundo" das crenças religiosas. Além disso, sugere que a violência pode ser usada não apenas pelos poderosos, mas também pelos "fracos". No entanto, mantém o argumento de que a violência tem um papel de operador: ela é sempre algo que causa uma mudança de posições e uma transferência entre um universo (hierárquico) e outro (igualitário). É também o último recurso, algo que as pessoas usam quando perdem a paciência e não têm outros meios de expressar sua exasperação

---

[3] Uma interpretação anterior e semelhante aparece na provocativa análise de Antonio Candido (1970) do romance *Memórias de um sargento de milícias*. Ele propõe que a sociedade brasileira imperial foi marcada por uma dialética de ordem e desordem.

com o que consideram estar errado (não ser tratado "com o devido respeito" — ou seja, com deferência — no caso dos poderosos ou ser submetido a injustiça excessiva no caso dos pobres). Quando usada pelos poderosos, sugere DaMatta, a violência afirma a hierarquia e desqualifica a igualdade; quando usada pelos pobres, pode afirmar a igualdade (ao expor o caráter excessivo da desigualdade), e nesse sentido ela "individualiza" (1982: 35-8). Essa interpretação, que concebe a violência como um mediador e um operador de inversões, não revela, contudo, como a violência é *constitutiva* de várias dimensões da vida social, incluindo algumas das mais legalistas e individualistas.[4]

Na verdade, toda a história da polícia brasileira indica claramente que a violência é a norma institucional. O mesmo vale para a violência que é constitutiva do universo doméstico, o espancamento de crianças e de mulheres, um tipo de violência que DaMatta tende a desconsiderar, ao desenvolver a noção da casa como um universo marcado por proteção (ver abaixo). A polícia brasileira tem usado a violência como seu padrão regular e cotidiano de controle da população, não como uma exceção, e frequentemente o tem feito sob a proteção da lei. É certamente verdade que as elites têm sabido usar seus contatos e seu status para evitar maus-tratos policiais — e nesse sentido seu comportamento coincide com a descrição de DaMatta —, mas para as classes trabalhadoras, o tratamento violento tem sido norma. Além disso, para essas classes o código de desigualdade pode não ser escrito, mas é explícito. (Às vezes também é escrito: a legislação brasileira garante tratamento preferencial pela polícia e pelo sistema carcerário para qualquer "doutor", ou seja, qualquer pessoa com grau universitário). A violência é a linguagem regular da autoridade, tanto pública quanto privada, isto é, do Estado ou do chefe de família. Não pode, consequentemente, ser vista como um operador entre códigos ou universos ou como uma força usada apenas como último recurso. Desse modo,

---

[4] Linger (1992) também sugere um modelo dualista para explicar os significados da violência numa cidade brasileira, São Luís do Maranhão. Ele contrapõe o carnaval, um "festival báquico", à briga, definida como uma confrontação ritualizada de rua que é potencialmente letal. A violência ocorre em ambos, e para explicá-la Linger invoca uma "teoria popular sobre o desabafo", ou seja, sobre a expressão de frustrações, ressentimentos e irritações. Segundo essa teoria, carnaval, briga e desabafo supostamente formam um *cultural cluster* (cap. 11). O carnaval seria um "bom desabafo" e representaria "o eu e a sociedade sob controle", enquanto a briga seria um "mau desabafo" e representaria "o eu e a sociedade fora de controle" (1992: 225). Assim, o desabafo é o "operador" entre ordem e desordem, calma e violência. Quando ele é bem-sucedido, como num carnaval organizado, produz *communitas*; quando é mal-sucedido, leva a briga e morte. Linger vai ao ponto de sugerir que o desabafo é a "*raison d'être* do carnaval" (234), reduzindo, assim, de maneira considerável, as muitas dimensões desse complexo festival social — uma redução provavelmente necessária para equipará-lo à briga, um evento social de significado cultural muitíssimo menor. A análise de Linger restringe-se a uma teoria psicológica popular sobre o controle da agressão e não oferece nenhuma explicação sociológica para a difusão da violência. Assim, ele reproduz a opinião de que a violência é tanto o extraordinário quanto uma questão de autocontrole individual. Essa visão impede o entendimento da violência como um elemento constitutivo das relações de poder em interações sociais cotidianas. Devo mencionar também que nenhuma das pessoas que entrevistei sobre o aumento do crime e da violência em São Paulo mencionou o desabafo como parte dos seus esforços explicativos.

a fim de entender as relações sociais brasileiras e o papel que nelas desempenha a violência, é necessário abandonar a ideia da violência como algo extraordinário e a interpretação estrutural-dualista que vê a ordem social como algo partido entre um universo da hierarquia e vínculos pessoais e outro da igualdade e do direito. A violência é constitutiva da ordem social, inclusive das instituições da ordem.

Thomas Holloway (1993) usa a interpretação de DaMatta na sua análise da história da polícia do Rio de Janeiro de 1808 a 1889. Ele mostra como a constituição e a institucionalização progressiva das forças policiais estiveram intrinsecamente associadas ao uso da violência e da arbitrariedade, o que, no contexto do sistema escravista, não constitui surpresa. Ele apresenta a história da formação das forças policiais no Rio de Janeiro imperial como uma transição de formas privadas para formas públicas de controle da população, uma transição, a seu ver, ainda incompleta.

> "Esse estudo examina o processo pelo qual as modernas instituições policiais apoiaram e asseguraram a continuidade das tradicionais relações sociais hierárquicas, estendendo-as ao espaço público impessoal. A contradição aparente é um exemplo dos processos históricos incompletos ou descontínuos que ajudam a explicar muitas das características do Brasil contemporâneo, inclusive a divergência entre lei formal e as instituições ostensivamente encarregadas de fazê-la cumprir e normas socioculturais que guiam o comportamento individual." (Holloway 1993: 6)

A noção implícita nesta citação, que ecoa a perspectiva de DaMatta, é que relações sociais hierárquicas (por princípio desiguais) existem em contradição com o espaço público impessoal (idealmente igualitário). Entretanto, é possível argumentar que um espaço público igualitário não marcado por dominação e hierarquia nunca existiu em lugar nenhum. Até mesmo o suposto espaço público impessoal da Europa ocidental moderna e dos Estados Unidos é, na verdade, estruturado com base em relações desiguais de classes, etnicidade e gênero. Nesse sentido, o Brasil nem chega a ser peculiar. A combinação de princípios igualitários com estruturas de dominação e vários tipos de desigualdades e hierarquias tem raízes profundas na modernidade ocidental e não constitui nenhum caso especial de incompletude. Esta é, por exemplo, a conclusão da análise de Michel Foucault em *Vigiar e punir*, onde ele mostra que a reprodução da dominação e das desigualdades através das disciplinas é o complemento da legitimação do aparato jurídico da sociedade do contrato (Foucault 1977: 218-28). Dumm (1987) chega à mesma conclusão para os Estados Unidos. Além disso, uma importante crítica feminista das teorias do contrato demonstrou que o livre contrato entre iguais é na realidade um contrato entre homens que por princípio exclui e subordina as mulheres (por exemplo, Pateman 1988). Assim, não há grande especificidade no fato de que na sociedade brasileira a reprodução de padrões de dominação e do que DaMatta chamaria de ordem hierárquica tenha coexistido com a afirmação de princípios liberais igualitários. O Brasil não é o único país que incorporou os princípios liberais de igualdade na sua Constituição antes da abolição da escravidão. Isso também aconteceu no Estados Unidos. Até o fim do século XIX, contudo, a elite nacional brasileira não esteve profundamente dividida no seu apoio à escravidão, e nunca se envolveu em uma guerra civil sobre esta questão. Essa unidade deu espaço para que várias instituições herdadas da escravidão — inclusive o castigo físico — persistissem basicamente incontestadas.

A questão central não é se há formações sociais com princípios e práticas contraditórios, algo que poderíamos provavelmente encontrar em qualquer sociedade, mas sim como devemos interpretar essas contradições. Uma das interpretações mais influentes nas ciências sociais foi formulada por Roberto Schwarz (1977: cap. 1). Ele sugere que atribuir princípios liberais e escravidão a dois universos sociais opostos significa insistir na artificialidade de princípios ocidentais (importados inapropriadamente) quando relacionados a práticas sociais existentes localmente. Consequentemente, essa realidade é interpretada em termos de incompletude, desvio e descontinuidade. Além disso, Schwarz sugere que as "ideias fora do lugar" do liberalismo têm sido instrumentais na organização de práticas e relações sociais — foram, na verdade, constitutivas delas — e, portanto, não podem ser tratadas na análise social como contraditórias a elas.

> "Em resumo, as ideias liberais não se podiam praticar, sendo ao mesmo tempo indescartáveis. Foram postas numa constelação especial, uma constelação prática, a qual formou sistema e não deixaria de afetá-las. Por isso, pouco ajuda insistir na sua clara falsidade. Mais interessante é acompanhar-lhes o movimento, de que ela, a falsidade, é parte verdadeira. Vimos o Brasil, bastião da escravatura, envergonhado diante delas — as ideias mais adiantadas do planeta, ou quase, pois o socialismo já vinha à ordem do dia — e rancoroso, pois não serviam para nada. Mas eram adotadas também com orgulho, de forma ornamental, como prova de modernidade e distinção. E naturalmente foram revolucionárias quando pesaram no Abolicionismo. Submetidas à influência do lugar, sem perderem as pretensões de origem, gravitavam segundo uma regra nova, cujas graças, desgraças, ambiguidades e ilusões eram também singulares. Conhecer o Brasil era saber destes deslocamentos, vividos e praticados por todos como uma espécie de fatalidade, para os quais, entretanto, não havia nome, pois a utilização imprópria dos nomes era a sua natureza." (Schwarz 1977: 22)

Uma crítica às explicações dualistas de relações sociais e instituições brasileiras centra-se no fato de que elas tendem a pressupor ou propor distinções nítidas e dicotômicas na vida social, tais como pessoal e impessoal, privado e público, hierárquico e igualitário, casa e rua, princípios e prática, legal e ilegal, lei formal e aplicação da lei, e assim por diante.[5] Essas dicotomias forçam distinções que não

---

[5] Todas essas oposições são encontradas em DaMatta (1979). Ver, por exemplo, o quadro da p. 175 no qual ele lista as oposições entre as características do indivíduo e da pessoa.

existem na vida social, onde frequentemente ocorrem simultaneamente e sobrepõem-se umas às outras. Em outras palavras, essas dicotomias não captam o caráter essencialmente dinâmico e com frequência paradoxal das práticas sociais. Por exemplo, a oposição entre os universos estereotipados da casa e da rua tornou-se um lugar-comum em análises antropológicas brasileiras e serve de título a um dos livros de DaMatta (1985). Ao associar a casa ao que é privado, pessoal e protegido, e ao identificar a rua com o público, impessoal e perigoso, essa interpretação transforma a violência num problema de relacionamentos em público e frequentemente entre pessoas de diferentes classes, obscurecendo a percepção de sua presença constitutiva dos relacionamentos interpessoais e domésticos em todos os grupos sociais. Se quisermos entender o apoio da população (incluindo o das classes mais humildes) a uma força policial que mata e à pena de morte, como também sua oposição aos direitos humanos, temos que considerar a prática disseminada e o apoio a intervenções violentas no corpo (o que inclui o espancamento de mulheres e crianças dentro da casa que supostamente deveria protegê-las). Em outras palavras, práticas de violência dentro de casa e práticas públicas de violência não podem ser colocadas em oposição, e, o mais importante, não podem ser separadas de noções de direitos individuais e do estado de direito. A violência doméstica é constitutiva do padrão brasileiro de direitos individuais e não oposta a ele.

Outro exemplo de oposições equivocadas refere-se diretamente à polícia e ao sistema judiciário e é sugerido por Holloway (1993), que contrapõe a lei formal e o marco institucional, por um lado, à prática de abusos da polícia e à aplicação da lei por outro. De modo similar, essas oposições impedem o entendimento das instituições da ordem brasileiras e de seu papel na reprodução da violência. De fato, ambiguidades, tratamentos diferenciados, regras e legislação excepcionais, privilégios, impunidade e legitimação de abusos são intrínsecos às instituições da ordem e não externos a elas (ou seja, manifestações de uma prática desvirtuada). O problema não é nem de princípios liberais *versus* uma prática personalista e violenta, nem de um marco constitucional *versus* uma prática ilegal, mas sim de instituições da ordem que são constituídas para funcionar com base em exceções e abusos. Como a história da polícia e as políticas recentes de segurança pública claramente indicam, *os limites entre legal e ilegal são instáveis e mal definidos e mudam continuamente a fim de legalizar abusos anteriores e legitimar outros novos.* Holston (1991b) chegou a uma conclusão semelhante ao analisar conflitos de terra. No Brasil, a lei e os abusos são simultaneamente constitutivos das instituições da ordem. Tentar cristalizar essas dimensões como pertencentes a universos opostos é não notar o caráter intrinsecamente flexível dos padrões brasileiros de dominação e o fato de que no Brasil o Estado nunca foi formal e "impessoal" e frequentemente não se conforma às leis que cria.

As práticas de violência e arbitrariedade, o tratamento desigual para pessoas de grupos sociais diferentes, o desrespeito aos direitos e a impunidade daqueles responsáveis por essas práticas são constitutivos da polícia brasileira, em graus variados, desde sua criação no começo do século XIX até os dias atuais. Os abusos de poder, a usurpação de funções do sistema judiciário, a tortura e o espancamento de suspeitos, presos e trabalhadores em geral são práticas policiais profundamente enraizadas na história brasileira. Essas práticas nem sempre foram ilegais, e frequentemente foram exercidas com o apoio dos cidadãos. Em várias ocasiões, o arbítrio autorizado da polícia foi bem amplo. Em outras, mudou-se a legislação para acomodar práticas delinquentes existentes ou encobri-las. Comumente as leis de exceção foram aprovadas durante ditaduras, mas muitas vezes sobreviveram durante regimes democráticos, tornando-se parte de seu arcabouço constitucional. Os parâmetros legais do trabalho policial mudaram frequentemente, tornando instáveis os limites entre o legal e o ilegal, e criando condições para o prosseguimento de uma rotina de abusos que pode ser descrita nos dias atuais como o *modus operandi* da polícia (ver capítulo 3). Em toda essa história, o único elemento sistematicamente ausente é a vontade política das autoridades estatais e dos cidadãos de controlar o comportamento abusivo da polícia.

Organização das forças policiais

A constituição das forças policiais no Rio de Janeiro no século XIX pode ser vista como uma série de experimentos de construção institucional, cristalizados em legislação expedida entre 1809 e a Proclamação da República, incluindo o Código Penal de 1830, revisado em 1832. Esses experimentos continuaram durante a Primeira República (1889-1930) e a era Vargas (1930-1945). A busca de um arcabouço institucional para o trabalho da polícia, associada à necessidade de adaptar as instituições policiais às várias mudanças de regime político, explicam a constante reorganização e redefinição daquelas instituições desde o começo do século XIX até 1969, quando o regime militar mais uma vez reestruturou as forças policiais, dando-lhes a forma que têm hoje. As mudanças contínuas no nome e no caráter da força policial dificultam a tarefa de entender sua história.[6] Entretanto, alguns traços das instituições policiais persistiram ao longo do tempo. Os mais importantes deles são a divisão da polícia desde 1831 entre uma força civil e uma força militar — que geralmente competem entre si num clima de hostilidade considerável — e, desde a metade do século XIX, a preponderância progressiva da força militar na tarefa de patrulhamento de rua. Houve sempre uma polícia civil encarregada de tarefas judiciárias e administrativas e, em alguns momentos, de supervisionar o patrulhamento. Essa força foi comumente organizada sob a autoridade do chefe de polícia e vários delegados de distritos. O patrulhamento de rua tem cabido em geral a uma outra organização, geralmente militarizada, apesar de em alguns momentos ter estado sob a autoridade do chefe de polícia (como durante o Estado Novo). Em alguns períodos

[6] Apesar de as forças policiais brasileiras terem sempre sido divididas, há uma tendência na literatura de falar sobre a polícia em geral, sem se especificar qual força está sendo analisada. Isso acontece, por exemplo, nos estudos de Bretas (1995), Cancelli (1993) e Lima (1986), que analisam apenas a polícia civil, mas referem-se a ela como "a polícia" e não tornam necessariamente claro que não estão considerando outros setores das instituições policiais. Fernandes (1974) analisa apenas a polícia militar em São Paulo.

(por exemplo, entre 1926 e 1969 no estado de São Paulo), o patrulhamento foi dividido em uma corporação militar (Força Pública) e uma corporação civil (Guarda Civil).

Os argumentos que apoiam a militarização da polícia são bem conhecidos: uma polícia militarizada e hierárquica seria mais disciplinada, isolada da população, e teria um espírito de corpo, todas características vistas como necessárias para evitar a corrupção e para controlar uma população urbana tida como desordeira e perigosa com uma força policial composta de membros de sua própria classe. A primeira Polícia Militar foi organizada nos anos 1830 pelo Duque de Caxias. Mas apesar de estruturada em termos militares, a polícia militar em suas várias encarnações não fez diretamente parte do Exército, mas sempre constituiu uma organização paralela, frequentemente sob a autoridade civil. É por isso que ela tem sido caracterizada por alguns pesquisadores como uma instituição híbrida (por exemplo, Fernandes 1974).

Durante o Império (1822-1889), não apenas as novas instituições policiais eram mal definidas, mas as fronteiras entre patrulhamento e tarefas judiciais (incluindo punição) também eram vagas.[7] Em geral, como mostra Holloway (1993), a polícia tinha amplo poder de arbítrio, não apenas decidindo sobre detenções, mas também determinando castigos "correcionais", como espancamento e prisão, sem consulta à autoridade judiciária. Em alguns momentos essas práticas foram legais e por um longo período no século XIX os policiais tiveram poderes judiciais locais (Holloway 1993: 168; ver também Flory 1981).

A polícia exercia a violência de diversas maneiras no século XIX. Legalmente, ela detinha o poder de punir escravos. Holloway argumenta que o castigo físico de escravos era mais violento no Brasil que em outros países, como os Estados Unidos (Holloway 1993: 54). Em relação aos pobres em geral, a polícia usava espancamentos e prisões arbitrárias como forma tanto de intimidação como de castigo imediato (correção). Mesmo depois que o poder judiciário foi subtraído da polícia em 1871, a detenção correcional sem julgamento continuou a ser a regra (Holloway 1993: 284). Através das sucessivas reformas ao longo do século, a quantidade de violência — especialmente os açoites ordenados por tribunal e os açoites públicos — parece ter diminuído (Holloway 1993: 230). No entanto, é claro que o relacionamento da polícia (e também dos tribunais e da lei) com a população foi sempre de repressão violenta e não de salvaguarda de direitos civis.[8]

---

[7] Uma definição ampla e flexível da polícia é característica da formação da polícia em qualquer lugar, e não apenas no Brasil. Schwartz (1988: 4), por exemplo, argumenta que no século XVIII a polícia francesa deveria ser entendida de uma maneira abrangente, associada à ideia de governabilidade. Holloway (1993) fornece a principal análise da história das forças policiais durante o Império.

[8] A retórica usada para expressar a necessidade do uso da violência também parece ter uma surpreendente continuidade. Em 1888, um delegado é citado como tendo dito: "Uma pessoa presa tem o direito de ser protegida da autoridade sob a qual ela está em custódia. Mas isso não significa que [a polícia] não deva colocar em efeito toda a devida energia quando o respeito à lei não é obtido por outros meios" (Holloway 1993: 245). Por mais de um século, "devida energia" tem significado brutalidade.

O padrão de confronto, assédio e prisão da população no Rio de Janeiro do século XIX revela claramente que o trabalho principal da polícia não era a repressão ao crime — que certamente existia —, mas o controle dos pobres. Holloway (1993: 271) argumenta que:

> "a maioria esmagadora da atividade da polícia era a detenção e punição sumária de pessoas cujo comportamento público violava normas ou a ordem e a hierarquia tal como definidas por aqueles que criaram e mantinham a reação crescentemente elaborada e eficiente da polícia."

Escravos, estrangeiros e indigentes eram o principal alvo da polícia do final do século XIX. Os comportamentos considerados como violação da ordem pública incluíam várias formas corriqueiras de aglomeração pública entre os pobres urbanos, como os encontros nas ruas e botecos, e especialmente os batuques de fundo de quintal. Considerava-se que barulho, música, conversa em voz alta, exibições públicas de afeto e confrontos "violavam os padrões de decência prezados por aqueles no comando" (Holloway 1993: 275). Uma das práticas mais perseguidas pela polícia era a capoeira. Apesar de não constar dos códigos penais de 1830 e 1832 e de ter sido considerada ilegal apenas em 1890 (o Código Republicano), a capoeira serviu para justificar não apenas altos números de detenções, mas também castigos físicos sumários (Holloway 1993: 223-8). O mesmo vale para a prostituição, que se tornou um crime apenas em 1940, mas foi sempre perseguida.

Na verdade, não apenas no Brasil, mas em cidades que se urbanizaram rapidamente de um modo geral, a polícia teve como atribuição fundamental controlar a população pobre, tida como perigosa.[9] No caso do Rio de Janeiro durante a Primeira República, Bretas (1995: cap. 2) mostra que a polícia estava principalmente preocupada com os delitos de ordem pública. As detenções por vadiagem atingiram seu pico na primeira década do século XX. Como ocorrera durante o Império, uma ofensa de definição vaga como essa era conveniente para o exercício de todo tipo de arbitrariedade sobre uma população vista como temível. Nos anos 20, ainda de acordo com Bretas, os delitos e acidentes de trânsito bem como a censura a diversões entraram na lista das preocupações da polícia.

Boris Fausto (1984) indica preocupações semelhantes com a manutenção da ordem para o caso de São Paulo. Em média, no período de 1892-1916, delitos como vadiagem, desordem e embriaguez somaram 79,9% de todas as prisões, enquanto os crimes contra a propriedade somaram 11,7% e crimes contra a pessoa, 8,4% (Fausto 1984: 46). Em outras palavras, em São Paulo a detenção também foi usada como um instrumento para controlar a população. Os negros, que constituíam

---

[9] Para discussões sobre as conexões entre o desenvolvimento de aparelhos repressivos do Estado e as tentativas de controlar os pobres urbanos na Europa ocidental durante o início da industrialização, ver Schwartz (1988), Chevalier ([1958] 1973), Davis (1991) e Jones (1982: capítulos 5-7). Para uma análise da contínua diminuição de prisões por crimes sem vítimas nos Estados Unidos entre 1860 e 1920, ver Monkkonen (1981).

10% da população no período de 1904-1916, compreendiam 28,5% dos presos (1984: 52). Os estrangeiros representavam a maioria das pessoas detidas (uma média de 55,5% no período de 1894-1916), mas eram também a maioria da população de São Paulo na época. A análise de Fausto demonstra que, apesar dos preconceitos contra os imigrantes serem bem enraizados entre as autoridades de segurança pública nessa época de imigração intensa, o padrão de criminalização dos estrangeiros era mais complexo que o dos negros e brasileiros pobres (1984: 59-69). Por um lado, os estrangeiros eram menos visados por delitos de ordem pública como vadiagem (28,7% comparados a 71,3% para o período de 1904-1906) e mais frequentemente indiciados por delitos graves (61,3% de todos os homicídios e 60,3% de todos casos de furtos e roubos em 1880-1924) (1984: 44, 62). Por outro lado, eles tinham melhores condições de se defender, tanto denunciando a discriminação que sofriam em vários jornais operários, como organizando redes de apoio para ajudar a pagar por sua defesa legal.

Mas existem também indicações de que durante a República Velha as preocupações da elite paulista em relação à polícia não se concentraram exclusivamente no controle de uma população potencialmente desordeira. Enquanto a polícia civil continuava a lidar com o crime e o comportamento público dos trabalhadores, a elite traçou outros planos para a polícia militar. São Paulo abrigava na época uma das principais oligarquias que disputavam o poder nacional, e uma das conquistas mais importantes da elite paulista foi estruturar a polícia provincial como uma contraforça tanto em relação ao Exército controlado pelo governo federal, como às forças policiais locais controladas por "coronéis". A partir de 1868, além da polícia civil, São Paulo teve uma polícia provincial (o Corpo Policial Permanente). No final do século XIX, havia também criado forças policiais separadas para o interior e para a capital.

Em 1901, a província reorganizou suas forças policiais, unificando todo o patrulhamento na Força Pública. A polícia civil judiciária continuou a existir o tempo todo. Como Heloísa Fernandes (1974) mostra, durante as três décadas seguintes, as autoridades provinciais agiram para equipar, treinar, institucionalizar e profissionalizar suas forças policiais "híbridas", que eram organizadas em termos militares mas controladas por autoridades civis. Como parte desse esforço, a província trouxe uma missão francesa a São Paulo em 1906 para organizar a Força Pública. Além de controlar "desordens públicas", especialmente os crescentes movimentos sindicais das décadas de 1910 e 1920, a Força Pública paulista transformou-se numa importante força local contra o governo federal, como provou a Revolução de 1932, na qual a Força Pública teve papel central. Em 1926, a província criou também a Guarda Civil, encarregada do patrulhamento de ruas. Embora durante o Estado Novo o governo federal tenha tentado controlar as forças policiais das províncias, a estrutura dual das forças de patrulhamento (Força Pública e Guarda Civil) coexistiu com a polícia civil em São Paulo até 1969, quando o governo militar unificou as duas forças de patrulhamento na Polícia Militar.

A era Vargas e especialmente o Estado Novo foram marcados pela tentativa de colocar as forças estaduais sob o controle do governo federal. Além disso, a polícia assumiu um papel estratégico para impor os desejos da administração federal e silenciar seus adversários políticos. A polícia civil era a principal instituição encarregada desses esforços e foi significativamente reforçada, colocando-se com frequência acima do sistema judiciário. Muitos representantes do regime, como Francisco Campos, ministro da Justiça, defendiam publicamente o uso da violência como forma de manter a ordem (Cancelli 1993: 20). Outros expressaram na revista *Cultura e Política* sua opinião de que a relação entre a justiça e a polícia seria inevitavelmente conflitiva e de que era melhor para o Estado confiar numa instituição "mais móvel" e arbitrária como a polícia (Cancelli 1993: 23). A polícia e sua "flexibilidade" foram cruciais para a ditadura de Vargas.

Refletindo o papel estratégico da polícia para o regime, Vargas efetuou uma completa reestruturação da polícia em âmbito nacional. O departamento de polícia do Distrito Federal (a polícia civil do Rio de Janeiro) foi colocado sob jurisdição direta do presidente e do ministro da Justiça e Negócios Internos (1933). Em 2 de julho de 1934, o governo promulgou um decreto de 500 páginas (Decreto 24.531), que detalhava as funções da polícia em todos os níveis e fornecia um modelo para o patrulhamento das principais cidades. Este decreto estabeleceu as fundações para a federalização e centralização da polícia completadas depois de 1937 (Cancelli 1993: 60-4). Na prática (ainda que não necessariamente na lei), todas as polícias estaduais ficavam subordinadas diretamente à polícia do Distrito Federal (e não aos governos estaduais). De acordo com Cancelli, Filinto Müller, o poderoso chefe de polícia do Distrito Federal entre 1933 e 1942, tinha mais poder do que qualquer juiz e mesmo do que os ministros da Justiça, e organizou todo o trabalho de repressão, tanto política quanto do crime. Diretamente sob a jurisdição do chefe de polícia do Distrito Federal estava a Delegacia Especial de Segurança Pública e Social, que depois de 1941 coordenou todos os serviços de informação, inteligência e censura (1993: 54-5).

A ação repressiva da polícia durante o Estado Novo visou especialmente os estrangeiros e supostos comunistas, frequentemente identificados entre si (Cancelli 1993: 79-82). Para controlar os estrangeiros, o Estado brasileiro fez vários acordos de extradição com outras nações (1993: 82-92) e apoiou-se em delações feitas tanto por indivíduos quanto por instituições, como os vários sindicatos operários controlados pelo Ministério do Trabalho (1993: 92-7; 140-58). Além disso, o Estado Novo tomou várias medidas visando controlar a imigração, promover a nacionalização e monitorar a vida dos estrangeiros no país (1993: 121-59). Durante a Segunda Guerra Mundial, residentes alemães, japoneses e judeus foram foco de repressão especial.

A próxima grande mudança na estrutura da polícia veio durante o regime militar.[10] Este reorganizou as forças policiais, criando a versão atual da Polícia Militar. O Decreto 667 de 1969 unificou todas as polícias estatais uniformizadas

---

[10] Durante os anos da redemocratização, de 1945 a 1964, a estrutura das forças policias parece ter permanecido a mesma — pelo menos esse é o caso em São Paulo, onde as forças policiais continuaram divididas entre a polícia civil, a Força Pública e a Guarda Civil. No entanto, a história da polícia nesse período ainda está por ser escrita.

antes existentes (na época elas eram duas em São Paulo, a Força Pública e a Guarda Civil) numa polícia militar estadual, a PM, subordinada ao Exército.[11] Essa reforma foi considerada necessária como um meio de enfrentar a oposição ao regime, sobretudo a da guerrilha. As mesmas táticas repressivas usadas contra adversários políticos foram depois estendidas à repressão ao crime, tratado como "inimigo interno". Durante o regime militar, as principais instituições encarregadas da repressão foram a polícia militar estadual e várias organizações dentro do Exército. No entanto, a polícia civil desempenhou um papel complementar e esteve também envolvida com a repressão política. Tanto a polícia civil quanto a militar praticaram abusos de vários tipos, desde desrespeitar a legislação e prender sem mandado judicial até tortura e morte de prisioneiros.[12] Em 1983, depois das primeiras eleições diretas para governadores, as polícias militares estaduais foram subordinadas ao comandante em chefe do Exército da área, que tinha poder para retirar a polícia militar do controle do governador (Pinheiro 1983). Essa estrutura das forças policiais foi preservada em sua maior parte depois do fim do regime militar. A Constituição democrática de 1988 mantém uma divisão entre polícia civil (encarregada das tarefas administrativas e judiciárias) e polícia militar (encarregada do "patrulhamento uniformizado e ostensivo"), mas as subordina aos governadores e a suas Secretarias de Segurança Pública, e não ao Exército. A polícia militar também foi definida como uma força auxiliar e de reserva do Exército, que está encarregado da segurança nacional. Embora a Constituição de 1988 veja a segurança pública como uma responsabilidade dos estados, ela também define uma polícia federal encarregada de defender os interesses da União, funcionando como sua polícia judiciária, e encarregando-se de controlar o tráfico de drogas e guardar as fronteiras. A Constituição de 1988 também define as tarefas das polícias federais rodoviárias e ferroviárias.

Uma tradição de transgressões

A prática de violências e arbitrariedades pelas forças policiais tem se perpetuado desde os tempos imperiais até nossos dias, independentemente do regime de governo.[13] Vale notar, contudo, que o recurso à violência como forma de controle social não é uma peculiaridade brasileira. O castigo físico de escravos, criminosos e suspeitos em geral foi a forma comum de punição legal até o final do Antigo Re-

---

[11] Para uma análise da história da polícia militar e suas práticas a partir do regime militar, ver Pinheiro (1982, 1983, e 1991b), e Pinheiro *et al.* (1991).

[12] Para um relatório dos abusos durante o regime militar, ver Arquidiocese de São Paulo (1986). Para uma análise da concepção militar de segurança nacional que estruturou todo o aparato repressivo, ver Stepan (1971 e 1988).

[13] Do período colonial até o século XX, a violência foi também comum entre os "homens livres" e constituía um meio usual para a resolução de conflitos interpessoais, como demonstra o estudo de Franco (1974). Analiso a violência interpessoal no capítulo 9.

gime e a criação das penitenciárias modernas nos Estados Unidos e na Europa, ao mesmo tempo que a tortura judicial era parte do processo jurídico. Uma vez abolido legalmente, foi só por meio de sérios esforços por parte do Estado, do sistema de justiça e dos cidadãos que o uso extralegal do castigo físico e da tortura pela polícia foi controlado. Esse controle é sempre de alguma forma precário e casos de violência policial vêm a público com certa frequência, mesmo onde o escrutínio da ação policial é intenso, como nos Estados Unidos. No Brasil, os esforços para controlar a violência da polícia têm sido débeis, e o Estado tem sido incapaz de refrear a rotina de abuso dos cidadãos depois que o castigo físico deixou de figurar entre as formas aceitáveis de punição. De fato, com frequência esses esforços de controle simplesmente não existiram. Como resultado, contra a lei, ou às vezes amparada por leis de exceção, a polícia continua a usar a brutalidade como meio de controle social ainda hoje.

O aparato legal brasileiro que legitima o uso da força pela polícia é extenso e não foi completamente eliminado por governos democráticos. No período colonial, o castigo físico era legal. A tortura judicial e vários tipos de castigo físico eram uma parte importante do Código Filipino que regeu a lei criminal em Portugal e suas colônias (Holloway 1993: 29). Debates intensos sobre a natureza e a intensidade do castigo físico, sua ligação com a produção e a autoridade, e seu caráter justo ou excessivo, marcaram todo o período colonial, tanto em Portugal como no Brasil (Lara 1988). O castigo físico era também inerente à escravidão, e podia ser exercido não só pelo Estado, mas também pelos proprietários de escravos. Depois da Independência e durante o século XIX, houve uma tendência dos agentes do Estado de substituírem os senhores na administração dos castigos físicos aos escravos (Holloway 1993). Como estes eram legalmente regulamentados, sua prática é documentada. Há, por exemplo, registros razoáveis de processos legais nos quais escravos reclamavam de seus senhores e pediam ou para ser vendidos ou para comprar sua própria liberdade com base nas queixas de castigos físicos excessivos e injustificados (Lara 1988, Chalhoub 1990).

Depois da abolição da escravatura (1888) e do final do Império (1889), várias medidas legais ajudaram a perpetuar o uso da violência pelas forças policiais. Pinheiro e Sader (1985) descrevem muitas das leis de exceção adotadas durante a República Velha. Por exemplo, depois da revolta popular de 1924 em São Paulo, criou-se a Delegacia de Ordem Política e Social (DOPS), em 1925, para manter uma "vigilância mais séria e permanente sobre as atividades que desintegram os princípios tradicionais da Religião, do País e da Família" (citado por Pinheiro e Sader 1985: 80). Essa delegacia serviu como modelo para outras que se multiplicaram em todos os Estados e sobreviveu por mais de sessenta anos, desempenhando um papel central na repressão da oposição política durante o governo militar.

Não é de surpreender que a era Vargas tenha sido particularmente produtiva no que se refere às leis de exceção, já que muitas delas foram necessárias para criar e manter legalmente sua ditadura. As leis de exceção aprovadas em 1936, depois da alegada rebelião comunista de 1935, estabeleceram que o Congresso poderia dar ao presidente o poder de declarar a existência de um estado de "grave comoção interna", que suspenderia todas as garantias constitucionais. Esta era uma forma legal de dar a Vargas os poderes de um ditador. A peça mais importante da legislação do período, no entanto, é a Constituição de 1937, que inaugura o Estado Novo ao abolir o Congresso e todas as formas de organização e representação políticas.

Uma das instituições criadas em 1936 e depois tornada permanente pela Constituição de 1937 foi o Tribunal de Segurança Nacional. Funcionando com base em regras de exceção, ele pode ser descrito como um sistema de justiça paralelo controlado diretamente pelo Executivo, que, dessa forma, atuava acima do Judiciário. Esse tribunal especializava-se no julgamento rápido e sumário de ações classificadas como "contrárias à segurança nacional", uma categoria vaga que incluía principalmente atividades políticas, mas também os chamados crimes contra a economia popular ou qualquer outro ato interpretado pelo governo como contrário à ordem. Segundo Elizabeth Cancelli, os julgamentos não demoravam mais de 60 horas e a presença física do réu, testemunhas e advogados não era obrigatória (1993: 103). Esse tribunal não aceitava apelações e o Tribunal Militar não tinha poder para anular suas decisões (1993: 104). O Tribunal de Segurança Nacional "julgou 6.988 processos envolvendo 10 mil pessoas, condenando 4.099 delas com penalidades que variavam de uma simples multa a 27 anos de prisão" (Cancelli 1993: 104).

O regime militar que tomou o poder em 1964 também criou várias leis de exceção (os Atos Institucionais) e promulgou uma nova Constituição em 1967. As regras que regem a atual polícia militar incluem algumas leis de exceção que a colocam acima do sistema civil de justiça. O decreto-lei 1.001 de 1969 — ainda em vigor — estabelece que todos os crimes cometidos por corporações militares devem ser considerados crimes militares e julgados pela Justiça Militar, mesmo que tenham sido cometidos em tempos de paz e no cumprimento de funções civis. Em outras palavras, desde 1969 houve uma justiça especial para a polícia militar. Essa exceção tornou-se norma com a Constituição de 1988. Escrita sob um regime democrático e por uma Assembleia Constitucional eleita livremente, a Constituição de 1988 manteve a polícia militar como uma instituição encarregada do "policiamento ostensivo e da preservação da ordem pública" (art. 144, § 5) e a Justiça Militar como a jurisdição para os crimes cometidos por policiais militares. Em maio de 1996, depois de um massacre pela polícia militar no Pará, o presidente Fernando Henrique Cardoso apoiou um projeto que tramitava no Congresso há longo tempo propondo que os policiais militares fossem julgados por tribunais civis. O fato de que esse projeto não foi aprovado imediatamente pelo Congresso indica o apoio que a corporação militar ainda detém, apesar de suas ações violentas. Ele foi finalmente aprovado em agosto de 1997 (Lei 9.299), mas sob uma forma mais branda. A nova lei transfere para os tribunais comuns a jurisdição dos casos de homicídios dolosos que envolvam policiais militares e soldados. No entanto, todos os outros crimes, inclusive homicídio culposo e lesão corporal dolosa, permanecem no sistema militar. Além disso, a responsabilidade de caracterizar um homicídio como doloso ou culposo ainda é dos investigadores da polícia militar.

O Centro Santo Dias, um grupo de defesa dos direitos humanos associado à Arquidiocese de São Paulo, analisou 380 julgamentos da Justiça Militar de 1977 a 1983. O grupo pretendia analisar todos os julgamentos de policiais, mas teve seu acesso aos documentos proibido. Para o período estudado, descobriu-se que entre

82 policiais acusados de homicídio doloso, apenas 14 foram considerados culpados (15,9%). Entre 44 policiais acusados de crimes contra a propriedade, 14 foram considerados culpados (31,8%). Finalmente, entre 53 policiais julgados por questões de disciplina, 28 foram considerados culpados (52,8%). Isso indica que a Justiça Militar é rigorosa quando se trata de disciplina interna, mas não é tão dura quando o problema é o assassinato de civis.

A impunidade é intrinsecamente associada ao uso excessivo da força. Como Chevigny (1995) demonstrou em sua análise de abusos policiais em seis cidades das Américas, a diminuição do abuso está diretamente relacionada ao reforço dos sistemas de *accountability*. Quando os policiais não são responsabilizados e punidos por comportamentos extralegais ou ilegais, a violência e os abusos continuam a crescer. Analisando a polícia civil na República Velha, Bretas sugeriu que seus abusos podem ser explicados pela falta de interesse por parte das autoridades públicas em controlar a polícia, o que permitiu a criação de um "sistema de polícia muito independente, virtualmente sem controle nem *accountability*" (1995: 246). Ele acrescenta que, embora tenha havido algumas tentativas de controle durante a República Velha, elas nunca foram eficazes. Bretas analisou apenas a polícia civil do Rio de Janeiro e suas conclusões ao que parece não podem ser generalizadas. Fernandes (1974) mostra que, durante o mesmo período, a Força Pública de São Paulo estava sob um controle estreito da oligarquia local e da Missão Francesa encarregada de treiná-la. Podemos especular, portanto, que não existia nessa época uma política unificada de segurança pública e que o controle das forças policiais era em larga escala moldado por interesses políticos locais. Além disso, muitas vezes um controle mais rígido das forças policiais não significa menos abuso, mas sim o contrário. Ditaduras como a de Vargas e a dos militares colocaram a polícia sob um controle mais firme. No entanto, como agir de forma abusiva fazia parte das tarefas de repressão, esses regimes introduziram leis de exceção e garantias de impunidade para proteger aqueles que perpetravam abusos de interesse do regime. *Accountability* pode existir nesse contexto, mas ela certamente tem significados diferentes sob ditaduras ou sob regimes democráticos.

Num contexto democrático, as leis de exceção não têm sentido e existem apenas em aberta contradição com outros princípios constitucionais. A exceção legal que coloca os atuais policiais militares fora do sistema civil de *accountability*, além de enfraquecer o estado de direito, estende a impunidade e a violência da polícia militar para com a população civil e indiretamente lhes assegura uma ampla latitude para a arbitrariedade. Assim, as atuais instituições policiais, embora sob um regime democrático, permitem que a arbitrariedade e a violência persistam. Além disso, criam um espaço no qual os direitos podem ser diretamente contestados, como por exemplo quando os direitos humanos são identificados a "privilégios de bandidos" (ver capítulo 9).[14]

---

[14] Durante a administração Cardoso no governo federal e durante os governos de Montoro e Covas no estado de São Paulo, importantes medidas foram tomadas para fazer valer o estado de direito. Eu as discuto no próximo capítulo.

As medidas legais de exceção que legitimaram a prática da violência e a arbitrariedade pela polícia e pelo Estado também funcionam como uma cobertura para muitas outras práticas cotidianas e ilegais de abusos que constituíram o *modus operandi* da polícia durante toda a história republicana.

Esses abusos têm sido documentados desde os primeiros anos do século XX em jornais da classe trabalhadora, especialmente aqueles de orientação anarquista, mas também em jornais como *O Estado de S. Paulo*. Como Pinheiro (1981) mostra em detalhes, desde o final do século XIX a imprensa e diplomatas estrangeiros têm denunciado constantemente o uso excessivo da força por parte da polícia contra suspeitos, e especialmente contra trabalhadores em greve (ver também Pinheiro 1981, 1991a; e Pinheiro e Sader 1985). A violência foi usada para controlar todas as revoltas populares do período. A repressão às classes trabalhadoras incluiu não apenas tortura e espancamento, mas também detenção ilegal, recusa de julgamento, deportação em massa de trabalhadores estrangeiros e desterro de brasileiros depois que eles começaram a ser numericamente importantes em revoltas na virada do século.[15]

Pinheiro mostra (1981, 1991a; Pinheiro e Sader 1985) que a repressão ao crime tem estado entrelaçada com a repressão de revoltas populares, greves e movimentos de oposição política. Nesse sentido, o Estado brasileiro e a polícia nunca fizeram uma distinção entre classes trabalhadoras, oposição política e classes perigosas. Além disso, essa longa história de ilegalidade constitui uma longa tradição de impunidade.

> "Apesar da profusão de inquéritos e sindicâncias por parte do próprio Estado, esses casos — maus-tratos, tortura, desrespeito pela pessoa do acusado — se repetem monotonamente, jamais se chegando a um resultado concreto. A investigação — às vezes conduzida pelos próprios órgãos acusados — tornou-se no Brasil um ritual de dissimulação que de imediato serve para aplacar a revolta diante de algum *excesso*, mas que jamais tem condições de interromper uma prática que se confunde com o próprio poder. Seria ilusão esperar que o próprio Estado, caso não se alterem profundamente as bases da organização política, tenha condições de interromper a prática da violência ilegítima que colabora eficazmente para a sua sustentação." (Pinheiro 1981: 54)

---

[15] A Revolta da Chibata simboliza esse tipo de abusos. Em 1910, marinheiros no Rio de Janeiro se revoltaram contra o uso de chicotes em sua punição. Sua revolta teve o apoio das classes trabalhadoras do Rio. Depois de alguns dias, os marinheiros se renderam em troca de anistia. Apesar disso, foram presos com correntes de ferro num barco e mandados para a Amazônia. Ao mesmo tempo, a polícia aproveitou a oportunidade — como ela costumava fazer em casos de revolta — para "limpar" a cidade de todas as pessoas consideradas inconvenientes, e mandou para a Amazônia pelo menos 292 presos comuns classificados como vagabundos: 105 marinheiros, 44 mulheres prisioneiras e 50 recrutas do exército (Pinheiro 1981: 42). Em outras palavras, uma revolta contra o castigo físico não só acabou punindo aqueles que haviam recebido a promessa de anistia, como também serviu de pretexto para uma "limpeza" totalmente ilegal na prisão da cidade. Os marinheiros e presos foram mandados para trabalhar na Amazônia na instalação de cabos de telex com o marechal Rondon.

Assim sendo, os abusos contra presos políticos que ocorreram durante as ditaduras (tanto de Vargas quanto do regime militar) não constituem novidade. Na verdade, eles indicam como essas práticas podem ser tomadas como simples rotina. Alguns dos melhores registros dos abusos policiais do governo Vargas são os livros e memórias escritos por ex-presos políticos, muitos deles comunistas, como o famoso *Memórias do cárcere*, de Graciliano Ramos. No entanto, pelo fato de as práticas ilegais constituírem a norma e nem sempre serem percebidas como irregularidades, uma outra fonte de documentação é o próprio sistema judiciário. Em seus registros há muitas petições feitas por presos denunciando torturas e os procedimentos irregulares por meio dos quais eram detidos e mantidos em prisões sem processos formais ou além dos limites de suas sentenças. Segundo Cancelli, a maioria dos presos em situações ilegais durante o Estado Novo estavam sob a autoridade do chefe de polícia, que podia decidir seus destinos independentemente das decisões do judiciário (1993: 206-15).

Exatamente o mesmo tipo de práticas ilegais continuou sob o regime militar para os presos políticos e sob o regime democrático para aqueles acusados de serem criminosos. Durante os anos do regime militar, vários processos judiciais contra presos políticos continham descrições de tortura, abusos físicos e procedimentos ilegais cometidos pelo Estado e por seus representantes. Como os registros foram muito bem guardados pela Justiça Militar, a equipe que elaborou o livro *Brasil nunca mais* pôde usá-los para documentar violações dos direitos humanos no Brasil. Em documentos de julgamentos da Justiça Militar, esse grupo secretamente obteve e analisou descrições de torturas, os lugares em que elas ocorreram e os nomes de 441 torturadores, assim como indicações de procedimentos judiciais ilegais relacionados a detenção, encarceramento e julgamento. De um total de 7.367 réus em julgamentos políticos durante o regime militar, 1.918 declararam perante a justiça que tinham sido torturados, 81% durante o período de 1969-1974. Muitos outros que foram torturados não o declararam em juízo (Arquidiocese de São Paulo 1985: 87-8). Além disso, a equipe do *Brasil nunca mais* pôde mostrar que, de 1964 a 1979, pelo menos 144 pessoas foram mortas por razões políticas no Brasil e outras 125 desapareceram.[16] Em suma, os casos de abuso cometidos pelo Estado chegaram ao conhecimento do sistema judiciário e foram registrados, mas isso não levou a uma reação ou investigação. Os relatos sobre como esses registros foram obtidos durante depoimentos dão a impressão de que os juízes agiam como se nada de anormal

[16] O projeto *Brasil nunca mais*, secretamente realizado pela Arquidiocese de São Paulo, fotocopiou e analisou os documentos completos do tribunal militar correspondentes a 707 julgamentos realizados de 1964 a 1979 e registros fragmentados de dúzias de outros julgamentos. Os documentos estão agora em vários arquivos pelo mundo. Um resumo das conclusões, do qual estou citando, foi publicado no Brasil em 1985. Uma versão editada desse resumo foi publicada em inglês como *Torture in Brazil* (1986). As mortes e desaparecimentos mencionados pelo BNM são apenas aqueles documentados, seja direta, seja indiretamente, nos julgamentos, e não incluem vítimas de abusos que nunca estiveram ligados a julgamentos, como, por exemplo, nos casos de violência rural. Sigaud (1987: 7-8) calcula que, entre 1964 e 1986, 916 camponeses foram mortos por razões políticas, mas apenas 93 dessas mortes foram perpetradas por representantes do Estado.

estivesse sendo relatado (Weschler 1990: cap. 1). Em suma, não há nenhuma contradição aqui entre um sistema judiciário que opera de acordo com certas regras e um aparato repressivo funcionando mal e operando de acordo com outras. Juntos, eles constituíam uma ordem na qual o respeito pelos direitos dos cidadãos não tinha lugar.

Um outro tipo de abuso durante o regime militar foi praticado pelo Esquadrão da Morte e relatado por Hélio Bicudo (1976; ver também 1988), o procurador-geral encarregado de investigar suas atividades. O Esquadrão da Morte foi criado em São Paulo no final dos anos 60 por integrantes da polícia civil, sob pressão de membros da recém-criada polícia militar, para melhorar sua imagem e mostrar um bom desempenho na luta contra o crime. Para seus membros, isso significava "simplesmente eliminar os criminosos, usufruindo do apoio da cúpula da instituição e mesmo do governador do Estado" (Bicudo 1976: 24-5). Um dos líderes do Esquadrão da Morte foi o chefe da polícia civil Sérgio Fernandes Paranhos Fleury, também responsável por prisões políticas, tortura e execuções (Arquidiocese de São Paulo 1985: 74). Tanto Fleury, chefe da polícia por mais de uma década, como os integrantes do Esquadrão da Morte estavam envolvidos com o tráfico de drogas (Bicudo 1976, 1988). As atividades do Esquadrão da Morte cresceram em 1970, depois que um policial foi morto. Segundo Bicudo (1976: 27), integrantes do Esquadrão prometeram matar 10 suspeitos para cada policial morto e não hesitaram em tirar presos dos cárceres para cumprir esse propósito. Não se sabe quantas pessoas foram mortas pelo Esquadrão da Morte (as estimativas da mídia variam de algumas centenas até 2 mil). No entanto, como seus integrantes eram da polícia civil, alguns foram levados a julgamento pelo procurador-geral do Estado. Embora todo tipo de ameaças e intimidações tenha sido usado contra os juízes, e apesar de alguns deles, como Hélio Bicudo, terem sido forçados a sair do caso, o judiciário conseguiu conter as atividades do Esquadrão.

Várias práticas de abuso continuam até hoje. A Constituição de 1988 traz dispositivos destinados a prevenir algumas das piores arbitrariedades e abusos praticados pela polícia. Ela estabeleceu que a tortura é um crime inafiançável e criou vários procedimentos para impedir prisões arbitrárias. Em 1992, o Brasil ratificou a Convenção das Nações Unidas contra a Tortura e Outros Tratamentos ou Castigos Cruéis, Desumanos ou Degradantes. No entanto, essas disposições não só são desrespeitadas como, o que é mais grave, encontram ampla oposição por parte da população e de certos grupos políticos — sem falar da própria polícia (ver capítulo 9). Eles argumentam que os novos dispositivos fomentam o crime porque atrapalham o trabalho da polícia e em última instância servem apenas para proteger os bandidos. Isso mostra como no Brasil a ilegalidade e a exceção são a norma, e como o padrão de abusos da polícia ainda constituiu o parâmetro do bom trabalho policial para uma parte considerável da população. Só ocasionalmente a arbitrariedade da polícia é criticada pela população. Foi o que aconteceu, por exemplo, no final do regime militar, quando o comportamento ilegal da polícia e do Estado geraram um importante movimento de oposição. As classes médias — cujos membros tinham sido vítimas de torturas e prisões ilegais — organizaram um movimento exigindo anistia política e defendendo os direitos humanos. Mas o apoio popular à defesa dos direitos humanos desapareceu quando as vítimas do abuso não eram mais nem da classe média nem presos políticos.

Voltando à questão da "modernidade incompleta", gostaria de acrescentar duas observações. Primeiro, a história das instituições da ordem no Brasil sugere que diferentes nações podem interagir com os mesmos elementos do que se poderia chamar modernidade e produzir versões muito diferentes dela. Em vez de olhar para a Europa ocidental e para os Estados Unidos como os modelos da constituição de instituições modernas completas, portanto, é mais interessante conceber o estado de direito, o liberalismo e a cidadania como parte de um amplo repertório do qual, ao longo dos últimos séculos, várias nações emprestaram elementos e transformaram-nos em termos de suas próprias práticas sociais. Não há um modelo único de modernidade em relação ao qual os países possam ser medidos e qualquer completude, determinada. Há, contudo, várias versões da modernidade, e o Brasil certamente incorpora uma delas.

Segundo, o padrão de arbitrariedades e injustiça específico do Brasil tem tido consequências para suas instituições da ordem. Como as fronteiras entre o legal e o ilegal são instáveis e como os abusos policiais são cometidos impunemente, não só a polícia é temida, mas também o sistema judiciário é deslegitimado e percebido como recurso não confiável para a justa resolução de conflitos. Esse padrão de abusos e deslegitimação tem raízes profundas na sociedade brasileira e não tem sido imediatamente modificado pela adoção de um sistema político democrático. Como mostro no próximo capítulo, a combinação de uma polícia violenta com um sistema de justiça deslegitimado é fatal para o controle da violência civil em qualquer situação, mesmo numa democracia. Na verdade, ela só ajuda a violência a proliferar, colocando em xeque as instituições democráticas.

5.
VIOLÊNCIA POLICIAL E DEMOCRACIA

Embora a violência e o desrespeito de direitos pela polícia tenham uma longa história no Brasil, os abusos dos anos 80 e especialmente 90 em São Paulo são particularmente indignantes, por duas razões. Primeiro, por causa de seus números elevados e da sua incorporação como algo rotineiro no cotidiano da cidade. Segundo, porque os abusos persistiram durante a consolidação democrática e à medida que o respeito a outros direitos da cidadania, especialmente os direitos políticos, expandiu-se. Experiências do passado e tradição não explicam o quadro atual de violações. Ao contrário, a história recente dos abusos da polícia demonstra que, apesar de eles serem constantes e contarem com significativo apoio popular, também estão associados a políticas de segurança pública e a sistemas de *accountability*. Se os abusos aumentaram durante o período democrático, isso se deve mais a decisões administrativas e opções políticas do que a um padrão intratável herdado do passado. Assim, é importante investigar como as políticas que fomentam os abusos (ou aquelas que tentam controlá-los) foram formuladas, como elas manipularam os medos e expectativas da população e foram influenciadas por eles, e por que foram formuladas na época em que o foram. Essas investigações indicam o caráter disjuntivo da democratização brasileira (Holston e Caldeira 1998) e mostram como os direitos civis são não apenas o aspecto mais deslegitimizado da cidadania brasileira, mas também a arena na qual a democracia é publicamente confrontada e desacreditada.[1] Nesse sentido, a exploração do medo do crime torna-se em certos momentos uma arma política.

A questão da polícia e seu padrão de violência esteve no centro das discussões políticas na década passada em São Paulo. Além de o crime ser uma das maiores preocupações da população, o controle do crime transformou-se num dos principais temas para a expressão de discordância política após o início da democratização. Franco Montoro, o primeiro governador eleito após o regime militar, tomou posse com um programa que previa a reforma da polícia e o respeito aos direitos humanos. Ele foi governador entre 1983 e 1987, ou seja, exatamente quando o crime cresceu de maneira drástica. Sua administração enfrentou uma forte oposição não só dentro da polícia e entre os políticos de direita, mas por parte do público em geral. Apesar de sofrer todos os tipos de oposição, a administração de Montoro tomou importantes medidas para o controle da violência policial. No entanto, seus sucessores Orestes Quércia (1987-1991) e Luís Antônio Fleury (1991-1995), conside-

---

[1] Para uma discussão mais ampla da disjunção entre o respeito aos direitos políticos e sociais e o desrespeito aos direitos individuais no Brasil contemporâneo, ver Holston e Caldeira 1998.

rando o apoio popular a uma polícia dura e violenta, retornaram ao velho esquema. Montoro conseguiu começar a controlar os grupos mais violentos da polícia (como a Rota); seus sucessores os trouxeram de volta. Eles não apenas reverteram as políticas de Montoro, como também ajudaram a manipular o medo do crime para desqualificar a questão dos direitos humanos e para dar à polícia mais espaço para atuar ilegalmente. Como resultado, as mortes pela polícia aumentaram ano após ano, alcançando um número surpreendente de quase 1.500 em 1992. O massacre de 111 presos na Casa de Detenção naquele ano simboliza o ápice dessa política. Depois disso, o próprio Fleury teve de adotar medidas para moderar as arbitrariedades. Mário Covas, que assumiu o poder em 1995 e foi reeleito em 1998, está mais uma vez adotando políticas destinadas a controlar a violência policial e teve de enfrentar uma forte resistência das forças policiais que provocaram greves e motins em 1997.

Este capítulo desenvolve-se da seguinte maneira. Primeiro, discuto dados sobre a prática da tortura nos distritos policiais e dados que mostram um número surpreendente e crescente de civis mortos por policiais militares nos últimos quinze anos. Segundo, mostro que essas mortes, assim como a tortura nos distritos policiais, associam-se a políticas de segurança pública, e discuto as diferentes políticas que têm sido adotadas desde o começo do regime democrático. Terceiro, analiso o massacre na Casa de Detenção em 1992 como símbolo dos resultados de uma política pública que apoia uma polícia violenta. Quarto, apresento as opiniões da população sobre as forças policiais expressas em entrevistas. Quinto, considero o aumento significativo da indústria de segurança privada e sua relação com as forças policiais. Finalmente, argumento que a combinação da deslegitimação das instituições da ordem, crescimento do crime violento, adoção de meios privados para lidar com a violência e o crime, e violência policial, geram um ciclo em que a violência é continuamente reproduzida em vez de ser controlada. A natureza violenta das forças policiais apenas contribui para esse ciclo.

A escalada da violência policial

O Brasil é hoje uma democracia em que os direitos políticos e a liberdade de organização e de expressão são amplamente garantidos. Assim sendo, os principais alvos da violência policial não são adversários políticos, mas sim os "suspeitos" (supostos criminosos), em sua maioria pobres e desproporcionalmente negros.[2] Em parte por causa do apoio popular a essa violência, as violações dos direitos humanos são uma questão pública, exibidas diariamente pelos meios de comunicação de massa, livres de censura. No entanto, essa informação não se tem feito acompanhar

[2] Nesse sentido, a situação atual é totalmente diferente daquela dos regimes militares no Cone Sul dos anos 60 aos anos 80 e dos conflitos políticos na América Central nas décadas de 70 e 80, que podem ser descritas como situações de grande violência política. Tem havido repressão e violência contra participantes de movimentos sociais, especialmente em áreas rurais (contra o Movimento dos Sem-Terra, por exemplo), mas nada comparável ao que aconteceu durante os regimes militares na América Latina.

de reações de protesto. O que é pior, muitas vezes os abusos são apoiados por uma população que classifica direitos humanos como "privilégios de bandidos".

Recentemente, as práticas de tortura e execuções sumárias pela polícia, assim como as condições degradantes das prisões e os problemas com o sistema judiciário, têm sido amplamente documentados por instituições que defendem os direitos humanos, como a Anistia Internacional (1988, 1990), o Americas Watch Committee (1987, 1989, 1991a, 1991b, 1993 e Human Rights Watch/Americas 1994 e 1997), a Comissão de Justiça e Paz da Arquidiocese de São Paulo, o Centro Santo Dias, a Comissão Teotônio Vilela (1986), o Núcleo de Estudos da Violência da USP, a OAB (Ordem dos Advogados do Brasil) e cientistas sociais brasileiros. A mídia não apenas informa quase todo dia a respeito de vários tipos de abusos como também já transmitiu cenas de tortura (por exemplo, em 8 de junho de 1989); a execução sumária de 19 trabalhadores rurais do Movimento Sem Terra pela polícia militar do Pará (17 de abril de 1996); e cenas de extorsão e abuso na Favela Naval em Diadema, na região metropolitana de São Paulo (inclusive uma execução), e na Cidade de Deus, no Rio de Janeiro (março de 1997).

Como resumiu um dos relatórios do Americas Watch sobre a violência policial em São Paulo e Rio, em geral "a polícia militar, uma força de patrulha uniformizada, é responsável por execuções sumárias, e a polícia civil, encarregada da investigação, é responsável por tortura" (1987: 6). No que se refere à tortura, esse achado é confirmado por vários estudos, inclusive aqueles de Lima (1986) e Mingardi (1992), que apresentam a tortura como quase uma rotina da polícia civil no tratamento de suspeitos e um método ligado à corrupção. De acordo com o Americas Watch:

> "A tortura de suspeitos comuns, não apenas por espancamento, mas também por métodos relativamente sofisticados, é endêmica nos distritos policiais de São Paulo e Rio de Janeiro. Há evidência persuasiva de que ela também é predominante em outros lugares do Brasil." (1987: 9)

Apesar de existir documentação, a instauração de processos contra policiais envolvidos em tortura e outros crimes não tem sido muito comum. Além disso, a informação sobre tais processos no estado de São Paulo está disponível apenas para o período pós-1983, quando o primeiro governador eleito depois da instalação do regime militar tomou posse. Dados do juiz corregedor da polícia civil do estado de São Paulo indicam que, entre 1983 e julho de 1987, houve investigação de 259 casos de tortura (isso não representa o número total de casos, mas apenas aqueles cujos documentos estão disponíveis); 362 policiais foram absolvidos e 218 foram condenados (Americas Watch 1987: 36). De acordo com Pinheiro (1991a: 53), de 1981 a 1989, houve 580 policiais envolvidos em julgamentos e 362 foram absolvidos. Membros do grupo de direitos humanos Centro Santo Dias declararam em uma entrevista que muitos dos casos de que tomaram conhecimento nunca chegaram ao sistema judiciário, ou porque a vítima e a família estavam com medo, ou porque era difícil obter provas.

Depois de 1988, a incidência de tortura nas delegacias de São Paulo parece ter caído (Chevigny 1995: 171-2, Americas Watch 1993: 21), devido aos esforços de alguns juízes corregedores no estado de São Paulo e do procurador-geral, que decidiram fazer cumprir os novos princípios expressos na Constituição de 1988. Agora existe uma equipe de promotores que investiga denúncias e apresenta acusações. Isso fez a polícia civil reduzir o uso de tortura. Essa diminuição indica a importância de um sistema civil de *accountability* e punição, assim como da vontade política de autoridades públicas para fazer cumprir as leis existentes.

No que se refere às execuções sumárias, a Tabela 3 apresenta o número de civis e policiais militares que morreram ou foram feridos em confrontos em São Paulo depois de 1981. Alguns dados são extremamente claros: o elevado número de civis que morrem em confrontos com a polícia todos os anos; o fato de que o número de mortes de civis é desproporcionalmente mais alto do que o de mortes de policiais militares; e o fato de que o número de mortes de civis ultrapassa em muito o número de feridos. Ao comparar a violência policial em seis regiões nas Américas (incluindo Los Angeles, Nova York, Buenos Aires, Cidade do México e Jamaica), Chevigny (1995) encontrou muitos tipos de abuso (especialmente tortura, corrupção e uso excessivo de força letal), mas não conseguiu encontrar nenhuma outra situação que se aproximasse da de São Paulo nos anos 1980 e 1990. Além disso, na África do Sul, o país responsável por metade de todas as execuções judiciais no mundo, em 1987 — o ano em que se registrou o número mais alto de execuções desde 1910 — 172 pessoas foram executadas (Amnesty International 1989: 204). Em outras palavras, a polícia de São Paulo, em 1992, matou sumariamente 8,5 vezes mais que o regime do *apartheid* na África do Sul em seu pior ano.

As mortes de civis em confrontos com a polícia militar de São Paulo dificilmente podem ser consideradas acidentais ou como um resultado do uso da violência pelos criminosos, como a PM alega. Se fosse esse o caso, o número de policiais mortos também deveria aumentar, o que não acontece. Em São Paulo, a razão entre mortes de civis e de policiais é desproporcionalmente alta. Em Nova York, entre 1978 e 1985, a razão de civis e policiais mortos foi de 7,8 para 1; ou seja, para cada policial morto, houve 7,8 mortes de civis. Em Chicago a razão foi de 8,7 para 1; e na Austrália, entre 1974 e 1988, foi de 2,3 para 1 (Pinheiro *et al.* 1991: 99). Durante a última década em São Paulo, a razão variou entre 7,3 para 1 em 1983, 17,2 para 1 em 1985, e 18,8 para 1 em 1992. Além disso, no caso dos países mencionados acima, trata-se de números bem menores. Na Austrália, com uma população semelhante à da região metropolitana de São Paulo, de 1974 a 1988 apenas 49 civis e 21 policiais morreram. No Canadá, 119 civis morreram entre 1970 e 1981 (Pinheiro *et al.* 1991: 99). Chevigny mostra que em Nova York o número de mortes caiu de forma constante desde 1971 (Chevigny 1995: 66-7). O número de policiais mortos em São Paulo inclui aqueles que morreram fora do horário de trabalho, a maioria trabalhando como guardas particulares. Dados da Secretaria de Segurança Pública mostram que em 1994 e 1995 o número de policiais que morreram, seja como guardas particulares, seja a caminho do trabalho é quatro vezes maior que o daqueles que morreram no cumprimento do dever.[3]

---

[3] *Relatório trimestral da Ouvidoria da Polícia do Estado de São Paulo*, dezembro de 1995 - fevereiro de 1996, p. 44.

Tabela 3
Mortes e ferimentos em ações da Polícia Militar, 1981-1997

	Estado de São Paulo			
	Civis		Policiais	
Ano	Mortes	Ferimentos	Mortes*	Ferimentos*
1981[1]	300	n.d.	n.d.	n.d.
1982[2]	286	74	26	897
1983[3]	328	109	45	819
1984[4]	481	190	47	654
1985[5]	585	291	34	605
1986	399	197	45	599
1987	305	147	40	559
1988	294	69	30	360
1989	532	n.d.	32	n.d.
1990	585	251	13	256
1991[6]	1.140	n.d.	78	250
1992	1.470[7]	317	59	320
1993	409	n.d.	47	n.d.
1994	453	331	25[8]	216[8]
1995	500	312	23[9]	224[9]
1996	249	n.d.	32	n.d.
1997	253	n.d.	26	n.d.
	Região Metropolitana de São Paulo			
1986	359	152	29	254
1987	268	125	19	223
1988	411	159	22	223
1989	532	n.d.	32	n.d.
1990	585	n.d.	13	n.d.
1991	898	251	21	n.d.
1992	1.301[7]	165	3[10]	63
1993	243	194	3[10]	66
1994	333	194	72[11]	194
1995	331	220	51[11]	205
1996	183	n.d.	n.d.	n.d.

Obs: n.d. = informação não disponível.

* Embora as fontes não especifiquem, há indícios de que o total de mortes e ferimentos de oficiais em vários anos inclui ocorrências fora do expediente de trabalho. A maioria das mortes e ferimentos de policiais parece acontecer quando estão voltando para casa ou trabalhando como seguranças particulares. Os dados disponíveis para 1993 e 1994 demonstram essa tendência (ver notas 8 a 11); a *Folha de S. Paulo* (10/12/1991), citando dados da polícia militar, sugere que apenas 30% das mortes de policiais militares ocorrem durante confrontos. Em documento recente (*Relatório trimestral da Ouvidoria da Polícia do Estado de São Paulo*, dez. 95-fev. 96, p. 44), a Secretaria de Segurança Pública do Estado de São Paulo reconhece que a maior parte das mortes provavelmente ocorre quando os policiais estão trabalhando como vigilantes particulares. As mortes de civis apresentadas na tabela referem-se exclusivamente a confrontos com a polícia militar.

Fontes: Para o estado de São Paulo: 1981-1989 — Pinheiro *et al.* 1991: 97; 1990-1993 — *Núcleo de Estudos da Violência da USP*, baseado em informações da *Coordenadoria de Comunicação Social* da Polícia Militar; 1994-1997 — Secretaria de Segurança Pública do Estado de São Paulo, Assessoria de Imprensa. Para a região metropolitana de São Paulo: 1986-1988 — Nepp (1989: 11 e 1990: 81); 1989-1990 — dados da polícia militar publicados pela *Folha de S. Paulo* de 7/8/1991, p. 4.1. Os dados dessa mesma fonte para 1988 coincidem com aqueles do Nepp, e os de 1986 e 1987 são bastante próximos aos do Nepp; 1991— *Núcleo de Estudos da Violência da USP*, baseado em informações da *Coordenadoria de Análise e Planejamento* da Secretaria de Segurança Pública do Estado de São Paulo; 1992-1996 — Secretaria de Segurança Pública do Estado de São Paulo, Assessoria de Imprensa.

Notas:
[1] Estimativa da *Folha de S. Paulo*.
[2] O Americas Watch (1987: 25) registra 425 mortes de civis e 20 de policiais em 1982.
[3] O Americas Watch registra o mesmo número de mortes de civis, mas apenas 30 mortes de policiais.
[4] O Americas Watch registra o mesmo número de mortes de civis, mas apenas 35 mortes de policiais.
[5] O Americas Watch registra 564 mortes de civis e 27 de policiais.
[6] O Americas Watch (1993: 4) registra 1.074 mortes de civis em 1991.
[7] Inclusive os 111 presos mortos na Casa de Detenção em 2 de outubro.
[8] Números relativos apenas a ocorrências durante o serviço. Dados da Assessoria de Imprensa da Secretaria de Segurança Pública do Estado de São Paulo indicam que, em 1994, enquanto 25 policiais morreram em serviço, outros 104 morreram em outros períodos, muitos, provavelmente, trabalhando como guardas particulares. O número de oficiais mortos fora do serviço em 1994 é de 297.
[9] Números relativos apenas a ocorrências durante o serviço. Dados da Assessoria de Imprensa da Secretaria de Segurança Pública do Estado de São Paulo indicam que, em 1995, enquanto 23 policiais morreram em serviço, outros 90 morreram em outros períodos, muitos, provavelmente, trabalhando como guardas particulares. O número de oficiais mortos fora do serviço é de 289.
[10] Os números de policiais mortos na região metropolitana em 1992 e 1993 provavelmente incluem somente os que morreram em serviço. A fonte não especifica o contexto das mortes.
[11] O total de policiais mortos na região metropolitana é maior que os valores para o estado provavelmente por incluir mortes fora do serviço. As informações para a região metropolitana e para o estado são de fontes diferentes. Além disso, em São Paulo, a proporção de civis mortos em relação aos feridos é absolutamente anormal. A expectativa é de que o número de pessoas feridas ultrapasse o número de pessoas mortas. Em Nova York, para cada civil que morre em confronto com a polícia há em média três feridos; em Los Angeles, a razão é de 1 para 2. Em São Paulo, para cada policial que morre, há uma média de 17 feridos. Mas, no que se refere aos civis, a proporção em São Paulo é o oposto do esperado: em 1992, para cada civil ferido pela polícia militar houve 4,6 mortos; em 1991, a razão foi de 1 para 3,6 na região metropolitana; e nos outros anos a média era de mais de duas mortes para cada pessoa ferida. Em outras palavras, a polícia em São Paulo, e em outras cidades brasileiras como Rio de Janeiro e Recife, mata mais pessoas do que fere. Isso indica claramente que a polícia está provavelmente usando suas armas mais do que é necessário para reprimir suspeitos. O massacre na Casa de Detenção é um exemplo extremo dessa tendência.

A polícia também tem usado armas longe dos lugares onde os crimes ocorrem e basicamente contra pessoas pobres, em especial homens jovens e negros. O estudo de Pinheiro *et al.* (1991: 110), que analisou todos os casos de morte causados pela polícia militar na última década, concluiu que a maioria das mortes ocorreu em bairros pobres da periferia da região metropolitana de São Paulo, longe dos lugares em que os supostos crimes aconteceram. A maioria das pessoas que morreram eram homens jovens: 71,5% eram homens entre 15 e 25 anos. A proporção de negros entre aqueles que morreram é muito maior do que a proporção de negros na população.

De acordo com a polícia militar, a maioria das mortes (63,6%) ocorreu em situações de "resistência/reação à polícia". "Apenas 8,1% ocorreram em casos de fuga, e 5,8% em casos de pessoas presas em flagrante" (Pinheiro *et al.* 1991: 107). No entanto, a conclusão da equipe que estudou as informações é que mais do que indicar uma tendência da criminalidade, esses dados indicam a existência de um "padrão pré-fabricado" usado pela polícia quando uma morte ocorre (*idem*: 106). Quaisquer que sejam as circunstâncias, as ocorrências são registradas como casos de "resistência seguida de morte" e classificadas e processadas separadamente das ocorrências de homicídios. Barcellos (1992) descreve o mesmo padrão.

Uma indicação adicional do abuso policial é a relação entre o número de pessoas mortas pela polícia e o número total de homicídios dolosos. De 1986 a 1990, as mortes causadas pela polícia representavam uma média de 8% do total de homicídios na região metropolitana de São Paulo; em 1991, essa porcentagem pulou para 12,9%, e em 1992 para 20,63%.[4] Em Nova York, nos anos 90, a porcentagem média foi de 1,2%, e em Los Angeles, 2,1%.

A Tabela 3 mostra ainda variações acentuadas no número anual de mortes: este diminuiu de 1986 a 1988, e cresceu depois disso, em especial em 1991 e 1992, quando os números atingiram um nível surpreendente. Depois de 1992, os números novamente diminuíram substancialmente. Essas variações podem ser entendidas se considerarmos as políticas de segurança pública adotadas desde o início do período democrático. O nível alto de execuções sumárias em 1991 e 1992 parece ter resultado da política "dura" de segurança pública adotada especialmente por Luís Antônio Fleury, primeiro como secretário de Segurança Pública durante a administração de Orestes Quércia (1987-1990), depois como governador (1991-1995). Além disso, as reduções após 1986 e 1992 parecem também ser o resultado de esforços para refrear os abusos empreendidos primeiro pela administração de Montoro, depois por Fleury, dadas as repercussões do massacre da Detenção, e depois de 1995 por Mário Covas. As políticas públicas não são a única explicação para as mudanças nos níveis de abuso. Na verdade, a tradição de abusos — expressa na opinião pública, nos meios de comunicação de massa e na autonomia da polícia — tem um papel crucial e interpõe fortes barreiras às políticas que visam controlá-los. Contudo, onde há vontade política, pelo menos um controle parcial pode ser exercido. E se essa vontade coincide com as percepções populares (como depois do massacre), em vez de ter de lutar contra elas (como durante a administração de Montoro), o controle acontece mais fácil e rapidamente. A análise que se segue das políticas de segurança pública do estado de São Paulo, seu contexto e a interferência da opinião pública desde o fim do regime militar permitirá substanciar as afirmações acima.

Promovendo uma polícia dura

André Franco Montoro foi o primeiro governador eleito depois da instauração do regime militar. Conhecido membro da oposição, Montoro simbolizou as expectativas de mudança e democratização no começo dos anos 80 expressas no *slogan* "retorno ao estado de direito". Isso significava não apenas eleições democráticas e a possibilidade de criar uma nova ordem constitucional, mas também a de controlar todos os tipos de abuso de poder característicos do regime militar. Montoro, candidato do PMDB (Partido do Movimento Democrático Brasileiro) a governador nas primeiras eleições diretas em 21 anos, foi eleito com 49,4% dos votos no estado de São Paulo em 1982, quando os militares ainda estavam no governo federal.[5] Ele tomou posse em março de 1983 e foi governador até 1987.

---

[4] Essas porcentagens referem-se ao número total de homicídios registrados pelo Registro Civil. Se considerássemos os registros da polícia civil, as porcentagens seriam maiores: 15,93% em 1991, e 27,4% em 1992.

[5] O candidato apoiado pelo partido do regime militar, Reynaldo de Barros, recebeu 25,2% dos votos. O restante foi distribuído entre os outros três partidos de oposição.

Franco Montoro tomou a sério a tarefa de estabelecer um governo democrático e um estado de direito que, para ele, incluía controlar a polícia. Seu plano de governo, resumido em um documento chamado *Proposta Montoro*, incluía uma parte sobre a reforma da polícia. No que dizia respeito à polícia civil (*Proposta* 1982: 33), o documento reconheceu sua "estrutura interna autoritária e ineficiente, vulnerável a episódios de corrupção e abusos do poder", que traria "mais medo do que tranquilidade aos cidadãos". Propunha, entre outras coisas, a reforma da Corregedoria da Polícia Civil para assegurar "o controle eficiente das ocorrências de corrupção e violência" e a reforma da cúpula da hierarquia policial ao adotar a eleição de alguns diretores por chefes de polícia. A polícia militar era um assunto mais difícil, já que estava submetida ao Exército, ainda no comando do governo federal. Apesar disso, a proposta de governo afirmava cautelosamente a necessidade de trazer a PM para dentro dos parâmetros da lei, tornando "sua ação preventiva e repressiva mais eficiente, menos estimuladora de reações e ações violentas, mais conforme à lei que, em última análise, visa a segurança do cidadão" (*Proposta* 1982: 34).

O compromisso de Montoro com essas ideias foi confirmado por sua escolha dos secretários estaduais. Ele nomeou José Carlos Dias para a Secretaria da Justiça. Dias era um conhecido advogado de presos políticos durante os anos militares e ex-presidente da Comissão de Justiça e Paz da Arquidiocese de São Paulo, a principal instituição de defesa dos direitos humanos durante a ditadura. Como secretário da Justiça ele estaria à frente do sistema judiciário, inclusive das prisões, onde se sabia que o desrespeito aos direitos humanos era elevado. Ficou claro, contudo, que defender direitos humanos sob a democracia era quase tão difícil e polêmico quanto durante o regime militar.[6]

Para secretário de Segurança Pública (à qual as duas polícias estão sujeitas), Montoro escolheu Manoel Pedro Pimentel. Ele era um ex-secretário da Justiça, conhecido como não ligado à corrupção e como alguém que, dados seus vínculos com os governos anteriores, poderia facilitar o período de transição. Ele tomou posse com a tarefa de criar uma "Nova Polícia" de acordo com as diretrizes da *Proposta*. No entanto, os obstáculos a esse projeto foram tais que Montoro teve de mudar de secretário três vezes em um ano, substituindo Pimentel por Miguel Reale Jr. e depois por Michel Temer. O último deixou o cargo em 1986 e foi substituído por Eduardo Augusto Muylaert Antunes, que permaneceu no cargo até o final do governo de Montoro, acumulando a pasta da Justiça, que assumiu em substituição a José Carlos Dias. Em poucos meses ficou claro que a tarefa de reformar a polícia era muito mais difícil do que se havia pensado e que a defesa de princípios humanitários e democráticos não era suficiente para efetivar a reforma.

Mingardi oferece duas explicações para o fracasso da reforma da polícia civil (1992: parte II). Primeiro, que a polícia civil era uma instituição mais independen-

[6] Até onde sei, a história do governo Montoro ainda não foi escrita. Contudo, a oposição a José Carlos Dias, que começou no dia em que ele revelou suas intenções para o cargo, é bem documentada pela imprensa.

te do que se supunha, e seus "hábitos e costumes" ilegais tinham profundas raízes na prática da polícia e gozavam de amplo apoio popular.[7] Para Mingardi, mudar esses velhos hábitos numa situação de criminalidade crescente tornou-se uma tarefa impossível (1992: parte II). Segundo, ele alega que o projeto da Nova Polícia foi traído pelos secretários que sucederam Pimentel: eles teriam tomado decisões que não só impediram a reforma, mas que também recolocaram no poder aqueles que deveriam ter sido removidos. A meu ver, a descrição de Mingardi da história das políticas de segurança pública é enviesada pelo fato de que ele apresenta somente a visão daqueles que cercavam Pimentel. Além disso, apesar de mencionar a oposição da população e alguma resistência (1992: parte III), ele não explora essas questões a fundo. Argumento, ao contrário, que a falha do governo Montoro em restabelecer um estado de direito no que se refere à polícia deveu-se fundamentalmente à falta de apoio substancial a essa ideia, tanto por parte da população como pela polícia.

Como era de esperar, as tentativas de reformar a polícia enfrentaram uma forte resistência interna, que incluiu protestos e greves de policiais, alguns deles registrados pela imprensa. Na campanha municipal de 1986, por exemplo, vários delegados assinaram um manifesto que criticava publicamente a política de segurança de Montoro (ver capítulo 9). Entrevistei dois secretários de Segurança Pública desse período (Miguel Reale Jr. e Eduardo Augusto Muylaert Antunes) e o secretário da Justiça (José Carlos Dias). Eles descreveram a tarefa de impor um novo *modus operandi* à polícia como lenta e difícil, e mencionaram vários episódios de oposição e resistência. Reale Jr. e Muylaert reconheceram que o que fizeram foi muito menos do que pretendiam, mas mencionaram algumas mudanças importantes. Primeiro, a da atitude da polícia frente a greves e protestos políticos. Enquanto, no regime anterior, estes eram vistos como ameaçadores, daí em diante deveriam ser aceitos, e a polícia teve de aprender a ajudar na organização de manifestações, não na sua repressão. Finalmente, eles também mencionaram, e os dados citados no capítulo 3 confirmam, que a administração de Montoro começou com uma força policial com equipamento insuficiente e ultrapassado e que o governo investiu largamente em equipamento, pessoal e salários. Também alegaram que seu governo esteve preocupado tanto em produzir boas estatísticas — o que não era o caso antes — como em dar mais poder à Corregedoria do Estado para investigar abusos policiais.

No que se refere à questão disciplinar nas forças policiais, a maioria das estatísticas está disponível apenas para o período pós-1983. Parece também que a Corregedoria tornou-se mais ativa, algo confirmado por Mingardi (1992: 69-70). Apesar dos números nas Tabelas 4 e 5 serem ainda baixos, considerando-se a rotina de abusos, ambas as tabelas mostram um número mais alto de policiais punidos durante a administração de Montoro. Isso é especialmente claro no caso da PM: em 1984, o número de policiais punidos correspondeu a 1,0% do total de policiais

[7] Essa explicação coincide com o argumento de Bretas sobre a autonomia da polícia civil durante a República Velha (1995: Conclusão).

militares (56.072). A maioria das punições estava relacionada ao controle da Rota, que era um foco da atenção do governo. Durante a administração de Fleury (1991-1995), no entanto, os números relativos à polícia civil foram especialmente baixos.

Tabela 4
Punição de policiais civis
Estado de São Paulo, Secretaria de Segurança Pública, 1981-1988, 1991-1993

Ano	Punição			
	Demissão	Suspensão	Reprimenda	Advertência
1981	12	n.d.	n.d.	n.d.
1982	13	n.d.	n.d.	n.d.
1983	39	481	202	13
1984	66	600	173	15
1985	37	640	173	4
1986	45	590	123	10
1987	68	724	235	30
1988	60	478 [1]	133 [1]	49 [1]
1991*	29	128	17	6
1992*	28	138	23	8
1993*	105	155	22	0

Fontes: Para demissões em 1981-1982 e 1988, Mingardi (1992: 69). Para 1981-1988, Corregedoria da Polícia Civil, Corregepol, citado em Nepp (1990: 83). Para 1991-1993, Secretaria da Justiça e da Cidadania, relatório preparado para a 50ª Sessão da Comissão de Direitos Humanos das Nações Unidas, Genebra, 1994, Apêndice D-3 (dados da Corregedoria da Polícia Civil).
Obs: * Os dados para 1991-1993 se referem apenas a casos de violência (agressão, tortura, abuso do poder etc.) e de corrupção (extorsão, contrabando etc.).
n.d. = informação não disponível.
[1] Até julho.

Tabela 5
Policiais militares demitidos e expulsos
Estado de São Paulo, Secretaria de Segurança Pública, 1981-1993

Ano	PMs punidos
1981	179
1982	181
1983	435
1984	587
1985	448
1986	406
1987	436
1988	589
1989	379
1990	n.d.
1991	404
1992	384
1993	391

Fonte: Para 1981-1989 — Secretaria de Segurança Pública, Estado Maior da PM, 1989, citado por Nepp (1990: 85). Para 1991-1993 — Secretaria da Justiça e da Cidadania, relatório preparado para a 50ª Sessão da Comissão de Direitos Humanos das Nações Unidas, Genebra, 1994, Apêndice e-2 (dados da Corregedoria da PM).
n.d. = informação não disponível.

A administração Montoro também tentou estabelecer formas mais eficazes de controlar o uso de armas. Ela determinou, por exemplo, que dados técnicos de qualquer morte causada por policiais deveriam ser enviados diretamente à Secretaria de Segurança Pública, e estabeleceu novas regras para o controle das armas usadas pela polícia militar. Antes disso, cada equipe da PM recebia suas armas diariamente em conjunto, assinando um único recibo. Quando as armas retornavam, o recibo era destruído. Isso tornava impossível associar uma arma a um policial ou disparo específico.[8] Apesar de mesmo essas regras fundamentais de controle terem enfrentado oposição, elas parecem ter surtido algum efeito. O número de policiais punidos aumentou e o número de pessoas mortas pela polícia diminuiu, apesar do nível ainda alto. Em 1986, houve uma diminuição de 32% nas mortes de civis. Muylaert, secretário em 1986, diz que apesar de os números "não serem gloriosos", indicavam os resultados dos controles impostos à polícia militar.[9]

Além disso, os secretários de Segurança Pública durante a administração de Montoro parecem concordar que seu compromisso em estabelecer um estado de direito e seu discurso tiveram algum efeito em controlar a violência e os abusos da polícia, apesar de uma mudança efetiva ser um projeto a longo prazo. Numa entrevista em 25 de julho de 1990, Muylaert comentou:

> "O que eu disse ao Fleury quando eu entreguei a Secretaria foi o seguinte: Fleury, cuidado com sua linguagem! Porque na polícia, quando você chega e diz 'não quero nada de violência, a política do governo não admite, quem praticar violência vai ser fulminado', ainda assim na hora que você vira as costas eles exorbitam. Se você chega e diz que precisa respeitar os direitos humanos só dos bons cidadãos e que precisa ter energia com os bandidos, eles saem e matam quem eles quiserem. Você não tem como controlar isso e nem exigir, porque o que eles entendem da sua linguagem, quando o secretário diz 'não tem violência', eles dizem 'bom, só um pouquinho'; quando você diz 'usem a energia', eles vão cair matando."

Reale Jr. observou:

> "Era passar valores. Porque, veja bem, para você passar que não é só o bandido, mas é qualquer pessoa, e mesmo o bandido, porque não é porque ele praticou um delito que pode haver a pena de morte, transitado e julgado, sendo juiz e executor o soldado. Então pra passar esses valores é algo muito demorado, é alguma coisa que você encontra resistência, porque é muito mais fácil para o policial, que vive tenso porque

---

[8] Pinheiro (1982: 90) reproduz um documento do chefe da Rota certificando que era impossível identificar as armas usadas por uma equipe da Rota devido à maneira pela qual as armas eram retiradas.

[9] Entrevista, 25 de julho de 1990.

ele está enfrentando a violência cara a cara, é muito mais fácil ele ter uma resposta simples e responder com a violência e matar a pessoa. Por que que ele vai tomar medidas de prender alguém se ele pode matar, se a impunidade lhe está garantida? Como passar [valores] para esses policiais que vinham de um longo hábito autoritário?... Tudo isso era muito difícil, uma mudança completa de mentalidade, uma alteração de valores muito grande. Só aos poucos isso é feito. Agora, como isso é feito aos poucos, qualquer palavra contrária desmorona o trabalho. É o que o Quércia fez. O Quércia conseguiu desmoronar o trabalho que o Montoro e os seus secretários de Segurança fizeram no sentido de mudar a mentalidade. Voltou tudo para trás. Ficou uma grande facilidade. Porque é muito mais simples você ter a impunidade garantida e a violência legitimada, especialmente pelos superiores. Uma palavra de um superior dizendo 'seja violento', isso vai de cima para baixo numa rapidez incrível. O coronel falou, o praça no dia seguinte está sabendo. Se o coronel fala alguma coisa de contenção, de prudência, de bom senso, de equilíbrio, até chegar no praça demora. Agora, uma palavra de autorização de prática de violência corre como rastilho. Então, é um processo muito lento." (Entrevista, 8 de agosto de 1990)

Essas observações fazem eco às concepções sobre a difusão do mal expressas por residentes de São Paulo e analisadas no capítulo 2. Para Reale Jr., a violência se espalha rápida e facilmente; seu controle, entretanto, é um projeto de elaboração cultural a longo prazo, com resultados frágeis sujeitos a reversão rápida. Mas, se a mudança de valores é um projeto a longo prazo, a administração Montoro parece ter demonstrado que a determinação política de controlar a violência e impor o estado de direito pode ter algum efeito a curto prazo, ainda que limitado. A falta de vontade política para controlar a violência policial nas duas administrações seguintes à de Montoro não apenas reverteu os pequenos ganhos, como ajudou a violência a proliferar. Tanto como secretário de Segurança Pública da administração de Quércia como governador, Luís Antonio Fleury apoiou uma polícia dura, o que resultou em um grande crescimento no número de mortes causadas pela polícia, algo que tanto Fleury como seu primeiro secretário de Segurança, Pedro Franco de Campos, estavam prontos a defender. Entretanto, a responsabilidade não é apenas das escolhas do executivo. As decisões de Montoro e de sua equipe de tentar restabelecer o estado de direito e controlar a violência policial gozavam de pouco apoio popular. O que eles puderam fazer estava limitado tanto pela oposição popular como pela resistência da polícia. Para muitos moradores de São Paulo, a violência ainda é vista como um bom meio para lidar com a criminalidade, e foi prometendo mais "energia" e métodos violentos de patrulhamento que Fleury construiu sua reputação e foi eleito.

A história da Rota oferece um bom exemplo tanto do apoio à polícia violenta quanto das possibilidades de controlá-la por meio de políticas públicas. A Rota — Rondas Ostensivas Tobias de Aguiar — é uma divisão especial da polícia militar famosa por ser responsável pela maioria das mortes de civis na região metropolitana de São Paulo, mostradas na Tabela 3. Ela foi organizada em 1969, durante o regime militar, para lutar contra ataques terroristas, em especial assaltos a banco. Seus mais ou menos 700 policiais são organizados em grupos de "quatro homens armados com armas de alto poder de fogo, mobilidade e comunicação" (Pinheiro 1982: 59). Depois do fim da repressão aos opositores políticos do regime militar, a Rota foi direcionada para combater a criminalidade. Segundo Pinheiro (1982: 77), que cita estatísticas da Rota, de janeiro a setembro de 1981, a Rota atirou em 136 civis, matando 129 deles e ferindo 7, enquanto um policial morreu e 18 ficaram feridos. Além disso, ela prendeu 5.327 pessoas, das quais apenas 71 tinham sido previamente condenadas. Em um padrão comum desde o Império, todos os outros foram "detidos para investigações", o que significa que não havia acusações formais contra eles, apenas uma "suspeita". O jornalista Caco Barcellos acompanhou muitos casos da Rota e publicou os resultados no livro *Rota 66* (1992). Ele mostra que os policiais da Rota agem frequentemente com base em suspeitas e que sua reação comum é atirar. Para encobrir seu uso excessivo de força, alegam que havia uma ameaça a suas vidas, quando geralmente não havia. Como Barcellos coloca, "a pessoa morta é sempre culpada por sua própria morte" (1992: 74). A maioria das pessoas mortas pela Rota não tinha antecedentes criminais e a investigação sobre suas mortes é particularmente difícil. Barcellos mostra que uma minoria de policiais da Rota é responsável pela maior parte das mortes e fornece os nomes daqueles que mais mataram.

Apesar do fato de que em 1983, quando Montoro tomou posse, havia menos informação disponível sobre a Rota do que há hoje, ela já era famosa por seu uso da violência e tornou-se um alvo simbólico para o governo Montoro. Mesmo antes de ele tomar posse, o controle da Rota era um assunto candente, não apenas por causa da resistência da corporação, mas também em devido ao apoio da população a ela. Durante a campanha eleitoral, os jornais anunciaram que Montoro pretendia extinguir a Rota. Os protestos vieram de todos os lados e a Rota foi defendida por seus líderes. Em 10 de outubro de 1982, numa entrevista ao jornal *Folha de S. Paulo,* o comandante da Rota, Niomar Cirne Bezerra, apresentou um argumento que se tornaria famoso nos anos seguintes: "A Rota é adorada na periferia e odiada pelos intelectuais da classe média que vivem no centro da cidade". Em outras palavras, o argumento era de que as massas estavam a favor da violência, algo contrariado apenas por intelectuais, um grupo conhecido por apoiar Montoro. O comandante da Rota concluiu sua entrevista, que aconteceu um mês antes das eleições, dizendo:

> "Nós — a Rota — somos a única coisa que os bandidos temem. E, como diz uma velha frase, o medo leva ao respeito, que se transforma em admiração e conduz ao amor." (*Folha de S. Paulo*, 10 de outubro de 1982, "Rota, a mística, os métodos e as mortes")

Obviamente, Bezerra desconsiderou o medo que a população tem da Rota, mas sua filosofia parecia ser popular. Em dezembro de 1982, uma pesquisa de opinião pública feita pela *Folha de S. Paulo* revelou que 85,1% das pessoas entrevistadas eram contra a extinção da Rota.[10] Em fevereiro de 1983, antes de tomar posse, o secretário de Segurança Pública anunciou que a Rota não seria extinta, mas seria transformada em um grupo especial para ajudar em emergências (*Folha de S. Paulo*, 8 de fevereiro de 1983). A tarefa de policiar a periferia foi retirada da Rota. Em junho, Manoel Pedro Pimentel reconheceu em uma entrevista que a pressão para colocar a Rota de novo nas ruas era forte e que o povo preferia seus métodos violentos. Ele também revelou como estava dividido entre fazer valer os direitos humanos, como a administração do estado e alguns grupos queriam, ou trazer de volta a Rota e atender ao desejo da população. Pimentel comentou com um jornalista da *Folha de S. Paulo* em 2 junho de 1983 ("Pimentel admite pressões para a Rota voltar, mesmo matando"):

> "Quando a gente permite que a Polícia Militar mate, há reação violenta dos que acham os Direitos Humanos desrespeitados e chegam a rezar missa pela alma dos marginais. Por outro lado, a população reclama segurança e quer a Rota na rua para matar marginal. É isso que o povo pede aqui no meu gabinete, diariamente. Eles vêm em delegações querendo a Rota, sabendo que ela vai matar. (...) Não é irônico? Os mesmos que hoje nos acusam de inércia, se agirmos, nos acusarão amanhã por matarmos, porque se uma força pesada como a Rota sair, é claro que ela matará."

O que é particularmente impressionante nessa declaração é o modo pelo qual a dúvida do secretário é expressa: ele vê uma escolha clara entre ceder aos grupos de defesa dos direitos humanos (a alusão à Igreja Católica e sua defesa de "criminosos" é evidente) ou o crescimento das mortes, e apresenta ambas como opções não desejáveis. Pimentel, ao contrário de outros secretários citados, parece não ver maneiras de controlar a Rota: se ela agisse, ela obviamente mataria. É também surpreendente que essa possibilidade seja abertamente discutida pelo secretário de Segurança Pública com a imprensa como uma questão de rotina.

Em agosto de 1983, um dia antes de Pimentel transferir o cargo para Reale Jr., a *Folha de S. Paulo* publicou outra pesquisa de opinião pública avaliando a política de segurança pública de Montoro. 40,7% da população classificou-a como "regular" e 39,1%, como "ruim". Além disso, 71,8% das pessoas entrevistadas declararam que a política de segurança pública deveria ser "mais dura" no combate à criminalidade. Mais dura significa mais violenta.

Foi, portanto, contra a opinião da maioria da população — e não apenas contra velhos hábitos e interesses da polícia — que o governo de Montoro continuou seus esforços de controlar os abusos e a violência policiais e estabelecer o estado de direito. Em 1985, logo após as eleições municipais, outra pesquisa da *Folha de S. Paulo* revelou que 47,6% da população achava que o principal problema da cidade no

[10] "População quer a Rota", *Folha de S. Paulo*, 3 de dezembro de 1982.

momento era a segurança.[11] Durante essa campanha eleitoral, a questão dos direitos humanos foi crucial e a oposição ao governo Montoro tornou-se explícita quando a Associação dos Delegados de Polícia publicou um manifesto contra o PMDB e sua política de defesa dos direitos humanos. Esse tema foi também central na campanha governamental de 1986. Nas duas ocasiões, políticos de direita em particular se dedicaram a atacar os direitos humanos (ver capítulo 9).

O sucessor de Montoro, Orestes Quércia, foi eleito nesse contexto, e de 1988 até 1992 a política de segurança pública do estado de São Paulo apoiou explicitamente uma polícia "mais dura".[12] Isso incluiu o fortalecimento dos policiais da chamada "linha-dura", como o novo comandante da PM, coronel Celso Feliciano de Oliveira, que tomou posse em novembro de 1989, declarando "aberta a temporada de caça aos bandidos" (*Folha de S. Paulo*, 2 de novembro de 1989). Ele acreditava que o único modo de combater a criminalidade era aumentando o número de policiais nas ruas — e, é claro, usando a violência.

> "A meta do governo do Estado é dar tranquilidade à população. Se isso resultar em mortes, pode ter certeza de que houve reação dos bandidos. Não estamos aqui para matar pessoas. Se fosse assim, mataríamos todos aqueles que prendemos." (Cel. Feliciano, *Folha de S. Paulo*, "Linha-dura na PM aumenta repressão ao crime", 21 de novembro de 1989)

Na semana que se seguiu a essa declaração, a PM matou quatro pessoas que não tinham antecedentes criminais. Indagado sobre as mortes, o secretário de Segurança Pública Luís Antonio Fleury reencenou o discurso que tanto Muylaert como Reale Jr. identificaram como contendo uma permissão tácita para a ação violenta da polícia. Em um artigo na *Folha de S. Paulo*, em 28 de novembro de 1989 ["Fleury diz que a PM vai matar mais este ano"], Fleury declarou que "o fato de este ano terem ocorrido mais mortes causadas pela PM significa que ela está mais atuante. Quanto mais polícia nas ruas, mais chances existem de um confronto entre marginais e policiais". Ele também complementou:

> "Continuamos respeitando a lei. Mas é preciso considerar que vivemos numa sociedade com problemas de violência. (...) *O policial mi-*

---

[11] "Para os eleitores, segurança é o maior problema de São Paulo", *Folha de S. Paulo*, 8 de setembro de 1985.

[12] Um dos primeiros episódios muito sérios de violação de direitos humanos ocorreu durante o carnaval de 1989. Dezoito dos 50 prisioneiros mantidos numa cela forte de três metros quadrados morreram asfixiados no 42º Distrito Policial de São Paulo. Esse episódio revela os efeitos dos diferentes sistemas de *accountability* aos quais os policiais civis e militares estão sujeitos. Os policiais civis envolvidos responderam a processo, foram condenados, e receberam penas de prisão excepcionalmente longas (de até 516 anos). Os policiais militares, no entanto, não foram levados a julgamento pela Justiça Militar.

litar, se precisar usar todo o rigor, terá todo o apoio da cúpula da polícia. Mas se ele cometer um abuso, será punido (...) É preciso ter em mente que o choque entre policiais e marginais tende a aumentar. *No meu ponto de vista, o que a população quer é que a polícia chegue junto.*" [Grifos meus]

A mensagem é clara: os índices de mortes causadas pela polícia são um resultado de sua eficiência em desempenhar suas tarefas tal como desejado pela população. Quando o secretário de Segurança Pública fala da lei e da vida das pessoas nesse tom casual, é claro que os sonhos de um estado de direito já haviam se tornado irrelevantes. Essa política mais dura, "que chega junto", persistiu, juntamente com o apoio a Fleury, que foi eleito governador um ano depois dessa entrevista. Além disso, a mesma indiferença diante do número de mortes pela polícia e sua associação a eficiência ocorreram em declarações do primeiro secretário de Segurança Pública de Fleury, Pedro Franco de Campos. Solicitado a comentar sobre as 1.140 mortes de 1991, ele disse: "É preciso comparar com os chefes de família assassinados" (*O Estado de S. Paulo*, 23 de dezembro de 1991, p. 3). Poucos dias antes ele havia afirmado: "Os números cresceram porque a polícia está mais presente nas ruas. A polícia, no entanto, apenas revida. Ela sempre reage à violência do marginal" (*Folha de S. Paulo*, 10 de dezembro de 1991, "Polícia Militar mata mais de mil em 91 e bate recorde").

Uma indicação do apoio à violência policial é a taxa de punição por abusos. A Tabela 4 mostrou um número consideravelmente baixo de policiais civis punidos nos primeiros anos da administração de Fleury. Isso pode ser em parte justificado pelo fato de que esses dados se referem apenas a casos de violência e corrupção, enquanto para os anos anteriores não havia indicação da causa dos processos. Mas algumas observações deveriam ser feitas. Primeiro, o número de policiais expulsos aumentou substancialmente em 1993, ou seja, depois que Pedro Campos foi substituído por Michel Temer e uma nova política foi adotada. Além disso, pelo fato de os casos de violência e corrupção serem apresentados separadamente, podemos notar que os primeiros não geram muita punição, algo já observado no caso da Justiça Militar. Na verdade, 86,85% dos casos de demissões ocorreram em processos de corrupção. A maioria (64,2%) dos 1.154 casos de violência abertos pela Corregedoria da Polícia Civil entre 1991 e 1993 foram arquivados; 9,27% resultaram em absolvição e 25,65% em alguma forma de punição. De 989 casos de corrupção, 36,5% foram arquivados, 21,74% resultaram em absolvição e 39,33% em punição.[13]

Uma das explicações para o aumento das mortes pela polícia no começo dos anos 90 está relacionada a mudanças na Rota. Ela tinha sido desmobilizada e restringida pelo governo Montoro, mas recebeu novos veículos e equipamentos no

[13] Dados da Corregedoria da Polícia Civil. (Secretaria da Justiça e da Cidadania, Relatório preparado para 50ª Sessão da Comissão de Direitos Humanos das Nações Unidas, Genebra, 1994, Apêndice D-3.)

governo Fleury, e em 1991 muitos ex-integrantes foram chamados de volta. Depois da intervenção de Montoro, o número de pessoas mortas pela Rota havia diminuído (Pinheiro *et al.* 1991). Após uma cerimônia para incorporar mais veículos e antigos integrantes à corporação no começo de dezembro de 1991, a Rota matou 20 pessoas em uma semana.

Para legitimar suas ações, a polícia militar insiste continuamente no "perigo dos bandidos" e constrói uma imagem de que a Rota protege os pobres na periferia, que apoiam seus métodos violentos. Nessas explicações, a PM é frequentemente ajudada pela mídia. O *Jornal da Tarde*, por exemplo, noticiou a cerimônia que mencionei há pouco, à qual estava presente o governador, que declarou estar honrando uma promessa eleitoral ao dar mais equipamento à Rota. Na mesma página, outro artigo tratou do retorno dos antigos policiais sob o título de "O capitão volta ao quartel. Como se chegasse do exílio". Nele, a repórter Marinês Campos conta aos leitores, em tom folhetinesco, sobre o final feliz para os policias militares que tinham sido expulsos da Rota e podiam agora retornar.

> "O capitão, num dia de 1984, descarregou a arma, tirou a braçadeira e saiu para a avenida Tiradentes com jeito de quem tinha deixado o coração pra trás, dentro de uma viatura da Rota. E doeu, como tiro de bandido. Depois, vieram quase três mil dias de exílio. Milhares de horas, contadas nos dedos, igual prisioneiro que vai riscando na parede o tempo que falta para a liberdade. O capitão nunca se separou do hand-talkie, o rádio da PM, sempre ligado na frequência da Rota, onde, mesmo de longe, ouvia o som dos tiroteios e das sirenes. E doía.
>
> Mas agora o capitão Antonio Bezerra da Silva voltou para o seu quartel — sete anos e nove meses depois que o governador Franco Montoro decidiu dispersar os homens da Rota, na tentativa de acabar com uma polícia que tinha se tornado um mito. Um mito violento demais, dizia o então secretário da Justiça, José Carlos Dias, em nome dos direitos humanos.
>
> Mas foram muito fortes os apelos para que o governador mantivesse a Rota nas ruas. Ele manteve, mas dispersou os homens por outras unidades da Polícia Militar — os mesmos homens que, agora, estão voltando para seu quartel como quem chega de um longo exílio. E o capitão Bezerra está de novo ali, no momento em que o Batalhão Tobias de Aguiar faz 100 anos. Ao lugar onde viveu durante 10 anos. De uma janela, ele aponta para o jardim do pátio e repete: 'Quando eu morrer, quero ser cremado e ter minhas cinzas espalhadas bem aqui'.
>
> Tem muita gente, diz o capitão, que não consegue entender um homem que tem a Rota injetada na veia, que convive com metralhadoras, carabinas e um jeito de fazer polícia como quem está feliz ao lado de uma mulher...
>
> 'Não dá para explicar o que a gente sente pela Rota', fala o capitão Bezerra. Ele tenta. 'Talvez seja como saltar de paraquedas pela primeira vez', compara. 'Uma mistura de medo, de felicidade, de coisa des-

conhecida, de desafio...' E, três mil dias depois da última ronda numa viatura das Rondas Ostensivas Tobias de Aguiar, o capitão vai às ruas para lembrar os velhos tempos. Com os olhos brilhando, o coração pulando como criança na montanha-russa." (*Jornal da Tarde,* 2 de dezembro de 1991, p. 21)

Violência, abusos e ilegalidades foram esquecidas — ou transformadas, junto com o respeito pela lei e direitos humanos, em uma idiossincrasia de José Carlos Dias e Franco Montoro. De qualquer modo, em algo a ser posto de lado para dar lugar ao retorno romântico dos "heróis" cujas vidas se entrelaçam à da polícia violenta e para quem o prazer da "caça aos criminosos" é equiparado ao prazer de estar com uma mulher e comparado pela repórter, uma mulher, às emoções de uma criança na montanha-russa. Na verdade, a repórter prefere ajudar a reforçar "mitologia heroica" da Rota e esquecer seus abusos. Em seu texto, o retorno dos oficiais é sem dúvida algo positivo. Com esse tipo de apoio público de uma imprensa livre de censura e com a determinação dos políticos em ignorar a lei, é claro que a PM se sentiu livre para matar em 1991 e 1992.

O massacre na Casa de Detenção

O massacre de 111 presos na maior prisão de São Paulo, a Casa de Detenção, em 2 de outubro de 1992 simboliza a culminação da política de Fleury e Pedro Franco de Campos de tolerar os abusos da polícia.[14] Na verdade, esse evento é bastante revelador do caráter paradoxal de uma sociedade em que instituições democráticas e práticas repressivas abusivas coexistem. O massacre foi exaustivamente documentado por uma mídia livre que, como durante o *impeachment* do presidente Collor que tinha ocorrido alguns dias antes, tomou para si a tarefa de desvelar o que as autoridades públicas estavam tentando esconder. A cobertura revela não só os detalhes horrendos do massacre, mas também as opiniões de autoridades públicas, defensores dos direitos humanos, prisioneiros e seus familiares e do público em geral, dividido entre defensores e críticos da ação da polícia. Obviamente, ela também expressa a perspectiva da imprensa, que é particularmente reveladora sobre até que ponto os abusos na sociedade brasileira são tomados como algo rotineiro.[15]

---

[14] O massacre foi amplamente documentado pela mídia brasileira. Ele também foi registrado pela Anistia Internacional (1993), por Machado e Marques (1993) e por Pietá e Pereira (1993). Vários massacres envolvendo policiais militares ocorreram no Rio de Janeiro no ano seguinte. Entre eles incluem-se o assassinato de oito menores que dormiam nas proximidades da Igreja da Candelária, em 23 de julho de 1993, e o assassinato de 21 residentes da favela Vigário Geral, em 30 de agosto de 1993.

[15] Analisei a cobertura da imprensa do massacre na Casa de Detenção em cinco jornais e duas revistas, todos publicados em São Paulo, pelo período de dez dias seguintes ao massacre. A amostra inclui os dois maiores jornais paulistas com circulação nacional, *Folha de S. Paulo* e *O*

Numa ação que aparentemente pretendia controlar as lutas entre gangues dentro do Carandiru, a polícia militar matou 111 presos no Pavilhão 9.[16] Nenhum policial morreu. Metralhadoras foram usadas dentro de um espaço fechado e, como o relatório da Anistia Internacional afirma:

> "Há esmagadora evidência para sugerir que a maioria dos presos, incluindo os feridos, foram executados extrajudicialmente pela polícia militar depois de terem se rendido, indefesos em suas celas. Evidências forenses indicam que os tiros foram disparados das portas para os fundos e para os lados das celas, e nenhum tiro foi retornado. A alta proporção de balas (60,4%) atiradas na cabeça e no tórax dos presos indica que não houve o uso do mínimo de força para controlar, mas uma clara intenção de causar mortes." (Anistia Internacional 1993: 28)

O massacre teve traços dantescos, já que não só se atirou nos presos aleatoriamente, como eles foram espancados, atacados por cães treinados para morder os órgãos genitais e perfurados com facas. Nus, muitos dos sobreviventes foram forçados a assistir a execuções, a carregar os corpos de seus colegas mortos e a limpar o sangue que escorria por todo lugar, porque os policiais estavam apavorados com a possibilidade de serem contaminados pela aids. Na verdade, uma razão que a polícia deu para justificar sua ação foi a de que os presos atacaram com dardos embebidos em sangue contaminado por HIV. Apesar de a polícia e o governo tentarem esconder o massacre (eleições municipais aconteceriam em 3 de outubro e o candidato do governador poderia ser prejudicado pelas notícias), fotos chocantes apareceram em toda a imprensa dois dias depois: uma série de corpos nus e mutilados, com grandes números pretos escritos em suas pernas, dispostos lado a lado em caixões abertos nos corredores do Instituto Médico Legal. Uma visão de campo de concentração. Alguns dias depois, publicaram-se imagens de dentro da Casa de Detenção: pilhas de corpos, *closes* de presos mortos, presos nus carregando ca-

---

Estado de S. Paulo, e três jornais locais, *Jornal da Tarde*, *Folha da Tarde* e *Notícias Populares*. As revistas são *Veja* e *IstoÉ*, ambas de circulação nacional. Fiz essa análise no Cebrap para o projeto de pesquisa "Política, Democracia e Meios de Comunicação de Massa".

[16] A Casa de Detenção é a maior prisão de São Paulo, parte de um complexo penitenciário chamado Carandiru. Foi construída no início dos anos 60 no que era uma parte periférica da cidade para alojar 3.250 presos. No dia do massacre, porém, abrigava mais de 7.100 presos (as estatísticas não são exatas, mas todas as versões mencionam mais de 7 mil). A superpopulação é comum na Casa de Detenção e em outras prisões brasileiras, onde as condições de vida são totalmente precárias e degradantes. (Ver, por exemplo, Anistia Internacional (1993) e Americas Watch (1989). Revoltas na Casa de Detenção, considerada uma das piores prisões brasileiras, são relativamente comuns, e a maior ocorrida anteriormente, em 1987, resultou em 31 mortes. O massacre de 1992 ocorreu em uma das alas da Casa de Detenção chamada Pavilhão 9. Naquele dia, esse pavilhão abrigava 2.069 presos em vez dos mil para que tinha sido planejado. Esse pavilhão é considerado especialmente violento.

dáveres e a destruição dentro das celas. Estas foram complementadas por imagens de parentes desesperados sendo atacados por cães e pela polícia na porta do Carandiru enquanto tentavam conseguir informações sobre os presos que estavam lá dentro, ou de pessoas chorando do lado de fora do Instituto Médico Legal, depois de terem sido obrigadas a examinar todos os cadáveres para identificar seus parentes.

As imagens não deixavam dúvidas sobre o abuso da força. As tentativas não convincentes do governador, seu secretário de Segurança Pública e os comandantes da polícia de minimizar os acontecimentos e culpar os presos pelas mortes indignaram uma boa parte da população. A mesma indignação repetiu-se quando foram mostrados à imprensa os policiais machucados e as armas apreendidas pela polícia militar: não havia um único ferimento grave, apenas contusões; nem uma única arma potente, apenas facas velhas, pedaços de madeira e algumas poucas armas de fogo. (Não foi à toa que a polícia teve de usar o medo da aids como sua principal justificativa para atirar.) Todas as revistas e jornais publicaram fortes editoriais contra o massacre e abriram suas colunas ao público em geral, intelectuais, organizações de direitos humanos e autoridades públicas para expressar sua indignação.[17]

No entanto, a indignação não foi universal. Na verdade, em uma pesquisa por telefone feita pela *Folha de S. Paulo*, um terço da população de São Paulo endossou a ação da polícia. De acordo com uma pesquisa de opinião feita pelo *Estado de S. Paulo*, 44% da população apoiava a polícia. Muitas pessoas foram às ruas para se manifestar a favor da polícia e contra os defensores dos direitos humanos. Muitos políticos de direita e deputados defenderam publicamente a polícia e ajudaram a organizar manifestações a seu favor.

Em geral, autoridades da administração estadual e da polícia não só não criticaram o massacre, mas também tentaram diminuir seu significado e se esquivar de qualquer responsabilidade por ele, embora a imprensa insistisse em que tanto o governador como o secretário de Segurança Pública haviam sido consultados previamente. Durante as primeiras horas depois que as notícias vieram a público, as declarações de Campos à imprensa, assim como as de Fleury em apoio a ele, demonstram como as autoridades públicas podem ser abertamente desrespeitosas em relação a direitos e vidas. Elas ainda sugerem que o massacre não foi totalmente estranho à sua política de segurança pública. Campos negou repetidamente que o que havia acontecido no Carandiru pudesse ser chamado de massacre, alegando que tinha sido uma intervenção necessária para "evitar uma fuga em massa" (*Folha de S. Paulo*, 7 de outubro de 1992). Ele disse ainda que o atraso de quase dois dias (dias antes de eleições municipais) em informar a população se devera à necessida-

[17] Embora todas as revistas e jornais tenham criticado as autoridades e a polícia, há diferenças muito significativas entre eles. De um lado, o *Notícias Populares*, tido como um jornal sensacionalista especializado em crimes e notícias com um conteúdo sexual, escreveu uma das mais fortes críticas ao governador e à polícia. De outro, o *Jornal da Tarde*, um jornal do grupo O Estado de S. Paulo, conhecido por sua preocupação com o estado de direito, surpreendentemente deu mais espaço que os outros jornais para os pontos de vista da polícia, e publicou vários relatos nos quais membros da polícia justificavam sua ação.

de de se ter uma boa avaliação dos fatos e "proteger a população" (*Jornal da Tarde*, 5 de outubro de 1992). Fleury declarou que tinha achado a ação da polícia "adequada", considerando que a prisão estava povoada por "um confronto de gangues bem armadas" (*Jornal da Tarde*, 5 de outubro de 1992). Tentando vender o massacre como aceitável e jogando com a crença de que as classes trabalhadoras estavam a favor de uma polícia violenta, o governador ainda declarou que "o Brasil só vai ter uma polícia de primeiro mundo quando for um país de primeiro mundo (...) A polícia é um reflexo da sociedade, e a sociedade é violenta. (...) Minha empregada, que é povo, aprovou".[18]

O coronel Eduardo Assumpção, comandante da PM, ofereceu uma das mais surpreendentes defesas. Aqui estão partes da sua entrevista para a *Folha da Tarde* ("Os policiais matam dentro da lei, afirma comandante da PM", 6 de outubro de 1992)

> "Coronel — Se a PM é recebida à bala, ela não vai revidar atirando rosas. Quando a PM mata alguém, ela o faz dentro da lei, em legítima defesa. (...) A sociedade confia na PM. (...)
>
> Repórter — Houve um massacre de presos no pavilhão 9 da Casa de Detenção? Houve ordem para matar os presos?
>
> Coronel — Que eu saiba, não houve ordem para matar ninguém. Não dá pra afirmar que foi um massacre, pois seria um prejulgamento. (...)
>
> Repórter — Fotos da rebelião mostram presos nus mortos a tiros. Geralmente os presos tiram as roupas por ordem da polícia, após a rebelião estar controlada. Como o senhor vê a acusação de vários presos terem sido mortos após se renderem?
>
> Coronel — Não tenho condições de responder, pois não vi eles se entregarem e eu não assisti à cena. O que eu sei é que tinham 2.000 presos e morreram 111. Se houvesse predeterminação de matar, teriam morrido todos."

Essa entrevista revela sinteticamente não só como o uso da violência tornou-se natural e aceito como legítimo dentro da polícia militar, mas também como comandantes da instituição encontram meios de evadir a responsabilidade por ele. Eles não se intimidam em usar argumentos bizarros como o de dizer que, se houvesse intenção de matar, todos os presos teriam sido mortos. O fato de entrevistas como essa terem aparecido na imprensa sem qualquer consequência posterior também

[18] É interessante comparar as reações das autoridades estaduais paulistas após o massacre com as reações do presidente Fernando Henrique Cardoso depois do massacre de 19 integrantes do Movimento dos Sem-Terra no interior do Pará em abril de 1996. Cardoso condenou em termos bastante explícitos a ação da polícia militar e pediu ao Congresso que apreciasse um projeto de lei que permitiria à justiça civil julgar policiais militares.

indica que os abusos são aceitos ou pelo menos tolerados. Além disso, o fato de a cobertura detalhada da imprensa não ter ajudado a gerar uma única condenação revela os limites das instituições democráticas no Brasil.

Em março de 1993, um promotor da justiça criminal civil apresentou acusações contra um dos comandantes, e o promotor público da justiça militar apresentou acusações contra 120 oficiais e soldados da polícia militar "pelos 'crimes militares' de homicídio, tentativa de homicídio e lesão corporal dolosa, no cumprimento do dever" (Amnesty International 1993: 27). Em 8 de março de 1993, o juiz do Primeiro Tribunal Militar de São Paulo aceitou as acusações apresentadas pelo promotor. Até dezembro de 1999, ainda não havia ocorrido o julgamento. Entretanto, em maio de 1996, a 8ª Câmara de Direito Público do Tribunal de Justiça decidiu que o estado de São Paulo não era culpado pelo massacre. Após examinar o caso, o juiz superior Raphael Salvador, também vice-presidente da Associação Paulista de Juízes, determinou que os presos eram responsáveis: "eles iniciaram a rebelião, destruíram um pavilhão e forçaram a sociedade, através de sua polícia, a se defender" (*O Estado de S. Paulo*, 4 de maio de 1996). Até agora, a única ação concreta gerada por esse episódio foi tomada pelo executivo. Sob pressão da mídia e da população, Fleury demitiu os seis principais comandantes do massacre. Além disso, embora tivesse no início apoiado o secretário de Segurança Pública, teve de substituí-lo e mudar sua política de tolerância em relação à violência policial. Michel Temer, que havia sido secretário durante a administração Montoro, foi convocado para o posto. Ele adotou imediatamente um discurso de legalidade e tentou impor novas regras: policiais envolvidos em tiroteios passaram a ser retirados do patrulhamento de rua e enviados para receber aconselhamento e um curso sobre direitos humanos dado pela Anistia Internacional. Sua política reduziu o número de mortes significativamente (ver Tabela 3), demonstrando que as autoridades públicas de fato têm meios para restringir a brutalidade policial.[19]

A administração de Mário Covas, que tomou posse em 1995 e foi reeleito em 1998, está mais uma vez comprometida em controlar os abusos policiais. Como mostra a Tabela 3, as mortes de civis diminuíram nesse período.[20] O secretário de Segurança Pública, José Afonso da Silva, atribui essa queda a duas iniciativas. A primeira é o PROAR, o Programa de Reciclagem de Policiais Envolvidos em Situações de Alto Risco, criado em 1995. Através desse programa, todos os policiais envolvidos em tiroteios fatais — não só os policiais que atiraram, mas todos os

[19] Ao contrário do que aconteceu em São Paulo, a administração do Rio adotou uma política declaradamente "dura", gerando um drástico aumento nas mortes causadas por policiais militares. Depois que o general Nilton Cerqueira tomou posse como secretário da Segurança Pública em 1995, o número de civis mortos aumentou seis vezes, de uma média de 3,2 por mês para 20,55. (Human Rights Watch/Americas 1997: 15.)

[20] A administração Covas também começou a publicar os números de mortes pela polícia civil, antes não disponíveis. Elas foram 47 em 1996 e 18 em 1997. O número de policiais civis mortos foi de 17 em 1996 e 11 em 1997.

membros da equipe — são removidos de seus cargos de patrulha por três meses e enviados para um programa de reciclagem, onde também recebem aconselhamento e são reavaliados antes de retornar a suas tarefas anteriores. A segunda é a criação de um *ombudsman* para a polícia, um posto assumido por Benedito Domingos Mariano, do Centro Santo Dias, um conhecido grupo de direitos humanos. Nos primeiros seis meses (dezembro de 1995 a maio de 1996), o *ombudsman* recebeu 1.241 denúncias, 246 das quais foram de violência policial cometida por ambas as forças (abuso de autoridade, espancamentos, torturas e homicídios). Em sua avaliação de 1997 das práticas de direitos humanos ao redor do mundo, o Departamento de Estado dos EUA creditou ao *ombudsman* "o aumento do número de investigações criminais internas abertas pela polícia de São Paulo de uma média anual de cerca de quarenta para mais de cem entre novembro de 1995 e junho de 1996" (Human Rights Watch/Americas 1997: 53).

Desde 1995, a política do estado de São Paulo de controlar a violência policial tem estado associada a um esforço federal na mesma direção, cujo principal símbolo é o Plano Nacional dos Direitos Humanos adotado pela administração de Fernando Henrique Cardoso em maio de 1996. Sua administração também criou um Prêmio Nacional de Direitos Humanos para homenagear as pessoas que defendem os direitos humanos, e começou a oferecer indenização a vítimas de abusos durante o regime militar. Pela primeira vez nas últimas décadas, os direitos humanos estão sendo publicamente defendidos pelo governo federal. A administração Cardoso também promoveu a transferência de julgamentos de homicídios envolvendo policiais militares da Justiça Militar para os tribunais civis (ver capítulo 4). No âmbito estadual, a administração Covas adotou um Programa Estadual de Direitos Humanos em 1997.

Apesar de as políticas de controle de abusos adotadas tanto no âmbito estadual quanto no federal terem efeitos positivos no combate ao desrespeito dos direitos humanos, elas não são fáceis de implementar. Isso se tornou claro nos meses de junho e julho de 1997, quando o Congresso estava debatendo a lei que transferiria para os tribunais civis a atribuição de julgar crimes de policiais militares. Concomitantemente, o governo federal, por intermédio de sua Secretaria Nacional de Direitos Humanos, estava elaborando um projeto de reforma policial para ser enviado ao Congresso, e o governador Covas apresentou uma proposta para transferir todas as atividades de patrulha para a polícia civil e eliminar a divisão entre as duas corporações policiais. Com o pretexto de exigir aumentos de salários, a polícia respondeu com greves e motins nas principais capitais e em alguns casos as duas forças policiais trocaram tiros e agressões. Esses incidentes foram amplamente documentados pela mídia.

A resistência a reformas vem não apenas da polícia, mas também da população e da mídia. Apesar do ultraje público depois do massacre de 1992, da reversão das políticas públicas e de seus resultados positivos, continua a existir significativo apoio a uma polícia "dura". Na semana seguinte ao massacre, por exemplo, policiais e alguns políticos, como o deputado Conte Lopes, organizaram manifestações a favor da PM. Estas atraíram considerável número de pessoas, causando grandes congestionamentos. Eventos da campanha eleitoral de 1994 revelam outras perversidades e ambiguidades. O comandante da PM durante o massacre, coronel Ubiratan Guimarães, apresentou-se como candidato a deputado estadual. Ele fazia parte de um grupo de políticos de direita que apoiam a violência policial e que se autointitula "bancada da segurança".[21] Tanto o coronel Ubiratan Guimarães como Afanasio Jazadji (que concorriam por partidos diferentes), eram identificados pelo número 111, ou seja, o número de mortos na Casa de Detenção. Assim, deixaram claro não apenas o tipo de polícia que apoiam, mas quanto espaço existe para endossar pública e diretamente a prática da violência. O número de votos que os candidatos da bancada da segurança receberam não foi muito expressivo se comparado aos votos que alguns deles receberam em eleições anteriores, mas foi suficiente para eleger três deles.[22] Juntos, eles somaram 191.231 votos, ou 1,76% do total de votos válidos. Esse resultado é encorajador se considerarmos que em 1986 Afanasio Jazadji foi eleito com mais de meio milhão de votos numa campanha baseada no ataque aos direitos humanos.

O episódio da Casa de Detenção e sua cobertura pela imprensa reúnem alguns dos tópicos de debate público mais importantes durante a consolidação democrática no Brasil. Nos debates que apareceram na imprensa, a questão do sistema judiciário foi quase totalmente ignorada. Houve pouca discussão sobre os parâmetros de legalidade *versus* ilegalidade ou sobre o papel que o judiciário deveria exercer na investigação das ações (por exemplo, a questão de que a Justiça Militar, e não a civil, estaria encarregada das investigações). Em vez disso, a imprensa exigiu investigação e punição por parte do executivo e do legislativo. Isso pressionou o governador a substituir o secretário de Segurança Pública e deu início a uma discussão sobre a abertura de uma comissão de inquérito dentro da Assembleia Legislativa. Isso revela não só os limites da consciência sobre o papel do judiciário e dos direitos civis no Brasil, mas também alguns vieses sobre como resolver conflitos. O Judiciário — amplamente tido como ineficaz — não foi de imediato considerado como a instituição que deveria conduzir a investigação, reparação e punição; esperava-se que ou o Executivo ou o Legislativo executasse essas tarefas. Ao não trazer os temas da legalidade, da justiça e do judiciário para a frente do debate, a imprensa ajudou a reproduzir as discussões sobre a violência no nível em que elas são determinadas pela violência extralegal do Estado e pelo sentimento popular: ela tacitamente reconheceu que decisões autônomas das autoridades policiais não são submetidas a um sistema de *accountability*, e que vinganças privadas rotineiramente passam ao largo do sistema judiciário. Poder-se-ia argumentar que a imprensa estava apenas reproduzindo fielmente uma questão social, algo confirmado pelo fato de que até agora a única punição ocorrida em relação a esse caso foi um ato do executivo (a

[21] Esse bloco inclui os seguintes deputados: Afanasio Jazadji, que defende a tortura e ataca os direitos humanos em seus programas de rádio, e foi o deputado mais votado em São Paulo em 1986; Erasmo Dias, ex-secretário da Segurança Pública sob o regime militar; o ex-policial militar Conte Lopes Lima, o mais ativo defensor da PM quando do massacre de 1992; e o delegado Hilkias de Oliveira.

[22] Conte Lopes foi eleito com 66.772 votos; Afanasio Jazadji foi eleito com 58.326 votos; Erasmo Dias foi eleito com 28.178 votos; o coronel Ubiratan teve 26.156 votos e não foi eleito; Hilkias de Oliveira obteve 11.799 votos e não foi reeleito.

suspensão de seis comandantes pelo governador Fleury e a demissão do secretário de Segurança Pública). Entretanto, pelo fato de essa mesma imprensa ter se orgulhado de instigar mudança ao forçar uma investigação de corrupção no executivo e o *impeachment* de um presidente poucos dias antes do massacre, era razoável esperar que ela desempenhasse papel semelhante após o massacre. O fato de que isso não aconteceu revela os desafios que a questão da violência e da justiça apresentam ao processo de democratização.

A história recente das políticas de segurança pública mostra que dois governadores preferiram o caminho mais popular de garantir a impunidade da polícia e fechar os olhos às violações e ao crescimento da violência que as acompanha. Fazer cumprir o estado de direito no campo dos direitos civis e individuais é uma política impopular, mas que foi adotada por Franco Montoro e Mário Covas. Pode-se concluir que, já que a tendência tradicional é o abuso, parece ser mais simples aquiescer a ela do que tentar consolidar o estado de direito. Também é claro que apenas uma forte vontade democrática, embora necessária, não é suficiente para criar uma sociedade respeitadora dos direitos humanos e reverter o padrão tradicional de abusos, se uma parte dos cidadãos opõem-se a isso.

Essa história de abusos que culmina com o episódio da Casa de Detenção também indica a importância da opinião pública e das concepções de violência como um remédio para a violência. É importante, então, analisar a visão da população sobre a polícia e o sistema judiciário e a lógica que está por trás de seu apoio à violência. Essa análise ajuda a explicar o papel enfraquecido do judiciário e a preferência em resolver conflitos ou por um ato do executivo ou por um processo privado.

A polícia vista pelos cidadãos

As camadas trabalhadoras brasileiras experienciam a violência diariamente, tanto por parte de criminosos como da polícia, que as transformou em seu alvo principal.[23] Em consequência, os membros das camadas trabalhadoras não confiam na polícia e dificilmente têm uma visão positiva dela. Na maior parte dos casos, eles têm medo da polícia, e com razão.

5.1

— Olha, se chegar pra mim um cara e falar pra mim "eu sou bandido, eu vou levar a senhora até em casa", eu aceito mais do que um cara fardado chegar perto de mim: "eu sou policial e vou levar a senhora". Não, eu não confio na polícia. Tenho medo de polícia (...) Duas vezes quase que eu fui levada até presa.

Empregada em serviço de limpeza em aeroporto, Cidade Júlia, 34 anos, casada, três filhos; o marido está desempregado.

---

[23] Há também considerável violência doméstica em todas as classes da sociedade brasileira. No capítulo 9 discuto o tema do castigo físico de crianças.

5.2

– Você sabe que a polícia confunde, ou muitas vezes, pra se nomear, pra se engrandecer, ela mata, inconscientemente, um inocente, acusando como bandido. Ela bota o revólver ali na mão do coitado. Você pode, ó, se você não tiver amizade, não tiver sabedoria... teu filho morre como bandido sem ele ser bandido, porque a polícia matou por engano, mas ele pôs como bandido e vai como bandido (...) Eu estou sabendo de um aluno, porque não estava com documento, saiu correndo de medo da polícia e foi atirado e foi mantido como bandido, sem ele ser.

Dona de casa e líder de bairro, Jaguaré, 35 anos, 4 filhos; o marido é trabalhador especializado de uma fábrica têxtil.

5.3

– A polícia só prende esses cara trabalhador, esses trabalhador que trabalha, pai de família. Aí eles prendem, batem, fazem o que querem. Agora, esses bandidos aí, não (...) Se um cara desses, um pai de família, esquece o documento em casa, mesmo que ele esteja com a marmita, se ele esquece o documento dele em casa e a polícia pegar ele aí na rua, aí, ele vai pra cadeia. Mas se for um bandido, não (...) Rouba no fim da tarde, os caras prende, divide o dinheiro... O mundo tá completamente virado, não tem jeito.

Auxiliar de escritório, 18 anos, Jardim das Camélias, mora com os pais, uma irmã e dois sobrinhos.

Para a maioria dos membros das classes trabalhadoras, suas experiências com a polícia são de arbitrariedade. Suas descrições de como a polícia mata por engano e encobre os assassinatos coincidem com os relatos das organizações de direitos humanos e os de Barcellos (1992): o padrão é bem conhecido. A polícia confunde trabalhadores com criminosos, usa de violência contra eles e tenta disfarçar seus erros. Para a polícia, como para muita gente, a fronteira que separa a imagem do trabalhador pobre da do criminoso é de fato muito tênue. Em consequência, membros das classes trabalhadoras podem ser molestados pela polícia, mortos como criminosos e suas reações naturais de medo (como fugir) podem ser interpretadas como comportamento de criminosos. As narrativas de pessoas das classes trabalhadoras estão cheias de exemplos de problemas causados por essa confusão entre trabalhadores e criminosos, assim como de expressões de indignação geradas por ela. Além disso, seu discurso é pontuado por referências a sinais que deveriam provar suas identidades como trabalhadores e sua dignidade, como a carteira profissional, a marmita e os calos nas mãos. No entanto, mesmo os sinais mais claros podem ser ignorados por uma força policial que, na opinião popular, pode ser violenta com os trabalhadores mas branda com os criminosos. As razões que os trabalhadores dão para pensar que os criminosos recebem "melhor tratamento" se enquadram em duas categorias. De um lado, acreditam que a polícia tem interesses monetários no crime e nos criminosos: os policiais são corruptos e podem estar envolvidos diretamente com o crime. De outro, estão convencidos de que a polícia não está bem preparada para cumprir suas tarefas. Em ambas as circunstâncias, as imagens usadas para caracterizar o criminoso também podem ser usadas para descrever a polícia.

5.4

— Ainda ontem mesmo eu estava escutando no rádio, o repórter falando que parece que já foi preso três policial e um delegado, eles mesmo estão roubando! Quer dizer que os próprios policiais são bandidos também (...) Mas o pior é que essa Rota aí, eles às vezes matam até pessoas inocentes. Então, eles matam as pessoas inocentes enquanto que os bandidos estão aí soltos na rua. Agora: por que é que não prende os bandidos? Porque eles dão dinheiro para eles, né? Eu acho que sim. Porque eles vão roubar, eles dividem com eles e tudo bem, aí vai passando.

Dona de casa, Jardim das Camélias, 33 anos, quatro filhos; participou de vários movimentos sociais e associações locais; o marido é trabalhador especializado de uma pequena fábrica têxtil.

5.5

— Eu não vejo eles muito como... funcionários do estado, eu vejo eles mais à mercê das coisas; eles estão aí mais para ganhar o deles... em termos de comercialização e tráfico de drogas, em termos de comandarem... não sei o termo disto, mas... a prostituição, de comandarem redes de hotéis especializadas em uma hora, esses hotéis que se alugam por hora. E dentro da polícia há muitos interesses pessoais entre eles, aglomeração de homens; eu sempre vi isso como algo que sempre tende... algo meio fora, algum desvio... Em suma, a polícia para mim é também corrupta. Porte de armas, armas, drogas, coisas assim que são... que envolvem muito dinheiro, sabe? Ela tem a função de apreender essas coisas; ela apreende e joga de novo, e criam um capital para comprar hotéis.

Universitário, 23, Mooca, desempregado; tem diploma de comunicação com especialização em rádio, mora com os pais.

Mesmo quando não se acha que a polícia é corrupta, considera-se que ela está despreparada para a função. Em geral, afirma-se que a polícia está próxima dos maus elementos do ambiente do crime: perversão, doença, prostituição e más influências são apenas alguns dos elementos de uma longa lista.

5.6

— O que que eu acho da polícia? Olha, eu acho o seguinte: lamentável, né?, com trabalhadores como nós. Mas é lamentável que a polícia hoje está muito despreparada. Não é por culpa do soldado, do policial; mais uma vez, é a estrutura geral que está muito despreparada.

[Ele argumenta que os homens que se tornam policiais são muito jovens e sem o necessário treinamento. Por isso, sentem-se inseguros e com medo quando têm de enfrentar os criminosos. Em consequência, usam suas armas mais do que o necessário a fim de superar seus medos ou às vezes "só para mostrar que são homens". Além disso, dada a falta de instrução, eles não têm noção de que estão lá para servir a sociedade, que são pagos com o dinheiro dos impostos e que não deveriam molestar os cidadãos comuns.]

— Hoje em dia o policial encara todo mundo, todo mundo pra ele é bandido, todo mundo pra ele é marginal, todo mundo merece ser preso e todo mundo tem que respeitá-lo. É lamentável, é falta de preparo. A polícia sempre foi despreparada e está piorando. Nunca foi boa.

Proprietário de um bar, Mooca, tem diploma de direito mas não exerce a profissão; solteiro, mora com três colegas.

5.7

– A polícia é uma calamidade pública! Acho que é falta de capacidade dos policiais. Eu acho que eles pegam qualquer um pra ser guarda. Pegam qualquer um que vem lá da Paraíba, do Maranhão, daqueles fim de mundo lá; não sabem nem ler e é guarda! É PM! Que que um cara desses entende? Principalmente de lei? Deve ser isso, né? Você não vê, na polícia, você não vê paulista nato; você vê tudo nortista! (...) A polícia, qualquer dez cruzeiros compra uma polícia! Eles tão lá, mais ou menos nesse bloco aí, pra pegar dinheiro mesmo. Eles quer dinheiro, principalmente a PM.

Operário especializado, aposentado, Jardim Marieta; cerca de 60 anos, casado, dois filhos.

5.8

– A polícia? A polícia tem medo de enfrentar bandido armado! Só a Rota que não rateia – a Rota é o tipo do Esquadrão da Morte... O resto!... Você sabe que se você depender de um policial pra te defender, você pode esquecer. Em mil, se encontra um que tem coragem, que ele pensa na família dele (...) A polícia não tem uma base de treinamento, eles não têm uma base de educação. E a maioria, agora eles tão começando a ter um pouquinho de educação com o público. Mas a maioria deles eram uns cavalos, uns animais. Ninguém desmente. A maioria deles eram uns cavalos, ignorantes... e uns analfabetos! (...) Se eu depender de socorro da polícia, é mais fácil eu pedir socorro pra um bandido e ele me socorrer de outro bandido do que a polícia. Que que eles falam? "Eu tenho filho pra criar, eu tenho uma casa pra sustentar, eu não vou morrer aí, porque eu não ganho salário pra isso." Quer dizer, a gente picha, mas não é pra pichar o policial, mas é pichar a base de onde vem. E quem é a base? O governo! Então, eu acho que nisso o governo tinha que dar apoio maior, um apoio moral, um apoio financeiro, porque eles se expõem ao perigo, a gente tem que ver isso, né?

Dona de casa e líder de bairro, Jaguaré, 35 anos, 4 filhos; o marido é trabalhador especializado de uma fábrica têxtil.

Mesmo quando as pessoas conseguem entender os perigos enfrentados pelos policiais e suas más condições de trabalho — muitos dos quais vivem no mesmo bairro — e encontram alguma justificativa para sua ineficiência, elas não deixam de criticá-los. Essa crítica é elaborada por meio de associações da polícia com os estereótipos e elementos que compõem a imagem do criminoso: eles são considerados como vindos do Nordeste, mal-educados, animalescos, ignorantes (sobre seu papel público) e assim por diante. Na verdade, quando as pessoas falam sobre crime, os dois principais personagens do universo do crime — o criminoso e o policial — não estão em lados opostos, mas, ao contrário, compartilham muitas características.

Muitas vezes, e especialmente em narrativas das classes mais altas, a polícia é descrita com os mesmos estereótipos que degradam os pobres. Por exemplo, na citação 5.6, a arrogância do policial (retratado como alguém sem educação) com uma arma nas mãos é descrita da mesma forma que uma entrevistada da classe alta descreve a arrogância de um trabalhador que compra um carro novo (citação 2.14). Essa tendência também aparece no comentário a seguir sobre os riscos envolvidos na expansão dos serviços de segurança privada.

5.9

— Logicamente que você soltar carinha de firma por aí armado pela cidade é mais um risco. Quer dizer, com os policiais já é uma coisa horrorosa. Você imagina... se você expande o número de caras armados, eu acho que pensando em termos globais, deve dar uma coisa meio ruim (...) Você pode até argumentar que isso tanto faz ser público ou privado, os caras que estão armados são todos provenientes da mesma mentalidade, da mesma classe social, e tão despreparados quanto, ou tão prontos a usar as armas para qualquer bobagem quanto.

Jornalista free lance, *43 anos, Morumbi; divorciada, dois filhos.*

A fusão de imagens de criminosos com as de policiais, e das de ambos com as imagens dos pobres, é frequente em discussões sobre o crime. Em todas as circunstâncias, a confusão pode levar à morte — de pessoas da classe trabalhadora. Consequentemente, não só as pessoas estão sempre com medo e desconfiadas, mas também fica difícil imaginar a reação certa — correr ou não correr — quando se veem cara a cara com policiais ou com criminosos. No caso dos criminosos, parece que fingir ignorância é uma das melhores saídas.

5.10

A — Muitas vezes acontece um assalto ali, daí a vizinhança cai em cima dizendo que é aquele, é aquele — a polícia fala: "eu não peguei de flagrante, então não levo", e vai embora. E o que acontece? O cara, pra se vingar, sai matando meio mundo, que é o que acontece hoje em dia por aí: "Ah, você me entregou pra polícia...", que muitas vezes acontece. Isso quando acontece um crime assim na rua... A população não colabora com a polícia por isso, né? (...) É medo de dar vingança, ele pega e não fala nada; pega, fala que não viu nada. Eu mesmo, se eu ver um ladrão matando alguém, eu mesmo não vou querer saber. Eu finjo que não vi nada. Se a polícia me perguntar, eu vou falar: eu não vi nada.

— Se por acaso você for assaltado, você acha que vale a pena dar queixa?

A — Eu acho que não vale, não. A gente vai dar a queixa, o delegado vai perguntar "onde foi isso?", a gente faz tudo e ainda sai louco da vida, sabe que a gente vira as costas, ele rasga o papel e joga fora.

O mais velho dos três irmãos que vivem no Jardim das Camélias — 22 anos, mecânico de automóveis e casado.

Em situações de crime e violência, os trabalhadores sentem-se impotentes. Ficam paralisados entre o medo da polícia, o medo da vingança do criminoso e, como veremos, a crença de que o sistema judiciário é incapaz de oferecer justiça. Sem proteção, adotam o silêncio como uma maneira de manter boas relações com criminosos que podem até conhecer pessoalmente.

Ironicamente ou não, essas visões foram confirmadas por um policial, um PM que mora no Jardim das Camélias, que se descreve como um trabalhador e integrante das classes trabalhadoras, e que compartilha muitas das opiniões de seus vizinhos, incluindo a de que o silêncio é uma boa tática para lidar com ameaças de vingança.

5.11

PM – Fim de semana prolongado é um desastre. O pessoal sai para viajar, quando volta na segunda-feira ou no domingo à noite, é aquele monte de telefonema, que a casa tá arrombada, levaram tudo. E o pior de tudo é que a vizinhança não vê. Aliás, o povo vê e tem medo de avisar.

– *E porque o povo tem medo de avisar?*

PM – Devido à fragilidade das leis. Ele sabe que se ele avisar a PM, ou a polícia, a polícia civil, qualquer uma que seja, ele não vai ter proteção.

– *Como assim?*

PM – A gente não pode dar proteção individual, né? A não ser que venha de uma ordem superior que a gente tem que fazer a proteção daquela pessoa devido ela ser testemunha de algum crime, ou coisa parecida. Agora, se simplesmente a viatura passar e ela falar "olha, tem dois bandidos dentro daquela casa ali"... tudo bem, a gente vai lá e prende o cara, só que aquela pessoa depois fica à mercê dos bandidos. A gente não vai poder estar passando toda hora na frente da casa dela, olhar se está tudo bem e tal. Muito porque o material bélico nosso – material bélico que eu digo é viatura, essas coisas – é frágil.

– *E que mais que você acha que precisaria mudar para facilitar o trabalho de vocês?*

PM – Nosso? Nosso não precisava mudar muita coisa, não. Só haver justiça. Porque é desanimador você levar o indivíduo para o Distrito... Porque a corrupção tem em todos os lugares. Não estou querendo escapar a PM também disso. Tem certos policiais corruptos. Mas na área da polícia civil, aqui em São Paulo, é mais. É desanimador você pegar um indivíduo, levar para o Distrito e o delegado – coisa que eu já vi –, o delegado pegar o dinheiro do cara e falar assim: "Deixa o PM sair pra não ficar mal, que eu vou te soltar atrás". Eu já vi isso acontecer, eu sair e ficar olhando o cara sair pela outra porta. Quer dizer, já passa daí, né? Eu acho que no Brasil também deveria arrumar um jeito de acabar com a corrupção, porque está virando um... Outro dia eu estava comentando com um colega meu que isso aqui virou um Paraguai. Aqui é tudo na base do dinheiro. Você quer conseguir alguma coisa, você paga. Entendeu?... Tem muita gente que deve na rua devido à corrupção. Teria também que haver uma legislação eficiente em relação à corrupção (...) Se houvesse justiça, mais alguma reformulação nas leis... não precisava ser muito, o cara dar uma estudadinha melhor para ver se dá para reformular da forma que a gente quer. (...)

O polícia militar é muito ridicularizado. Eu estava comentando que, antigamente, há uns tempos atrás, o polícia militar, era um orgulho andar fardado na rua. Hoje em dia é motivo de vergonha, o policial anda fardado, ele anda meio assim olhando, pra ver se tá bem... Os caras ficam olhando para ele, ele já acha que os caras estão rindo da cara dele (...) Às vezes por falta de respeito, às vezes pela brutalidade dos próprios polícias. Que tem polícia hoje em dia... Não vamos atribuir toda a falha à sociedade, eu acho que tem polícia hoje em dia também que não está preparado para exercer a função. Onde ele vai, já mostra a carteira: "sou polícia, não sei o quê". Isso aí não devia acontecer, né? É o abuso. Ele gosta de prevalecer pela farda ou pelo fato de ele ser polícia (...) A população fala mesmo, não gosta de polícia, não sei por quê. Não sei se é por causa das leis, sei lá, sei que de certa forma o pessoal não gosta de polícia. Inclusive a população tem medo da polícia hoje em dia, né?

Policial militar, Jardim das Camélias, cerca de 30 anos, casado com uma mulher que trabalha como secretária em uma fábrica, um filho; nas horas de folga trabalha como segurança particular.

Em suas descrições de criminosos, as pessoas que entrevistei sempre me lembravam que é preciso ter cuidado com generalizações, que em qualquer categoria há bons e maus elementos. O mesmo deveria valer para discussões sobre a polícia. Mas mesmo quando um policial age do modo como deveria, a desconfiança popular é tão difundida que as pessoas preferem manter suas avaliações negativas e ver o caso como uma exceção. Essa foi a atitude de uma entrevistada da Mooca que me disse que um policial tinha devolvido três correntes de ouro que lhe haviam sido roubadas num semáforo. Quando o policial ligou, ela supôs que ele queria dinheiro. Quando percebeu que ele estava realmente devolvendo as correntes, ela ficou tão abismada que escreveu para a coluna do leitor da *Folha de S. Paulo*. Apesar disso, no entanto, sua opinião sobre a polícia continua inalterada: "Esse caso não me convenceu, mas até hoje eu admiro ele". Se levarmos em consideração a arbitrariedade e a violência da polícia, a constante confusão (trabalhadores tidos por criminosos, policiais tidos por criminosos), a identificação de criminosos com policiais (tanto simbólica como material) e com pessoas pobres — em suma, o contexto de incerteza, confusão e medo tanto dos policiais quanto dos criminosos —, podemos apenas concluir que a polícia está longe de ser capaz de oferecer um sentimento de segurança às classes trabalhadora e média baixa. A população frequentemente se sente pressionada contra a parede e sem alternativas.

5.12

— Você vai procurar saída de que jeito? Não tem solução pra procurar uma saída dessas... que solução que você vai procurar? Você vai, você vai fazer reclamação de um polícia, ele vai te perseguir depois... E a gente tem medo de morrer, que essa gente anda tudo armado! Você vai fazer uma queixa de um político... se ele descobrir que é você, eles vão mandar te prender... Então, você não pode fazer nada. Você tá mal, você quer fazer as coisas e não pode fazer. Se você for fazer, você vai preso... tá condenado à morte!

Operário especializado aposentado, Jardim Marieta, cerca de 60 anos; casado, dois filhos.

O sistema judiciário está tão longe de ser visto como confiável que em muitas entrevistas nem foi mencionado como um elemento no controle do crime: o universo do crime parece incluir apenas criminosos, policiais e cidadãos impotentes, que têm de negociar sua segurança por conta própria e entre si. O sistema judiciário é visto como totalmente enviesado contra trabalhadores, a quem não ofereceria a possibilidade de justiça. Nas entrevistas com pessoas de todas as classes sociais, a reação mais comum a menções do judiciário foi: "É uma brincadeira, uma piada!". Frequentemente, as pessoas não quiseram entrar em detalhes: era algo óbvio. Algumas pessoas, entretanto, estenderam-se em suas opiniões.

5.13

— A justiça neste país não funciona. Isto eu afirmo por mim mesmo porque eu vejo as coisas acontecerem e as coisas não têm uma resposta satisfatória para todos. A justiça, a lei, neste país, não existe. O setor judiciário não existe. Vida de advogado é meio que farsa neste país. Infelizmente a maioria tem que se corromper para sobreviver, tem que favorecer a essas pessoas que têm poder. Eu adoro a imagem do advogado, mas a imagem universal do advogado; a imagem do advogado no Brasil para mim é ultrajante. Para você conseguir uma coisa que você sofreu que você tem que remediar e depende da justiça, além de você ir envelhecendo com essa perda que você teve, de ela não ser remediada a curto prazo, além de você só conseguir esta coisa daqui a anos, você gastou muito. Hoje quem usa um advogado tem que ter dinheiro também...

Universitário, 23 anos, Mooca, desempregado; tem diploma de comunicação com especialização em rádio, mora com os pais.

5.14

— Ele (Doca Street) devia ficar preso, pegar aquela prisão perpétua, porque ele matou a moça a sangue frio. Vi passar isso daí, não era pra ele estar solto de jeito nenhum.[24]

— *E por que você acha que deixaram ele solto?*

— Eu acho que foi dinheiro, muito, porque matar uma pessoa assim friamente que nem ele matou ela, era pra estar preso o resto da vida dele. Foi absolvido, você vê: a gente nem sabe dizer se a justiça é justa ou se não é (...) Eu garanto que se fosse uma pessoa bem pobre, que não tivesse dinheiro, tava na cadeia ainda (...) Cara bem rico, ele pode contratar os melhores advogados e nisso aí ele pode ser solto; um pobre, coitado, não tem dinheiro nem pra cair morto, como é que vai pagar advogado?... Sei lá, a justiça, você vê o caso desse outro homem: ele era inocente, porque ele matou pra se defender, dentro da casa dele, quer dizer que não era pra estar preso! Ele não matou pra se defender e pra defender a esposa e os filhos? Eu acho que não era pra ele estar preso.

Dona de casa, ex-empregada doméstica e operária, Jardim das Camélias, 28 anos, casada, três filho; seu marido é assistente de enfermagem em um hospital.

5.15

— Eu sempre falo para o meu cunhado, quando eu fico revoltado com alguma coisa, que aqui no Brasil não tem lei. O país é sem lei, não é? Acontece coisa, desgraça com o cara que é pobre, um coitado, fica por isso mesmo. Tenho até prova de um caso que aconteceu com um ajudante...

[Ele conta o caso de um rapaz de 19 anos que trabalhava como ajudante de um motorista de caminhão de uma empresa de transportes. Ele foi morto por um outro caminhão que fez

---

[24] Ela se refere ao famoso crime envolvendo duas pessoas da classe alta e frequentadores assíduos de colunas sociais. Doca Street matou sua namorada, Ângela Diniz, e foi absolvido durante um julgamento controvertido no qual seus advogados argumentaram que ele tinha agido em "legítima defesa da honra". O julgamento provocou uma forte reação das feministas, que desafiaram o argumento jurídico de "legítima defesa da honra" usado para absolver homens que matam suas mulheres. Para uma história desse argumento e de como seus usos têm mudado, ver Ardaillon e Debert (1987) e Americas Watch (1991a). Tal argumento foi considerado ilegítimo em 1991 pelo Supremo Tribunal Federal. É interessante observar que a entrevistada das camadas trabalhadoras que cito não está se referindo a esse crime da forma como ele geralmente é discutido — como uma prova de um sistema judiciário machista —, mas como uma prova de um sistema judiciário com um viés de classe.

uma manobra errada num posto de gasolina. As pessoas viram o caminhão, anotaram a chapa e foram até a empresa, mas o dono recusou-se a dar o nome do motorista, e a polícia não fez nada.]

Quando acontece alguma coisa, por exemplo: um empresário é sequestrado, é notícia o ano inteiro. A polícia vai atrás, vai fundo.

Vendedor desempregado, 32 anos, solteiro, mora com uma irmã casada na Mooca.

Essas opiniões são claramente confirmadas pelos indicadores disponíveis. De todos os crimes registrados pela polícia civil no município de São Paulo em 1993 (389.178 boletins de ocorrência), apenas 20,4% resultaram na instalação de inquérito. Na última década, essa taxa variou entre 17% e 21%. Em 1993, no que se refere aos crimes de homicídio doloso, a taxa foi de apenas 73,8%, enquanto para o tráfico de drogas ela alcançou 94,4% (Seade, dados não publicados).

Sentimentos de medo e vulnerabilidade em relação à polícia, junto com a visão de que o sistema judiciário é tendencioso ou até mesmo totalmente injusto, fazem com que pessoas das camadas trabalhadoras se sintam pressionadas contra a parede. Algumas simplesmente aceitam o *status quo*. Outras procuram alternativas. Estas são em geral encontradas fora dos limites da legalidade, e podem ser de dois tipos. Por um lado, as pessoas consideram a possibilidade de reagir privadamente e fazer justiça com as próprias mãos. Em geral, essa alternativa está mais no nível do discurso do que no da prática. As pessoas podem expressar seu descontentamento e sua frustração defendendo a vingança pessoal, mas isso não significa que ajam dessa maneira. Por outro lado, as pessoas apoiam o uso de força letal contra supostos criminosos. Essas são reações paradoxais, já que as pessoas estão geralmente pedindo à polícia, de quem têm medo, para ser violenta "com quem merece". Apesar disso, sua lógica é clara: uma vez mortos, os criminosos deixam de ser uma ameaça. Entretanto, o paradoxo permanece: ao apoiar a ação violenta da polícia, os trabalhadores estão apenas ajudando a violência a se espraiar e aumentando suas próprias chances de vitimização. Um entrevistado falou sobre seus problemas com a companhia em que trabalhava até alguns dias atrás, que não pagara seu fundo de garantia. Ele abriu um processo contra a companhia na Justiça do Trabalho, mas estava tendo problemas para levá-lo adiante.[25]

5.16

– Explica pra mim aonde tá a lei! Onde tá a lei? Existe lei?

– A lei existe, na minha opinião, mas ela existe...

– Aqui no Brasil não tem condições (...) Porque eu acho, sei lá, eu sou um cara meio revoltado com injustiça, viu, meu!... Eu não me conformo com uma coisa: por que o governo faz tanta sacanagem com o trabalhador? (...) A lei funciona pra um lado só. Pro lado do quê? Do quê? Pra onde eles tá ganhando dinheiro! Pro lado do dinheiro! É lógico!! Rapaz, você num acha que um cara tem que ficar revoltado? Mas eu sozinho vou ficar revoltado? Vai adiantar alguma coisa? (...)

---

[25] Entrevista de Antonio Flávio Pierucci (F), integrante da equipe de pesquisa do Cebrap.

Então, é o seguinte: o povo, o pobre, que não tem dinheiro, é que se fode. É isso que me deixa mais irritado da vida por causa disso. Por que? Só manda o dinheiro. E existe justiça no mundo? Por isso que eu falei pro dono da firma hoje, eu fui cobrar dele, eu falei: eu vou arrebitar você, eu sei onde você mora! Bicho, eu vou morrer na detenção.

— *Que é isso! Não fala assim, cara!*

— Os outros sócios, é tudo safado também. Porque não existe lei nesse mundo. Então, lei você tem que fazer com as próprias mãos.

— *E isso leva a quê?*

— Adianta alguma coisa, porque você fez justiça. Já que não existe lei, você fez justiça com as próprias mãos. Eu acho bacana isso.

Trabalhador especializado em uma indústria metalúrgica, recém-demitido do emprego; Cidade Júlia, 27 anos.

O forte sentimento de ser continuamente uma vítima de injustiças, não importa o quanto se trabalhe ou quão bem (ele trabalhava desde os 11 anos), é drasticamente expresso por este entrevistado: a vingança privada e individual é defendida como o único recurso ainda disponível — embora isso provavelmente viesse a destruir sua vida. Algumas vezes, entretanto, as pessoas imaginam formas privadas de vingança que seriam menos arriscadas. Algumas pessoas acham que a administração da justiça sumária deveria ser um trabalho da polícia. Esse é o tipo de raciocínio que apoia as execuções sumárias da polícia e no âmbito do qual a violência e a ilegalidade policial podem ser vistas como positivas. Nesse contexto, o Esquadrão da Morte e a Rota, em vez de temidos, são admirados pelo público — um sentimento que policiais militares estão sempre prontos a citar para justificar seus abusos. Exatamente o mesmo tipo de percepção que leva ao apoio aos justiceiros e à tolerância com linchamentos.

5.17

— Eu queria que existisse ainda o Esquadrão da Morte, sabe? O Esquadrão da Morte é a polícia que só mata; o Esquadrão da Morte é a justiça com as próprias mãos. Eu acho que podia existir isso ainda. Tem que fazer justiça com as próprias mãos, mas os próprios delegados fazer, as próprias autoridade, não a gente. Por que que a gente vai pegar o cara e matar? Por que que a gente paga imposto? Pra isso, pra ser vigiado, pra ter melhores condições, como é que chama? — materiais. Não adianta a gente linchar, o direito tinha que ser deles, o dever é deles, que a gente paga imposto pra isso. (...) A lei tem que ser essa: matou, morreu.

Auxiliar de escritório, Jardim das Camélias, 18 anos; mora com os pais, uma irmã e dois sobrinhos.

5.18

— Esquadrão da Morte foi joia, foi a melhor polícia que teve. Depois que entrou o Esquadrão da Morte e matou o Saponga, matou ele lá no Tremembé, acabou. São Paulo ficou até 72 sem ter crime igual tinha antes. Foi uma beleza. Depois começou a condenar os caras do Esquadrão da Morte. Era bom, e é, o Esquadrão da Morte, mas matar o cara certo, entendeu?, matar o cara certo. Que o cara que não presta tem que morrer mesmo — fica aí comendo comida, atrapalhando a vida dos outros, então some logo com ele, dá lugar pra outro.

— *Mas quem é que decide quem é o cara certo e quem é o cara errado?*

— É no flagrante, pegar o cara roubando na hora. Se o cara sabe que o cara é perigoso, então vai procurar o cara. Pegou, matou. Nada de prender. Prender já era!

Motorista, Jardim das Camélias, 32 anos; foi motorista de táxi e agora trabalha como motorista para uma instituição pública; casado, quatro filhos.

Para algumas pessoas, pedir justiça à polícia significa pedir a ela para exercer vingança imediata — como frequentemente ela faz —, sem a mediação do sistema judiciário e sem dar aos supostos criminosos a chance de subornar policiais. Desse ponto de vista, a polícia não tem mais nada a ver com a lei e o judiciário — ambos considerados tendenciosos e injustos —, mas também não está agindo privadamente (como justiceiros). Seus integrantes ainda são vistos como agentes públicos, pagos com dinheiro de impostos, mas pagos para serem os executores de uma vingança imediata, de uma violência que pode ser ilegal, mas que é considerada justa e eficiente. Essa visão tem implícita a implosão dos modelos legais dos papéis da polícia e da justiça. A perversão desses modelos encontra sua lógica nas experiências cotidianas de abusos e injustiças praticadas pelas instituições da ordem, na ausência de uma noção de direitos individuais e no desejo de justiça e vingança das pessoas. Se a lei fosse eficiente, se a Constituição fosse respeitada, talvez nada disso fosse necessário. Mas, já que as instituições da ordem falham, a vingança particular parece necessária e as pessoas podem ir até o ponto de defender o linchamento, algo que também tem crescido no Brasil contemporâneo.[26]

Um dos efeitos mais paradoxais da experiência de contínuas arbitrariedades e injustiças sofridas pelas classes trabalhadoras é que respeitar a lei pode ser visto como uma forma a mais de injustiça. A aplicação de princípios legais ou o reconhecimento de alguns direitos podem ser percebidos apenas como uma outra forma de abuso e negligência em relação aos direitos das camadas trabalhadoras. Uma indicação nesse sentido é a campanha contra os direitos humanos que analiso no capítulo 9. Outra é o exemplo sempre repetido (por exemplo, 5.14) de que é injusto condenar um homem que mata a fim de defender sua família.

5.19

— Eu acho também que a polícia, eles dão muita colher de chá para esses bandidos. Que uma coisa que me revolta é que um bandido pode matar um pai de família, agora, um pai de família não pode matar um bandido. Se ele entra na minha casa, quer dizer que eu não posso fazer nada, agora eles podem pintar e bordar. Eu me revolto. E eu digo firme: eu sou a favor da pena de morte, que Deus me perdoe, mas (...) É... eu acho que quando eles falavam nos direitos humanos eles acham que não pode matar ninguém, né? Acho que... sei lá... Agora, eu não concordo. Eu mesmo, tenho um conhecido meu, ele tinha uma mercearia, pequena; os bandidos entraram, acho que pela terceira vez, roubaram, ele achou que era um de desaforo, né? Foi, atirou.

---

[26] De acordo com Martins (1991: 22), entre 1979 e 1988 a imprensa registrou 272 linchamentos no Brasil, 131 no estado de São Paulo. Em abril de 1991, um linchamento foi transmitido pela televisão em cadeia nacional.

Um morreu, o outro parece que foi preso. Ele, coitado, teve que fugir. Fechou a mercearia, abandonou tudo, foi embora para o interior de SP. Agora, o outro que foi preso, no outro dia tava na rua. Agora, ele falou que quando ele encontrar, ele vai matar; eles ainda entram, eles roubam e ainda ameaçam o pai de família que precisou largar sua casa, seu lar, deixou tudo. Fechou, não mexeu em nada, não voltou mais no local, com medo. Eu não concordo de jeito nenhum.

Dona de casa, Jardim das Camélias, 33 anos, quatro filhos; participou de vários movimentos sociais e associações locais; o marido é trabalhador especializado de uma pequena fábrica têxtil.

O exemplo do trabalhador pobre que é punido por defender sua família e seu trabalho revela a perplexidade das pessoas em relação à aplicação da lei. Por que as pessoas deveriam ser punidas em casos de "defesa da honra"? Este argumento nos traz perigosamente para perto da justificativa para absolver homens que mataram suas mulheres. As camadas trabalhadoras, entretanto, formulam uma outra questão: por que deveria a lei, que nunca funciona mesmo, punir nesse caso? Mesmo quando a justiça age corretamente, parece injusta, porque é como se não levasse em consideração o contexto em que as coisas acontecem, um contexto definido pela ineficiência das formas públicas de reparação e proteção. Os perigos dessa visão são imensos, já que ela é articulada fora do parâmetro da legalidade e de um sistema público de restituição. Dois entrevistados perceberam claramente os perigos de privatizar tal sistema.

5.20

– O problema hoje em dia é esse: a impunidade. Agora, não saberia como resolver isso. Não estou me colocando aqui como salvador da pátria. Estou vendo os problemas e não sei como resolver. Eu acho que isso compete às autoridades.

– *O senhor acha que individualmente as pessoas não vão conseguir resolver isso?*[27]

– Individualmente, não.

– *Por exemplo, onde eu moro as pessoas sabem da ineficiência do governo, dessa impunidade que o senhor está colocando, começaram eles mesmos a contratar policiamento, eles mesmos a ter armas em casa...*

– Eu acho que esse caminho aí seria o extremo, seria o fim da nação, seria o fim do governo. Se o governo não consegue conter o ímpeto de criminalidade, seria o fim, seria o caos.

Atacadista, Mooca, 45, casado; mora com a esposa e dois filhos.

5.21

– Aí fica um círculo vicioso: a população fica ultrarrevoltada pelas barbaridades que os ladrões, os criminosos, assaltantes, cometem. E cometem mesmo. Eu acho, por exemplo, em nível pessoal, que se alguém matasse alguém de minha família e eu visse que o cara não foi julgado, não fosse condenado, eu mandava matar ou matava. A nível pessoal, aí entra toda uma emotividade, mas a nível teórico, como funciona um estado de direito, como funciona

[27] Entrevista feita por João Vargas.

uma jurisprudência, aí eu acho que o negócio tem que ser de outro jeito. Os direitos humanos são a base de uma civilização.

Corretora imobiliária, 56 anos, divorciada, começou a trabalhar em 1990; mora no Alto de Pinheiros com uma filha.

A distinção entre os sentimentos privados de vingança, a lei e a defesa do estado de direito foi feita por várias pessoas, especialmente aquelas das classes média e alta. Apesar de elas representarem uma minoria entre aqueles que entrevistei, mesmo entre as camadas mais altas, é claro que as questões da polícia e da lei são vivenciadas e pensadas de uma maneira diferente pelas classes altas. Frequentemente, elas têm consciência do padrão violento e arbitrário do comportamento da polícia e podem criticar a Rota por seu uso excessivo da força. Todavia, ao contrário das classes trabalhadoras, as pessoas das classes altas raramente são vítimas de confusão e violência por parte da polícia ou do sistema judiciário. Além disso, não estão preocupadas com a falta de proteção policial, porque podem comprar sofisticados sistemas de segurança e pagar guardas particulares — na verdade, todos os que entrevistei em bairros da classes média e alta tinham alguma forma de segurança privada. No que diz respeito à lei, as classes altas se dão ao luxo de poder não levá-la em consideração. Nas entrevistas no Morumbi, explorei essa questão ao perguntar as opiniões dos moradores sobre dar permissão aos seus filhos menores de idade para dirigir sem carteira de motorista, uma prática relativamente comum entre as classes altas. Algumas pessoas me disseram que não permitiriam que seus filhos fizessem isso, argumentando que a lei existe para ser respeitada e que as crianças devem conhecer limites. Essas respostas geralmente vieram de pessoas que se classificavam como conservadoras e eram a favor de uma educação rígida. Outras, entretanto, defendiam publicamente tal prática.

5.22

— Criei três filhas, minha concepção [é esta]: não permito duas coisas: andar de moto e tóxico; o resto vocês podem fazer o que vocês quiserem. Porque, de moto, eu já vi tanto nego morto (...) Eu sou uma pessoa que gosto de cumprir aquilo que é imposto, nunca gostei e nunca vou gostar de alguém me chamar atenção por eu ter errado. Eu via garoto com 14, 15 anos pegando carro, saindo — um absurdo. A vida é dinâmica, não é estática. Se você me perguntar se você daria o carro pro seu filho com 15 anos, eu daria um carro pro meu filho pra ele sair com 15 anos. Você sabe que é contra a lei? Eu sei que é contra a lei. Por que que eu daria? Eu não tenho segurança de deixar um menino com 15 anos, 14 anos, 16 anos sair com condução: ele vai ser assaltado, ele vai ser roubado. Ou vai andar de carro com um colega que eu não conheço e eu não tenho confiança na responsabilidade dessa pessoa. Então, eu darei um carro com 15 anos pra evitar o quê? Pra evitar que ele sofra qualquer agressão. Então, eu acho que é válido.

Engenheiro, técnico especializado trabalhando para a polícia; 50 anos, casado, cinco filhos; Morumbi.

O que se segue é uma discussão entre pessoas com opiniões diferentes. Duas mulheres dizem que não deixariam seus filhos dirigirem antes dos 18 anos. P acha que "cada coisa tem sua fase"; a outra, O, diz que há uma regra e que gosta de seguir regras. Entretanto, sua amiga M diz que certamente daria um carro a seus filhos menores porque ela os educa para confiar neles e, se algo lhes acontecer, ela prefere que seja por algo que eles fizeram e não "porque ele estava num táxi e o motorista praticou alguma violência com ele, ou ele foi roubado dentro de um ônibus...". Além de expressar perspectivas diferentes, a discussão entre essas amigas torna claro o quão relativa a defesa dos princípios da lei pode ser.

5.23

– E o aspecto legal da coisa, o fato de que há uma lei?

M – Pra mim, a gente sabe de muitos casos de táxi que estupram, ou acidentes, ônibus, uma série de coisas. Talvez não dê certo educar desse jeito, mas o meu marido me convenceu que o aspecto legal nessas alturas é em última instância. Vai acontecer o quê? Vai ser preso? Não vai. Só se ele matar alguém, propositalmente, alguma coisa... Talvez eu vou ficar sem carta ou o pai, tudo bem, mas nós temos essa consciência. Mas se tiver que acontecer, eu sou muito esse negócio de confiar, sabe?, ou você acredita no teu filho, ou se não em quem que a gente vai acreditar?

O – Tudo bem, mas eu acho que se tem leis, a gente tem que respeitar.

M – O aspecto legal eu não me incomodo muito, não. Eu me preocupo muito mais com o meu filho como indivíduo...

– Mas e essas coisas que ela fala: tem lei, pra quê?

M – Pra mim, aqui no Brasil tem lei? [Risadas]

O – Mas por isso mesmo...

M – Se eu tivesse morando na Suíça, eu seria a primeira a concordar.

O – Mas não pode, você tá morando aqui, você tem que respeitar as leis daqui!

M – Mas que lei?! Uma bandalheira que começa desde lá de cima...

O – Mas você não pode ensinar o seu filho assim, porque senão vai ser pra sempre assim...

M – Você tem que acompanhar onde você tá morando: enquanto não mudarem, por que que eu vou mudar sozinha? (...) Não que eu seja contra as leis, é que eu acho que acima das leis tem coisas mais importantes pra mim.

– Que tipos de leis você acha que no Brasil se respeita e que leis não se respeita?

M – Ah, meu Deus do céu, tá difícil.

O – Normalmente se respeita para as classes baixas, as classes de pouco poder aquisitivo – para esses as leis são muito bem cumpridas. Fazem eles seguirem as leis, obedecerem as leis. Nós, da classe média, e a classe mais alta, não precisa respeitar, porque com o dinheiro se paga. Eu não acho isso justo.

[Adiante na entrevista, essas concepções de lei provaram ser mais complexas do que aparentam nesse ponto da discussão. Quando a conversa se voltou para os efeitos do Plano Collor, tornou-se claro que o marido de O tinha um caixa 2 em sua empresa, algo que ela achava que era necessário. Sua amigas não perderam a oportunidade de apontar essa contradição.

M – A lei é boa quando é do lado de lá do muro, do lado de cá, não é. Por isso que eu falo: a gente tem que conviver.

O – (...) Mas é o que nós falamos, quero ver... tá certo, tem que obedecer as leis, mas se eu não ver resultado, garanto que eu volto a roubar de novo, mas volto mesmo.

M — Mas cadê as leis? Você tá se contradizendo.

O — Não. Esse tipo de lei, não, esse você tá vendo muito na cara.

M — Mas leis, foi o que ela perguntou, você não tem que respeitar? Você tem que respeitar tudo!

O — As leis foram colocadas, mas também não dá pra você respeitar assim fácil; você sabe, o marido dela sabe, o meu — são donos de empresas, sabem...

M, O e P são mulheres e vizinhas no Morumbi, todas com quase 40 anos, e cada uma tem dois filhos. O e P são donas de casa e casadas com homens de negócios; M trabalha como treinadora esportiva em um clube de elite e é casada com um funcionário público de alto escalão que também tem seu negócio próprio.

Essas mulheres têm o privilégio de poder escolher não respeitar a lei: provavelmente nada irá acontecer, elas têm dinheiro para sair de qualquer inconveniente. Quando a lei serve aos seus interesses, as pessoas a defendem; quando não, elas a ignoram. Como uma delas reconheceu, no entanto, as pessoas das camadas trabalhadoras não têm essa escolha.

Apesar da imensa distância que separa as diferentes classes sociais no Brasil, e que marca seu relacionamento com a lei e o sistema judiciário,[28] elas têm alguns pontos em comum. As reações de todos os grupos sociais a experiências cotidianas com a violência e com instituições da ordem ineficazes parecem estar levando a uma deslegitimação do estado de direito. As pessoas que são vítimas de arbitrariedades, violência e injustiças praticadas pelas instituições da ordem sentem que são deixadas sem alternativas dentro daquela ordem. Pessoas que tiram vantagens das fraquezas das instituições da ordem podem escolher ignorá-las e fazer o que acham mais apropriado. Em ambos os casos, no entanto, as reações estão articuladas em termos privados e frequentemente ilegais. Nos dois casos, o estado de direito é deslegitimado. Essas tendências são também expressas pela difusão dos serviços de segurança privada (legais e ilegais), que incentivam reações privadas ao crime.

Segurança como uma questão privada

A expansão dos serviços de segurança privada em São Paulo nos últimos anos não pode ser associada exclusivamente nem ao aumento do crime e do medo, nem a disfunções da polícia e do sistema judiciário. O crescimento da indústria da segurança (tanto de equipamentos quanto de serviços) é uma característica das sociedades ocidentais em geral, e não algo específico de São Paulo. Na verdade, segurança é hoje uma mercadoria vendida no mercado sob formas cada vez mais sofis-

[28] Reconhece-se que no Brasil a lei discrimina por classes: os pobres sofrem sanções criminais em relação às quais os ricos geralmente estão imunes, enquanto os ricos desfrutam de acesso à lei civil e comercial, da qual os pobres são sistematicamente excluídos. Sobre as consequências desse duplo viés e outros aspectos do descrédito do judiciário no Brasil, ver Holston e Caldeira (1998).

ticadas e variadas. Em diversos países ocidentais, o equipamento de segurança está se tornando cada vez mais complexo e os serviços privados estão crescendo consideravelmente, tanto em quantidade como em extensão.[29] Por exemplo, nos Estados Unidos, o número de pessoas empregadas na indústria de segurança privada saltou de 300 mil, em 1969, para 1 milhão em 1980, e para 1,5 milhão em 1990. Além disso, nos EUA, os guardas particulares já ultrapassam em quase três vezes o número de policiais, e na Grã-Bretanha e no Canadá, em duas vezes (U.S. House 1993: 28, 97, 135; Bayley e Shearing 1996: 587). Serviços privados são comprados não só por empresas e instituições, mas também por cidadãos das classes média e alta, e mesmo por algumas divisões do governo. Em todos os casos, os usuários dependem dos serviços privados para identificação, triagem e isolamento de pessoas indesejadas, assim como para vigilância e proteção. A segurança privada tornou-se um elemento central do novo e já muito difundido padrão de segregação urbana baseado em enclaves fortificados.

Mas, apesar do crescimento dos serviços e tecnologia de segurança privada ser uma tendência internacional, no Brasil ele assume algumas características distintas.[30] Num contexto em que a polícia desrespeita direitos e em que há imensa desigualdade social, os serviços de segurança privada contribuem para piorar essas condições.

A história da segurança privada no Brasil começa de uma forma peculiar: como um produto do Estado militar. Um mês depois da promulgação da Lei de Segurança Nacional em 1969, o Decreto Federal 1.034 (21 de outubro de 1969) estabeleceu que os serviços de segurança privada eram obrigatórios para instituições financeiras, principalmente bancos. Esse decreto foi contemporâneo da criação tanto da polícia militar quanto da Rota, e fazia parte dos esforços do governo para enfrentar assaltos terroristas a bancos. O fato de os serviços de segurança terem se tornado obrigatórios gerou um considerável mercado para esses serviços de um dia para o outro, um mercado que desde então só tem se expandido.

Inicialmente, a demanda veio dos bancos e frequentemente foi satisfeita por empresas que já lhes prestavam outros serviços. O caso do Banco do Brasil é típico. Em São Paulo, esse banco solicitou à empresa que fornecia os serviços de limpeza para que também lhe prestasse serviços de segurança. A Pires Serviços de Segurança Ltda., criada como resposta a esse pedido, é hoje a maior empresa de segurança privada no estado de São Paulo, empregando 10 mil vigilantes (em 1996). Outros grandes bancos, no entanto, decidiram criar seus próprios serviços, de acordo com as linhas da chamada "segurança orgânica". O Banespa, Banco do Estado de São

[29] Várias empresas que vendem equipamentos de segurança em São Paulo são filiais locais de empresas multinacionais. Nos Estados Unidos, há mais de 16 milhões de sistemas de segurança residencial em uso. Entre 1986 e 1991, a venda de sistemas de alarme cresceu 80%. *The New York Times*, 9 de fevereiro de 1991, p. 4-1.

[30] Para análises do policiamento privado em países desenvolvidos, ver Bayley e Shearing (1996), Johnston (1992), Ocqueteau (1997), Ocqueteau e Pottier (1995) e Shearing (1992).

Paulo, é um desses. Segurança orgânica é a expressão usada para designar os serviços de segurança fornecidos internamente pelos empregados de uma certa empresa — seja uma fábrica, banco, prédio de apartamentos, condomínio fechado ou mesmo uma residência —, em vez de contratados de uma outra empresa especializada.

Desde 1969, houve três fases de regulamentação dos serviços de segurança privada: de 1969 a 1983, de 1983 a 1995 e de 1995 até o presente. Na primeira fase, regulamentada pelo Decreto 1.034, a definição da forma que os serviços deveriam assumir era vaga. No entanto, ela revelava uma preocupação em controlar os guardas e seu histórico político, já que seus nomes deveriam ser submetidos ao Serviço Nacional de Informação (SNI). O decreto de 1969 também estabelecia que a Secretaria Estadual de Segurança Pública e o chefe da polícia civil estavam encarregados de controlar os serviços privados de segurança em suas áreas e que a polícia civil deveria fornecer instrução e testar a capacidade dos vigilantes. Finalmente, o decreto estabelecia que guardas particulares no cumprimento do dever teriam status de policiais.

Essa situação mudou com a promulgação da Lei 7.102 em 4 de julho de 1983 (revisada pelo Decreto 89.056 de 24 de novembro de 1983). Essa lei é muito mais específica do que a precedente, mas o aumento dos regulamentos e responsabilidades não significa necessariamente maior controle dos serviços. A Lei 7.102 transferiu o treinamento dos vigilantes da polícia para o setor privado e o controle dos serviços e empresas de segurança privada das secretarias de segurança pública estaduais e da polícia civil para o Ministério da Justiça e a Polícia Federal.[31] Uma comissão de cinco membros do Ministério da Justiça deveria trabalhar com comissões nas divisões estaduais da Polícia Federal para inspecionar a indústria. No estado de São Paulo, a Comissão de Vistoria tinha quatro membros em 1991 para controlar 108 empresas distribuídas por todo o estado. Em minhas entrevistas do começo dos anos 90 com empresários de segurança privada, havia um consenso de que o controle era mais brando do que antes, embora o número de exigências tivesse aumentado, especialmente as de treinamento e trabalhistas.

Os cursos de treinamento, por exemplo, teriam de ser providos por empresas criadas especialmente para esse fim. Embora essas empresas sejam normalmente associadas a uma ou mais empresas de segurança privada, elas têm que ser física e judicialmente independentes, e, portanto, exigiram novos investimentos das empresas existentes. Esses cursos supostamente deveriam oferecer 120 horas de instrução e fornecer certificados para os futuros vigilantes, que não eram mais submetidos a

---

[31] Coincidentemente ou não, essa mudança ocorreu logo depois de os primeiros governadores eleitos diretamente tomarem posse e seguiu-se à mudança dos arquivos políticos (do DOPS) da Secretaria Estadual de Segurança Pública para a Polícia Federal. Na ocasião, os militares continuavam no governo federal, mas tinham perdido as eleições para governador na maior parte dos estados. O controle dos serviços de segurança privada foi deslocado para uma comissão especial do Ministério da Justiça, a Comissão Executiva para Assuntos de Vigilância e Transporte de Valores do Ministério da Justiça, conforme regulamentado em 12 de dezembro de 1986 (Portaria 601 do Ministério da Justiça).

um teste na Academia de Polícia. É amplamente reconhecido no setor que a maioria dos cursos no estado de São Paulo (27 em 1991 e 35 em 1996) não dotava os guardas das habilidades mínimas necessárias para o trabalho. Ao completar os cursos, oferecidos pelos seus futuros patrões, os vigilantes deveriam registrar seus diplomas na Secretaria de Segurança Pública e seus nomes seriam enviados ao Ministério do Trabalho. Finalmente, a Lei 7.102 estabeleceu que guardas privados podiam portar armas de calibre 32 ou 38, mas apenas em seus postos. As armas são propriedade da empresa e não dos vigilantes, que não mais têm o status de policiais.

Em 1994, o governo federal introduziu mudanças na Lei 7.102 que alteraram consideravelmente seu alcance. A Lei 8.863, de 28 de março de 1994, mudou a definição de segurança privada para incluir os serviços orgânicos, que até então não haviam sido regulamentados. A Lei 9.017, de 30 de março de 1995,[32] estabeleceu que qualquer pessoa contratada para desempenhar serviços de segurança privada deveria ter um diploma e ser registrada como vigilante particular na Secretaria de Segurança Pública. As pessoas contratando serviços de segurança têm que cumprir várias obrigações adicionais relacionadas a uniformes, instalações e registro de armas. Pessoas do setor que entrevistei em 1996 consideravam essa nova legislação impossível de ser cumprida. A legislação também expandiu as exigências de controle sobre os serviços de segurança em instituições financeiras. Finalmente, ela passou o controle da segurança privada do Ministério da Justiça exclusivamente para a Polícia Federal.

A nova lei também aumentou a Comissão Consultiva.[33] Esta é formada por representantes da Polícia Federal, Exército, banqueiros, companhias de seguro e empresas e empregados da segurança privada. Está encarregada de sugerir políticas, autorizar novas empresas e julgar queixas apresentadas contra empresas existentes. Na prática, contudo, parece que uma de suas principais funções é transmitir às autoridades federais os interesses das empresas privadas, cujos representantes formam a maioria dos membros da comissão. Em 1996, empresários do setor que entrevistei consideravam que a comissão era a melhor coisa criada pela nova legislação. Claramente, a nova legislação os favorece: as empresas registradas tornaram-se as únicas capazes de oferecer serviços legais. Para que os serviços orgânicos existentes se adequassem à nova legislação, eles teriam de pagar por cursos para guardas privados oferecidos apenas por algumas empresas (representadas na comissão). Mas, a despeito do bom relacionamento com o governo federal, o setor privado ainda tem muitas reclamações: regulamentação excessiva, restrição ao uso de armas mais potentes e a falta de autoridade dos vigilantes, que continuam não tendo o status de policiais.

---

[32] Complementada pelo Decreto 1.592 de 10 de agosto de 1995 e pela Portaria 992 da Polícia Federal de 25 de outubro de 1995.

[33] Essa Comissão foi originalmente criada em 25 de fevereiro de 1991 (Portaria 73 do Ministério da Justiça) e reformada pela Portaria 1.545 de 8 de dezembro de 1995.

As diferentes leis revelam uma mudança na forma pela qual os serviços de segurança privada têm sido enquadrados no Brasil. Inicialmente, eles estiveram subordinados a uma política de segurança nacional e a um estrito controle da polícia. Com a segunda lei, esse controle foi relaxado e os regulamentos trabalhistas aumentaram. O que tinha sido um instrumento para lutar contra a oposição política foi adaptado para lutar contra a criminalidade. A terceira lei, assinada durante o regime democrático e seguindo a rápida expansão dos serviços de segurança em resposta às crescentes preocupações da população, tenta estender o controle do Estado para compreender todo o mercado de serviços de segurança. Ironicamente, contudo, a nova lei imediatamente aumentou o campo ilegal desses serviços, já que uma de suas partes significativas são os serviços de segurança orgânica ainda não regularizados. Todavia, o Estado está claramente tentando controlar um setor rentável que tem crescido rapidamente, que ainda é bastante irregular, cujo setor regulamentado é pequeno e bem-sucedido em fazer *lobby* por seus interesses e que obviamente apresenta desafios à autoridade do Estado.[34]

Na verdade, a expansão do setor de segurança privada apresenta desafios para a organização do policiamento em qualquer lugar, a ponto de analistas em países desenvolvidos argumentarem que ele "tem profundas implicações para a vida pública (...) a vitalidade dos direitos civis e o caráter do governo democrático" (Bayley e Shearing 1996: 586). Se isso é verdade em democracias bem consolidadas, pode-se imaginar as consequências no contexto brasileiro, com a deslegitimação das instituições da ordem e dos abusos policiais. Nesse contexto, a quebra do monopólio do policiamento pelo Estado e a mudança da "natureza da governabilidade" (Bayley e Shearing 1996: 598), que parecem ser tendências gerais, assumem características especialmente problemáticas.

De acordo com o Ministério de Justiça, em 1986 havia 51 empresas de segurança privada oficialmente registradas (incluindo aquelas de transporte de valores) no estado de São Paulo.[35] Em junho de 1991, havia 111 empresas e 27 cursos de treinamento registrados, isto é, o número de empresas tinha mais que dobrado em cinco anos. Essas 111 empresas empregavam 55.700 guardas registrados. Considerando que o número total de policiais no estado de São Paulo em 1991 era de aproximadamente 95 mil (22 mil policiais civis e 69 mil policiais militares), havia 1,6 policial para cada vigilante privado registrado e um vigilante privado para cada 549 habitantes. Cinco anos depois, isto é, em 1996, havia 281 empresas legalmente registradas no estado (quase três vezes o número em 1991), 35 cursos e 7 empresas

[34] De acordo com José Luiz Fernandes, presidente da Abrevis, Associação Brasileira de Empresas de Vigilância e Segurança, e do Sindicato das Empresas de Segurança Privada e Cursos de Formação do Estado de São Paulo, o mercado de segurança privada cresceu em torno de 20% ao ano desde 1980 e, tanto em 1989 quanto em 1990, teve um lucro de 500 milhões (entrevista, 12 de junho de 1991, e *Gazeta Mercantil*, 10 de julho de 1990).

[35] Estatísticas não publicadas, Comissão Executiva para Assuntos de Vigilância e Transporte de Valores.

de veículos blindados. Juntas, essas empresas empregavam cerca de 100 mil vigilantes, quase o dobro do número de 1991 e quase igual aos 105 mil policiais do estado (31.987 policiais civis e 73 mil policiais militares). Mesmo se considerarmos a razão de 1 para 1 de 1996, ela ainda pode ser considerada baixa — como uma indicação da privatização dos serviços de segurança — quando comparada à de outros países, onde a segurança privada supera largamente o policiamento público.[36]

No entanto, essas cifras não representam todo o mercado. Existem ainda dois outros componentes: a segurança orgânica e os serviços clandestinos, que podem ser tão grandes quanto o setor legal. Cada segmento do mercado de segurança privada apresenta sérios problemas, que discuto a seguir. Começo examinando o ainda pequeno mercado legalizado e as iniciativas de seu poderoso *lobby*. Discuto, então, a segurança orgânica, que se tornou irregular com a nova legislação; e, finalmente, trato do setor clandestino. Um dos principais problemas comuns a todos os setores é o das relações entre segurança privada e polícia, que tende a exacerbar a já imensa desigualdade social brasileira ao diferenciar o tipo de segurança a que cada grupo social tem acesso e está submetido.

O segmento legal da segurança privada é pequeno e bem-organizado.[37] Os donos das empresas percebem claramente a crescente atração de seus serviços e o potencial de expansão numa sociedade profundamente desigual, amedrontada com as altas taxas de crime e incapaz de contar com as forças policiais. Esse setor literalmente lucra com o medo do crime. Proprietários de empresas de segurança privada são a favor da regulamentação do setor pelo Estado se isso significa expansão dos negócios, mas ao mesmo tempo resistem às regulamentações de suas atividades. Para proteger seu mercado, pressionam o Ministério da Justiça a manter a lei que torna a segurança privada obrigatória para bancos; e querem estabelecer, por meio de um decreto, um número mínimo de guardas por agência bancária. Eles lucraram com o aumento de exigências em relação à segurança orgânica e atacam o mercado clandestino.[38] Ao mesmo tempo, no entanto, opõem-se à supervisão de seus serviços pelas secretarias estaduais de segurança pública porque temem que isso

---

[36] Em 1990, havia nos Estados Unidos 1,5 milhão de pessoas empregadas em empresas de segurança privada e aproximadamente 600 mil policiais, ou seja, uma proporção de 2,5 vigilantes privados para cada policial. A perspectiva era de que por volta do ano 2000 os guardas de segurança privada superassem numericamente os policiais em 3 para 1 (United States House 1993: 97, 135).

[37] Seguindo a legislação trabalhista corporativa, o setor legal é organizado em dois sindicatos, um dos empregadores (Sindicato das Empresas de Segurança Privada e Cursos de Formação do Estado de São Paulo) e um dos empregados (Sindicato dos Empregados em Empresas de Segurança, Vigilância, Cursos de Formação de Vigilantes, Transporte de Valores e Segurança Privada de São Paulo). Além disso, os donos de empresas têm sua própria associação nacional, a Abrevis. Existe ainda uma associação nacional de empresas de transporte de valores, ABVT (Associação Brasileira das Empresas de Transporte de Valores).

[38] Recentemente, representantes das empresas registradas também têm escrito na imprensa sobre os perigos do que eles chamam de segurança privada "clandestina" (por exemplo, artigo de José Luiz Fernandes na *Gazeta Mercantil*, 30 de julho de 1996).

pode significar um controle mais estrito, e reclamam amargamente de suas obrigações trabalhistas.[39]

Para evitar o controle do Estado, os donos de empresas de segurança privada estão desenvolvendo um discurso que enfatiza a natureza privada de seus serviços e opõe a eficiência privada à ineficiência pública. Eles insistem na separação entre privado e público e na especificidade de seus serviços, a tal ponto que alguns de seus argumentos parecem eliminar qualquer razão para continuarem a submeter-se ao controle do Estado. As mais ambiciosas dessas empresas, como a Pires Serviços de Segurança Ltda., pensam em criar prisões privadas modelares e vender seus serviços ao Estado, assim como criar um centro de treinamento tão sofisticado que seria capaz de vender serviços de treinamento para a polícia.[40] Elas sabem que seus serviços são um bem de luxo que confere distinção e não se envergonham de mencionar seu efeito em termos de discriminação de classe. "Deixe a polícia civil e a militar para os menos favorecidos, de acordo com a lei — que não funciona!", disse José Luiz Fernandes, presidente da associação de proprietários Abrevis.[41] A acentuação da desigualdade social e a divisão da segurança entre um setor público para os pobres e um setor privado para os ricos não é simplesmente uma consequência negativa da expansão da segurança privada, como é normalmente o caso em países desenvolvidos, mas parte da política ativa das empresas que vendem esses serviços no Brasil.

Apesar das tentativas das empresas de se oporem ao policiamento público, o relacionamento entre os dois setores é complexo. Isto está exemplificado pelo caso do coronel Erasmo Dias. Ele foi secretário de Segurança Pública de São Paulo duas vezes durante o regime militar, depois deputado federal e deputado estadual (seu terceiro mandato começou em 1995), cargo que tem usado para lutar contra os direitos humanos junto com a "bancada da segurança" e a favor das prisões privadas. Enfrenta várias acusações de tortura por ex-presos políticos e é responsável, entre outros atos de repressão violenta de movimentos sociais, pela invasão da Universidade Católica de São Paulo em 1978, na qual muitos estudantes foram gravemente queimados. Desde 1986, tem sido um dos diretores da Pires Serviços de

---

[39] Empresários brasileiros da segurança privada estão ativamente envolvidos em expandir seus negócios para os países do Mercosul e formaram uma associação com esse fim. O Brasil é o único país no Mercosul que tem uma legislação específica de segurança privada e os empresários estão se preparando para influenciar aquelas que serão criadas por outros países. Eles estão especialmente preocupados em como moldar as legislações trabalhistas, argumentando que o custo de um guarda privado no Brasil é 40% mais alto do que no Chile e 30% mais caro do que na Argentina por causa das regulamentações brasileiras. (Entrevistas com representantes das associações de empresas, julho de 1996.)

[40] A Pires Serviços de Segurança Ltda. é a maior empresa de segurança privada no estado de São Paulo e provavelmente uma das mais sofisticadas do Brasil. Ela tinha 6.116 guardas registrados em 1990, 10 mil em 1996 e um imenso centro de treinamento. Visitei as instalações da Pires várias vezes, tive acesso às suas instalações de treinamento e entrevistei cinco de seus diretores. Seus planos de expansão estão claramente expostos no *Jornal da Pires*.

[41] Entrevista, 12 de junho de 1991.

Segurança Ltda. e instrutor no curso de treinamento de vigilantes. Ele também escreveu um livro (Dias 1990), no qual defende a necessidade de um serviço de segurança privada, separado do serviço público de policiamento, para aqueles que podem pagar por ele. Sua presença como diretor da Pires indica as intricadas ligações entre a segurança pública e a privada em São Paulo, entre a polícia e as empresas privadas de segurança, e entre comportamento legal e ilegal.

Apesar de a segurança orgânica estar ainda basicamente não regularizada de acordo com os termos das novas leis, ela não representa um mercado ilegal, já que os guardas frequentemente têm contratos trabalhistas formais. No entanto, sobretudo em grandes empresas, eles podem estar registrados sob outras categorias ocupacionais, não como vigilantes, mesmo quando têm algum treinamento formal com segurança. Muitos shopping centers, vários complexos de escritórios e prédios de apartamentos e condomínios fechados usam segurança orgânica. De acordo com os presidentes tanto dos sindicatos dos empregados quanto dos empregadores, aproximadamente 50% de todos os serviços de segurança privada no estado de São Paulo são fornecidos por segurança orgânica. A polícia federal estimou que em 1996 havia 10 mil empresas com algum tipo de segurança orgânica.

Além da segurança orgânica, há um grande mercado clandestino de segurança privada no estado de São Paulo, ou seja, um mercado que ignora tanto as leis trabalhistas quanto aquelas da segurança privada. Por ser uma atividade ilegal, é difícil obter uma estimativa confiável de sua dimensão, e as suposições variam imensamente. De acordo com Erivan Dias, presidente do sindicato dos empregados, haveria aproximadamente 70 empresas trabalhando ilegalmente no estado de São Paulo em 1990 e empregando 50 mil pessoas.[42] O presidente da Abrevis declarou em 1991 que essa estimativa era exagerada e que o número de empresas ilegais era pequeno. Em 1996, no entanto, depois da nova legislação, o mesmo José Luiz Fernandes declarou que havia em São Paulo cerca de 300 empresas clandestinas empregando ao redor de 12 mil pessoas (*Gazeta Mercantil*, 30 de julho de 1996). A polícia federal, que fecha pelo menos duas delas por mês, estimava que havia cerca de 400 empresas clandestinas em 1996, em geral pequenas.

Em sua maioria, as pessoas envolvidas com o mercado marginal de segurança privada são policiais ou ex-policiais, que não podem ser registrados como guardas privados. Em geral, eles usam armas da polícia e trabalham nos dias de folga, tirando vantagem de seu esquema de trabalho (48 horas de serviço por 48 horas de folga). De acordo com dados da Secretaria de Segurança Pública, eles morrem mais frequentemente trabalhando como vigilantes do que como policiais. Em 1994, para 25 policiais que morreram no exercício da atividade, outros 104 morreram em períodos de folga; em 1995, esses números foram 23 e 90. Logicamente, esse mercado ilegal não segue a legislação trabalhista. Ele também usa armas ilícitas, muitas vezes mais potentes do que as permitidas para os guardas registrados ou mes-

---

[42] Entrevista, 17 de dezembro de 1990 e também *Folha de S. Paulo*, 23 de setembro de 1990, p. D-5.

mo para a polícia. Algumas das empresas fechadas pela polícia federal eram dirigidas por ex-policiais envolvidos com o Esquadrão da Morte ou por conhecidos justiceiros, como o Esquerdinha.

Embora cifras exatas não estejam disponíveis, a maioria das pessoas que entrevistei concorda que o mercado ilegal é bem grande. Além disso, essa foi a conclusão a que tive de chegar depois de observar que muitos dos condomínios fechados nos quais fiz pesquisa utilizam os serviços desse mercado ilegal. Os preços cobrados pelas empresas regulares são muito mais altos do que os das empresas ilegais, que, por exemplo, não pagam seguro e obrigações trabalhistas para seus funcionários. Além disso, é complicado para um condomínio contratar guardas particulares diretamente e cumprir todos os requisitos, especialmente os que se referem à aquisição e registro de armas. Nesse contexto, parece mais fácil usar o mercado ilegal e empregar ex-policiais ou policiais que trazem suas próprias armas e mantêm boas relações dentro da polícia para "limpar qualquer problema maior", isto é, homicídios, como disse a pessoa encarregada da segurança em um grande condomínio.

Uma das dimensões mais sérias do mercado de segurança clandestino é sua conexão com os esquadrões da morte e "justiceiros" que agem na região metropolitana de São Paulo. Os justiceiros muitas vezes são policiais, ex-policiais ou associados com policiais (Bicudo 1988: 109-24). Frequentemente, eles agem por detrás da fachada de uma empresa de segurança privada. Além disso, os justiceiros podem ser o único tipo de segurança privada ao alcance dos pobres. Percebendo que a polícia não as protege, e impossibilitadas de consumir outros serviços privados de segurança, muitas pessoas, especialmente comerciantes na periferia, procuram os justiceiros. Algumas vezes, comerciantes locais pagam para manter a ordem no bairro; outras, grupos de moradores de um bairro decidem assumir a tarefa de manter a ordem por conta própria. Frequentemente, os justiceiros estão envolvidos com gangues e traficantes de drogas. Como categoria, os justiceiros são bem conhecidos da população e seus crimes regularmente se transformam em notícia nos jornais. De acordo com dados da imprensa, eles foram responsáveis por pelo menos 300 mortes na cidade de São Paulo entre janeiro e agosto de 1990 (Pinheiro 1991a: 53). Alguns dos conhecidos justiceiros, como Cabo Bruno (que confessou mais de 50 assassinatos), Esquerdinha ou Juca Pé-de-Pato, tornaram-se heróis populares na tradição dos bandidos sociais.[43] Algumas vezes, quando foram presos, pessoas pobres dos bairros que eles costumavam "proteger" tentaram libertá-los à força, e muitas outras encheram as salas dos tribunais quando eles foram a julgamento. Eles também são transformados em heróis em programas de rádio que se especializam em recontar crimes.

O entrelaçamento de segurança pública e privada e de atividades legais e ilegais desqualifica um dos principais argumentos do setor privado regulamentado: de que o privado poderia servir como alternativa e corretivo à polícia. Embora não

---

[43] Ver Fernandes (1991) para uma análise do caso do Cabo Bruno e de outros justiceiros.

haja dados sobre abusos e corrupção de vigilantes privados, o simples fato de que o pessoal dos dois setores possa ser o mesmo, e as conexões de empresas de segurança privada com justiceiros e com oficiais envolvidos em violações dos direitos humanos, invalidam qualquer diferenciação muito nítida entre os dois setores.

De fato, embora o policiamento público e o privado possam parecer opostos sob alguns pontos de vista (especialmente o do consumidor), eles partilham características básicas e são estruturados em relações de contiguidade. Isto acontece não só no Brasil, onde os abusos e o desrespeito vão de um setor ao outro, mas nas democracias consolidadas da América do Norte e da Europa ocidental, onde o respeito à lei e aos cidadãos serve de parâmetro aos dois setores. Nesse sentido, a despeito das diferenças, segurança pública e a segurança privada compartilham a mesma matriz de relações e estruturas. No Brasil, essa matriz é de relações instáveis entre o legal e o ilegal, de abusos e violência; em outros casos, a matriz é de respeito ao estado de direito, como na América do Norte e na Europa ocidental.

No Brasil, a complexa interpenetração das atividades legais e ilegais, da polícia e das empresas privadas, gera questões mais sérias do que como regular empresas legais ansiosas para expandir suas atividades ou como limitar o uso da força e a liberdade de ação dos guardas privados. A questão principal é o respeito pelo estado de direito e a consolidação do regime democrático. O Estado deve ser capaz de controlar a arena em que empresas ilegais de segurança privada fundem-se com esquadrões da morte e justiceiros e com as ações ilegais da própria polícia. O controle desse mercado ilegal não pode ser separado do controle dos abusos da força policial, em si uma tarefa difícil. Isso indica o quão difícil será controlar um setor que prefere ser deixado de lado para servir à elite, que sabe como se organizar para defender suas próprias regras, dinâmicas e lucros, e que no terreno clandestino é capaz de desfrutar do apoio de uma parte significativa da população para as suas ações de vingança privada.

Há, ainda, a questão da desigualdade social. O crescimento da privatização da segurança leva ao aprofundamento da desigualdade no acesso à segurança em qualquer lugar (Bayley e Shearing 1996). No Brasil, onde a distância entre as classes é imensa, onde as camadas trabalhadoras têm sempre sido o alvo e a principal vítima da polícia violenta, esse problema é especialmente agudo. Com a difusão da segurança privada, a discriminação contra os pobres pelas forças de "segurança" é dobrada. Por um lado, eles continuam a sofrer os abusos da polícia. Por outro, como os ricos optam por viver, trabalhar e consumir em enclaves fortificados usando os novos serviços de segurança privada para manter os pobres e todos os "indesejáveis" de fora, os pobres tornam-se vítimas das novas formas de vigilância, controle, desrespeito e humilhação. Numa sociedade altamente desigual, a segurança privada irá apenas servir para aprofundar essa desigualdade.[44]

---

[44] Esse problema com certeza não é exclusivo de sociedades altamente desiguais. "As sociedades democráticas ocidentais", argumentam Bayley e Shearing, "estão se transformando inexoravelmente, receamos, num mundo tipo *Laranja Mecânica*, onde tanto o mercado quanto o go-

O CICLO DE VIOLÊNCIA

Embora a tradição de abusos por parte das instituições da ordem e de descrença no sistema judiciário no Brasil seja longa, sob o regime democrático essas tendências atingiram níveis sem precedentes. Enquanto em alguns campos consolidaram-se procedimentos democráticos — com eleições livres, um Congresso legítimo, livre organização de partidos, movimentos sindicais, movimentos sociais, imprensa livre etc. — outros, como os do crime, das forças policiais e do sistema judiciário, têm resistido à democratização e os abusos continuam a ser cometidos de forma impune e, frequentemente, com o apoio popular. Autoridades públicas, empresas privadas e cidadãos contribuem todos para o problema da violência em São Paulo. À medida que o crime violento aumenta, os abusos persistem e as pessoas procuram meios privados e frequentemente ilegais de proteção, entramos num círculo vicioso que só vai resultar no aumento da violência.

Uma vez que as pessoas se voltam para maneiras ilegais e privadas de lidar com o crime, o crime e a violência são removidos da esfera na qual pode haver uma mediação legítima e ampla de conflitos, isto é, aquela do sistema judiciário. Assim sendo, essas tendências não só minam o processo de expansão e consolidação de um regime democrático, como também inauguram um ciclo de vingança privada no qual se responde à violência com mais violência e no qual não há mais uma autoridade legítima que possa conter essa reprodução da violência. Analisando a difusão da violência e seu controle em sociedades não modernas, René Girard formula uma hipótese sobre o papel privilegiado do sistema judiciário em deter ciclos de violência. Sua suposição é que tanto a agressividade quanto a vingança são inatas aos seres humanos e que "por detestarem a violência... os homens fazem da vingança um dever" (1977: 15). A vingança é, então, um círculo vicioso de consequências devastadoras, e é fundamental para qualquer sociedade criar mecanismos capazes de deter esses círculos. Mesmo que não se concorde com as suposições de Girard sobre a agressividade inata e se relacione as origens de ciclos de violência a processos sociais específicos, é interessante explorar sua hipótese sobre o controle desses eventos.

Girard agrupa em três categorias os métodos empregados por diferentes sociedades para evitar ciclos intermináveis de vingança. Primeiro, há medidas preventivas estabelecidas por rituais de sacrifício em que o espírito de vingança é desviado para canais substitutos. Segundo, há medidas compensatórias, como vendetas e duelos, cujos efeitos curativos são precários. Terceiro, há o sistema judiciário, "o mais eficiente de todos os procedimentos curativos" (1977: 20-1). A razão pela qual a última instituição é a mais eficaz para conter um ciclo de vingança é que ela transforma a vingança de assunto privado em questão pública.

---

verno protegem os ricos dos pobres — um construindo barricadas e excluindo, outro por meio da repressão e encarceramento — e no qual a sociedade civil para os pobres desaparece diante da vitimização criminal e da repressão por parte do governo" (1996: 602).

"Nosso sistema judicial (...) serve para desviar a ameaça de vingança. O sistema não elimina a vingança; em vez disso, limita-se efetivamente a um simples ato de represália, decretado por um soberano especializado nessa função particular. As decisões do judiciário são invariavelmente apresentadas como a palavra final sobre a vingança." (Girard 1977: 15)

O princípio que rege tanto a ação privada como a pública é o mesmo: vingança. A diferença crucial, entretanto, e que tem enormes consequências sociais, é que "sob o sistema público, um ato de vingança não é mais vingado; o processo é encerrado, o perigo de uma escalada, afastado" (Girard 1977: 16). Para que o sistema judiciário interrompa efetivamente ciclos de vingança, ele tem que manter sua autoridade e legitimidade. Ele tem que ser capaz de estancar formas paralelas de vingança privada e ter o monopólio no exercício da vingança. Isto é exatamente o que não ocorre na São Paulo contemporânea. Apesar de o judiciário nunca ter desfrutado de um alto grau de legitimidade, recentemente ele perdeu ainda mais credibilidade em razão de sua incapacidade de punir os responsáveis pelo número crescente de crimes violentos, de conter as execuções sumárias extralegais cometidas pela polícia e a vingança privada dos justiceiros e esquadrões da morte, e porque as pessoas tendem a ignorá-lo e a resolver os conflitos pessoalmente ou por acordos privados.

Se o sistema judiciário é de fato crucial para impedir a difusão da violência, então a consolidação da democracia na sociedade brasileira contemporânea e a interrupção do atual ciclo de violência dependem da reforma desse sistema de acordo com princípios do estado de direito, *accountability*, e respeito aos direitos civis. Como esses princípios nunca foram realmente legitimados no Brasil e são contrários a uma longa história de abusos, privatização da justiça e instabilidade entre o legal e o ilegal, a dimensão da tarefa de reforma é considerável.[45]

Controlar os abusos da polícia e criar novas políticas de segurança pública são dimensões cruciais tanto da consolidação da democracia quanto da interrupção do ciclo de violência. Na São Paulo atual, a polícia não só tem tido espaço para

---

[45] Boreman (1997) recentemente aplicou a hipótese de Girard sobre o papel do sistema judiciário em evitar ciclos de violência para analisar o destino dos países do leste europeu e sua "invocação do estado de direito" no pós-socialismo. Ele concluiu que os Estados que são capazes de se transformar e se estabelecer como autoridades morais legítimas que proveem justiça e invocam os princípios do estado de direito "não irão se desintegrar em ciclos de violência". A chave dessa transformação é a "adoção por parte do Estado da responsabilidade por justiça distributiva" (Boreman 1997: 165). O Estado que tipifica esse processo na análise de Boreman e que, segundo ele, foi o mais bem-sucedido em controlar a violência e institucionalizar o estado de direito foi a Alemanha Oriental. Esse exemplo é, no entanto, muito particular, já que a Alemanha Oriental foi essencialmente incorporada ao quadro institucional já existente e em funcionamento na Alemanha Ocidental. Ao se concentrar principalmente nesse caso específico, Boreman não considera como o estado de direito pode ser legitimado num contexto em que ele não existia ou era muito abusivo antes, ou seja, um contexto em que os termos da "invocação do estado de direito" não têm representação institucional e têm pouca ressonância junto à população. Esse parece ser o desafio de diversos Estados pós-socialistas, assim como do Brasil.

agir ilegalmente e com impunidade, mas, o mais importante, tem usado continuamente a violência para manter esse espaço. Em outras palavras, essas forças entraram em um ciclo de vingança privada em vez de evitá-la, e têm feito isso com pelo menos algum apoio das autoridades públicas e dos cidadãos. Numa situação como essa, não há espaço público ou institucional legítimo a partir do qual o ciclo de violência possa ser controlado.

Quando as instituições da ordem falham em arbitrar conflitos de forma apropriada, oferecer formas legítimas de vingança e prover seguridade, pode-se esperar que os cidadãos ajam por conta própria. De fato, a organização da proteção em termos privados, frequentemente ilegais e violentos, cresceu em São Paulo na última década. Estes atos só servem para intensificar o ciclo de violência. Os cidadãos poderiam ter um impacto na questão da violência se forçassem as autoridades públicas a controlar efetivamente os abusos da polícia e a reformar o sistema judiciário. Entretanto, tais iniciativas foram rechaçadas de forma apaixonada por pelo menos uma parte da população de São Paulo. Como resultado, a violência tem continuado a aumentar e o regime democrático perde legitimidade.

Apesar de tudo, nos últimos anos houve alguns sinais encorajadores: os Planos de Direitos Humanos, as políticas para refrear a violência policial no estado de São Paulo e a diminuição dos votos para a "bancada da segurança". Essas políticas podem encontrar uma enorme resistência por parte da população e em especial da polícia, mas são as únicas que podem ampliar a democracia brasileira e controlar o atual ciclo de violência.

Muitos dos elementos que têm gerado o atual ciclo de violência têm uma base socioeconômica. Pobreza e desigualdade social — para mencionar apenas os mais óbvios — são cruciais para explicar algumas das desigualdades e injustiças associadas ao descrédito nas instituições da ordem e à difusão da violência. Entretanto, apenas as variáveis socioeconômicas e as explicações que elas geram são insuficientes para explicar o aumento de formas privadas e ilegais de vingança e consequentemente o aumento da violência. Não são os indicadores de crise econômica, taxas de desemprego, urbanização ou até os gastos do Estado com segurança pública que devemos observar para entender a violência contemporânea. Ao contrário, temos de considerar o funcionamento cotidiano das instituições da ordem, o padrão continuado de abusos por parte das forças policiais e seu desrespeito aos direitos, e a rotina de práticas de injustiça e discriminação. Devemos considerar os rituais cotidianos de segregação e a maneira pela qual os cidadãos apelam para a vingança privada na medida em que as autoridades falham, e a falta de vontade de muitas autoridades públicas de trazer as atividades da polícia para dentro dos parâmetros do estado de direito ou de desenvolver políticas de segurança pública pautadas por princípios democráticos.

O crime violento e seu controle não constituem o único contexto em que podemos observar tendências rumo à privatização, deslegitimação da mediação pública e aumento da desigualdade. Essas tendências estão também moldando o espaço urbano, seus padrões de segregação, novas formas de residência, trabalho e circulação, interações públicas e, consequentemente, a qualidade da vida pública. Analiso esses aspectos nos próximos três capítulos, que constituem a Parte III deste livro. No capítulo 9, retorno à disjunção entre o crescimento da violência, da privatização e das práticas ilegais de vingança e o processo de consolidação democrática no nível do sistema político. O caráter paradoxal dessa configuração deriva do fato óbvio de que a lógica de um ciclo de violência é o oposto da lógica de uma ordem democrática baseada no respeito aos direitos de cidadania. Analiso ainda outras dimensões da deslegitimação das instituições da ordem através de uma discussão sobre a oposição ao respeito aos direitos humanos e a defesa da pena de morte em São Paulo. Sugiro que há uma associação muito difundida entre o exercício da autoridade e o uso da violência. Essa associação está na raiz do ciclo de violência que tenho descrito e da deslegitimação dos direitos individuais na sociedade brasileira.

Parte III

SEGREGAÇÃO URBANA, ENCLAVES FORTIFICADOS E ESPAÇO PÚBLICO

6.
SÃO PAULO: TRÊS PADRÕES DE SEGREGAÇÃO ESPACIAL

A segregação — tanto social quanto espacial — é uma característica importante das cidades. As regras que organizam o espaço urbano são basicamente padrões de diferenciação social e de separação. Essas regras variam cultural e historicamente, revelam os princípios que estruturam a vida pública e indicam como os grupos sociais se inter-relacionam no espaço da cidade. Ao longo do século XX, a segregação social teve pelo menos três formas diferentes de expressão no espaço urbano de São Paulo. A primeira estendeu-se do final do século XIX até os anos 1940 e produziu uma cidade concentrada em que os diferentes grupos sociais se comprimiam numa área urbana pequena e estavam segregados por tipos de moradia. A segunda forma urbana, a centro-periferia, dominou o desenvolvimento da cidade dos anos 40 até os anos 80. Nela, diferentes grupos sociais estão separados por grandes distâncias: as classes média e alta concentram-se nos bairros centrais com boa infraestrutura, e os pobres vivem nas precárias e distantes periferias. Embora os moradores e cientistas sociais ainda concebam e discutam a cidade em termos do segundo padrão, uma terceira forma vem se configurando desde os anos 80 e mudando consideravelmente a cidade e sua região metropolitana. Sobrepostas ao padrão centro-periferia, as transformações recentes estão gerando espaços nos quais os diferentes grupos sociais estão muitas vezes próximos, mas estão separados por muros e tecnologias de segurança, e tendem a não circular ou interagir em áreas comuns. O principal instrumento desse novo padrão de segregação espacial é o que chamo de "enclaves fortificados". Trata-se de espaços privatizados, fechados e monitorados para residência, consumo, lazer e trabalho. A sua principal justificação é o medo do crime violento. Esses novos espaços atraem aqueles que estão abandonando a esfera pública tradicional das ruas para os pobres, os "marginalizados" e os sem-teto.

Meu interesse em descrever e analisar essas mudanças, especialmente as dos últimos 15 anos, é duplo. Primeiro, quero demonstrar a necessidade de refazer o mapa cognitivo da segregação social na cidade, atualizando as referências através das quais a vida cotidiana e as relações sociais são entendidas. A não ser que a oposição centro-periferia seja revista e a maneira pela qual se concebe a incorporação da desigualdade social no espaço urbano seja modificada, não será possível entender os presentes desafios da cidade. Segundo, quero mostrar que essas mudanças espaciais e seus instrumentos estão transformando significativamente a vida pública e o espaço público. Em cidades fragmentadas por enclaves fortificados, é difícil manter os princípios de acessibilidade e livre circulação, que estão entre os valores mais importantes das cidades modernas. Com a construção de enclaves fortificados, o caráter do espaço público muda, assim como a participação dos cidadãos na vida pública. As transformações na esfera pública de São Paulo são semelhantes a mudanças que estão ocorrendo em outras cidades ao redor do mundo e expressam, portanto, uma versão particular de um padrão mais difundido de segregação espacial e transformação na esfera pública.

O historiador da arte T. J. Clark analisa a organização da vida urbana e da interação de classes em Paris do final do século XIX e mostra como ela se expressa na pintura moderna. Escrevendo sobre o quadro *Place de la Concorde*, de Degas, e os personagens nele representados, T. J. Clark argumenta que

> "a cena típica — isso a nova pintura certamente sugeriu — provavelmente era aquela em que as classes coexistiam mas não se tocavam; onde cada uma estava absorta num tipo de sonho, críptico, voltada para si mesma ou para algum espetáculo, deixando escapar sinais ambíguos (...) As classes existem, mas os espaços de Haussmann permitem que elas não sejam vistas. (...) A História existe, mas os espaços de Haussmann têm lugar para que ela seja escondida. (...) [A] desatenção [dos personagens de Degas] é *sustentada* pelos espaços vazios e pelo fluir das cenas." (Clark 1984: 73, 75, grifo no original)

Esse *insight* sobre a relação entre formas urbanas, interações de classes e expressão artística sugere maneiras de considerar os padrões de segregação espacial de São Paulo, especialmente as transformações recentes. Em sua análise das pinturas impressionistas de Paris, Clark identifica as principais características do novo tipo de espaço público (e sua representação) exemplificados no final do século XIX pela reconstrução de Paris promovida por Haussmann. Os novos bulevares incorporavam as condições para o anonimato e o individualismo, permitindo tanto a livre circulação quanto a desatenção às diferenças e ajudando, assim, a consolidar a imagem de um espaço público aberto e igualitário. Esses são exatamente os valores que estão em xeque atualmente em São Paulo e em muitas outras cidades onde o espaço público não mais se relaciona ao ideal moderno de universalidade. Em vez disso, ele promove a separação e a ideia de que os grupos sociais devem viver em enclaves homogêneos, isolados daqueles percebidos como diferentes. Consequentemente, o novo padrão de segregação espacial serve de base a um novo tipo de esfera pública que acentua as diferenças de classe e as estratégias de separação.

A seguir, delineio as características gerais dos três padrões de segregação da cidade usando indicadores geográficos, demográficos e socioeconômicos. No capítulo 7, analiso o aspecto mais revelador do novo modelo de segregação: a criação de espaços murados e privados pelas classes média e alta. No capítulo 8, discuto as transformações resultantes na vida pública e nas interações públicas e uso o caso de Los Angeles como comparação.

A cidade concentrada do início da industrialização

De 1890 até cerca de 1940, o espaço urbano e a vida social em São Paulo foram caracterizados por concentração e heterogeneidade.[1] Na última década do século XIX, a população de São Paulo cresceu 13,96% ao ano (ver a Tabela 6), mas a área urbanizada não se expandiu proporcionalmente. Por volta de 1914, a densidade populacional da cidade era de 110 hab/ha, comparada a 83 hab/ha em 1881 (F. Villaça citado por Rolnik 1997: 165). Com o advento da industrialização, a outrora sossegada cidade voltada aos serviços e negócios financeiros associados à exportação de café — a atividade econômica dominante no estado de São Paulo até a década de 1930 — foi transformada num espaço urbano caótico. Na virada do século, a construção era intensa: erguiam-se novas fábricas uma atrás da outra, e residências tinham que ser construídas rapidamente para abrigar as ondas de trabalhadores chegando a cada ano.[2] As funções não eram espacialmente separadas, as fábricas eram construídas perto das casas, e comércio e serviços intercalavam-se com residências.

Tabela 6
Evolução da população
Cidade de São Paulo e Região Metropolitana, 1872-1996

Ano	São Paulo	Taxa de crescimento anual (%)	Outros municípios da RM	Taxa de crescimento anual (%)	Região metropolitana Total	Taxa de crescimento anual (%)
1872	31.385					
1890	64.934	4,12				
1900	239.820	13,96				
1920	579.033	4,51				
1940	1.326.261	4,23	241.784		1.568.045	
1950	2.198.096	5,18	464.690	6,75	2.662.786	5,44
1960	3.781.446	5,58	957.960	7,50	4.739.406	5,93
1970	5.924.615	4,59	2.215.115	8,74	8.139.730	5,56
1980	8.493.217	3,67	4.095.508	6,34	12.588.725	4,46
1991	9.646.185	1,16	5.798.756	3,21	15.444.941	1,88
1996	9.839.436	0,40	6.743.798	3,07	16.583.234	1,43

Fonte: Para 1872-1991, IBGE, Censo Brasileiro; para 1996, IBGE, Contagem 1996.
Obs: A região metropolitana de São Paulo é formada pelo município (cidade) de São Paulo e outros 38 municípios adjacentes (OM).

[1] A análise histórica de São Paulo durante o período de 1890-1940 baseia-se nos seguintes estudos: Bonduki 1982 e 1983; Langenbuch 1971; Morse 1970; Rolnik 1983, 1994 e 1997. Ribeiro (1993) desenvolve uma análise semelhante para o caso do Rio de Janeiro.

[2] Os novos habitantes da cidade que chegavam para o trabalho em fábricas recém-construídas eram principalmente imigrantes europeus. Eles vieram para o Brasil incentivados por uma política destinada a importar trabalhadores brancos qualificados para substituir os ex-escravos negros e "branquear" a população brasileira. Em 1893, as pessoas nascidas no exterior representavam 55% da população da cidade, de acordo com o censo. Esse foi o pico da imigração estrangeira, que diminuiu depois de 1900, quando a taxa de crescimento da população começou a cair. Em 1920, os estrangeiros representavam 36% da população (Fausto 1984: 10).

Embora a elite e os trabalhadores vivessem relativamente próximos uns dos outros, havia uma tendência de a elite ocupar a parte mais alta da cidade — em direção ao espigão central onde se localizaria a Avenida Paulista — e os trabalhadores viverem nas áreas mais baixas, ladeando as margens dos rios Tamanduateí e Tietê e próximo ao sistema ferroviário. No começo do século, a segregação social se expressava também nas moradias: enquanto a elite (da indústria e da produção de café) e uma pequena classe média viviam em mansões ou casas próprias, mais de 80% das habitações de São Paulo eram alugadas (Bonduki 1983: 146). A propriedade de uma casa não era definitivamente uma opção para os trabalhadores, que em sua maioria viviam em cortiços ou casas de cômodos, todos superpovoados.[3] Essas construções precárias constituíam um bom investimento na época e proliferaram pela cidade. Não havia prédios de apartamentos para alugar na época. Uma minoria de trabalhadores, basicamente os especializados, alugavam casas só para suas famílias, em geral casas geminadas. Algumas fábricas construíam essas casas geminadas para seus trabalhadores especializados tanto como uma forma de atraí-los com a oferta de melhores moradias como para discipliná-los com a ameaça de despejo.

Numa cidade concentrada como era São Paulo, que havia crescido e mudado rapidamente, as preocupações com a discriminação, classificação e controle da população eram intensas no começo do século. Como também foi típico nas cidades europeias no início da industrialização, essas preocupações eram frequentemente expressas em termos de saúde e higiene, sempre associadas à moralidade. Questões sobre como abrigar os pobres e como organizar o espaço urbano numa sociedade que se industrializava estavam ligadas ao saneamento. Em conjunto, elas se tornaram o tema central das preocupações da elite e das políticas públicas durante as primeiras décadas do século XX.

A elite paulista diagnosticou as desordens sociais da cidade em termos de doença, sujeira e promiscuidade, ideias logo associadas ao crime. Em 1890, o estado de São Paulo criou o Serviço Sanitário, seguido pelo Código Sanitário de 1894. Logo em seguida, agentes do estado começaram a visitar as moradias dos pobres, especialmente os cortiços, procurando por doentes e mantendo estatísticas e registros. Essas visitas geravam reações negativas: era clara para as classes trabalhadoras a associação de serviços sanitários com controle social.[4] Além de controlar os pobres, a elite começou a separar-se deles. Temendo epidemias — assim como temem o crime hoje — e identificando os pobres e suas condições de vida a doenças e epidemias, os membros das elites começaram a mudar-se das áreas densamente povoadas da cidade para regiões um pouco afastadas e com empreendimentos imo-

[3] Em 1900, a média de pessoas por prédio em São Paulo era de 11,07 (Bonduki 1982: 85).

[4] Uma das principais revoltas populares na época não se originou no espaço de trabalho, mas seguiu-se à decisão do governo de vacinar a população contra a varíola e mandar agentes sanitários para as áreas pobres do Rio de Janeiro a fim de desinfetar suas casas e destruir aquelas supostamente infestadas. A Revolta da Vacina Obrigatória ocorreu em 1904, quando o prefeito Pereira Passos lançou um programa radical de reforma urbana do tipo haussmanniano, abrindo grandes avenidas no centro da cidade e destruindo muitas habitações de moradores pobres.

biliários exclusivos. Uma destas regiões era o novo bairro com o sugestivo nome de Higienópolis. Eles também se mudaram para duas outras áreas exclusivas: Campos Elísios e a Avenida Paulista. Ao mesmo tempo, representantes das elites na administração municipal e em instituições como a Federação das Indústrias estavam planejando organizar, limpar e abrir o centro da cidade como Haussmann fizera em Paris, e afastar os trabalhadores, instalando-os em casas unifamiliares que elevariam seus padrões morais. Identificaram a concentração de trabalhadores e as condições anti-higiênicas a eles associadas como um mal a ser eliminado da vida da cidade. Imaginaram a dispersão, o isolamento, a abertura e a limpeza como soluções para o meio urbano caótico e suas tensões sociais.

Durante as décadas de 20 e 30 — anos que podem ser considerados um período de transição entre diferentes padrões de organização das diferenças sociais na cidade e entre diferentes modos de intervenção das autoridades públicas — as preocupações com o saneamento e o controle social são evidentes em pelo menos quatro níveis políticos e institucionais: o governo municipal, a associação dos industriais, os movimentos sindicais e populares, e o governo federal.

No âmbito municipal, os prefeitos e seus secretários procuraram abrir avenidas, alargar ruas, embelezar e organizar o centro da cidade. No entanto, a cidade estava mal equipada para lidar com as transformações urbanas resultantes do imenso influxo de novos moradores da virada do século. As concepções sobre planejamento urbano e sobre o papel da intervenção estatal no espaço eram bastante precárias até a segunda década do século (Morse 1970: caps. 19 e 21; Leme 1991). A única legislação urbana anterior — o Código de Posturas de 1875, revisado e consolidado em 1886 — mostrava uma preocupação com saneamento, recursos naturais e ordenação do espaço público e do comportamento público. O código estabelecia a largura das ruas e avenidas, a altura dos prédios e o número de andares, a dimensão das portas e janelas, além de proibir a maioria dos tipos de uso privado das ruas, que deveriam ser mantidas abertas à circulação (ver Rolnik 1997: 32-5). As primeiras leis sobre construção e zoneamento foram editadas na metade da década de 1910, enquanto as peças mais importantes da intervenção e legislação urbana apareceram no final dos anos 20.[5]

---

[5] A Lei Municipal 1.874, de 1915, criou a primeira divisão da cidade em quatro zonas (central, urbana, suburbana e rural) e exigiu que as plantas de construção fossem aprovadas pela administração municipal. O Ato 849, de 1916, regulamentou a construção. A Lei Municipal 2.611, de 1923, estabeleceu dimensões mínimas para um lote urbano (300 m^2) e regras para a pavimentação das ruas. Ela também estabeleceu que, para empreendimentos maiores que 40 mil m^2, o incorporador deveria doar espaços para ruas e áreas verdes. Ao que parece, essa lei foi influenciada pela City of São Paulo Improvements and Free Hold Land Co., Ltd., a companhia que estava lançando novos empreendimentos imobiliários inspirados nas cidades-jardins inglesas desde 1912. Esses empreendimentos originaram os bairros chamados "Jardins", que têm alojado as classes média e alta desde os anos 20 (São Paulo, Sempla 1995: 15). Em 1929, a cidade aprovou seu primeiro Código de Obras (Lei Municipal 3.427, Código Arthur Saboya), que sistematizou a maior parte da legislação anterior e estabeleceu um mínimo de três andares por prédio na área central, dessa forma encorajando a construção vertical. Esse código foi reconsolidado em 1934. Ver Morse (1970: 366-7) para uma crítica desse plano.

O principal efeito dessa legislação urbana inicial foi estabelecer a disjunção entre um território central para a elite (o perímetro urbano), regido por leis especiais que eram sempre cumpridas, e as regiões suburbanas e rurais habitadas pelos pobres e relativamente não legisladas, onde as leis eram cumpridas com menos rigor. O mecanismo que produziu essa disjunção é equivalente àquele que descrevi no capítulo 4 em relação à polícia: ambivalência legal. Esse mecanismo é constitutivo da ocupação da terra brasileira e da legislação desde o início da colonização (Holston 1991b). Como as fronteiras do legal e do ilegal são mal definidas, o executivo tem a autoridade de fato para dar a palavra final em disputas de terra e determinar a legalidade caso a caso. As leis urbanas de 1910 estabeleceram uma divisão da cidade em quatro zonas: central, urbana, suburbana e rural. A maioria das leis criadas na época aplicava-se apenas às zonas central e urbana, deixando as outras regiões (para onde os pobres estavam se mudando) não regulamentadas. Quando se estendia a legislação a essas zonas, como as exigências de registro de empreendimentos e regras para abrir ruas, logo se formulavam exceções. As exigências de que novas ruas tivessem infraestrutura e dimensões mínimas, por exemplo, puderam ser legalmente ignoradas depois de 1923, quando uma nova lei ofereceu a possibilidade de criação de "ruas particulares" nas regiões suburbanas e rurais. Os preceitos legais para o perímetro urbano não se aplicavam a essas "ruas particulares". Mas provavelmente o melhor exemplo desse mecanismo refere-se à instalação de infraestrutura urbana pela cidade, que desde o início do século dependia do status legal da rua. Muitas das novas ruas, especialmente nas zonas suburbana e rural, eram por princípio ou irregulares ou ilegais, e assim sendo careciam de infraestrutura urbana. E embora elas tenham sido progressivamente assimiladas à legalidade urbana por meio de várias anistias (1936, 1950, 1962 e 1968), os decretos eram suficientemente ambíguos para deixar ao executivo a determinação de quais ruas preenchiam os critérios para a legalização, e por conseguinte para a melhoria urbana, e quais não preenchiam.[6]

O mais famoso empreendimento urbanístico do governo municipal no começo do século levou a uma transformação do padrão de segregação e representou uma mudança na concepção da intervenção do Estado no planejamento urbano. Foi o Plano de Avenidas, elaborado por Francisco Prestes Maia durante a administração de José Pires do Rio, o último prefeito da República Velha.[7] O plano propunha mudar o sistema de circulação da cidade abrindo uma série de avenidas partindo do centro até os subúrbios. Ele exigiu uma considerável demolição e remodelação da região central, cuja zona comercial foi reformada e aumentada, estimulando a especulação imobiliária. Consequentemente, os trabalhadores que não

---

[6] Ver Holston (1991b) para uma análise da relação entre as práticas ilegais e a ocupação da terra no Brasil e especialmente na periferia de São Paulo. Ver Rolnik (1997) para uma análise da legislação urbana e da mesma dinâmica legal/ilegal entre 1886 e 1936.

[7] Embora decisões importantes baseadas no plano tenham começado a ser tomadas no final da década de 20, as principais obras foram executadas depois de 1938, durante a administração de Prestes Maia.

podiam pagar os elevados aluguéis acabaram expulsos do centro. O Plano de Avenidas também optou por investir nas ruas em vez de expandir o serviço de bondes. Uma das principais causas da concentração da cidade era que o transporte coletivo baseava-se no sistema de bondes, que requeria instalações caras e, portanto, expandia-se lentamente. Porque esse sistema cobria apenas uma pequena área da cidade, era difícil desalojar os moradores pobres do centro da cidade, onde trabalhavam. O lançamento de um sistema de ônibus, associado à progressiva abertura de novas avenidas, possibilitou a expansão da cidade em direção à periferia.

A segunda fonte de influência nas transformações urbanas veio do grupo de industriais congregados na Federação das Indústrias e liderados por Roberto Simonsen. Eles estavam interessados em estudar os padrões de consumo e moradia das classes trabalhadoras a fim de reformá-los. Promoveram a criação de uma série de instituições que se especializaram no estudo e documentação das condições de vida das classes trabalhadoras, especialmente a habitação popular, considerada "o magno problema social" (Bonduki 1983: 147). Convencidos de que os empregadores não podiam arcar com a responsabilidade de resolver esse problema, os industriais eram favoráveis à aquisição da casa própria pelos trabalhadores, o que poderia reduzir suas despesas com moradia e aumentar suas possibilidades de consumo. Obviamente, também estavam interessados em organizar o espaço da cidade para a expansão industrial.

A terceira fonte era o movimento sindical, que se tornou bastante forte sob a influência anarquista. Ele promoveu uma série de greves importantes em São Paulo durante a década de 10 (Fausto 1977) e na década de 20 uniu-se a outros movimentos de oposição que levaram à derrota da República Velha. A habitação era um tema central nos movimentos de trabalhadores, expresso principalmente em discussões sobre o aluguel e seu controle. Desde a década de 10, os sindicatos anarquistas propuseram a formação de "ligas de inquilinos" para boicotar o pagamento de aluguéis. Apesar dessa mobilização, e a despeito da sua contribuição para a mudança do regime político, a "questão da moradia" acabou sendo tratada individualmente por cada trabalhador, e não coletivamente.

Finalmente, a quarta influência na transformação urbana foi o governo federal, especialmente depois da Revolução de 1930. O recém-criado Ministério do Trabalho defendeu a criação de oportunidades para as classes urbanas adquirirem a casa própria. Assim como os industriais, os representantes do Ministério do Trabalho estavam interessados em cortar despesas com aluguel e disseminar o valor da casa própria, que consideravam uma das bases da estabilidade social. O governo federal tomou várias iniciativas para propagar a casa própria, nem todas igualmente bem-sucedidas.[8] O fator que teria o maior impacto na cidade e nos arranjos

[8] Em 1937, o governo federal criou os Institutos de Previdência, e em 1946, a Fundação da Casa Popular, para construir casas de baixo custo para trabalhadores. Mas elas nunca cumpriram seu mandato: as poucas casas construídas foram distribuídas de acordo com critérios clientelísticos. Vargas também renovou as Caixas Econômicas, que começaram a financiar casas para a classe média.

habitacionais das camadas trabalhadoras ocorreu em 1942, no contexto de uma crise de habitação marcada por aluguéis altos provocados pela crise econômica associada à Segunda Guerra Mundial e pela reforma das regiões centrais em várias cidades brasileiras. Esse fator foi a Lei do Inquilinato, que congelou todos os aluguéis residenciais nos valores de dezembro de 1941. Essa medida deveria durar dois anos, mas foi sucessivamente renovada até 1964, com apenas alguns pequenos aumentos em resposta à inflação. Em São Paulo, a consequência imediata foi uma diminuição do mercado de aluguéis, já que se deixaram de construir unidades de aluguel. Isso acelerou a partida de trabalhadores para a periferia, onde podiam encontrar terrenos baratos (e irregulares) para construir suas casas.[9]

A interseção dessas várias iniciativas e políticas, associada ao pronunciado aumento populacional causado por migrações internas desde o começo dos anos 30, levou a um novo padrão de segregação urbana, que iria caracterizar São Paulo nos 50 anos seguintes.[10] No novo arranjo, pobres e ricos viveriam separados: distância, crescimento econômico e repressão política permitiriam uma peculiar desatenção de um em relação ao outro.

Centro-periferia: a cidade dispersa

O novo padrão de urbanização é comumente chamado centro-periferia e tem dominado o desenvolvimento de São Paulo desde os anos 40. Esse padrão tem quatro características principais: 1) é disperso em vez de concentrado — a densidade populacional caiu de 110 hab/ha em 1914 para 53 hab/ha em 1963 (F. Villaça citado por Rolnik 1997: 165); 2) as classes sociais vivem longe uma das outras no espaço da cidade: as classes média e alta nos bairros centrais, legalizados e bem-equipados; os pobres na periferia, precária e quase sempre ilegal; 3) a aquisição da casa própria torna-se a regra para a maioria dos moradores da cidade, ricos e pobres; 4) o sistema de transporte baseia-se no uso de ônibus para as classes trabalhadoras e automóveis para as classes média e alta.[11] Esse padrão de urbanização consolidou-se ao mesmo tempo em que a cidade tornou-se o centro industrial do país, com a expansão de indústrias pesadas em substituição às manufaturas têxteis e de alimentos (uma mudança associada à implantação da produção de automóveis), e quando a cidade recebeu um grande fluxo de migrantes

---

[9] Para uma análise das várias dimensões da Lei do Inquilinato, ver Bonduki (1983 e 1994). Para uma análise da política trabalhista de Vargas, ver Santos (1979).

[10] Desde 1934 várias restrições foram impostas à imigração estrangeira. No mesmo período, secas no Nordeste fizeram com que muitos se deslocassem para São Paulo. Durante o período de 1935-1939, 96% das 285 mil pessoas que migraram para o estado de São Paulo eram brasileiros (Morse 1970: 302).

[11] A análise que se segue é baseada em: Brant *et al.* (1989), Bonduki (1983), Caldeira (1984), Camargo *et al.* (1976) e Langenbuch (1971).

do Nordeste do Brasil.[12] Durante esse período, a expansão urbana e a dinâmica industrial ultrapassaram os limites do município de São Paulo, provocando rápidas transformações nos municípios circundantes, oficialmente integrantes da região metropolitana de São Paulo.

ÔNIBUS, ILEGALIDADE E AUTOCONSTRUÇÃO: A EXPANSÃO DA PERIFERIA

O lançamento do sistema de transporte público baseado em ônibus foi fundamental para o desenvolvimento do novo padrão de urbanização. Embora o preço da terra na periferia fosse relativamente baixo e houvesse loteamentos à venda desde a década de 10,[13] eles permaneceram desocupados principalmente devido à falta de transporte. Até o final dos anos 30, os únicos loteamentos ocupados fora do centro eram aqueles próximos às estações ferroviárias. No entanto, eles eram poucos e sua possibilidade de expansão, limitada, pois as pessoas precisavam andar até a estação.[14] No final dos anos 30, a abertura de novas avenidas tornou possível a difusão do uso dos ônibus. Os primeiros começaram a rodar em 1924 e no final da década já desafiavam o monopólio do sistema de bondes pertencente à São Paulo Tramway Light & Power Co., popularmente conhecida como Light.[15] Precisando de menos infraestrutura e sendo portanto mais flexíveis, os ônibus passaram a circular por ruas não asfaltadas de bairros distantes do centro da cidade. Enquanto em 1948 os deslocamentos por bonde respondiam por 52,2% do total de viagens em transporte público, em 1966 eles haviam caído para 2,4% do total. Ao mesmo tempo, os deslocamentos em ônibus subiram de 43,6% em 1948 para 91,2% em 1966 (Velze, R., citado por Kowarick e Bonduki 1994: 153). Os bondes encerraram suas operações em 1968.

O principal agente da expansão dos serviços de ônibus não foi o governo, mas empresários particulares, a maioria dos quais também eram especuladores imobiliá-

---

[12] O crescimento da população é mostrado na Tabela 6. Entre 1950 e 1960, mais de 1 milhão de pessoas se estabeleceram na região metropolitana. Entre 1960 e 1970 e entre 1970 e 1980, o número de migrantes ultrapassou 2 milhões por período (Perillo 1993: 2).

[13] Cf. Langenbuch 1971. Especuladores imobiliários compraram a maioria dos lotes vendidos antes dos anos 30, os quais permaneceram desocupados. Para uma história de um bairro de periferia criado na década de 20, mas ocupado apenas nos anos 60, ver Caldeira 1984.

[14] Em 1948, apenas 4,2% dos deslocamentos urbanos em transporte coletivo entre a casa e o trabalho eram feitos por trem; durante os anos 50 e 60, a porcentagem dos deslocamentos por trem nunca ultrapassou 6,6% do total (Velze, R., citado por Kowarick e Bonduki 1994: 153).

[15] Esse monopólio foi quebrado no final dos anos 20, quando a cidade decidiu não renovar o contrato com a Light e negar-lhe o monopólio do sistema de ônibus. Ao mesmo tempo, o governo municipal decidiu começar a construir a Avenida 9 de Julho, a primeira das novas avenidas radiais.

rios.[16] Como consequência, o sistema era irregular e aleatório, projetado para servir sobretudo aos interesses imobiliários. Ele tornou possível vender lotes localizados "no meio do mato" e ajudou a criar um tipo peculiar de espaço urbano no qual áreas ocupadas e vazias intercalavam-se aleatoriamente por vastas áreas. Não havia nenhum planejamento prévio e as regiões ocupadas eram aquelas nas quais os especuladores tinham decidido investir. Sua estratégia era deixar áreas vazias no meio das ocupadas para que fossem colocadas no mercado mais tarde por preços mais altos.

A urbanização da periferia foi deixada principalmente para a iniciativa privada, com pouco controle ou ajuda das autoridades governamentais até a década de 70. A despeito dos discursos da elite e do governo em favor tanto da difusão da casa própria para os pobres quanto de um planejamento racional para a expansão da cidade, o processo de abertura e venda de lotes na periferia que expandiu a cidade drasticamente a partir dos anos 40 foi caótico. A própria legislação garantia a excepcionalidade da periferia: enquanto regulava cuidadosamente o que definia como perímetro urbano, deixava as zonas suburbana e rural quase sem regulamentação e portanto abertas às mais diversas formas de exploração. Os especuladores imobiliários desenvolveram várias práticas ilegais ou irregulares para maximizar seus lucros: da grilagem e fraude ao não suprimento de serviços urbanos básicos e desrespeito das dimensões mínimas do lote exigidas por lei. O resultado dessas práticas é que a maioria dos trabalhadores que compraram terrenos na periferia para construir suas casas descobriu com o tempo que suas propriedades estavam prejudicadas por alguma forma de ilegalidade e seus títulos não podiam ser registrados. Ou eles haviam comprado um terreno grilado, ou não conseguiam regularizá-lo porque suas dimensões estavam abaixo dos limites exigidos por lei, ou porque se localizava em loteamentos sem a infraestrutura exigida pelos códigos municipais. Além disso, os trabalhadores normalmente construíam suas casas sem aprovar a planta na prefeitura, já que geralmente não podiam arcar com o custo que isso envolvia. Assim, mesmo quando os lotes eram legais, frequentemente a construção não era.[17]

A Secretaria de Planejamento de São Paulo estimou no início dos anos 90 que 65% de toda a população da cidade mora em residências afetadas por pelo menos uma das várias formas de ilegalidade (Rolnik *et al.* s.d.: 95). Todavia, os trabalhadores sempre entenderam que é exatamente a condição de ilegalidade dos lotes e da construção, e o caráter legal precário da periferia como um todo, que permite que eles se tornem proprietários e resolvam seus problemas de moradia

[16] Em 1948, os ônibus públicos respondiam por 31% dos deslocamentos entre a casa e o trabalho, e os ônibus particulares, por 12,6%. Em 1966, no entanto, a situação havia se invertido: os ônibus particulares faziam 75,7% dos deslocamentos e os ônibus públicos, apenas 15,5% (Velze, R., citado por Kowarick e Bonduki 1994: 153).

[17] Todas essas formas de ilegalidade ou irregularidade afetam as pessoas que compram seus lotes de boa-fé e pagam por eles. Eles constituem um caso diferente do das favelas, que são formadas pela invasão de terras e onde as pessoas normalmente não compram os lotes (embora possam comprar seus barracos).

(ver Caldeira 1984: caps. 1-3; Holston 1991b). Os lotes na periferia eram acessíveis aos trabalhadores tanto em função de sua ilegalidade quanto porque estavam "no meio do mato": em bairros sem asfalto, eletricidade, água, esgoto, telefone, escolas ou hospitais e ligados à cidade por um sistema deficiente de ônibus nos quais gastavam muitas horas por dia.[18] Tais infraestruturas urbanas e serviços tenderam a ser instalados ou melhorados apenas durante períodos democráticos e sob a pressão política de movimentos de moradores da periferia. Nos anos 50, políticos populistas, em especial Jânio Quadros, estabeleceram uma política de trocar infraestrutura urbana por votos, prática que acabou urbanizando o primeiro anel da periferia (incluindo a famosa Vila Maria), que por sua vez tornou-se sua principal base política. A mais importante mobilização dos moradores da periferia, no entanto, começou nos anos 70 e caracterizou-se pela organização dos movimentos sociais autônomos.

Os moradores da periferia também foram negligenciados pelo fato de que nunca puderam contar com nenhum tipo de financiamento para construir suas casas. Os poucos programas criados para eles ou tinham exigências que não podiam cumprir, ou foram rapidamente redirecionados para a classe média, como é o caso do Banco Nacional de Habitação (BNH). Portanto, os trabalhadores terminaram construindo suas casas através da autoconstrução, o processo a longo prazo pelo qual os trabalhadores compram um lote, constroem um quarto ou um barraco nos fundos do lote, onde passam a morar, e então gastam décadas expandindo e melhorando a construção, mobiliando e decorando a casa (ver as Fotos 1, 2 e 3). Esse processo mudou radicalmente o status residencial da maioria da população. A partir dos anos 40, a aquisição da casa própria em São Paulo expandiu-se consideravelmente, ao mesmo tempo que o aluguel diminuiu. Enquanto em 1920 apenas 19,1% dos domicílios eram propriedade dos moradores, em 1960 essa taxa subiu para 41%, e, em 1991, 63,2% já estavam nessa categoria.[19] Hoje, a proporção de habitações próprias nos bairros periféricos (68,51%) é maior do que a média da cidade (63,57%), confirmando a disseminação da autoconstrução como a principal alternativa habitacional das camadas trabalhadoras (ver Tabela 7).

A expansão da área urbanizada da região metropolitana de São Paulo, resultante basicamente do deslocamento dos trabalhadores em direção à periferia e da instalação de indústrias em algumas dessas regiões, é expressa no Mapa 1.[20] Ele mostra que a maior expansão ocorreu durante os anos 50. Dos anos 40 até os anos

---

[18] Em 1977, na zona leste da cidade, onde se localiza o Jardim das Camélias, moradores que usavam ônibus para ir ao trabalho gastavam uma média de 13 horas fora de casa, indo ou vindo para o trabalho e trabalhando. Em 1987 a situação permanecia inalterada (Caldeira 1984: 62; Metrô 1989: 41).

[19] Para 1920, Bonduki (1982: 146); para 1960 e 1991, Censo Brasileiro.

[20] Agradeço ao Laboratório de Espacialização de Dados do Cebrap, e especialmente a Ciro Biderman e Anderson Kazuo Nakano, pela assistência na elaboração dos mapas usados neste capítulo.

Fotos 1, 2 e 3: Diferentes estágios de uma casa autoconstruída no Jardim das Camélias, 1980, 1989 e 1993.

80, o processo de expansão periférica afetou não só a cidade de São Paulo, mas também os 38 municípios circundantes que formaram uma conurbação para constituir sua região metropolitana. Vários desses municípios apresentam a mesma precariedade urbana e as mesmas altas taxas de crescimento populacional dos distritos da periferia da capital e funcionam como sua extensão. Alguns desses municípios também acomodaram muitas das novas indústrias instaladas na região nas décadas de 50 e 60. A principal área de desenvolvimento industrial foi a região sudeste da cidade — o ABCD.[21]

Mapa 1
Expansão da área urbana, Região Metropolitana de São Paulo, 1949-1992

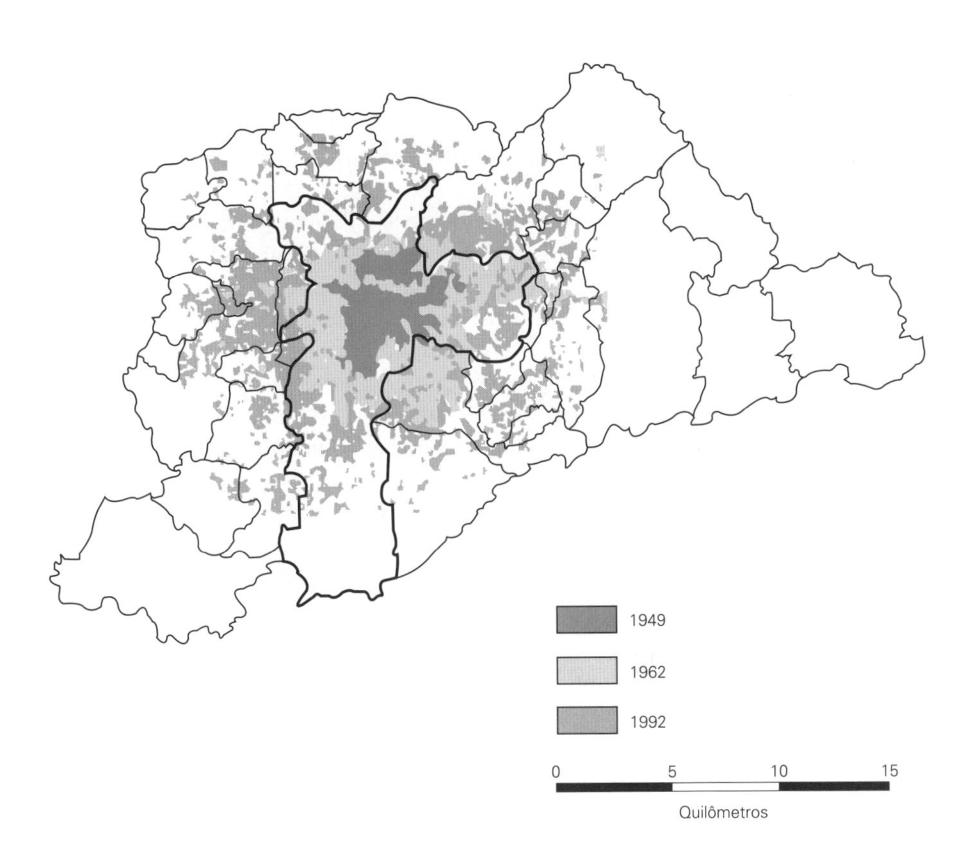

[21] Encontra-se no Apêndice um mapa da região metropolitana com os nomes de todos os municípios (Mapa 3).

À medida que a metrópole se expandiu as preocupações das autoridades públicas em regular o espaço construído, domar a expansão descontrolada e remediar os efeitos mais perversos também aumentaram. Os regulamentos e planos multiplicaram-se a partir dos anos 60. No entanto, como já havia acontecido antes, seus efeitos foram sentidos principalmente nas áreas centrais ocupadas pelas classes média e alta, enquanto as periferias permaneceram negligenciadas até os anos 70.

Alojando os ricos e melhorando o centro

O padrão de habitação da classe média de São Paulo também mudou, especialmente depois do final dos anos 60. Seus membros também se tornaram proprietários, mas através de um processo completamente diferente. Ao contrário do que acontecia com as camadas trabalhadoras, as classes média e alta receberam financiamento e não tiveram de construir suas casas. Mudaram-se para prédios de apartamentos, o primeiro tipo de habitação a ser produzido por grandes empresas e cujo mercado se expandiu de forma significativa nos anos 70, transformando os bairros centrais. Além disso, os edifícios eram o principal tipo de construção para escritórios, não apenas no centro mas também em novas áreas comerciais nas regiões sul e oeste da cidade.

Uma análise da história da verticalização de São Paulo permite entender como as autoridades públicas, tanto locais quanto federais, tentaram regular a expansão urbana e estruturaram as áreas mais ricas da cidade. O zoneamento municipal e os regulamentos de construções determinaram onde os edifícios podiam ser construídos e que dimensões podiam ter, além de terem criado barreiras à construção de prédios de apartamentos para camadas de baixa renda. Políticas federais ditaram as condições de financiamento de apartamentos para a classe média e para a proliferação de grandes empreendimentos imobiliários que dominaram o mercado de residências coletivas a partir dos anos 70. Em conjunto, as políticas municipais e federais ajudaram a transformar os prédios de apartamentos no principal tipo de moradia das classes média e alta.

A construção de edifícios em São Paulo começou na primeira década do século XX e localizou-se no centro da cidade. Conforme demonstra Nádia Somekh Martins Ferreira, até 1940, 70% de todos os edifícios localizavam-se nos bairros centrais e 65% eram não residenciais. Em 1940, apenas 4,6% da população de São Paulo vivia em apartamentos e apenas 2,1% dos domicílios estavam em prédios de apartamentos (Ferreira 1987: 75).[22] Durante a década de 40, a construção de edifícios continuou limitada à região central e a uns poucos bairros circundantes, mas a porcentagem de edifícios residenciais começou a aumentar. Naquela época já era

[22] A análise da construção vertical de São Paulo para o período de 1940-1979 é baseada em Ferreira (1987). A fonte de Ferreira é o registro de elevadores na cidade de São Paulo. Desde 1940, todos os elevadores devem ser registrados na prefeitura. Esses registros contêm o endereço de cada edifício e o ano em que eles foram colocados no mercado.

possível vender separadamente unidades em prédios de apartamentos, mas a maioria dos edifícios residenciais era para aluguel.[23] De acordo com Carlos Lemos (1978: 54), quando iniciou-se a construção de prédios de apartamentos residenciais nos anos 40, eles eram estigmatizados e associados a cortiços, pobreza e falta de privacidade e liberdade. Os apartamentos eram, portanto, uma solução indesejada para a classe média. Isso é confirmado por uma pesquisa realizada pelo Ibope (Instituto Brasileiro de Opinião Pública e Estatística) em dezembro de 1945 entre os moradores das classes média e alta da cidade de São Paulo, em que 90,8% dos entrevistados declararam preferir casas a apartamentos e 83,3% estavam de fato vivendo em casas.[24] Na época, a maioria dos entrevistados pagava aluguel: apenas 17,2% dos homens entrevistados possuíam residência própria; 53,2% tinham a intenção de comprar uma casa, mas apenas 1,6% tinha a intenção de comprar um apartamento.

Até o final da década de 50, a construção de edifícios não foi muito controlada pela administração municipal. De 1957 em diante, no entanto, leis municipais destinadas a controlar a expansão da cidade afetaram em particular a construção de edifícios. As leis tiveram dois efeitos principais: por um lado, fecharam o mercado imobiliário de prédios de apartamentos para a população de baixa renda; por outro, direcionaram os novos edifícios para fora do centro. Ambos os efeitos acompanharam o remodelamento da região central que expulsou os pobres para as novas periferias. Essas tendências têm persistido dos anos 50 até o presente.

Em 1957, a Lei Municipal 5.261 limitou pela primeira vez o coeficiente de aproveitamento do terreno: ele não poderia exceder a 6 vezes nos prédios comerciais e 4 vezes nos prédios residenciais (isto é, o total da área construída não podia ser maior do que 4 ou 6 vezes o tamanho do lote).[25] Além disso, essa lei determinou que a cota mínima de terreno por apartamento deveria ser de 35 m^2; isto é, a cada unidade deveria corresponder pelo menos 35 m^2 da área do terreno. Embora essa lei nunca tenha sido inteiramente cumprida — as incorporadoras sempre enviavam à prefeitura suas plantas de prédios residenciais como se fossem comerciais, conseguindo assim aumentar o coeficiente de aproveitamento —, ela acabou causando um aumento do tamanho dos apartamentos e forçando o deslocamento de novos edifícios residenciais para regiões fora do centro da cidade, onde os lotes eram mais baratos. Desde essa época, os apartamentos se tornaram uma forma de moradia quase exclusiva da classe média.

Se as leis municipais explicam porque a construção de apartamentos de baixa renda foi interrompida e porque os edifícios começaram a ser erguidos fora da

---

[23] O Decreto 5.481, de 25 de junho de 1928, regulamentou a venda de apartamentos individuais em prédios com mais de cinco andares (Ferreira 1987: 72). Nos EUA, a propriedade em condomínio foi regulamentada apenas em 1961 (McKenzie 1994: 94).

[24] As pesquisas originais do Ibope estão no Arquivo Edgard Leuenroth, na Unicamp. Os dados citados acima são do volume 2 das pesquisas de 1945. Os documentos não são numerados e são identificados apenas pela data.

[25] Esta lei foi inspirada por Anhaia Melo, prefeito e planejador de São Paulo, que era favorável ao controle da expansão vertical e da densidade populacional da cidade.

região central, elas não explicam porque alguns anos mais tarde a classe média estava se mudando para um tipo de residência que antes havia rejeitado fortemente. Este fenômeno pode ser melhor entendido considerando-se a próxima importante intervenção do Estado no mercado imobiliário de apartamentos, dessa vez em âmbito federal: a criação, em 1964, do BNH e do SFH (Sistema Financeiro de Habitação). Este sistema, que começou a operar em larga escala em 1967, foi criado especificamente para promover a construção e financiamento da casa própria para famílias de renda baixa e muito baixa. No entanto, como é sabido, nos anos 70 o BNH tornou-se a principal fonte de financiamento para a classe média, e o que ele mais financiava eram apartamentos em prédios recém-construídos. Do total de recursos fornecidos pelo SFH entre 1965 e 1985, apenas 6,4% foi para famílias com renda menor do que 3,5 salários mínimos (Brant *et al.* 1989: 98).[26]

O SFH provocou uma forte transformação num mercado imobiliário que vinha sendo dominado por incorporadores relativamente pequenos e famílias que construíam suas próprias residências. Ele estimulou a criação de grandes empresas de incorporação imobiliária, que tomavam dinheiro emprestado do SFH para construir edifícios ou conjuntos habitacionais para serem vendidos com financiamento do BNH. Embora dados para São Paulo não estejam disponíveis, Ribeiro e Lago mostram que no Rio de Janeiro, do total de incorporadores imobiliários registrados na cidade no final dos anos 1980, 60% havia iniciado suas atividades durante a década de 70 (1995: 375). Esses incorporadores tinham muito mais capital do que os empreendedores anteriores e dominaram completamente o mercado imobiliário a partir dos anos 70, primeiro nas regiões centrais das áreas metropolitanas e mais recentemente também nas periferias. Esses incorporadores construíam sobretudo edifícios, mas também alguns condomínios fechados horizontais.

Especialmente durante a década de 70, os anos do "milagre econômico", o BNH (associado a grandes incorporadores) desempenhou um papel fundamental no mercado imobiliário. Em São Paulo, 80,8% dos prédios de apartamentos residenciais colocados no mercado entre 1977 e 1982 receberam financiamento do BNH (Salgado 1987: 58). A entrada do SFH no mercado imobiliário fez com que o número de prédios de apartamentos registrados por ano no município de São Paulo mais do que dobrasse.[27] Considerando-se que 63% das unidades financiadas pelo SFH entre 1970 e 1974 eram para o assim chamado mercado médio (isto é, para a classe média), 25% para o mercado econômico e apenas 12% para o mercado popular (Rolnik *et al.* s.d.: 111), não é difícil concluir que os prédios de apartamentos eram moradias de classe média. Em outras palavras, a classe média conseguia empréstimos baratos subsidiados pelo governo, e as camadas trabalhadoras, que não tinham recursos para comprar no mercado formal e que só raramente atingiam as exigên-

---

[26] Ver Sachs (1990) para uma análise das políticas de habitação durante a existência do BNH.

[27] O número de prédios de apartamentos registrado por ano no município de São Paulo pulou de uma média de 265 entre 1959 e 1969 para 580 entre 1970 e 1976 (Ferreira 1987: 25). Para análises do Rio de Janeiro que mostram um padrão semelhante, ver Ribeiro (1993) e Ribeiro e Lago (1995).

cias do BNH para um pedido de empréstimo, construíam casas por conta própria na periferia sem nenhuma ajuda financeira. Além disso, o financiamento maciço de prédios de apartamentos pelo SFH é provavelmente uma das principais razões pelas quais a classe média em São Paulo abandonou o sonho de morar em casas.

Como seria de esperar, durante a década de 70 a distribuição de apartamentos pela cidade expandiu-se consideravelmente, principalmente na parte sudoeste da cidade. O tipo de edifícios e sua distribuição espacial foram novamente influenciados por uma nova regulamentação municipal: o Código de Zoneamento de São Paulo, aprovado em 1972, que dividiu a cidade em oito zonas com diferentes coeficientes de aproveitamento e tipos de uso do solo (residência, comércio, indústria, serviços etc.). O maior coeficiente de aproveitamento na cidade foi fixado em 4 e aplicava-se a uma área correspondente a apenas 10% da região urbana total. A maior parte dos bairros de elite ficou em zonas classificadas como exclusivamente residenciais e com coeficientes de aproveitamento baixo. Uma vez que aprovar plantas fraudulentas ficou mais difícil depois que o BNH começou a financiar a construção (ele financiava apenas residências), o novo código causou um aumento nos preços dos terrenos e reforçou a tendência de deslocamento dos edifícios para longe das regiões centrais.

Prédios de apartamentos de classe média continuaram a ser construídos principalmente em direção ao sudoeste e cada vez mais longe do centro. Ao mesmo tempo, em meados dos anos 70 construíram-se os primeiros grandes condomínios fechados num padrão de quase clubes, alguns deles fora da cidade. Esse tipo de empreendimento imobiliário foi estimulado pelo novo zoneamento, que permitia que os prédios excedessem os coeficientes de aproveitamento em algumas áreas se diminuíssem a taxa de ocupação e criassem áreas verdes e equipamentos para uso coletivo. A construção de edifícios comerciais e de escritórios durante os anos 70 seguiu a mesma tendência espacial. O centro de São Paulo não era mais o único núcleo comercial e de serviços. Os escritórios se espalharam pela Avenida Paulista, pelos Jardins e pela Avenida Faria Lima, todos na parte sudoeste da cidade. Edifícios comerciais e residenciais foram construídos um atrás do outro numa área cada vez maior.

Grandes distâncias, grandes disparidades

Na década de 70, São Paulo tinha se tornado uma cidade na qual pessoas de diferentes classes sociais não só estavam separadas por grandes distâncias, mas também tinham tipos de habitação e qualidade de vida urbana radicalmente diferentes. Desde o final dos anos 60, a cidade tem realizado estudos que indicam essas disparidades. Em 1968, o PUB (Plano Urbanístico Básico) mostrou que 52,4% dos domicílios não tinham ligação de água, 41,3% não estavam ligados à rede de esgotos e 15,9% não dispunham de coleta de lixo (citado por Camargo *et al.* 1976: 28).[28]

[28] O PUB foi a base para o primeiro plano urbanístico geral da cidade, o Plano Diretor de Desenvolvimento Integrado aprovado em 1971 (Lei Municipal 7.688).

Além disso, o plano indicou que 60% das ruas não eram asfaltadas e 76% não tinham iluminação pública (São Paulo, Sempla 1995: 19). A distribuição de infraestrutura e de serviços públicos era bastante desigual. Enquanto no centro 1,3% dos domicílios não tinha água encanada, 4,5% não estavam ligados à rede de esgoto, 1,7% não tinha asfalto e 0,8% não tinha coleta de lixo, num distrito novo na periferia leste, como Itaquera, em 89,3% dos domicílios não havia água encanada, 96,9% não dispunham de esgotos, 87,5% não tinham asfalto e 71,9% não dispunham de coleta de lixo.[29]

A expansão da periferia sob essas condições precárias criou sérios problemas de saneamento e saúde. As taxas de mortalidade e especialmente de mortalidade infantil, que haviam diminuído entre 1940 e 1960, aumentaram de 1960 até meados da década de 70. A expectativa de vida diminuiu de 62,3 anos no período de 1957-1967 para 60,8 anos no período de 1969-1971. Ao mesmo tempo, a mortalidade infantil aumentou de 62 (por mil nascidos vivos) para 80 em 1975. As taxas de mortalidade infantil eram muito mais altas na periferia do que nos distritos centrais. Em 1975, por exemplo, em São Miguel Paulista, na periferia leste, a taxa de mortalidade infantil era de 134, enquanto no Jardim Paulista era de 44,6 (São Paulo, Emplasa 1982: 419).

Em resumo, nos anos 70 os pobres viviam na periferia, em bairros precários e em casas autoconstruídas; as classes média e alta viviam em bairros bem-equipados e centrais, uma porção significativa delas em prédios de apartamentos (ver Fotos 4 e 5). O sonho da elite da República Velha fora realizado: a maioria era proprietária de casa própria e os pobres estavam fora do seu caminho. Esse padrão de segregação social dependia do sistema viário, automóveis e ônibus,[30] e sua consolidação ocorreu ao mesmo tempo que São Paulo e sua região metropolitana se tornaram o principal centro industrial do país e o seu mais importante polo econômico. As novas indústrias (muitas delas metalúrgicas) localizavam-se na periferia da cidade e nos municípios circundantes. O comércio e os serviços, no entanto, permaneceram nas regiões centrais, não apenas no velho centro, mas também próximo às novas áreas de residência das classes média e alta em direção à zona sul da cidade.

Tanto o Censo de 1970 quanto o de 1980 demonstraram a extensão da divisão da cidade entre centro e periferia. Um estudo de 1977 produzido pela Seplan (Secretaria de Economia e Planejamento do Estado de São Paulo), baseado nos dados do Censo de 1970, ilustrou a segregação. Ele fez uma análise discriminante por passos usando as seguintes variáveis para cada distrito da cidade: renda familiar, saneamento básico, densidade demográfica, crescimento populacional, uso residencial do

---

[29] Uma documentação detalhada das desigualdades sociais e espaciais na cidade e na região metropolitana em meados da década de 70 encontra-se em Camargo *et al.* (1976). Ver Caldeira (1984) para uma análise do processo de periferização e para um estudo de caso em São Miguel, na periferia leste, no final dos anos 70.

[30] São Paulo tinha 63 mil veículos motorizados circulando em 1950; em 1966 eles eram 415 mil, e em 1993 eram 4,1 milhões (Morse 1970: 373; São Paulo, Sempla 1995: 89).

Foto 4: Consolação, um bairro central de São Paulo que
combina edifícios comerciais e residenciais, 1980.

Foto 5: Jardim das Camélias, bairro da periferia leste da cidade de São Paulo, 1980.

solo urbano e mortalidade proporcional. Esse estudo mostrou que os distritos da cidade estavam distribuídos em oito regiões homogêneas, isto é, grupos de bairros com características sociais e urbanas similares. A região I era a central, a mais rica e bem-equipada; a região VIII era a mais pobre, com menos infraestrutura urbana e a mais distante do centro (São Paulo, Seplan 1977); as outras ficavam em posições intermediárias, estando as mais ricas mais próximo do centro. Dados do Censo de 1980 confirmaram esse padrão. Na região I, que abrigava apenas 6,9% dos domicílios e 6,3% da população, 99,1% dos domicílios tinham ligação elétrica, 97,6% eram ligados à rede geral de esgotos e 73,2% dispunham de telefone. Na região VIII, que abrangia 22,0% dos domicílios e 24,1% da população, 98,8% dos domicílios tinham ligação elétrica, mas apenas 19,1% estavam ligados à rede de esgotos e apenas 4,9% dispunham de telefone. Em termos de renda familiar média, na região I, aqueles com renda de até cinco salários mínimos eram 18,4% do total; na região VIII, eram 64,6% do total (Caldeira 1984: 26-8).

Essa separação dos grupos sociais na cidade esteve associada a um período de relativa desatenção às diferenças de classes. Pelo menos três fatores contribuíram para essa desatenção e ajudaram a criar um silêncio e uma separação entre as classes, que muitos interpretaram como um sinal de paz social. Primeiro, a separação espacial das classes tornou seus encontros pouco frequentes e restritos principalmente à circulação em algumas regiões centrais. Segundo, o crescimento econômico a partir dos anos 50, e especialmente durante os anos 70 — os "anos do milagre" —, gerou otimismo e ajudou a fortalecer a crença no progresso e na mobilidade social. Terceiro, a repressão dos governos militares baniu organizações políticas e a expressão pública de oposição ao regime.

Mas a "calma" não durou muito. Nos últimos anos do regime militar, o movimento sindical foi reorganizado na região metropolitana de São Paulo e movimentos sociais exigindo serviços e equipamentos urbanos articularam-se por toda a periferia. A elite não previra que a propriedade da casa, em vez de ser um meio de estabilidade social e docilidade da classe trabalhadora, iria, ao contrário, politizar os moradores da periferia, levando-os a reivindicar seus direitos à cidade. Tão logo se iniciou a "abertura política" em meados da década de 70, movimentos sociais emergiram por toda a periferia. Os moradores pobres de São Paulo, que haviam sido esquecidos no silêncio das margens da cidade, aprenderam rapidamente que, se pudessem se organizar, provavelmente poderiam melhorar a qualidade de vida nos seus bairros. A mobilização política daqueles que até então haviam sido excluídos da arena política tornou visível a periferia e ajudou a população de São Paulo a perceber o padrão de segregação social e organização espacial da cidade. O modelo centro-periferia passou a ser invocado em negociações políticas entre os funcionários do governo e os representantes dos movimentos sociais. Foi também o modelo usado pelos meios de comunicação de massa nas suas frequentes reportagens sobre manifestações, e pelos cientistas sociais, que observaram fascinados a politização que não haviam previsto. Esse modelo tornou-se, assim, uma referência comum para moradores, organizações políticas, planejadores e cientistas sociais. No entanto, à medida que a periferia encontrava seu caminho na vida política e intelectual da cidade, outros processos já estavam mudando sua configuração de tal forma que, num curto período de tempo, o modelo centro-periferia não era mais capaz de representar acuradamente as dinâmicas socioespaciais da cidade.

Proximidade e muros nas décadas de 80 e 90

A São Paulo do final dos anos 90 é mais diversa e fragmentada do que era nos anos 70. Uma combinação de processos, alguns deles semelhantes aos que afetam outras cidades, transformou o padrão de distribuição de grupos sociais e atividades através da região metropolitana. São Paulo continua a ser altamente segregada, mas as desigualdades sociais são agora produzidas e inscritas no espaço urbano de modos diferentes. A oposição centro-periferia continua a marcar a cidade, mas os processos que produziram esse padrão mudaram consideravelmente, e novas forças já estão gerando outros tipos de espaços e uma distribuição diferente das classes sociais e atividades econômicas. São Paulo hoje é uma região metropolitana mais complexa, que não pode ser mapeada pela simples oposição centro rico *versus* periferia pobre. Ela não oferece mais a possibilidade de ignorar as diferenças de classes; antes de mais nada, é uma cidade de muros com uma população obcecada por segurança e discriminação social.

Vários foram os processos que se combinaram para provocar as mudanças recentes no padrão de segregação espacial de São Paulo. Nos anos 80 e 90, a taxa de crescimento populacional em São Paulo caiu significativamente, como resultado de uma queda acentuada nas taxas de fecundidade (ver capítulo 1) combinada com emigração. Isto é, reverteram-se as tendências demográficas que haviam caracterizado a cidade nos últimos cem anos. Essa mudança demográfica combinou-se a uma transformação nos padrões residenciais especialmente para os moradores mais ricos e os mais pobres. Pela primeira vez na história da São Paulo moderna, moradores ricos estão deixando as regiões centrais da capital para habitar regiões distantes. Embora a riqueza continue geograficamente concentrada, a maioria dos bairros centrais de classe média e alta perderam população no período de 1980-1996, enquanto a proporção de moradores mais ricos aumentou substancialmente em alguns municípios no noroeste da região metropolitana e em distritos no sudoeste da cidade habitados anteriormente por pessoas pobres. Nessas novas áreas, o principal tipo de habitação é o enclave fortificado. Ao mesmo tempo, a aquisição da casa própria por meio da autoconstrução na periferia tornou-se uma alternativa menos viável para os trabalhadores pobres. Isso é o resultado da combinação de dois processos: o empobrecimento causado pela crise econômica dos anos 80 e as melhorias na infraestrutura urbana na periferia, inclusive a legalização de terrenos, resultante da pressão dos movimentos sociais e de um novo tipo de ação dos governos municipais. Em outras palavras, enquanto as rendas diminuíram, a periferia melhorou e tornou-se mais cara. Como resultado, muitos moradores pobres tiveram de colocar de lado o sonho da casa própria e cada vez mais optar por viver em favelas ou em cortiços, que aumentaram substancialmente.

A dinâmica econômica e a distribuição de atividades econômicas também mudou. O setor industrial, especialmente na cidade de São Paulo, perdeu sua preponderância para novas atividades terciárias. Antigas áreas industriais decaíram, enquanto novas zonas de escritórios e comércio atraíram tanto residentes ricos quanto altos investimentos. Finalmente, o aumento do crime violento e do medo desde meados dos anos 80 provocou a fortificação da cidade, à medida que moradores de todas as classes sociais buscaram proteger seus espaços de residência e trabalho. Além disso, como o medo e o crime aumentaram, os preconceitos articulados na fala do crime não só ajudaram a exacerbar a separação de diferentes grupos sociais, mas também a aumentar as tensões e suspeitas entre eles.

A fim de analisar esses processos e seus efeitos no padrão de segregação em São Paulo e em sua região metropolitana, uso indicadores demográficos e socioeconômicos dos Censos de 1980 e 1991, da Contagem da População de 1996 e das PNADs, todos produzidos pelo IBGE. Para uma análise de transformações recentes no espaço urbano, todas essas fontes apresentam limitações. As PNADs só estão disponíveis para a região metropolitana como um todo. Para uma análise mais detalhada, é necessário separar a informação por municípios ou por distritos. No entanto, a subdivisão da cidade em distritos foi completamente refeita entre os dois censos, tornando a comparação impossível.[31] Como não há outros dados adequados para 1980, a análise que se segue aborda cada ano e tenta comparar suas tendências principais.[32] O mesmo problema não existe para os outros municípios da região metropolitana, que são menores e mais homogêneos e cujos limites permaneceram praticamente inalterados.

[31] O Censo de 1980 apresenta dados para 56 distritos e subdistritos da cidade de São Paulo e o Censo de 1991 apresenta dados para 96 distritos. Os novos distritos não são subdivisões dos antigos, mas têm limites totalmente diferentes, tornando impossível a criação de unidades comparáveis. A Secretaria Municipal de Planejamento (Sempla) elaborou uma tabela que estima a população de 1980 de acordo com os novos distritos. Essa é a única informação disponível de uma forma comparável de acordo com os novos distritos para o período de 1980-1991. Além disso, a Emplasa (Empresa Metropolitana de Planejamento da Grande São Paulo) produziu alguns poucos indicadores comparáveis para os velhos distritos. A Contagem de 1996, que tem dados organizados de acordo com os novos distritos, restringe-se a alguns indicadores demográficos.

[32] Uma fonte alternativa de informação seriam as Pesquisas OD (Origem-Destino) realizadas pela Companhia do Metropolitano de São Paulo (Metrô) em 1977 e 1987. Elas apresentam resultados para pequenas subdivisões da cidade chamadas zonas de tráfego. Embora essas subdivisões também sejam diferentes para as duas datas, o Departamento de Planejamento da Secretaria de Planejamento do Município de São Paulo criou unidades comparáveis durante a administração de Luiza Erundina. Usei esses dados na minha tese, mas decidi abandoná-los depois da publicação do Censo de 1991, pois os dados para 1987 diferem consideravelmente dos resultados do censo. A Pesquisa OD-87 usou estimativas populacionais que o censo provou estarem erradas (por exemplo, para a cidade de São Paulo, a Pesquisa OD estimou um crescimento anual da população de 3,2% em vez do 1,1% observado pelo censo). Como consequência, a maioria das informações em que me baseei antes da publicação do censo (e que usavam a densidade populacional como uma variável) estava incorreta. As discrepâncias eram especialmente altas em relação a alguns bairros fundamentais para minha análise, como a Mooca, que teve um crescimento populacional negativo (-1,6%) de acordo com o Censo de 1991, mas um crescimento anual significativo de acordo com a Pesquisa OD-87 (2,0%). Na análise atual não uso nenhum dado da Pesquisa OD que dependa de estimativas populacionais. No entanto, uso seus dados sobre construções baseados

Nos anos 80 e 90, as imagens de crescimento rápido e ininterrupto que caracterizaram a cidade desde o século XIX perderam seus referenciais. De algumas perspectivas, a cidade que "não pode parar" quase parou. Sua área urbanizada continuou se expandindo e sua população ainda cresceu, mas a taxas que não se comparam com as anteriores (ver Mapa 1). A área urbana do município cresceu 12,68% entre 1980 e 1994 (de 733,4 km^2 para 826,4 km^2 [São Paulo, Sempla 1995: 30]), comparada a uma expansão de 37,5% entre 1965 e 1980. Na região metropolitana, a expansão urbana continuou sendo significativa — 24% (de 1.423,3 km^2 em 1980 para 1.765 km^2 em 1990) —, mas muito mais baixa do que o aumento de 91,2% no período entre 1965-1980 (Marcondes 1995, citado por Leme e Meyer 1996: 9).[33] No entanto, uma das mais significativas inversões dos anos 80 e especialmente dos anos 90 foi o acentuado declínio do crescimento populacional. Como mostra a Tabela 6, a taxa anual de crescimento populacional na cidade foi de 1,16% entre 1980 e 1991 e de 0,4% entre 1991 e 1996, comparada a 3,67% nos anos 70. Para os outros municípios da região metropolitana, as taxas ainda foram altas, de 3,21% e 3,07% respectivamente, mas metade da taxa de 6,34% dos anos 70. Entre 1980 e 1991, quase 760 mil pessoas deixaram a cidade de São Paulo (São Paulo, Emplasa 1994: 136). A parte central e mais urbanizada da cidade foi a que mais perdeu população, enquanto as partes oeste e norte da região metropolitana ganharam.

Dos distritos da cidade, 40,6% (nos quais viviam 33,5% da população em 1991) tiveram um crescimento negativo da população no período de 1980-1991[34]; e, de 1991 a 1996, 59,4% dos distritos perderam população. Esses números incluem todo o centro expandido da cidade, dotado de melhor infraestrutura urbana e onde mora a população mais rica. A tendência do centro de crescer menos que a periferia tornou-se clara desde os anos 50, quando algumas das regiões industriais mais antigas da cidade (Pari, Brás, Mooca, Bom Retiro) e o centro velho (Sé, Santa Ifigênia) começaram a perder população,[35] embora a maioria das regiões centrais con-

---

nos registros municipais de propriedade urbana (TPCL — Cadastro de Propriedade Urbana). Os resultados das Pesquisas OD estão em: São Paulo, Emplasa (1978), Metrô (1989), e Rolnik *et al.* (s.d.). Dados de acordo com as zonas de tráfego não foram publicados. Gostaria de agradecer ao Departamento de Planejamento do município de São Paulo (da administração Erundina) e especialmente a Raquel Rolnik e Heloísa Proença por terem permitido meu acesso a esses dados não publicados.

[33] A cidade de São Paulo tem uma área total de 1.509 km^2. A área total da região metropolitana é de 8.051 km^2.

[34] Para a análise do crescimento populacional de acordo com os 96 distritos novos uso a estimativa de população de 1980 feita pela Sempla, Secretária Municipal de Planejamento, com base em dados do censo, além de dados do Censo de 1991 e da Contagem de 1996. Ver no Mapa 4 no Apêndice os 96 distritos novos da cidade de São Paulo.

[35] 7,5% dos distritos da cidade perderam população nos anos 70. Esses tinham 1,87% da população em 1980. Para uma análise do crescimento da população de acordo com os velhos distritos da cidade durante o período de 1940-1980, ver Caldeira (1984: cap. 1).

tinuasse a crescer. Nos anos 80, porém, o processo de perda populacional afetou os bairros tradicionais de classe média como Santo Amaro, Pinheiros, Consolação, Perdizes, Vila Mariana e Itaim Bibi, que tinham crescido muito nas décadas anteriores. Esses distritos continuaram a perder população a taxas ainda mais altas durante os anos 90.[36] O mesmo processo afetou o primeiro anel da periferia que tinha sido formado principalmente nos anos 40 e 50 (Vila Maria, Ipiranga, Vila Guilherme, Vila Prudente, Santana). Além disso, áreas mais distantes da periferia que haviam crescido mais do que 10% ao ano nos anos 60 praticamente não cresceram (menos de 1% ao ano) durante os anos 80 e perderam população durante o começo dos anos 90. Essas regiões incluem Freguesia do Ó, Limão, Campo Belo, São Miguel, Socorro, Jaçanã, Artur Alvim e Jaguaré, bairros distribuídos em todas as direções da periferia e que viram melhorias significativas em sua infraestrutura urbana durante os anos 80. As únicas áreas que continuaram a ter taxas altas de crescimento foram aquelas nos limites da cidade e que não tinham sido urbanizadas antes.[37]

Nos outros municípios da região metropolitana, a média de crescimento da população foi significativamente mais alta do que na capital (Tabela 6). As taxas mais baixas de crescimento foram ou dos municípios rurais nas fronteiras da região ou em importantes centros industriais como a região do ABCD e Osasco, formadas pelos municípios mais urbanizados e com melhor infraestrutura urbana. Alguns desses municípios também tiveram emigração, enquanto todos os outros receberam novos migrantes.[38] As taxas mais altas registraram-se no oeste e norte da região metropolitana, e nos anos 80 em alguns municípios da parte leste. Em geral, as áreas a oeste da capital revelam uma nova dinâmica econômica e social. Seu crescimento populacional parece dever-se ao deslocamento de moradores da cidade de São Paulo, especialmente os mais ricos, assim como a transformações econômicas. A cidade com a mais alta taxa de migração na região metropolitana foi Santana do Parnaíba. Este município recebeu intenso investimento imobiliário para residências da classe alta assim como para novos conjuntos de escritórios e de comércio. Enquanto isso, o crescimento do lado leste parece representar a continuação do modelo de autoconstrução. No entanto, estas são tendências gerais: a região oeste também tem autoconstrução, enquanto a zona leste apresenta vários novos empreendimentos para o terciário.

---

[36] As taxas médias anuais de crescimento populacional entre 1980 e 1991, e 1991 e 1996, respectivamente, foram: -0,61 e -3,80 no Itaim Bibi, -1,90 e -3,57 em Santo Amaro, -1,35 e -2,53 na Consolação, -1,67 e -2,43 em Pinheiros, -0,68 e -1,33 na Vila Mariana, -0,69 e -0,95 em Perdizes.

[37] Por exemplo, em Cidade Tiradentes (antes uma parte do velho distrito de Guaianases, no limite leste), que teve a maior taxa anual de crescimento populacional nos anos 80 (24,55%) e a segunda mais alta entre 1991 e 1996 (11,06%), 90,3% da população vive em áreas classificadas como rurais. Marsilac (anteriormente parte de Parelheiros, no limite sul), o distrito com as piores condições de infraestrutura, é totalmente rural.

[38] Além de São Paulo, Osasco, Santo André, São Caetano e Salesópolis tiveram emigração entre 1980 e 1991 (São Paulo, Emplasa 1994: 136).

A expansão da cidade em direção a suas áreas fronteiriças causada pelo assentamento de moradores mais pobres continuou, embora num ritmo muito mais lento do que nas décadas anteriores. Em 1991, os 20 distritos com maior porcentagem de chefes de domicílio ganhando em média menos de três salários mínimos por mês eram distritos nos limites da cidade, especialmente na região leste.[39] Em 11 desses distritos, mais de 50% dos chefes de domicílio ganhavam menos de três salários mínimos. Como seria de esperar, os distritos mais pobres tendem também a ser homogeneamente pobres, com uma proporção muito pequena de moradores com rendas mais altas. Nos distritos mais pobres, a razão de moradores que ganhavam menos de três salários mínimos para aqueles que ganhavam mais de 20 está em torno de 350 para 1.

Os moradores mais pobres de São Paulo que estão se estabelecendo nos limites da cidade continuam a se valer da autoconstrução e da ilegalidade, como indica uma comparação entre os dados do censo e o registro de propriedades urbanas da cidade. As áreas da periferia que tiveram o maior crescimento de população e de número de domicílios são também aquelas em que há as maiores discrepâncias entre o número de domicílios contados pelo Censo de 1991 e o número de unidades residenciais oficialmente registrado no TPCL em 1990. O TPCL (Cadastro de Propriedades Urbanas) é o registro das construções urbanas do município. Ele inclui apenas as construções legais, enquanto o Censo registra todos os tipos de domicílios.[40] Assim sendo, a discrepância entre as duas fontes indica a extensão do fenômeno da construção ilegal ou irregular. A discrepância mais impressionante ocorre no distrito de Guaianases, no limite leste da cidade, onde a diferença entre as duas fontes era de 433,12%![41] Guaianases teve um crescimento populacional de 145% entre 1980 e 1991 (o maior da cidade) e um aumento de 230% no número de domicílios, mas o aumento na área residencial construída registrada foi de apenas

---

[39] Em julho de 1997, a única informação disponível sobre renda do Censo de 1991 de acordo com os distritos da cidade referia-se à renda dos chefes de domicílio. Informações sobre a força de trabalho e a população economicamente ativa não estão disponíveis por distrito. Infelizmente, as informações sobre a renda dos chefes de família não são disponíveis para o Censo de 1980, o que novamente torna comparações e a análises diacrônicas difíceis. Em 1991 (setembro), o valor do salário mínimo era de Cz$ 36.161,00, ou aproximadamente US$ 65,00; em 1997, era de R$ 112,00 ou US$ 100,00.

[40] Os dados TPCL são organizados de acordo com os velhos distritos. Para o Censo de 1991, uso uma tabulação especial de domicílios com base nos velhos distritos feita pela Emplasa (São Paulo, Emplasa 1994: 349).

[41] O TPCL registrou 19.537 unidades residenciais em Guaianases em 1990, enquanto o censo registrou 104.155 domicílios em 1991. Para a cidade como um todo, o censo registrou 2.539.953 domicílios, enquanto o TPCL em 1990 registrou 1.684.994, uma diferença de 50,74%. Este é um problema antigo. Rolnik descobriu altas proporções de construções não regularizadas no final do século XIX e no início do século XX (1997: 60, 77).

65,8% entre 1977 e 1987.[42] Em contraste, em bairros residenciais centrais, onde vive a população mais rica e há uma predominância de prédios de apartamentos, e que sempre constituiu a cidade legal, a diferença entre os dados do Censo sobre os domicílios e o TPCL é muito pequena (menos de 5%).[43] Mas há outros dados que indicam que o modelo de autoconstrução e expansão periférica passou por algumas transformações importantes durante os anos 80 e 90. Esses anos apresentaram condições paradoxais para os pobres. Ao mesmo tempo em que as classes trabalhadoras se tornaram importantes atores políticos, organizando movimentos sociais e exigindo seus direitos à cidade e a melhores condições de vida, e ao mesmo tempo em que a periferia melhorou significativamente em termos de infraestrutura urbana, suas rendas diminuíram e sua capacidade de tornar-se proprietários através da autoconstrução restringiu-se.

Todos os indicadores de infraestrutura urbana melhoraram tanto na capital quanto na região metropolitana no período de 1980-1991. As mudanças foram especialmente importantes na periferia e, consequentemente, diminuíram o grau de desigualdade no acesso à infraestrutura urbana e aos serviços públicos. Devido à mudança nos limites dos distritos usados pelos Censos de 1980 e de 1991, é difícil analisar em detalhes o que aconteceu nas diferentes regiões da cidade durante os anos 80. Com o objetivo de contornar esse problema e descrever o que ocorreu na periferia, agreguei vários distritos e criei uma grande área comparável à periferia mais pobre dos anos 80. Usei como referência o estudo da Seplan que estabeleceu oito áreas homogêneas da cidade em termos socioeconômicos (São Paulo, Seplan 1977). Considerei os 12 distritos que o estudo da Seplan classificou como pertencentes à área VIII, a área mais pobre e precária da cidade em 1980. Estudei esses 12 distritos no mapa e identifiquei os 28 distritos correspondentes a eles em 1991. Seus limites não correspondem exatamente, mas são muito próximos. Os dados comparativos indicam amplos processos de mudança entre 1980 e 1991.[44] A Tabela 7 resume os indicadores para essa área e para a cidade em 1980 e 1991.

---

[42] A área residencial construída corresponde ao número total de metros quadrados construídos registrados no município (TPCL). Os dados TPCL referentes aos velhos distritos para 1990 estão em São Paulo, Sempla (1992: 148-50); para 1977 e 1987 eles não foram publicados e se originaram da Pesquisa OD. Outros exemplos de grandes diferenças na periferia são: 198% no Itaim Paulista, 189% no Jaraguá, 186% em São Mateus, 172% em Itaquera e 163% na Capela do Socorro.

[43] Algumas das diferenças são: 1,18% em Cerqueira César, 1,92% no Jardim América e -6% no Jardim Paulista. Em vários distritos centrais a diferença é negativa, isto é, o TPCL registra mais unidades do que os domicílios encontrados pelo censo. Essa discrepância pode ser causada pela existência de residências legais desocupadas (especialmente apartamentos) e pela transformação de velhas residências em áreas comerciais.

[44] Os 12 distritos precários de 1980 são: Brasilândia, Capela do Socorro, Ermelino Matarazzo, Guaianases, Itaim Paulista, Itaquera, Jaraguá, Parelheiros, Perus, São Mateus (algumas vezes incluído em Itaquera-Guaianases), São Miguel Paulista e Vila Nova Cachoeirinha. Os 28 distritos correspondentes em 1991 são: Anhanguera, Brasilândia, Cachoeirinha, Cidade Dutra, Cidade Tiradentes, Ermelino Matarazzo, Grajaú, Guaianases, Iguatemi, Itaim Paulista, Itaquera, Jaraguá, Jardim Ângela, Jardim Helena, Jardim São Luís, José Bonifácio, Lajeado, Marsilac, Parelheiros, Parque do Carmo, Perus, Ponte Rasa, São Mateus, São Miguel, São Rafael, Socorro, Vila Curuçá e Vila Jacuí.

Tabela 7
Indicadores socioeconômicos, 1980 e 1991
Periferia e cidade de São Paulo

Indicadores	Periferia 1980	Periferia 1991	São Paulo 1980	São Paulo 1991
População	2.044.689	3.062.538	8.493.226	9.646.185
Domicílios	453.140	732.491	2.062.196	2.539.953
% de domicílios com rede de esgoto	19,12	74,00	57,73	86,31
% de domicílios com água encanada	79,31	96,03	92,16	98,41
% de domicílios próprios	54,42	68,51	51,40	63,57
% de domicílios alugados	34,62	22,56	40,02	28,75
% diferença entre domicílios e residências registradas[1]		164,23		69,51
% de residências verticais[2]		5,71		33,62

Fontes: Para população e domicílios: Censos 1980 e 1991. Para residências oficialmente registradas: TPCL, *in* São Paulo, Sempla (1992: 148-50).
Notas:
[1] Relativo à diferença proporcional entre o número de domicílios levantado pelo Censo em 1991 e o número de unidades residenciais registradas pelo município (TPCL) em 1990.
[2] Relativo às unidades residenciais verticais registradas (TPCL) em 1990.

Enquanto os distritos centrais da cidade perderam população, a periferia mais pobre cresceu em média 3,26% ao ano na década de 80. Em 1991, a região abrigava aproximadamente um terço dos moradores de São Paulo. Sua infraestrutura urbana melhorou significativamente: em 1991, 74% dos domicílios estavam ligados à rede de esgoto (comparados a 19,1% em 1980), 96,03% tinham água encanada e 96,5% tinham coleta de lixo. O asfaltamento de ruas e a iluminação pública também aumentaram e a região leste recebeu uma linha de metrô que melhorou o transporte público. Além disso, inúmeros postos de saúde, creches e escolas foram construídos pelos governos municipal e estadual nesses distritos. Em consequência, embora os rendimentos tenham permanecido baixos (48,78% dos chefes de domicílio ganhavam menos de três salários mínimos em 1991), a qualidade de vida na periferia melhorou (ver Fotos 6 e 7). Um bom indicador é a taxa de mortalidade infantil. Na capital, ela caiu de 50,62% (por mil nascidos vivos) em 1980 para 26,03% em 1991. Na periferia mais pobre, a diminuição foi ainda mais radical. Em São Miguel Paulista, um dos distritos mais carentes — onde fica o Jardim das Camélias —, a taxa de mortalidade infantil caiu de 134 em 1975 para 80,46 em 1980 e para 27,29 em 1994. Outro indicador de mudança na qualidade de vida é a construção de uma série de modernos centros de consumo e lazer na periferia, como shopping centers e grandes supermercados.

A melhora significativa na periferia é em grande parte o resultado da ação política de seus moradores, que, desde o final dos anos 70, organizaram uma série de movimentos sociais para exigir seus direitos à cidade. Esses movimentos sociais são um elemento fundamental tanto na democratização da sociedade brasileira quanto na mudança da qualidade de vida em muitas grandes cidades. São Paulo é provavelmente o melhor exemplo desses processos. Os movimentos sociais e a democratização política forçaram transformações na ação do Estado, especialmente

Fotos 6 e 7: Uma rua no Jardim das Camélias em 1980 e 1989.
No começo dos anos 80, apenas uma rua do bairro era asfaltada, e nenhuma possuía calçadas, iluminação ou esgoto. Em 1990, todas as ruas tinham asfalto, calçadas, iluminação e esgoto, embora muitas casas ainda estivessem em construção.

da administração local, que reorientou suas políticas de modo a atender às reivindicações dos moradores na periferia.[45] Mesmo políticos de direita perceberam que seu futuro político em um sistema de eleições livres dependia da atenção que prestassem à periferia. No final dos anos 70 e começo dos 80, as administrações local e estadual de São Paulo (assim como de vários outros estados brasileiros) patrocinaram diversos projetos de alto investimento em infraestrutura, especialmente saneamento, que transformaram o Brasil no maior tomador de empréstimos do Banco Mundial na área de desenvolvimento urbano (Melo 1995: 343).

Os movimentos sociais influenciaram a ação da administração local não só na criação de serviços públicos e de infraestrutura urbana, mas também na transformação do status legal da periferia. Uma das principais reivindicações dos movimentos sociais era a legalização das propriedades na periferia. Eles forçaram as administrações municipais a dar várias anistias aos incorporadores ilegais, tornando possível a regularização de seus lotes e trazendo-os para o mercado formal de imóveis. A aprovação da Lei Lehman (Lei Federal 6.766) em 1979 tornou mais fácil processar incorporadores imobiliários que vendiam terras sem a infraestrutura requerida pela lei e dessa forma desencorajou essa prática comum.[46] No entanto, ela também diminuiu o estoque de lotes regulares e baratos disponíveis, já que o valor dos terrenos aumentou como resultado tanto da construção de infraestrutura e equipamento urbano quanto da regularização de lotes. Como incorporações legais e lotes em áreas com melhor infraestrutura são obviamente mais caros do que lotes ilegais em regiões precárias, os bairros que receberam essas melhorias se tornaram muito caros para a já empobrecida população.[47]

Esse fenômeno de melhoria mais legalização associado a uma diminuição no crescimento populacional é mais aparente não nos limites da cidade, onde a expansão através da autoconstrução continua, mas no anel interno adjacente e que constituiu a nova periferia nos anos 70. Um bom exemplo dessa transformação é a área na periferia leste ao longo da nova linha de metrô e em torno dos velhos centros dos distritos. O novo distrito de São Miguel Paulista, por exemplo, que corresponde à parte mais antiga do distrito maior anterior, teve um crescimento populacional de 2,77% de 1980 a 1991, enquanto a maioria dos distritos na margem leste da cidade cresceu entre 35% e 85%. No entanto, em várias regiões da periferia leste, incluindo São Miguel, a taxa de construções oficialmente registradas aumentou consideravelmente no período de 1977 a 1987 (123% em São Miguel, 110% em

---

45 Como mostra R. Cardoso (1985), os aparelhos do estado já estavam se tornando sensíveis à necessidade de novas políticas sociais quando foram alvo de reivindicações dos movimentos sociais. Puderam, então, atender a suas exigências de maneira relativamente rápida.

46 De acordo com os cálculos da Secretaria Municipal de Planejamento, em 1981 havia 3.567 empreendimentos imobiliários ilegais na periferia de São Paulo, correspondendo a 35% da sua área urbana. Em 1990, os empreendimentos imobiliários ilegais tinham caído para 16% da área urbana (Rolnik *et al.* s.d.: 94-5).

47 Entrevistas com jovens moradores da periferia analisadas no capítulo 2 confirmam seus sentimentos de que refazer o caminho de seus pais na cidade tinha ficado impossível para eles.

Ermelino e 84% em Itaquera), indicando sua melhora e legalização. Embora esse processo ainda seja limitado, parece que algumas dessas regiões estão começando a entrar no mercado imobiliário legal e a passar por um processo de capitalização na produção de moradias, à medida que incorporadores maiores começam a investir e a construir moradias legais, especialmente edifícios de apartamentos.[48] Esse tipo de moradia é menos acessível à população mais pobre.

Em suma, o crescimento da pobreza, combinado com melhores condições e terrenos mais valorizados na periferia, expulsou os mais pobres para os limites da cidade ou para outros municípios da região metropolitana, tornou a autoconstrução mais difícil e forçou uma considerável parcela da população mais pobre a viver em favelas ou cortiços. Os moradores de favelas representavam 1,1% da população da cidade em 1973, 4,4% em 1980, 8,9% em 1987 e 19,1% em 1993 — ou seja, mais de 1,9 milhão de pessoas. A maioria das favelas em 1993 localizava-se na periferia, especialmente nas zonas sul e norte (Freguesia do Ó, Campo Limpo, Capela do Socorro e Pirituba-Jaraguá) (Seade 1990: 63; e São Paulo, Sempla 1995: 1.977).

As estimativas sobre o número de pessoas que vivem em cortiços na cidade de São Paulo variam enormemente. A Sempla estima que, em 1991, 15,8% (1.506.709) da população do município vivia em cortiços (São Paulo, Sempla 1995: 79-80). Este é um número muito maior do que aquele a que chegou a Fipe (Fundação Instituto de Pesquisas Econômicas, Universidade de São Paulo) para 1993: 595.110 ou 6% da população distribuídos por quase 24 mil cortiços.[49] A maioria (55,6%) dos moradores tem menos de 25 anos e a maioria dos chefes de domicílio (54,3%) tem entre 15 e 34 anos de idade (Fipe 1994: 13, 14). Este dado apoia a hipótese de que os cortiços são uma alternativa para uma nova geração de pobres urbanos para quem a autoconstrução ficou inacessível.

Todas as fontes estão de acordo, no entanto, sobre a localização dos cortiços. Embora haja cortiços na periferia, a maioria está ou no centro velho (Sé) ou em antigas regiões industriais e bairros de classe média baixa decadentes, nos quais muitas casas e fábricas estão sendo transformadas em cortiços (Mooca, Brás, Belém e Liberdade). Algumas dessas regiões mostraram uma diminuição contínua da população desde pelo menos o início dos anos 60. De fato, as taxas mais altas de perda de população estão em distritos industriais e bairros operários formados na virada do século. Na última década, no entanto, partes desses bairros mostraram sinais de recuperação e um início de enobrecimento. A Mooca é um desses casos. Embora seus moradores considerem o crescimento dos cortiços um de seus principais problemas, há também outros processos mudando o bairro. Estes incluem a abertura da linha leste-oeste do metrô, que tem sido acompanhada da construção de novos prédios de apartamentos para as classes médias, alguns dos quais são con-

---

[48] O mesmo processo parece estar ocorrendo na periferia do Rio de Janeiro, como indicado por Ribeiro e Lago (1995).

[49] Um cortiço normalmente tem muitos quartos. Em média, há 6,7 famílias por cortiço, mas em algumas áreas, como a Mooca, o número é mais alto (12,1).

domínios fechados. Algumas fábricas também foram transformadas em centros de lazer e consumo. Essas transformações nos padrões urbanos, residenciais e sociais nessas regiões contribuem para o sentimento de incerteza e perda experimentado pelos antigos moradores.

Transformações no centro e deslocamento dos ricos

A riqueza continua a ser altamente concentrada numa parte muito pequena da cidade de São Paulo, como mostra o Mapa 2. Assim sendo, o padrão centro--periferia ainda molda o espaço urbano. No entanto, vários indicadores sugerem claramente mudanças recentes nesse padrão. Apesar da concentração de riqueza ainda ser significativa, um deslocamento sem precedentes de moradores ricos e a construção de novas áreas de comércio e serviços estão reformulando o padrão espacial de segregação social.

Mapa 2
Renda mensal média dos chefes de domicílio (em salários mínimos), Região Metropolitana de São Paulo, 1991

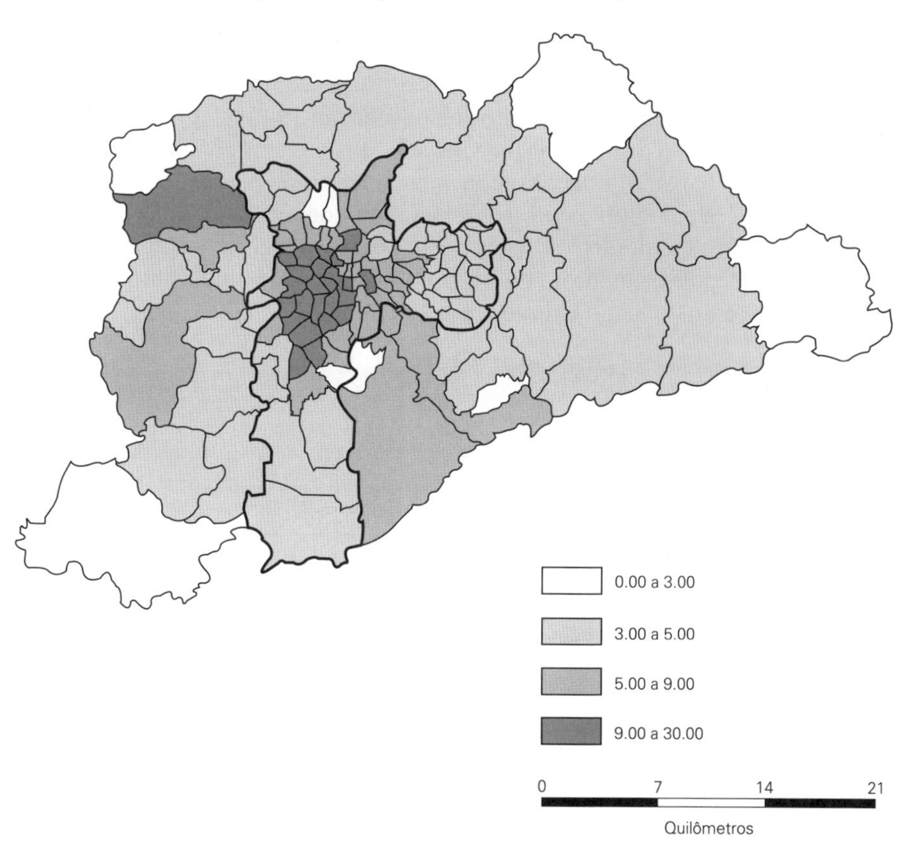

Nos anos 80 e 90, as classes média e alta mudaram seu estilo de vida e seu uso da cidade de diversas maneiras. Como consequência, os distritos nos quais costumavam morar ou aqueles para os quais estão se mudando passaram por várias mudanças. Em 1991, apenas 11,4% dos distritos da cidade tinham uma população na qual mais de 25% dos chefes de domicílio ganhavam mais de 20 SM. Esses distritos abrigam 10% da população, mas 41% dos chefes de domicílio que ganham mais de 20 SM por mês.[50] A maioria desses distritos perdeu população ou cresceu muito pouco entre 1980 e 1991. Apenas dois tiveram crescimento da população: Morumbi (2,33%) e Vila Andrade (5,93%). Entre 1991 e 1996, com exceção de Vila Andrade, todos os outros perderam população. As diminuições mais acentuadas ocorreram em bairros tradicionais de classe média que tinham tido as taxas mais altas de crescimento nos anos 70, associadas com o *boom* dos apartamentos e do financiamento para a classe média. A maioria deles tem as mais altas taxas de construção vertical e de densidade populacional na cidade. Dois desses distritos (Jardim Paulista e Moema) são os mais homogeneamente ricos da cidade.[51]

Devido ao fato de uma proporção significativa de pessoas de classe média e alta morarem em edifícios de apartamentos, seja nos bairros que cresceram nos anos 70, seja nos novos bairros para os quais elas começaram a se mudar nos anos 80, examinar o mercado imobiliário de apartamentos pode ajudar a entender seu deslocamento.[52] Nos anos 80 e 90, o mercado de apartamentos em São Paulo foi muito diferente do que tinha sido nos anos 70. Essa mudança se deveu não só à crise econômica do começo dos anos 80, mas também à redução de financiamentos do BNH, que em 1987 caíram para 10% do que tinham sido em 1980 (Nepp 1989: 492). A única exceção foi 1986, o ano do Plano Cruzado, quando uma recuperação efêmera da economia fez baixar a inflação, aumentou os lucros de muitas especulações financeiras e fez crescer tanto o número de incorporações imobiliárias (677) quanto o preço por metro quadrado.[53] Depois disso, porém, o mercado caiu ainda mais, especialmente depois da extinção do BNH no final de 1986 e do retorno da inflação, com o fracasso do Plano Cruzado. Em 1991 e 1992 o número de novas incor-

---

[50] Esses distritos são: Jardim Paulista, Moema, Alto de Pinheiros, Morumbi, Consolação, Pinheiros, Itaim Bibi, Santo Amaro, Perdizes, Campo Belo e Vila Andrade. Vale lembrar que São Paulo, como o Brasil em geral, é uma sociedade desigual, com uma elite pequena, extremamente rica, e uma enorme população empobrecida. A desigualdade social tornou-se ainda pior durante os anos 90. Como consequência, não é de surpreender que a população mais rica seja bastante pequena. Apenas 7,16% dos chefes de domicílio na cidade ganhavam mais de 20 SM em 1991.

[51] A razão dos chefes de domicílio que ganham mais de 20 SM em relação àqueles que ganham menos de 3 é de 4,59 no Jardim Paulista e de 3,98 em Moema. Apenas em 11 distritos da cidade essa razão é maior que 1,0.

[52] Os apartamentos representavam 20,8% do número total de domicílios na cidade de São Paulo em 1991, de acordo com o censo.

[53] A fonte para o número e a localização de prédios de apartamentos colocados no mercado entre 1976 e 1996 é a Embraesp — Empresa Brasileira de Estudos de Patrimônio S/C Ltda. (Relatórios Anuais).

porações foi o mais baixo registrado desde meados dos anos 70 (cerca de 150). Com inflação alta e virtualmente sem opções de financiamento, ficou muito mais difícil para a classe média comprar apartamentos. Como resultado, há indicações daquilo que alguns analistas chamam de "elitização" na produção de apartamentos, isto é, a construção de unidades maiores e mais sofisticadas para as classes mais altas (Ferraz Filho 1992: 29).[54] Depois de 1993, o número de incorporações começou a crescer novamente e a média anual para o período de 1993-1996 (365) foi mais alta do que para os dez anos que precederam o fim do BNH (280) (Embraesp 1997: 7). Um dos fatores desse crescimento é a emergência de cooperativas de futuros proprietários e sistemas de autofinanciamento, que em 1996 foram responsáveis por 10% dos novos empreendimentos. Sua introdução causou uma diminuição no preço médio dos apartamentos em 1996 (Embraesp 1997: 32). O fim da inflação alta decorrente do sucesso do Plano Real, assim como as novas oportunidades para financiamentos a longo prazo, tornaram possível o crescimento do mercado imobiliário depois de 1993.

Apesar da crise imobiliária, prédios de apartamentos continuaram a ser construídos. Em 1957, era possível encontrar apartamentos em 20 distritos centrais; em 1979, eles eram encontrados em 47 distritos (Ferreira 1987: 77, 141).[55] Em 1991, havia um significativo número de apartamentos em 84 dos 96 distritos da cidade. Os apartamentos não só se espalharam, mas estavam sendo construídos em vários padrões — de conjuntos populares construídos por companhias governamentais de habitação a luxuosos empreendimentos imobiliários. Um dos fenômenos mais interessantes e aquele que produziu as mudanças mais importantes na maneira de morar das classes média e alta foi a disseminação dos condomínios fechados. Esse é um tipo de empreendimento de múltiplas residências, sobretudo edifícios, invariavelmente fortificados, com entradas controladas por sistemas de segurança, normalmente ocupando um grande terreno com áreas verdes e incluindo todo tipo de instalações para uso coletivo. Na última década, eles se tornaram o tipo de residência preferido pelos ricos.

Condomínios fechados não são construídos nos bairros centrais tradicionais, já que requerem grandes lotes que só são acessíveis em áreas não muito adensadas.

---

[54] Durante os anos 80, um dos temas mais constantes em artigos de jornal sobre bens imóveis era a associação da crise econômica com "apartamentos de luxo". Esse parece ser o setor do mercado de construção de apartamentos que mais flutuou nos últimos 15 anos. Apartamentos de quatro dormitórios representavam 30,77% dos apartamentos lançados no mercado em 1985, e 20% em 1984 e 1986. No entanto, essa proporção caiu para uma média de 6,8% de 1987 a 1993 (Embraesp 1994: 6). Ela aumentou novamente após 1994, e a média para 1994-1996 foi de 20,47% (Embraesp 1997: 11). Houve também uma tendência de diminuição da área média dos grandes apartamentos depois de 1985. A despeito disso, a área média dos apartamentos com quatro dormitórios é quase o dobro daquela dos apartamentos com três dormitórios (185 m^2 de área útil comparados a 85,57 m^2). Além disso, enquanto a área média dos apartamentos de três dormitórios manteve-se constante entre 1990 e 1997, a área média dos apartamentos de quatro dormitórios variou consideravelmente (Embraesp 1997: 9).

[55] Houve 55 distritos dos anos 50 até os anos 80.

A mudança no estilo predominante de prédio de apartamentos é indicada por uma alteração na relação entre área total do terreno e área construída. De acordo com o TPCL, de 1980 a 1990, a área total construída de prédios residenciais na cidade cresceu 59,27%, enquanto a área total usada por prédios residenciais cresceu 75,34%. Como resultado, o coeficiente de aproveitamento de edifícios de apartamentos residenciais em São Paulo caiu de 4,36 para 3,95.[56] O fato de que as construções de apartamentos mudaram das regiões centrais para as regiões mais periféricas é atestado pelo desenvolvimento sem precedentes de dois distritos a sudoeste da cidade: Morumbi e Vila Andrade.

Esses dois distritos não centrais e adjacentes são emblemáticos das mudanças mais dramáticas que ocorreram na cidade. (Mudanças similares estão acontecendo em alguns municípios a noroeste da região metropolitana.) Eles foram afetados pelo intenso investimento imobiliário não só dos novos tipos de residências para os ricos, mas também de novos conjuntos de edifícios comerciais e de escritórios. O fato de os novos empreendimentos terem se localizado nessas áreas deve-se parcialmente ao seu código de zoneamento favorável, que permitia tanto o uso misto (em vez de exclusivamente residencial, como ocorre em partes dos distritos centrais) quanto um coeficiente de aproveitamento alto (4). Algumas dessas regiões eram rurais ou habitadas por pessoas pobres. Como resultado, com a expansão dos novos empreendimentos, os distritos passaram a apresentar um novo padrão de organização espacial, que mistura moradores ricos e pobres de um lado, e residência e trabalho de outro, criando assim um novo padrão de desigualdade social e de heterogeneidade funcional.

O Morumbi e a Vila Andrade tiveram um significativo crescimento populacional nos anos 80.[57] Apesar de o Morumbi ser um bairro de classe alta há pelo menos 25 anos, ele mudou radicalmente depois do início da década de 80. O que era um bairro de enormes mansões, terrenos vazios e áreas verdes, foi transformado, depois de uma década de construção frenética, num distrito de edifícios. No final dos anos 70, ele foi "descoberto" por incorporadores imobiliários que decidiram aproveitar o baixo custo dos terrenos e o código de zoneamento favorável e o transformaram no bairro com o mais alto número de novos empreendimentos imobiliários da cidade durante os anos 80 e 90. Mais de 400 novas incorporações residenciais

---

[56] Dados do TPCL para 1980 não foram publicados; para 1990 eles aparecem em São Paulo, Sempla (1992). O coeficiente de aproveitamento pode ser calculado separadamente para áreas residenciais horizontais ou verticais e é um indicador relativamente confiável de construções verticais, que em geral são registradas. Em 1990, o TPCL registrou 566.466 apartamentos, enquanto o Censo de 1991 registrou 529.991 na cidade de São Paulo, uma diferença de 6,9%. No que se refere às casas, no entanto, o TPCL registrou 1.118.531 casos em 1990, enquanto o Censo de 1991 registrou 1.984.710, uma diferença de 77,4%. Os distritos nos quais a diferença entre propriedade registrada e os domicílios identificados pelo censo é pequena são aqueles com maior proporção de prédios de apartamentos e famílias de renda alta (Consolação, Jardim Paulista, Jardim América, Cerqueira César, Pinheiros e Perdizes).

[57] As taxas anuais de crescimento da população para 1980-1991 e para 1991-1996 são 2,33% e -0,75% no Morumbi, e 5,93% e 4,93% na Vila Andrade.

com mais de 14 mil novas unidades foram construídas entre 1980 e 1996.[58] Apesar disso, o bairro ainda tem apenas 0,6% dos apartamentos da cidade, comparados aos 5,75% do Jardim Paulista. Enquanto no Jardim Paulista 88% dos domicílios são apartamentos, no Morumbi eles são apenas 33,6%. A Vila Andrade, adjacente ao Morumbi, é uma extensão do mesmo processo numa área que era mais pobre e que continua a se expandir, enquanto a expansão do Morumbi parece vir perdendo dinamismo nos últimos anos.

Como mencionei, a novidade no Morumbi e na Vila Andrade não é só o volume de construção, mas também o tipo de edifícios: os conjuntos habitacionais murados. Os condomínios fechados começaram a ser construídos nos anos 70, durante o *boom* do mercado imobiliário e do financiamento estatal. O empreendimento que deu início ao desenvolvimento acelerado do Morumbi foi o "Portal do Morumbi". Esse conjunto de 16 prédios de 25 andares foi inaugurado em 1976. Tem 800 apartamentos, metade com quatro dormitórios, metade com três, e abriga 3.500 moradores, um terço dos quais com menos de 14 anos de idade. A área total do empreendimento é de 160 mil m^2, dos quais 120 mil m^2 são áreas comuns que incluem parques e instalações esportivas. Esse conjunto foi literalmente erguido no meio do nada. Toda a infraestrutura urbana necessária (incluindo eletricidade, água e asfalto) foi fornecida pelo incorporador imobiliário, a Construtora Alfredo Mathias. Até hoje, as ruas que passam pelos fundos do conjunto continuam sem urbanização e sem asfalto ou calçadas (ver Fotos 8 e 9).

Esse tipo de empreendimento, com coeficiente de aproveitamento baixo já que a transformação é recente e ainda há no bairro muitas mansões e espaços desocupados, explica porque o Morumbi e a Vila Andrade ainda têm uma densidade populacional consideravelmente mais baixa do que o Jardim Paulista (3.500 e 4.200 hab/km^2, respectivamente, em comparação a 16.900). Existem também importantes diferenças sociais entre as duas regiões. Embora ambas concentrem riqueza, Morumbi e Vila Andrade não são tão homogeneamente ricos como os velhos bairros centrais. No Morumbi, hoje, 43,9% dos chefes de domicílio ganham mais de 20 SM (a porcentagem mais alta da cidade), enquanto na Vila Andrade essa proporção é 26,2%. A renda média no Morumbi é de 28,82 salários mínimos (a média mais alta da cidade), e na Vila Andrade, de 17,94. No entanto, nas duas regiões a proporção de chefes de domicílio que ganham mais de 20 SM em relação aos que ganham menos de 3 é significativamente mais baixa do que no Jardim Paulista (2,55 no Morumbi e 0,87 na Vila Andrade, comparados a 4,59 no Jardim Paulista e 3,98 em Moema).[59] Enquanto no Jardim Paulista apenas 8,36% dos moradores ganham menos de 3 SM, no Morumbi 17,22% estão nessa faixa, e na Vila Andrade, 30,02% (mais do que os 26,19% que ganham mais de 20 SM). Essa maior heterogeneidade

[58] De 1980 a 1987, houve 217 novos empreendimentos imobiliários no Morumbi, correspondendo a 4.972 unidades, a maioria de luxo. De 1993 a 1996, o número de empreendimentos foi de 177, e as unidades, 8.849.

[59] Além do Morumbi, as médias mais altas de rendas de chefes de domicílio em 1991 foram: 22,53 no Jardim Paulista, 21,44 no Alto de Pinheiros e 22,08 em Moema.

Fotos 8 e 9: Condomínio fechado Portal do Morumbi:
entrada principal e rua lateral não pavimentada.

na distribuição de renda é uma característica das novas áreas de expansão da cidade e da região metropolitana, onde os empreendimentos imobiliários para pessoas com rendas mais altas estão localizados em regiões que eram pobres e parcamente habitadas, e onde os apartamentos para as classes altas são construídos ao lado de imensas favelas.

Os vizinhos dos condomínios fechados em volta do Real Parque e da Avenida Giovanni Gronchi, no coração do Morumbi, são moradores de duas das mais famosas favelas de São Paulo. Em 1987, havia 233.429 pessoas morando em favelas no distritos do oeste e sudoeste da cidade, o que correspondia a 28,62% dos moradores de favelas de São Paulo.[60] Em 1993, os moradores de favelas desses distritos aumentaram para 482.304, o que representava 25,36% dos residentes de favelas de São Paulo (São Paulo, Sempla 1995: 76).

Depois de 15 anos de intensa incorporação imobiliária para as classes mais altas em regiões com infraestrutura precária combinada com a proliferação de favelas, o Morumbi exibe um quadro impressionante de desigualdade social e exemplifica a nova face da segregação social na cidade (ver Fotos 10 e 11). Quando se observa a área em torno de sua avenida principal, a Avenida Giovanni Gronchi, e os anúncios de seus edifícios, fica-se perplexo com a imaginação dos incorporadores imobiliários para dotar cada conjunto de apartamentos de características "distintas": além da arquitetura monumental e dos nomes vagamente aristocráticos, os prédios têm características exóticas, como uma piscina para cada apartamento, três quartos de empregada, salas de espera para motoristas no térreo, salas especiais para guardar cristais, porcelanas e pratarias e assim por diante. Todo esse luxo contrasta com a visão que se tem das janelas dos apartamentos: os mais de 5 mil barracos da favela Paraisópolis, uma das maiores de São Paulo, que fornece os empregados domésticos para os condomínios vizinhos. Para pessoas interessadas em viver exclusivamente entre seus pares, os muros têm mesmo de ser altos, e as residências para as classes altas não disfarçam suas cercas eletrificadas acima dos muros, assim como câmaras de vídeo e guardas particulares.

A construção intensa de acordo com os interesses dos incorporadores imobiliários e com pouco planejamento ou controle por parte do Estado, além de transformar completamente a paisagem, criou um espaço caótico. Edifícios imensos foram construídos um após o outro em ruas estreitas e com infraestrutura inadequada. Na Vila Andrade, por exemplo, apenas 57,6% dos domicílios estão conectados à rede de esgoto, uma porcentagem mais baixa do que em vários distritos da periferia pobre (para o total da periferia a porcentagem é de 74%). Os edifícios são imensos e muitas das novas ruas não têm calçadas — provavelmente com a intenção de manter distantes as pessoas que não têm automóvel. O tráfego é intenso e os con-

---

[60] Não estão disponíveis números exatos de favelas no Morumbi e na Vila Andrade porque os resultados do Censo de Favelas são fornecidos de acordo com uma outra classificação espacial: as administrações regionais. Para a estimativa apresentada no texto, considerei a população que vivia em favelas nas administrações regionais do Butantã e Campo Limpo, que incluem o Morumbi e a Vila Andrade, mas são maiores do que esses distritos.

Foto 10: Morumbi, desigualdade entre vizinhos: prédio de apartamentos com piscinas individuais e vista para a favela, 1992.

Foto 11: Morumbi, vista aérea: edifícios de luxo lado a lado com os barracos da favela, 1992.

gestionamentos, uma rotina.[61] Apesar de altos investimentos da cidade e da construção de pontes, túneis e vias expressas ligando o Morumbi ao centro da cidade através do rio Pinheiros, as vias de acesso são insuficientes e o transporte público é simplesmente ruim. Isso dificulta o cotidiano dos mais pobres, mas também é inconveniente para as classes médias, já que o bairro ainda carece de serviços básicos e de comércio. Apesar de alguns grandes shopping centers e hipermercados estarem agora operando na região, o abastecimento cotidiano de alimentos requer um automóvel, um tipo de dependência que pode ser contornada na maioria dos bairros centrais de São Paulo, onde, como se diz, pelo menos o pão pode ser comprado a pé. O transporte das crianças e adolescentes também depende dos automóveis, mesmo para ir às escolas particulares do bairro, que contam entre os melhores serviços ali disponíveis.[62]

Ao contrário dos bairros centrais da cidade e das regiões pobres da periferia, o Morumbi e a Vila Andrade não são lugares onde os moradores rotineiramente caminham pelas ruas. Ironicamente, esses bairros, com suas ruas estreitas, infraestrutura ruim e ligações precárias com o resto da cidade, dependem de automóveis para quase tudo. Consequentemente, mudar para um dos apartamentos de luxo da região significa suportar tráfego pesado e serviços urbanos deficientes. No entanto, para os moradores dos novos conjuntos fechados, as inconveniências parecem ser mais do que compensadas pela sensação de segurança que ganham por trás dos muros, vivendo exclusivamente entre iguais e longe do que consideram ser os perigos da cidade.

Recessão, desindustrialização e os novos espaços para atividades terciárias

Não é só o padrão residencial e a distribuição de moradores de diferentes grupos sociais o que está mudando na cidade e na região metropolitana. Nas duas últimas décadas, São Paulo passou por uma significativa recessão econômica e por uma mudança na estrutura de suas atividades econômicas. Entre 1980 e 1990, o valor adicionado total, ou VAT, diminuiu (-3,75%) em São Paulo.[63] Em 1990, o valor adicionado total per capita era de apenas 61,6% do que tinha sido em 1985 (Araújo 1993: 35, 36). A crise afetou especialmente o setor industrial, que tinha

[61] No Portal do Morumbi, por exemplo, que está situado numa rua estreita e tem apenas duas saídas, na hora do *rush*, especialmente de manhã, o congestionamento chega a ser tão intenso que os moradores podem levar mais de meia hora para cruzar os limites de seus muros e chegar à avenida que os liga à cidade.

[62] Atraídas pelos terrenos baratos e pela possibilidade de construir grandes instalações, muitas das tradicionais escolas particulares se mudaram para o Morumbi ou abriram novas filiais. Isso é algumas vezes mencionado como um motivo para as pessoas se mudarem para o Morumbi

[63] O valor adicionado total (VAT) corresponde, para cada município, ao valor das saídas de mercadorias, acrescido do valor das prestações de serviços no seu território, deduzido o valor das entradas de mercadorias, em cada ano civil. Este indicador é calculado pela Secretaria da Fazenda.

sido o mais dinâmico da cidade e da região metropolitana desde a década de 50. Embora a produção industrial da região metropolitana de São Paulo continuasse a representar 30,7% da produção nacional em 1987, essa proporção é significativamente mais baixa do que os 43,5% de 1970 (Araújo 1992: 56).

Enquanto em 1970 a cidade de São Paulo detinha quase metade da força de trabalho industrial do estado, em 1991 ela detinha menos de um terço (Gonçalves e Semeghini 1992, e Leme e Meyer 1997: 71). A diminuição da participação do setor industrial na economia urbana ocorreu em todo o estado de São Paulo, mas foi especialmente acentuada na capital.[64] Enquanto no interior do estado o setor industrial em 1991 tinha praticamente a mesma proporção da força de trabalho (38,4%) que em 1970 (39,7%), depois de ter aumentado em 1980 (45,1%), na capital a participação do setor industrial na força de trabalho diminuiu significativamente até alcançar 32,1% em 1991, depois de ter crescido de forma consistente desde os anos 50, alcançado 42% em 1980 (Gonçalves e Semeghini 1992, e Leme e Meyer 1997: 64).[65] Na região metropolitana como um todo, o percentual de participação do setor industrial no total da força de trabalho ocupada caiu continuamente nos últimos anos: de 36,5% em 1988 para 29,6% em 1993 (Leme e Meyer 1997: 77).

À medida que o setor industrial encolheu, o papel das atividades terciárias na economia urbana aumentou.[66] Há um grande debate entre os cientistas sociais sobre se a expansão do setor terciário se deve a um aumento de atividades "modernas" ou "tradicionais". Alguns (por exemplo, Gonçalves e Semeghini 1992, Araújo 1992) argumentam que a expansão do terciário é um reflexo do desenvolvimento de um tipo de produção mais flexível, no qual muitas atividades antes registradas como produção industrial começaram a ser adquiridas como serviços, e no qual o papel da tecnologia moderna e das atividades de financeiras se expandiu. Outros, no entanto, tentam relativizar essas asserções, mostrando que os setores do terciário que de fato se expandiram são muito precários, como por exemplo o comércio ambulante e atividades não especializadas e sub-remuneradas desempenhadas sem contratos formais de trabalho (por exemplo, Leme e Meyer 1997: 63-79). Embora esteja além do alcance deste trabalho desenvolver essa hipótese, gostaria de sugerir que os dois processos provavelmente estão ocorrendo concomitantemente, e nesse sentido o que está acontecendo em São Paulo não seria diferente dos processos de reestruturação industrial que ocorrem em outras cidades, como Los Angeles e as chamadas cidades globais (Scott e Soja 1996, Sassen 1991). É uma característica desses processos que tanto o polo mais dinâmico quanto o polo mais precário da

---

[64] No estado de São Paulo, a participação do setor industrial na produção total caiu de 47,1% em 1980 para 41,3% em 1991. Simultaneamente, a participação das atividades terciárias aumentou de 49,7% para 54,6%.

[65] Ela cresceu de 34,7% em 1960 (Seade 1990: 24) para 39,6% em 1970 (Gonçalves e Semeghini 1992)

[66] Os estudos de economia urbana que estou citando consideram apenas dois setores: o industrial e o terciário. Portanto, a porcentagem do setor terciário nas atividades econômicas é complementar à das atividades industriais: 67,9% para a cidade em 1991.

economia se expandam simultaneamente, provocando formas agudas de desigualdade social.

Essas mudanças econômicas têm todo tipo de implicações para o meio urbano, do abandono ou conversão de fábricas à criação de novos espaços urbanos e novos tipos de instalações para comércio e escritórios. Depois de terem se deslocado do centro velho para a Avenida Paulista e para a Avenida Faria Lima nos anos 60, os principais complexos de edifícios de escritórios estão agora se mudando para sudoeste, ao longo do rio Pinheiros e na mesma direção dos novos conjuntos habitacionais, shopping centers e hipermercados.[67] Dessa forma, os novos espaços urbanos para as atividades terciárias estão se desenvolvendo por meio de um processo bem conhecido nos Estados Unidos: o deslocamento de empregos e residências de áreas centrais e urbanizadas para áreas distantes nos subúrbios. Os novos conjuntos de edifícios são o resultado de grandes investimentos, frequentemente de incorporadores imobiliários que abandonaram o mercado residencial quando este se tornou muito difícil (Ferraz Filho 1992: 29). Eles seguem o mesmo padrão arquitetônico e de planejamento dos condomínios fechados, e se não são necessariamente murados como os complexos residenciais, certamente são fortificados e utilizam extensos serviços de segurança para manter à distância pessoas indesejadas — e para controlar seus próprios trabalhadores. Como mundos autossuficientes, esses arranjos são extremamente versáteis e podem ser instalados em qualquer lugar onde o terreno seja barato o suficiente para tornar o investimento lucrativo. Como ocorre com os complexos residenciais, eles estão sendo instalados em regiões que antes eram pobres. A avenida que simboliza a nova expansão, a Eng. Luís Carlos Berrini, rapidamente deslocou uma antiga favela, graças a um programa pago pelos novos ocupantes da região. Em 1998, a maioria das moradias precárias havia desaparecido, mas ainda se viam algumas delas e alguns bares para as camadas mais pobres. Pode-se esperar, no entanto, que num curto período de tempo a avenida esteja completamente transformada pelos novos edifícios, que exibem uma versão local do estilo arquitetônico pós-moderno, e totalmente purgada dos moradores pobres. Até que isso ocorra, a Berrini oferece um espetáculo de desigualdade social da mesma qualidade que o do Morumbi, com seus condomínios fechados espreitando as favelas.

Finalmente, o deslocamento das novas atividades terciárias em direção a oeste recria uma oposição entre as partes leste e oeste da cidade que o modelo centro-periferia tinha eclipsado. Enquanto os novos investimentos em conjuntos de escritórios e condomínios fechados para a classe alta estão concentrados no lado oeste da metrópole, a região leste, tradicionalmente mais industrial, perdeu dinamismo com a diminuição das atividades industriais. Algumas das velhas fábricas foram

---

[67] A área da cidade afetada pelo movimento das atividades terciárias segue o rio Pinheiros, em ambas as margens, da Lapa — passando pelo Butantã e Morumbi — até o Campo Limpo a oeste, e do Alto de Pinheiros até Santo Amaro, passando pelo Ibirapuera e pela Vila Olímpia, a leste. Em todas essas áreas podemos observar a combinação de condomínios fechados da classe alta com favelas e de enclaves residenciais com centros comerciais e de escritórios.

transformadas em shopping centers, lojas de departamento ou centros de lazer, mas muitas simplesmente foram abandonadas. Enquanto as zonas leste e sudeste continuam a ser as mais pobres, mais industriais, que se expandem sobretudo por meio de construções ilegais e carecem de um número significativo de empreendimentos imobiliários para a classe alta, a fronteira oeste da cidade abriga as classes mais altas, seus empreendimentos residenciais e as novas atividades terciárias "modernas". Essa oposição ajuda a trazer mais complexidade para a paisagem da cidade, já transformada pela melhoria da periferia e pelo relativo despovoamento do centro rico. Para completar o quadro, no entanto, é necessário examinar a região metropolitana como um todo.

A região metropolitana

Os outros municípios da região metropolitana foram muitas vezes tratados como uma simples extensão da periferia da capital. Isso foi verdadeiro nos anos 60 e 70, mas nos últimos quinze anos os processos que afetam essas cidades têm sido mais complexos, modificando as antigas relações com o centro. A infraestrutura urbana melhorou significativamente, como na periferia da capital. Do ponto de vista demográfico, os outros municípios continuam crescendo mais do que o centro (Tabela 6), e nesse sentido ainda demonstram o comportamento típico da periferia. Do ponto de vista econômico, no entanto, a crise dos anos 80 afetou diferentemente os municípios que eram muito industrializados e os que não eram, modificando a relação de simples complementaridade com a capital. Enquanto as regiões mais industriais sofreram drasticamente os efeitos da crise, grandes investimentos imobiliários e em atividades terciárias em locais que eram até então basicamente rurais geraram um bom desempenho econômico com taxas de crescimento contínuas nas regiões a oeste e noroeste (Araújo 1993: 37). O dinamismo dessas regiões é tal que pela primeira vez alguns desses municípios passam a receber migrantes ricos do centro.

Embora São Paulo tenha sido o município mais afetado pela crise dos anos 80, Osasco e a região do ABCD também foram afetados.[68] Esta última pode ser vista como um símbolo da antiga era do desenvolvimento industrial, abrigando um grande número de indústrias metalúrgicas. Até hoje o ABCD tem a maior concentração de empregos industriais da região metropolitana, e foi o centro do importante movimento sindical do qual emergiram o PT e seus líderes mais importantes. A região tem uma das melhores infraestruturas urbanas da área metropolitana e algumas das rendas médias mais altas. Só cinco municípios da região metropolitana têm mais de 5% de chefes de domicílio ganhando mais de 20 SM, e dois deles

[68] Entre 1980 e 1990, a taxa média de variação do valor adicionado total (VAT) foi negativa nos municípios industriais, como, por exemplo, em São Paulo (-3,75%), em Osasco (-2,19%) e na da região do ABCD: -4,46% em Santo André, -2,96% em São Bernardo, -7,27% em São Caetano, -0,26% em Mauá, e 1,23% em Diadema (Araújo 1993: 35).

estão na região do ABCD: São Bernardo (5,8%) e São Caetano (6,3%).[69] No entanto, contrariamente ao que aconteceu no passado, nos últimos anos o desempenho econômico desses municípios foi pobre e sua população cresceu muito pouco (São Caetano perdeu população nos últimos quinze anos).

Vários municípios nas zonas leste e norte da região metropolitana também são industriais e sofreram com a recessão econômica.[70] Eles estão entre os municípios mais pobres da região metropolitana.[71] Em nenhum dos municípios na região leste a proporção dos chefes de domicílio que ganham mais de 20 SM é maior do que 3%; e em todos os municípios da região, entre 30% e 50% dos chefes de domicílio ganham menos de dois salários mínimos por mês.

Em contraste, municípios a oeste e noroeste como Santana do Parnaíba, Barueri e Cajamar revelam um quadro de grande dinamismo econômico e representam um novo tipo de desenvolvimento. Essas áreas tiveram as mais expressivas taxas de crescimento populacional no período de 1980-1996. Elas também tiveram um notável desempenho econômico numa década marcada pela estagnação econômica.[72] Esse desempenho está associado a altos investimentos em empreendimentos imobiliários (na maioria condomínios fechados), conjuntos de escritórios, centros empresariais e shopping centers num padrão semelhante ao dos novos subúrbios americanos. Este padrão é completado pelo fato de que muitos dos novos habitantes dessas áreas são migrantes de classe média e alta (provavelmente muitos daqueles que abandonaram a parte central da capital) e não das camadas trabalhadoras, como tradicionalmente acontecia na periferia. O Mapa 2 mostra que Santana do Parnaíba, a cidade com a mais alta renda média de toda a região metropolitana (9,8 SM), tem um nível de riqueza que só existia anteriormente em alguns dos distritos centrais de São Paulo.

Santana do Parnaíba exemplifica o que se poderia chamar de nova suburbanização de São Paulo. Seu crescimento não é como a expansão tradicional em direção à periferia pobre e industrial, nem como a dos antigos subúrbios residenciais americanos dos anos 50 e 60, mas sim um novo tipo de suburbanização dos anos 80 e 90 que reúne residências e atividades terciárias. Santana do Parnaíba não teve o mesmo desempenho econômico dos municípios adjacentes de Barueri e Cajamar, mas mostra de uma maneira mais clara como a região está se tornando um enclave

---

[69] Apenas 2,85% dos chefes de domicílio de outros municípios da região metropolitana ganham mais de 20 SM. Desse total, 40,69% ainda estão concentrados no ABCD, com outros 7,26% em Osasco. Ver Mapa 2.

[70] As taxas de crescimento do VAT para o período de 1980-1990 para municípios das regiões leste e norte foram: -2,58% em Mogi das Cruzes, -1,99% em Suzano, -1,60% em Biritiba Mirim, -0,59% em Guarulhos, -4,49% em Santa Isabel, -2,95% em Franco da Rocha, e -1,91% em Caieiras (Araújo 1993: 35).

[71] Os municípios mais pobres estão todos na periferia da região metropolitana e a maioria é ainda significativamente rural.

[72] Entre 1980 e 1990, o VAT aumentou consideravelmente em Barueri (12,62%), Santana do Parnaíba (5,87%) e Cajamar (8,68%) (Araújo 1993: 35).

das novas classes média e alta. Foi o município com a mais alta taxa anual de crescimento da população nos anos 80 (12,76%) e com a maior renda.[73] Noventa por cento do crescimento populacional durante os anos 80 se deveu à migração, e o município teve a maior porcentagem de crescimento decorrente da migração na região metropolitana: 245% (São Paulo, Emplasa 1994: 137). Os migrantes eram sobretudo das camadas média e alta. Na medida em que eles se instalaram em regiões que eram basicamente rurais e bastante pobres,[74] criaram uma situação de dramática desigualdade social, atestada pelo fato de que o coeficiente de GINI em Santana do Parnaíba é de 0,7102, o mais alto da região metropolitana.[75]

Uma das diferenças entre o Morumbi e as novas regiões ricas da área metropolitana é que os condomínios fechados destas últimas são, em sua maioria, horizontais em vez de verticais, isto é, consistem em áreas muradas com casas independentes em vez de edifícios de apartamentos. Os condomínios fechados horizontais expandiram-se ao mesmo tempo em que o Morumbi estava construindo seus edifícios, e eles partilham as mesmas imagens dos conjuntos de apartamentos. Hoje esses condomínios são comuns não só na região metropolitana, mas por todo o interior do estado, especialmente nas regiões mais ricas e industrializadas. Um dos mais conhecidos, e antigos, é Alphaville — nomeado em alusão ao famoso filme de Godard sobre uma cidade imaginária num futuro dominado pela tecnologia. Esse condomínio inclui não só casas dentro de unidades muradas, mas shopping centers e centros de escritórios. Junto com os empreendimentos imobiliários vizinhos de Aldeia da Serra e Tamboré, nos municípios de Barueri e Santana do Parnaíba, toda a região foi agressivamente comercializada no Brasil como uma "*edge city*", ou seja, uma verdadeira representante do novo tipo de subúrbio americano.

A NOVA SEGREGAÇÃO

São Paulo é atualmente uma região metropolitana mais diversificada e complexa do que era há quinze anos, quando o modelo centro-periferia era suficiente para descrever seu padrão de segregação e desigualdade social. Uma combinação

---

[73] O crescimento da população entre 1991 e 1996 foi de 8,7%. Em 1991, 14% dos chefes de domicílio tinham uma renda maior do que 20 salários mínimos. É o único município (com exceção de São Paulo) no qual mais de 10% dos chefes estão nessa categoria. Em 1991, a renda média dos chefes (em salários mínimos) nos municípios na região noroeste era: 9,8 em Santana do Parnaíba; 6,2 em Barueri; 5,9 em Cotia; e 3,2 em Cajamar.

[74] Em 1980, apenas 1,5% da população economicamente ativa de Santana do Parnaíba ganhava mais de 20 SM, enquanto 53,7% ganhava menos de 2 salários mínimos.

[75] O segundo mais alto é o de Barueri: 0,6480. O coeficiente de GINI para a cidade de São Paulo é de 0,5857, e para a região metropolitana, 0,5748. Cajamar, que teve um bom desempenho econômico mas não recebeu moradores de renda elevada, teve um coeficiente de GINI significativamente menor: 0,4635. A maioria dos municípios na região leste tem coeficientes de GINI comparativamente baixos.

de processos causou sua transformação. Entre eles incluem-se a reversão do crescimento demográfico; a recessão econômica, a desindustrialização e a expansão das atividades terciárias; a melhoria da periferia combinada com o empobrecimento das camadas trabalhadoras; o deslocamento de parte das classes média e alta para fora do centro; e a ampla difusão do medo do crime, que levou pessoas de todas as classes sociais a buscar formas mais seguras de moradia. Em consequência, não só aumentou a desigualdade em São Paulo — o coeficiente de GINI na região metropolitana cresceu de 0,516 em 1981 para 0,586 em 1991 — como ela se tornou mais visível e explícita na medida em que moradores ricos e pobres vivem mais próximos uns dos outros nas novas áreas de expansão da cidade e da região metropolitana. Essas novas áreas têm, de fato, os piores coeficientes de GINI e as mais chocantes paisagens da coexistência de pobreza e riqueza. Além disso, no contexto de crescente medo do crime e de preocupação com a decadência social, os moradores não mostram tolerância em relação a pessoas de diferentes grupos sociais nem interesse em encontrar soluções comuns para seus problemas urbanos. Em vez disso, eles adotam técnicas cada vez mais sofisticadas de distanciamento e divisão social. Assim, os enclaves fortificados — prédios de apartamentos, condomínios fechados, conjuntos de escritórios ou shopping centers — constituem o cerne de uma nova maneira de organizar a segregação, a discriminação social e a reestruturação econômica em São Paulo. Diferentes classes sociais vivem mais próximas umas das outras em algumas áreas, mas são mantidas separadas por barreiras físicas e sistemas de identificação e controle.

São Paulo, no final dos anos 90, é uma metrópole com mais favelas e cortiços, mas seus muitos bairros pobres na periferia melhoraram consideravelmente; as velhas áreas centrais foram transformadas por processos combinados de enobrecimento e decadência; pessoas das classes altas vivem em regiões centrais e bem-equipadas, mas também em novos enclaves fechados em regiões precárias e distantes, perto dos mais pobres, na capital ou fora dela; os empregos terciários estão mudando para áreas ainda não urbanizadas; e a oposição entre oeste (mais rico) e leste (mais pobre) está se tornando mais visível. É também uma região metropolitana na qual as distâncias físicas que costumavam separar diferentes grupos sociais podem ter encolhido, mas cujos muros cercando propriedades são mais altos e os sistemas de vigilância, mais ostensivos. É uma cidade de muros em que a qualidade do espaço público está mudando imensamente e de maneiras opostas àquilo que se poderia esperar de uma sociedade que foi capaz de consolidar uma democracia política. De fato, a segregação e o processo de ostensiva separação social cristalizado nas últimas décadas pode ser visto como uma reação à ampliação desse processo de democratização, uma vez que funciona para estigmatizar, controlar e excluir aqueles que acabaram de forçar seu reconhecimento como cidadãos, com plenos direitos de se envolver na construção do futuro e da paisagem da cidade.

7.
ENCLAVES FORTIFICADOS: ERGUENDO MUROS E CRIANDO UMA NOVA ORDEM PRIVADA

"O vigia na guarita fortificada é novo no serviço, e tem a obrigação de me barrar no condomínio. Pergunta meu nome e destino, observando os meus sapatos. Interfona para a casa 16 e diz que há um cidadão dizendo que é irmão da dona da casa. A casa 16 responde alguma coisa que o vigia não gosta e faz 'hum'. O portão de grades de ferro verde e argolões dourados abre-se aos pequenos trancos, como que relutando em me dar passagem. O vigia me vê subindo a ladeira, repara nas minhas solas, e acredita que eu seja o primeiro pedestre autorizado a transpor aquele portão. A casa 16, no final do condomínio, tem outro interfone, outro portão eletrônico e dois seguranças armados. Os cães ladram em coro e param de ladrar de estalo. Um rapaz de flanela na mão abre a portinhola lateral e me faz entrar no jardim com um gesto de flanela. (...)

O empregado não sabe que porta da casa eu mereço, pois não vim fazer entrega nem tenho aspecto de visita. Para, torce a flanela para escoar a dúvida, e decide-se pela porta da garagem, que não é aqui nem lá. Obedecendo a sinais convulsos da flanela, contorno os automóveis na garagem transparente, subo por uma escada em caracol, e dou numa espécie de sala de estar com pé-direito descomunal, piso de granito, parede inclinada de vidro, outras paredes brancas e nuas, muito eco, uma sala de estar onde nunca vi ninguém sentado. À esquerda dessa sala corre a grande escada que vem do segundo andar. E ao pé da grande escada há uma salinha que eles chamam de jardim de inverno, anexa ao pátio interno onde vivia o fícus. Eis minha irmã de *peignoir*, tomando o café da manhã numa mesa oval."

Chico Buarque, *Estorvo*, 1991, pp. 14, 16

Nesse romance de 1991, Chico Buarque capta a experiência de viver atrás de muros e vigiado por seguranças que marca o novo estilo de vida nas cidades brasileiras. O romance se passa no Rio, mas poderia muito bem ser em São Paulo ou em qualquer outra cidade de muros. Nessas cidades, e especialmente para a sua elite, um ato banal como uma visita à irmã implica lidar com guardas particulares, identificação, classificação, portões de ferro, intercomunicadores, portões eletrônicos, cachorros — e muita suspeita. O homem aproximando-se do portão é um bom candidato a suspeito, já que anda a pé em vez de guiar um automóvel, ou seja, usa o espaço público da cidade de uma maneira que os moradores do condomínio rejeitam. Condomínios fechados, o novo tipo de moradia fortificada da elite, não são lugares para os quais as pessoas caminhem ou pelos quais passem. Eles são distantes, para serem aproximados só de automóvel e apenas por seus moradores, uns poucos visitantes e, é claro, os empregados, que devem ser mantidos sob controle e comumente são encaminhados para uma entrada especial — a famosa entrada de serviço. Alguém com a aparência errada e que insiste em caminhar só pode suscitar dúvidas e reações ambíguas nos empregados, que têm que reproduzir na prática os códigos de classificação de seus patrões.

Os condomínios fechados constituem o tipo mais desejável de moradia para as classes altas em São Paulo hoje em dia. Nesse capítulo, analiso esse novo tipo de residência a partir de uma série de perspectivas interligadas. Primeiro, defino os condomínios fechados e sua relação tanto com outros tipos de moradia que predominaram no passado quanto com outros enclaves que produzem segregação semelhante. Os condomínios fechados não são um fenômeno isolado, mas a versão residencial de uma nova forma de segregação nas cidades contemporâneas. Em segundo lugar, analiso os elementos que transformam os edifícios residenciais de São Paulo, e especialmente os condomínios fechados, em residência de prestígio: segurança, equipamentos de uso coletivo, serviços e localização. Em terceiro lugar, discuto alguns aspectos problemáticos da vida cotidiana dentro dos muros dos condomínios: a dificuldade de se chegar a regulamentos consensuais e fazer cumprir regras, cuja expressão mais dramática é a criminalidade de adolescentes, especialmente o vandalismo e os acidentes de automóvel causados por jovens dirigindo sem habilitação. Em quarto lugar, analiso as ambiguidades, contradições e rejeições que esse novo modelo gera na medida em que os moradores da cidade o contrapõem a outros espaços, opções de moradia e estilos de vida existentes na cidade. Apesar do novo modelo não ter eliminado todas as outras possibilidades, ele fornece o principal paradigma de distinção em relação ao qual as outras alternativas tendem a ser medidas. Existe hoje na cidade uma estética da segurança definida pelo novo modelo, que simultaneamente guia transformações em todos os tipos de moradia e determina o que confere mais prestígio.

Universos privados para a elite

Os condomínios fechados são a versão residencial de uma categoria mais ampla de novos empreendimentos urbanos que chamo de enclaves fortificados. Eles estão mudando consideravelmente a maneira como as pessoas das classes média e alta vivem, consomem, trabalham e gastam seu tempo de lazer. Eles estão mudando o panorama da cidade, seu padrão de segregação espacial e o caráter do espaço público e das interações públicas entre as classes. Os enclaves fortificados incluem conjuntos de escritórios, shopping centers, e cada vez mais outros espaços que têm sido adaptados para se conformarem a esse modelo, como escolas, hospitais, centros de lazer e parques temáticos. Todos os tipos de enclaves fortificados partilham algumas características básicas. São propriedade privada para uso coletivo e enfatizam o valor do que é privado e restrito ao mesmo tempo que desvalorizam o que é público e aberto na cidade. São fisicamente demarcados e isolados por muros, grades, espaços vazios e detalhes arquitetônicos. São voltados para o interior e não em direção à rua, cuja vida pública rejeitam explicitamente. São controlados por guardas armados e sistemas de segurança, que impõem as regras de inclusão e exclusão. São flexíveis: devido ao seu tamanho, às novas tecnologias de comunicação, organização do trabalho e aos sistemas de segurança, eles são espaços autônomos, independentes do seu entorno, que podem ser situados praticamente em qualquer lugar. Em outras palavras, em contraste com formas anteriores de empreendimentos comerciais e residenciais, eles pertencem não ao seus arredores imediatos, mas a redes invisíveis (Cenzatti e Crawford 1998).[1] Em consequência, embora tendam a ser espaços para as classes altas, podem ser situados em áreas rurais ou na periferia, ao lado de favelas ou casas autoconstruídas. Finalmente, os enclaves tendem a ser ambientes socialmente homogêneos. Aqueles que escolhem habitar esses espaços valorizam viver entre pessoas seletas (ou seja, do mesmo grupo social) e longe das interações indesejadas, movimento, heterogeneidade, perigo e imprevisibilidade das ruas. Os enclaves privados e fortificados cultivam um relacionamento de negação e ruptura com o resto da cidade e com o que pode ser chamado de um estilo moderno de espaço público aberto à livre circulação. Eles estão transformando a natureza do espaço público e a qualidade das interações públicas na cidade, que estão se tornando cada vez mais marcadas por suspeita e restrição.

Os enclaves fortificados conferem status. A construção de símbolos de status é um processo que elabora diferenças sociais e cria meios para a afirmação de distância e desigualdade sociais. Os enclaves são literais na sua criação de separação. São claramente demarcados por todos os tipos de barreiras físicas e artifícios de distanciamento e sua presença no espaço da cidade é uma evidente afirmação de diferenciação social. Eles oferecem uma nova maneira de estabelecer fronteiras entre grupos sociais, criando novas hierarquias entre eles e, portanto, organizando explicitamente as diferenças como desigualdade. O uso de meios literais de separação é complementado por uma elaboração simbólica que transforma enclausuramento, isolamento, restrição e vigilância em símbolos de status. Essa elaboração é evidente nos anúncios imobiliários.

A transformação dos enclaves fortificados em espaços de prestígio exigiu algumas mudanças importantes nos valores das classes altas. Primeiro, residências coletivas passaram a ser preferidas a residências individuais. Moradias coletivas, como prédios de apartamentos, foram por um longo tempo desvalorizadas em São Paulo por causa da sua associação a cortiços. Até recentemente, as casas eram o paradigma da residência digna e evidência de status moral e social. Os valores de privacidade, liberdade individual e família nuclear embutidos na casa independente sustentaram tanto a guerra contra os cortiços quanto a difusão da casa própria entre as camadas trabalhadoras. Segundo, áreas isoladas, não urbanizadas e distantes foram transformadas em espaços mais valorizados do que os tradicionais bairros centrais e com boa infraestrutura. Essa mudança requereu a inversão dos

[1] Ver Cenzatti e Crawford (1998) para uma análise de "espaços semipúblicos", isto é, os espaços interiores de shopping centers, hotéis, aeroportos etc., que, embora sejam propriedade privada, têm uso público. Eles não discutem a versão residencial dos enclaves.

valores que haviam prevalecido dos anos 40 até os 80, quando o centro era inequivocamente associado aos ricos e a periferia, aos pobres. Pela primeira vez, algo como o subúrbio americano tornou-se popular entre a elite, e a distância do centro foi resignificada para conferir status em vez de estigma.

De cortiços a enclaves de luxo

Viver em edifícios com várias famílias, compartilhando tanto o uso quanto a propriedade de áreas comuns, não é uma experiência nova para a classe média brasileira. Os condomínios existem desde 1928 em São Paulo. Embora tenha levado um bom tempo para perderem o estigma de cortiço e se tornarem populares entre a classe média, os apartamentos se generalizaram a partir dos anos 70, dadas as mudanças nos financiamentos e o *boom* de construções que se seguiu. Vários elementos, no entanto, diferenciam os apartamentos da década de 70 dos condomínios fechados dos anos 80 e 90. Apesar do antigo tipo de apartamento continuar a ser construído e ter expandido seu mercado até para as camadas trabalhadoras, os empreendimentos mais sofisticados e caros são de um outro tipo. Uma diferença é a localização: enquanto nos anos 70 os prédios residenciais ainda estavam concentrados nos bairros centrais, os condomínios fechados da década de 90 tendem a se situar em áreas distantes. Enquanto os antigos apartamentos integravam a rede urbana, os condomínios recentes tendem a ignorá-la. Segundo, os condomínios fechados são por definição murados, enquanto os edifícios dos anos 70 costumavam ser abertos para as ruas. Embora a maioria destes tenha sido cercada recentemente, o isolamento não era parte de sua concepção inicial, mas sim uma adaptação ao novo paradigma. Terceiro, o novo tipo de condomínio fechado costuma ter grandes (algumas vezes muito grandes) áreas e equipamentos de uso coletivo, enquanto na geração anterior os espaços comuns limitavam-se geralmente a garagens, áreas de circulação, pequenos *playgrounds* e talvez um salão de festas.[2]

Enquanto os condomínios dos anos 70 eram basicamente prédios de apartamentos, nos anos 90 eles podem ser de dois tipos: vertical ou horizontal. Os primeiros são geralmente uma série de edifícios em grandes áreas com vários equipamentos de uso coletivo, e são o tipo predominante em São Paulo. Os últimos consistem em uma série de casas — este tipo predomina nos outros municípios da região metropolitana. As casas são geralmente construídas pelos próprios proprietários, não pelos incorporadores, ao contrário do que é a regra nos Estados Unidos. Em consequência, elas não têm um desenho uniforme, embora vários incorporadores incluam nos títulos de venda vários regulamentos referentes a recuos, áreas abertas, muros e cercas, tamanho da casa e uso (apenas residencial). Mas eles continuam

---

[2] Alguns dos condomínios recentes têm mais de 100 mil m^2 para uso coletivo e podem ser comparados a clubes sofisticados. Alguns são tão grandes quanto um bairro, com mais 20 mil habitantes e várias ruas internas. Eles são invariavelmente fechados.

a ser condomínios, já que a propriedade e o uso de áreas comuns são compartilhados coletivamente e os moradores têm de obedecer às convenções do condomínio.

Os condomínios fechados brasileiros não são obviamente uma invenção original, mas partilham várias características com os CIDs (*common interest developments* ou incorporações de interesses comuns) e subúrbios americanos. No entanto, algumas diferenças entre eles são esclarecedoras.[3] Primeiro, os condomínios fechados brasileiros são invariavelmente murados e com acesso controlado, enquanto nos EUA, os empreendimentos fechados (*gated communities*) constituem apenas cerca de 20% dos CIDs.[4] Segundo, os tipos mais comuns de condomínios fechados em São Paulo ainda são os de prédios de apartamentos, e, apesar de poderem ser vendidos como um meio de escapar da cidade e seus perigos, ainda são mais urbanos do que suburbanos. Os primeiros conjuntos construídos de acordo com o modelo fechado são um bom exemplo. O Ilha do Sul, construído em 1973, é um conjunto de classe média de seis edifícios, cada um com 80 apartamentos de três dormitórios, localizado na zona oeste da cidade (Alto de Pinheiros). Suas principais inovações eram, de um lado, oferecer comodidades como um clube de mais de 10 mil m^2 incluindo instalações esportivas, um restaurante e um teatro e, de outro, a segurança: ele é murado e o acesso é controlado por segurança privada. Na época, o crime não era a principal preocupação da cidade, e a prática de controlar a circulação era na verdade temida por vários grupos: 1973 era o auge da ditadura militar e para muitos qualquer investigação de identidade era vista como ameaçadora. Esse fato indica como o enclausuramento foi uma estratégia imobiliária e de marketing que se tornou dominante nas décadas seguintes: hoje, os procedimentos de segurança são requisito em todos os tipos de prédios que aspirem a ter prestígio. Durante o final dos anos 70 e a década de 80, a maioria dos condomínios fechados construídos em São Paulo eram verticais e localizados no Morumbi, seguindo o exemplo do Portal do Morumbi.

Os condomínios horizontais começaram a ser construídos no final dos anos 70, especialmente nos municípios adjacentes à capital na parte oeste da região metropolitana. Eles apresentam algumas interessantes diferenças em relação aos seus equivalentes americanos. Embora a homogeneidade social seja obviamente valorizada, a homogeneidade do projeto não o é: casas com a mesma planta e fachada

---

[3] Ver McKenzie (1994) para uma análise dos CIDs nos Estados Unidos. Segundo, McKenzie, os CIDs compartilham três características que os distinguem de outros tipos de moradia: propriedade em comum; participação obrigatória na associação de moradores; e regime privado de convenções restritivas imposto por moradores. Eles podem ser de três tipos: empreendimentos de unidades planejadas (ou *PUDs — planned unit developments*), que consistem em casas isoladas construídas de acordo com um mesmo plano mestre, em geral nos subúrbios; condomínios, comumente prédios; e cooperativas (ou *co-ops)*, isto é, apartamentos em que os condôminos têm participação acionária no prédio como um todo em vez de serem proprietários de uma unidade (1994: 19).

[4] Blakely e Snyder (1997: 7, 180) estimam que 19% de todas as 190 mil associações integrantes do CAI (Community Association Institute) em 1996 eram condomínios fechados. Eles corresponderiam a mais de 3 milhões de unidades. Não há estimativa disponível do número de condomínios fechados em São Paulo.

são desvalorizadas e pouco comuns. Tradicionalmente, em São Paulo, casas padronizadas têm sido construídas para as camadas trabalhadoras e são desvalorizadas não só pela população em geral, como também pelas pessoas que não têm outra opção a não ser viver nelas. Os moradores fazem incríveis esforços para transformar suas casas e dar-lhes o que chamam de "personalidade", isto é, uma aparência individualizada.[5]

O alto valor ligado à "personalidade" da casa, compartilhado por todas as classes sociais, provavelmente explica por que casas padronizadas não são comuns entre a elite. Isso também é provavelmente responsável pelo fato de que prédios de apartamentos também têm de mostrar "personalidade", e os prédios do Morumbi exibem uma considerável variação na tentativa de distinguir-se individualmente. Mais importante, no entanto, é que essa rejeição da homogeneidade até entre pessoas que são parte de um mesmo grupo social pode estar relacionada ao fato de que na justificação ideológica dos condomínios fechados de São Paulo não há nenhuma referência positiva à ideia de comunidade, algo sempre invocado nos empreendimentos americanos. Os condomínios nunca são chamados de "comunidades" — como acontece nos Estados Unidos, onde recebem o nome de *gated communities* —, nem são anunciados como um tipo de moradia que possa realçar o valor de se fazer coisas em conjunto. Na verdade, os moradores brasileiros parecem desprezar bastante essa ideia de comunidade. Outro ponto interessante de comparação com os Estados Unidos é o uso de contratos e convenções restritivos (*restrictive covenants*). Embora os condomínios brasileiros tenham necessariamente convenções, e embora elas sejam segregadoras, historicamente não têm sido um instrumento da indústria imobiliária, como é o caso nos Estados Unidos, segundo McKenzie (1994: especialmente cap. 2). Somente na última geração de grandes condomínios os incorporadores começaram a incluir suas restrições nos contratos de venda. Nos velhos tipos de prédios de apartamentos, essas eram limitadas à preservação da arquitetura e da fachada, o que é um assunto totalmente diferente em prédios. No caso das casas padronizadas da classe trabalhadora, essas restrições nunca existiram ou nunca foram cumpridas, e modificações constantes são a regra.

Os condomínios horizontais dos anos 80 e 90 representam o processo de suburbanização de São Paulo. Esse processo ainda é incipiente se comparado aos Estados Unidos.[6] Antes dos anos 80, se empreendedores imobiliários agiram como planejadores urbanos privados, isso foi mais evidente na expansão da periferia pobre do que na criação de subúrbios ricos. Até muito recentemente, os casos mais famosos de bairros planejados para a elite eram aqueles projetados no começo do século XX, incluindo Higienópolis, a Avenida Paulista e as famosas cidades-jardins

[5] Venho estudando as transformações em moradias da classe trabalhadora com James Holston. Um dos bairros em nosso estudo foi inicialmente construído por um empreendedor imobiliário nos anos 70 com casas padronizadas. As casas foram sendo alteradas a tal ponto que depois de 20 anos é quase impossível identificar as plantas e fachadas originais.

[6] Para o caso americano, ver Jackson (1985) e McKenzie (1994).

projetadas nos anos 20.[7] Essas áreas, no entanto, sempre foram centrais, não havia nenhuma propriedade comum, e as casas eram construídas individualmente. Além disso, embora esses empreendimentos tivessem contratos com restrições em relação a projeto e uso, alguns de seus regulamentos se tornaram a norma, já que foram incorporados ao Código de Obras da cidade em 1929. Hoje eles são regulamentados pelos códigos de zoneamento da cidade, não pelas determinações dos contratos originais.

Os empreendimentos imobiliários para a elite longe do centro da cidade tornaram-se significativos só no final dos anos 70. Foi também nessa época que uns poucos incorporadores começaram a construir algo semelhante às *new towns* e *edge cities* americanas, isto é, áreas suburbanas que combinam empreendimentos residenciais com centros comerciais e espaço para escritórios. Algumas dessas incorporações mais famosas e agressivas em termos de marketing são Alphaville, Aldeia da Serra e Tamboré, nos municípios de Santana do Parnaíba e Barueri, a nova área de incorporações para as classes médias e altas na região metropolitana. Alphaville começou nos anos 70, construída pelos mesmos incorporadores do Ilha do Sul, e que atualmente estão lançando outros condomínios horizontais nas áreas próximas. Construído numa área de 26 km^2 que se espalha por dois municípios (Barueri e Santana do Parnaíba), Alphaville é dividida em várias áreas residenciais muradas — cada uma enclausurada por muros de 3,5 m de altura e acessíveis apenas por uma entrada controlada —, um conjunto de edifícios de escritórios (Centro Empresarial) e um centro comercial ao redor de um shopping center (Centro Comercial). As primeiras partes a serem construídas, em meados dos anos 70, foram o centro de escritórios e duas das áreas residenciais. No início dos anos 90, Alphaville tinha uma área urbanizada de 13 km^2 e uma população fixa de cerca de 20 mil habitantes. O Centro Empresarial abrigava 360 empresas e o Centro Comercial, 600 empresas. Em média, a população flutuante diária era de 75 mil não moradores.[8] Em 1989, 55,4% da receita de impostos de Barueri vinha de Alphaville (Leme e Meyer 1997: 20). A segurança é um dos principais elementos na sua publicidade e uma das principais obsessões de todos os envolvidos com o empreendimento. Sua força de segurança privada tinha mais de 800 homens e 80 veículos no início dos anos 90. Cada unidade (Residenciais, Centro Comercial e Centro Empresarial) contrata sua própria segurança para manter a ordem interna, e existe ainda uma força de segurança comum para cuidar dos espaços públicos (as avenidas e mesmo a estrada que liga a São Paulo).

---

[7] Essas cidades-jardins existem até hoje e originaram a área mais rica da cidade, chamada Jardins. Com suas típicas ruas circulares, a primeira delas, Jardim América, foi planejada na Inglaterra pela firma de Barry Parker e Raymond Unwin.

[8] Dados da construtora Alburquerque, Takaoka S.A., publicados no informativo interno de Alphaville (*Jornal de Alphaville*, XIV (3): 5, 1991). No final dos anos 90, a população residente parece ter crescido para 30 mil, e a média de população flutuante, para 80 mil (comunicação verbal de representantes da construtora).

Um estilo de vida total: anunciando enclaves para as classes altas

O objetivo das propagandas é seduzir. Os anúncios usam um repertório de imagens e valores que fala à sensibilidade e fantasia das pessoas a fim de atingir seus desejos. Como Augé indica em sua análise dos anúncios dos *châteaux* e *domaines* franceses, seu efeito jaz "no descobrimento ou na súbita revelação a um indivíduo específico de um lugar onde, ele imagina, a vida será possível para ele" (1989: 28-9).[9] Para conseguir esse efeito, os anúncios e as pessoas a quem eles apelam têm que compartilhar um repertório comum. Se os anúncios falham em articular imagens que as pessoas possam entender e reconhecer como suas, eles falham em seduzir. Portanto, anúncios imobiliários constituem uma boa fonte de informação sobre os estilos de vida e os valores das pessoas cujos desejos eles elaboram e ajudam a moldar. A seguir, analiso anúncios de apartamentos e condomínios fechados publicados no jornal *O Estado de S. Paulo* no período de 1975-1996.[10] Durante esse período, um novo tipo de residência coletiva e cercada foi elaborado como o mais prestigioso e desejável para as classes média e alta de São Paulo. A análise revela os elementos dos padrões atuais de diferenciação e distinção sociais. Ela mostra como as classes altas constroem seu lugar na sociedade e a sua visão do tipo de residência onde "a vida seria possível" para elas.

Através das mais diferentes culturas e classes sociais, o lar cristaliza importantes sistemas simbólicos e molda sensibilidades individuais.[11] A moradia e o status social são obviamente associados e em várias sociedades a residência é uma forma de as pessoas se afirmarem publicamente. Em consequência, a construção ou aquisição de uma casa é um dos projetos mais importantes que as pessoas irão realizar. A casa faz declarações tanto públicas quanto pessoais, já que relaciona o público e o doméstico. Ao criar uma casa as pessoas tanto descobrem e criam sua posição social quanto moldam seu mundo interior.

Para as classes trabalhadoras paulistas, suas casas autoconstruídas são claramente seu mais importante projeto de vida e consomem a maioria das suas energias e recursos por muitos anos. Essas casas expressam suas visões sobre seu pertencimento à sociedade e sobre o que é ser moderno. Através de suas casas, os moradores desenvolvem um discurso mediante o qual falam simultaneamente sobre a sociedade e sobre si mesmos. No caso dos trabalhadores pobres em São Paulo, o processo envolve não a compra de uma casa já pronta, mas todo um processo de construção, tanto material quanto simbólico. Eles não compram uma casa, mas literalmente a constroem. Assim, basicamente não existem anúncios em jornais para

---

[9] Ver Augé (1989) para uma análise do "sistema de propaganda imobiliária".

[10] A amostra de anúncios analisada foi feita selecionando-se duas edições, geralmente de domingo, de cada ano (uma da primeira metade do ano e uma da segunda). Examinei todos os anúncios imobiliários de cada edição selecionada.

[11] Ver, por exemplo, a clássica análise de Bachelard (1964) sobre a relação entre casa e memória; a de Bourdieu (1972) sobre a casa Kabyle; e a de Cunningham (1964) sobre a casa Atoni.

as casas da classe trabalhadora em São Paulo. Nos bairros da classe trabalhadora, o mercado imobiliário conta quase exclusivamente com pequenos escritórios locais, comunicação interpessoal e a distribuição de pequenos panfletos em cruzamentos de trânsito. Anúncios em jornais existem apenas para habitações para as classes média e alta, especialmente prédios de apartamentos.

Para as classes média e alta, a criação de uma residência é mediada por anúncios publicitários e pelas indústrias imobiliária e da construção. Nos últimos 20 anos, esses anúncios elaboraram o que chamam de "um novo conceito de moradia" e o transformaram no tipo mais desejável de residência.[12] Esse "novo conceito de moradia" articula cinco elementos básicos: segurança, isolamento, homogeneidade social, equipamentos e serviços. A imagem que confere o maior status (e é mais sedutora) é a da residência enclausurada, fortificada e isolada, um ambiente seguro no qual alguém pode usar vários equipamentos e serviços e viver só com pessoas percebidas como iguais. Os anúncios apresentam a imagem de ilhas para as quais se pode retornar todos os dias para escapar da cidade e para encontrar um mundo exclusivo de prazer entre iguais. Os enclaves são, portanto, opostos à cidade, representada como um mundo deteriorado no qual não há apenas poluição e barulho, mas, o que é mais importante, confusão e mistura, isto é, heterogeneidade social.

Os condomínios fechados correspondem à versão ideal desse "novo conceito de moradia", um ideal em relação ao qual as outras formas menos completas são sempre medidas. Supõe-se que condomínios fechados sejam mundos separados. Seus anúncios propõem um "estilo de vida total", superior ao da cidade, mesmo quando são construídos dentro dela. O Portal do Morumbi foi um dos primeiros condomínios fechados em São Paulo. Em 4 de setembro de 1975, o conjunto foi propagandeado no jornal *O Estado de S. Paulo* em anúncio de página inteira. Uma série de pequenas ilustrações mostrava o que seria a vida de seus moradores hora a hora, das 7 da manhã às 11 da noite. Pessoas eram mostradas na piscina, na sala de exercícios, na sauna, no *playground* e caminhando nos jardins. O texto principal dizia:

---

[12] Há muitas maneiras possíveis de abordar os anúncios. Escolhi enfatizar o simbolismo da casa, mas uma abordagem alternativa seria identificar como eles expressam as variações das políticas habitacionais e códigos de construção analisados no capítulo 6. Apesar de os anúncios não mencionarem os códigos de zoneamento, regulamentações restritivas, crise econômica e dificuldades de financiamento, todas essas questões podem ser lidas na linguagem específica da publicidade. Na verdade, o "novo conceito de moradia" é uma resposta à necessidade dos empreendedores imobiliários de construir prédios de apartamentos longe do centro e em imensos lotes por causa dos códigos de zoneamento e do aumento do preço da terra. Nos anúncios, porém, essa necessidade aparece transfigurada em "escolha de um estilo de vida". Da mesma maneira, se os apartamentos estão sendo construídos com áreas internas menores, tanto por causa do menor poder aquisitivo dos compradores quanto da necessidade de manter uma certa taxa de utilização, o espaço reduzido é anunciado como "solução racional" perfeitamente adaptada à "vida moderna de pessoas dinâmicas". Apesar de os anúncios oferecerem material para uma interpretação da vida doméstica das famílias de classe média paulistanas (por exemplo, por meio de uma análise da distribuição de espaços e funções, do uso de materiais e assim por diante), concentro a análise sobretudo no que essas residências expressam publicamente no espaço da cidade.

"Aqui todo dia é domingo.
Construtora Alfredo Mathias.
Playground, quadras, centro médico.
Passeio ao ar livre a qualquer hora do dia e da noite volta a ser um prazer plenamente possível e absolutamente seguro no Portal do Morumbi. Policiamento 24 horas por dia. Segurança perfeita na crescente insegurança da cidade." (*O Estado de S. Paulo*, 4 de setembro de 1975)

O anúncio sugere um mundo claramente distinguível da cidade ao redor: uma vida de lazer seguro, um eterno domingo. Para garantir essa inversão, guardas de prontidão 24 horas por dias. Pelo menos dez anos antes de o crime violento aumentar e se tornar uma das principais preocupações dos moradores de São Paulo, a insegurança da cidade já estava sendo construída nas imagens das imobiliárias para justificar um novo tipo de empreendimento urbano e de investimento. Essa prática persiste até o presente.

"Granja Julieta. Vá lá e more feliz.
3 dormitórios, 2 banheiros, 1.000 m^2 de jardins, piscinas, playground, salão de festas, todos com garagem.
Uma praça é uma praça: você não tem vizinhos altos, longe da poluição ambiental e visual. Sol por inteiro, ar puro e muito silêncio. Todo o conjunto é envolvido por altas grades protetoras. O portão das garagens possui garantia de controle. Playground: dá liberdade segura às crianças e paz aos adultos. Status, conforto. Todas as vantagens de um conjunto residencial fechado, com encantos de um clube sofisticado." (*O Estado de S. Paulo*, 11 de janeiro de 1976)

Fazendo apelos à ecologia, saúde, ordem, lazer e, é claro, segurança, os anúncios apresentam os condomínios fechados como o oposto do caos, poluição e perigos da cidade. Essas imagens são compartilhadas por aqueles que decidem deixar o centro para habitar os novos conjuntos, mesmo que sejam situados em áreas com infraestrutura precária e que requerem longas horas no trânsito.

7.1

— Eu saí da Av. Paulista por causa do barulho. (...) Nos fins de semana tinha o movimento daqueles restaurantes, daquilo tudo. Então foi ficando impossível de se morar (...) E a circulação de gente durante todo o dia em frente de onde eu morava, era como se fosse o centro da cidade: eram office-boys, aquele movimento permanente, permanente.

Dona de casa, 52 anos, vive no Morumbi com seu marido, executivo numa multinacional, e dois filhos.

Isolamento e distância do centro da cidade e sua intensa vida urbana são tidos como condições para um estilo de vida melhor. Os anúncios comumente se referem à paisagem natural dos empreendimentos, com áreas verdes, parques e lagos, e usam frases com apelos ecológicos. Os condomínios também são frequentemente representados como ilhas instaladas no meio de arredores nobres.

"Quem disse que apartamento não combina com natureza? Aqui está a prova em contrário. (...) Um apartamento perfeito, onde você e sua família vão sentir-se em total harmonia com a natureza. 2 dormitórios, sala para 2 ambientes, cozinha e área de serviço espaçosa. Finíssimo acabamento, condomínio cercado por muros e gradis de ferro, guarita com porteiros 24 horas por dia, interfone, garagem. Tranquilidade permanente: o verde à sua volta será permanente, uma vista externa para descansar os olhos e o espírito." (*O Estado de S. Paulo*, 12 de outubro de 1986)

"Desperte o homem livre que existe em você. Mude para a Chácara Flora. Aqui você vai poder ser gente a semana inteira e não só no sábado e no domingo. Aqui você vai morar cercado de verde, respirando ar puro. (...) Aqui você vai mudar de vida sem sair de S. Paulo. (...) Segurança total com gradis e guarita com interfone." (*O Estado de S. Paulo*, 22 de janeiro de 1989)

"O direito de não ser incomodado. Estamos oferecendo a você um conceito habitacional todo novo e revolucionário. Sobrados de dois dormitórios. Toda a segurança para você e a tranquilidade para seus filhos. As residências formam um conjunto totalmente protegido por muros. O acesso é permitido exclusivamente aos moradores. A portaria controla tudo. Mas você nunca estará isolado. 5.000 metros quadrados de jardins e áreas de lazer, com duas piscinas. (...) Vila das Mercês." (*O Estado de S. Paulo*, 6 de janeiro de 1980)

Apenas com "segurança total" o novo conceito de moradia está completo. Segurança significa cercas e muros, guardas privados 24 horas por dia e uma série infindável de instalações e tecnologias — guaritas com banheiro e telefone, portas duplas na garagem, monitoramento por circuito fechado de vídeo etc. Segurança e controle são as condições para manter os outros de fora, para assegurar não só exclusão mas também "felicidade", "harmonia" e até mesmo "liberdade". Relacionar a segurança exclusivamente ao crime é ignorar todos seus outros significados. Os novos sistemas de segurança não só oferecem proteção contra o crime, mas também criam espaços segregados nos quais a exclusão é cuidadosa e rigorosamente praticada. Eles asseguram "o direito de não ser incomodado", provavelmente uma alusão à vida na cidade e aos encontros nas ruas com pessoas de outros grupos sociais, mendigos e sem-teto.

Além de serem distantes, segregados e seguros, supõe-se que os condomínios fechados sejam universos autocontidos. Os moradores devem ter a seu dispor quase tudo o que precisam para que possam evitar a vida pública da cidade. Para tanto, os equipamentos de uso coletivo que transformam muitos condomínios em sofisticados clubes.

"Verteville 4 — em Alphaville — soluções reais para problemas atuais (...) Vista para dois lagos e bosques. Respire fundo! Densidade de população bem reduzida. Convivência sem inconveniência: centro de convivência completo e hipercharmoso. Vale a pena conhecer: 4 piscinas (a grande, a aquecida, a infantil e a de choque térmico e hidromassagem). Bar aquático.(...) Saunas. Salão de ballet, esgrima e ginástica. Sala de bronzeamento e massagem. Vestiário completo. Mini-*drugstore* com livros, revistas, tabacaria, etc. (...) Programas diários de atividades orientadas para crianças, esportes, biblioteca, horta, criação de pequenos animais etc. Uma administração independente: totalmente diferente do convencional, criando serviços novos, surpreendentes e fundamentais, como: assistência especial às crianças (...), serviço opcional de faxineiras, serviço opcional de suprimentos: você terá quem faça suas compras de supermercado. Serviço de lavagem de carro. Transporte para os demais bairros de São Paulo. Segurança absoluta, inclusive eletrônica. 3 suítes mais escritório e 3 garagens. 420 m^2 de área total." (*O Estado de S. Paulo*, 4 de outubro de 1987)

Apesar do marketing insistente das numerosas instalações para uso comum, em todos os edifícios e condomínios em que fiz pesquisas seu uso é muito baixo, com exceção dos *playgrounds*. Talvez isso reflita como os moradores se sentem pouco à vontade com a ideia de partilhar um espaço residencial, uma coisa que os anúncios tentam rebater sugerindo que a sociabilidade seria possível "sem inconveniência" e que a densidade da população é baixa. O pouco uso das áreas comuns poderia também indicar que a presença de todas essas instalações — algumas delas bastante luxuosas — é mais uma marca de status do que uma condição necessária para uma vida cotidiana mais gratificante. Em outras palavras, essas instalações parecem ter a ver mais com ostentação do que com um novo padrão de sociabilidade entre vizinhos ou com novos conceitos de vida privada. Só as crianças parecem desenvolver sua sociabilidade nos condomínios, mas mesmo isso parece não sobreviver depois que elas desenvolvem outras relações em suas escolas particulares ou nos clubes que as famílias não deixam de frequentar.

Além dos equipamentos de uso coletivo, os condomínios fechados de São Paulo oferecem um amplo leque de serviços: psicólogos e professores de ginástica para cuidar da recreação das crianças, aulas de todos os tipos para todas as idades, esportes organizados, bibliotecas, jardinagem, cuidado de animais de estimação, médicos, centros de mensagens, comida congelada, administração doméstica, cozinheiras, pessoal de limpeza, motoristas, lava-auto, transporte e empregados para fazer as compras de supermercado. Se a lista não corresponde aos seus sonhos, não há por que se preocupar, já que "tudo o que você quiser" também entra na lista dos serviços.

Não é só nos grandes condomínios que os serviços imperam. Um dos tipos de moradia que estão ficando cada vez mais populares entre a classe média são os "flats". Em geral, são apartamentos pequenos (com um ou no máximo dois dormitórios) em prédios que oferecem todos os serviços de um hotel. Em razão de sua popularidade, o preço por metro quadrado dos apartamentos de um dormitório tem sido mais alto do que em apartamentos de quatro dormitórios (Embraesp 1994: 4).

A expansão dos serviços domésticos não é algo exclusivo do Brasil. Como mostra Sassen (1991: caps. 1 e 8), nas chamadas cidades globais, a expansão dos segmentos de alta renda exige um aumento de empregos de baixa remuneração: *yuppies* e trabalhadores pobres migrantes dependem uns dos outros. Qualquer análise do lado afluente de Los Angeles revela a presença de um incrível número de imigrantes trabalhando como empregadas domésticas, babás e jardineiros para manter o luxuoso estilo de vida das casas protegidas por serviços de segurança armada (ver, por exemplo, Rieff 1991). Em São Paulo, no entanto, os serviços domésticos em condomínios fechados são a versão atual de um antigo padrão. Os serviços são uma obsessão entre as classes média e alta brasileiras. Uma das razões mais comuns que as pessoas dão para justificar a mudança para um prédio de apartamentos é a impossibilidade de encontrar "bons serviços"; ou seja, basicamente a impossibilidade de ter empregadas que durmam no emprego e tomem conta da casa e das crianças. Elaborando esse tema, o anúncio de um apartamento no Ibirapuera usou como ilustração a foto de uma mulher negra gorda e sorridente — o estereótipo da boa empregada, com sua alusão à imagem de uma escrava — usando uniforme e segurando um espanador. Ele dizia:

> "Um apartamento onde não faltam bons serviços para sua família viver tranquila. O primeiro apartamento que já vem com serviços." (*O Estado de S. Paulo*, 12 de outubro de 1986)

Ao mesmo tempo em que os serviços oferecidos pelos condomínios enfatizam a tradição brasileira de ter empregados domésticos, eles introduzem importantes mudanças. Um arranjo no qual "administrações diferentes e independentes" oferecem vários tipos de serviços é bem distinto das antigas relações personalizadas do trabalho doméstico. As tarefas no novo contexto são oferecidas como múltiplos serviços temporários, em lugar da antiga relação mais permanente e individualizada com pessoas que moravam na casa (por exemplo, uma pessoa que prepara comida congelada uma vez por mês em vez de uma cozinheira, ou uma faxineira que trabalha uma vez por semana em vez de uma que mora na casa). Muitas vezes, os novos serviços são gerenciados pela administração do condomínio e não mais através do relacionamento pessoal entre o empregado e a família (normalmente a dona de casa). Essas mudanças tornam o fornecimento de serviços formal e impessoal, mas sem afetar necessariamente a natureza das tarefas que as classes média e alta pagam outros para desempenhar.[13]

---

[13] Essa mudança já pode estar refletida nos novos dados sobre a força de trabalho. De 1980 a 1991, o setor de serviços domésticos da força de trabalho urbana diminuiu — 0,3% por ano na cidade de São Paulo, enquanto todos os outros subsetores do terciário aumentaram. Os serviços pessoais e os serviços de conserto e manutenção aumentaram 3,3% e 4,2% ao ano. Isso pode indicar uma mudança na maneira pela qual os serviços são executados em vez de uma diminuição do uso de serviços domésticos. Por exemplo, serviços de limpeza feitos por empregados de uma empresa não são classificados como serviço doméstico, mesmo quando feitos numa casa, mas como serviços de manutenção e conserto. Leme e Meyer (1997: 66).

Além dessas mudanças nos serviços mais tradicionais, houve a criação de outros novos, o mais óbvio deles sendo a segurança privada (ver capítulo 5).[14] Nos condomínios esse serviço combina novos e antigos padrões. Embora nos últimos anos a indústria de segurança privada tenha crescido consideravelmente, na maioria dos condomínios a que tive acesso esses serviços assumem a forma de "segurança orgânica", isto é, guardas contratados diretamente pelo condomínio, com frequência sob a rubrica de outros serviços (como limpeza, por exemplo) ou sem um contrato legal de trabalho. Muitos dos guardas de condomínios não têm treinamento formal para o trabalho e estão trabalhando em condições ilegais (muitos são policiais desempenhando serviços particulares em suas horas de folga e usando armas da polícia). Mesmo assim, a existência de um mercado oficial de serviços de segurança — regulado por uma lei federal, com cursos de treinamento e obrigações trabalhistas — enquadra a relação de trabalho em termos bem diferentes daqueles do mercado tradicional de serviços domésticos, totalmente assentado em acordos pessoais, e introduz novos problemas e preocupações. O caráter dúbio dos acordos trabalhistas também está se tornando uma fonte de grande ansiedade em algumas circunstâncias. Por exemplo, os moradores têm dificuldade em despedir guardas com quem têm apenas acordos verbais, mas que aprenderam muito sobre seus hábitos e poderiam usar esse conhecimento contra eles ou trabalhar com criminosos para chantagear seus antigos patrões.

Os novos tipos de serviços não fizeram desaparecer as tradicionais empregadas domésticas ou os contratos de trabalho negociados pessoalmente e verbalmente, mas o enquadramento dessas relações mudou. Em muitas residências de classe média, o espaço para as empregadas diminuiu, e muitas famílias já não podem mais pagar por elas (sem falar de duas ou três empregadas, algo que era comum entre a classe média uma geração atrás). De outro lado, o serviço doméstico agora é regulamentado por lei. A Constituição de 1988 estende aos empregados domésticos os benefícios da lei trabalhista (férias remuneradas, uma folga remunerada por semana, décimo terceiro salário, previdência social, jornada de oito horas e pagamento de horas extras). Como seria de esperar, a resistência a essa lei foi intensa e um dos caminhos para passar por cima dela é contratar múltiplos serviços temporários em vez de uma empregada fixa. Em geral, as empregadas sob acordos permanentes estão se recusando a trabalhar sem um contrato e estão aprendendo a usar a justiça do trabalho, que é provavelmente o único ramo do sistema judiciário do Brasil que pode beneficiar trabalhadores. No entanto, o cumprimento da limitação de horas de trabalho continua a ser amplamente desrespeitado, em especial no caso das empregadas que dormem no emprego, e os contratos não são estendidos aos trabalhadores irregulares (diaristas, por exemplo). Empregados domésticos contratados pela administração do condomínio costumam ter contratos formais e de acordo com a legislação.

A alocação espacial dos empregados e serviços em edifícios sempre foi um problema para a classe média. As soluções variam, mas uma das mais emblemáticas

[14] De 1980 a 1991, os serviços de segurança particular aumentaram 4,9% ao ano na cidade de São Paulo (Leme e Meyer 1997: 66).

refere-se às áreas de circulação de prédios de apartamentos. Apesar de muitas mudanças recentes, a tradição de separar as entradas e os elevadores em "social" e de "serviço" parece intocada: espera-se que pessoas de diferentes classes sociais não se misturem ou interajam nas áreas públicas dos edifícios, ainda que essa separação seja agora ilegal.[15] A classe média pode renunciar a suas casas, pode abandonar as áreas centrais da cidade, pode mudar-se para espaços menores do que aqueles a que estava acostumada e pode ter menos empregados domésticos, mas não abdica da separação espacial entre suas famílias e as pessoas que lhes prestam serviços. Algumas vezes a distinção parece ridícula, porque os dois elevadores ou portas são colocados lado a lado. À medida que o espaço diminui e as soluções lado a lado se difundem, os apartamentos que têm áreas de circulação totalmente independentes capitalizam nesse fato ao anunciar: "hall social independente do hall de serviço" (por exemplo, *O Estado de S. Paulo*, 24 de janeiro de 1988). A ideia é antiga: separação física como uma forma de prestígio de classe.

As áreas de serviço também mudaram recentemente. Os espaços para quarto e banheiro de empregada, lavanderia e copa têm diminuído consideravelmente em razão dos altos custos (são áreas normalmente ladrilhadas e com muito encanamento), e soluções como lavanderia coletiva no térreo e vestiário coletivo para empregadas que não moram com a família estão começando a aparecer em algumas das incorporações mais recentes. (O banheiro separado da empregada em cada apartamento, no entanto, continua a aparecer mesmo nas menores plantas.) Em prédios para a classe alta, a existência de dois ou três quartos de empregada é anunciada como parte das luxuosas instalações do apartamento. O notável é que, enquanto situações semelhantes a essas em outros países resultaram na redução de empregados domésticos, no desenvolvimento de máquinas para serviços domésticos e no maior envolvimento de todos os membros da família nas tarefas domésticas, em São Paulo inventam-se soluções engenhosas que permitem manter praticamente inalterado o conceito tradicional de serviço doméstico — sem falar da divisão de gênero das tarefas domésticas.[16]

À medida que o número de trabalhadores por condomínio aumenta, que os trabalhos domésticos mudam de caráter, que os "serviços criativos" proliferam para as classes média e alta, que não podem passar sem eles, os mecanismos de controle se diversificam. Quando as "administrações criativas" dos novos enclaves tomam conta do gerenciamento do trabalho, elas podem impor formas mais estritas de controle que, se adotadas numa interação mais pessoal entre empregados domésticos e as famílias que os contratam, poderiam criar relacionamentos diários impossíveis. Esse controle mais "profissional" pode ser anunciado como um novo serviço:

---

[15] Em 1995, a cidade de São Paulo passou uma lei proibindo qualquer tipo de discriminação no uso de elevadores. Embora todos os elevadores exibam uma cópia da lei, no uso cotidiano a divisão entre o social e o de serviços continua a ser observada. Ver Holston (1989: 174-81) para uma análise do sistema de separação espacial nos apartamentos modernistas projetados por Oscar Niemeyer em Brasília.

[16] Para uma discussão instigante de como a profissionalização das mulheres de classe média e alta tem tido pouca repercussão na organização da vida doméstica, ver Ardaillon (1997).

> "O estilo avant-garde em um investimento top class. Ritz Flat. Projeto Top Class (...). Apartamentos top class (...). Planta top class (...). Vida social e lazer top class (...). Localização top class (...). Equipamentos top class: som ambiente, antena coletiva de TV e FM, controle de garagem, portões eletrônicos, central de videocassete, entrada de serviço isolada da parte social, com controle específico. Administração e serviços top class (...). Rentabilidade top class." (*O Estado de S. Paulo*, 11 de janeiro de 1987)

Neste exemplo, os empregados são fundamentais para o empreendimento "top class", já que se trata de um "flat". O método básico dos "controles específicos" consiste em dar poderes a alguns trabalhadores para controlar outros. Em vários condomínios, incluindo pelo menos dois onde fiz trabalho de campo, tanto empregados do condomínio quanto empregadas e faxineiras de apartamentos individuais (mesmo aquelas que viviam lá) tinham que mostrar seu crachá de identificação para entrar e sair do condomínio. Muitas vezes, elas e seus pertences pessoais são revistados diariamente ao deixarem o trabalho. Esses arranjos em geral envolvem homens controlando mulheres.

As classes média e alta estão criando seu sonho de independência e liberdade — tanto da cidade e sua mistura de classes quanto das tarefas domésticas diárias — com base na dependência de serviços realizados por pessoas da classe trabalhadora. Eles dão armas para guardas mal pagos controlarem seus próprios movimentos de entrada e saída dos condomínios. Eles pedem a seus office-boys mal pagos para resolver todos os problemas burocráticos, desde pagar suas contas e ficar em todo tipo de filas, até transportar quantidades incríveis de dinheiro. Eles também pedem a suas empregadas mal pagas — que não raro vivem nas favelas do outro lado do muro do condomínio — para lavar e passar suas roupas, arrumar suas camas, comprar e preparar sua comida e frequentemente tomar conta de seus filhos o dia inteiro. Membros das classes altas temem o contato e a contaminação pelos pobres, mas continuam a depender de seus empregados pobres. Eles só podem estar angustiados para encontrar a maneira certa de controlar essas pessoas com as quais mantêm tais relações ambíguas de dependência e evitação, intimidade e desconfiança.

De fato, o significado do controle vai além do gerenciamento de empregados. Já que segurança total é essencial para esse tipo de residência, o controle é exercido continuamente não só sobre os empregados, mas sobre todos os visitantes, mesmo a própria família do morador. Se os proprietários podem resistir a esse controle ou ignorá-lo, os visitantes e especialmente pessoas da classe baixa não têm alternativa a não ser sujeitar-se a ele. Uma vez estabelecido, esse controle é na verdade controle de classe, que ajuda a manter o condomínio como um mundo homogêneo e isolado. O controle completa o "novo conceito de moradia", isto é, a imagem de um mundo exclusivo, isolado, disciplinado, fortificado, homogêneo e autossuficiente, que parece sintetizar a noção de um estilo de vida alternativo personificando o que a elite paulista dos anos 90 chama de liberdade.

Esses universos totais e autônomos parecem capazes de realizar as mais estranhas fantasias. Uma delas é o desejo de trazer o passado de volta, ao estilo retrô pós-moderno. Por exemplo, o condomínio fechado horizontal Aldeia da Serra foi totalmente concebido como uma recriação do passado. Ele foi construído pelos mesmos incorporadores que fizerem Alphaville: parece que eles podem jogar igualmente bem com a construção de ficções do passado e do futuro! Lançado em 1980, Aldeia da Serra é um parque residencial temático para pessoas que sentem saudades "daquele tempo antigo". Ele tenta imitar uma aldeia colonial ao colocar em seu praça central um coreto e uma capela colonial adornada com pinturas e esculturas barrocas compradas em antiquários ou copiadas das igrejas de Ouro Preto. Há também peças de equipamento antigo de fazenda distribuídas por todos os distritos residenciais — as "moradas" —, os mesmos distritos que são protegidos por cercas, guardas armados e sistemas de segurança. O simulacro de um vilarejo do passado protegido por guardas armados constitui de fato uma realização pós-moderna.

Aldeia da Serra, junto com Alphaville e Tamboré, está entre os exemplos mais agressivos de investimento imobiliário combinando condomínios fechados, shopping centers e conjuntos de escritórios de acordo com o modelo dos novos subúrbios americanos.[17] Em outubro de 1993, uma ampla campanha de publicidade em São Paulo elaborou as semelhanças dessa área com os enclaves dos Estados Unidos. Foi uma campanha para vender a ideia de uma *edge city* (expressão usada em inglês) como uma forma de aumentar o apelo e o preço desses enclaves. Um dos principais personagens da campanha foi Joel Garreau, um jornalista americano e autor do livro *Edge City — Life on the New Frontier*. Sua fotografia apareceu em anúncios de página inteira em revistas e jornais, ele veio a São Paulo falar a um grupo seleto de corretores de imóveis e foi um dos principais participantes num programa de televisão de 30 minutos vendendo essas três incorporações como se fossem um pedaço do Primeiro Mundo caído na região metropolitana de São Paulo.

Como mostra o capítulo 6, a região a oeste na qual essas incorporações estão localizadas é a parte da região metropolitana mais afetada pelas transformações socioeconômicas e demográficas nas últimas duas décadas. Desde os anos 70, incorporadores imobiliários têm investido pesadamente na área, beneficiando-se do baixo preço dos terrenos e das vantagens oferecidas pelas administrações locais, e atraindo moradores ricos e importantes atividades terciárias para suas incorporações. A campanha de 1993 baseava-se em muitas imagens de condomínios fechados já bem difundidas, mas deu-lhes um toque de novidade ao batizá-los de *edge cities* — um nome que não conseguiu captar a atenção dos paulistanos, que continuam a se referir a essa área pelo nome da mais antiga incorporação, Alphaville.[18]

---

[17] Uso a expressão "subúrbios antigos" para me referir àqueles que eram basicamente residenciais e dos quais os moradores se deslocavam para os empregos no centro da cidade. Uso "subúrbios novos" para me referir àqueles que combinam residências com escritórios e centros comerciais. Há muitos rótulos para esses novos tipos de subúrbio na literatura americana, como *edge cities*, *outer cities*, ou *exopolis*. No Brasil, o fenômeno ainda não tem um nome, apesar dos esforços de alguns empreendedores imobiliários. Para uma crítica da noção de *edge city*, ver Beauregard 1995.

[18] Talvez uma das razões pelas quais o rótulo não colou seja o fato de que a tradução em português usada nos anúncios, "cidade de contorno", não faz muito sentido.

O programa publicitário para a televisão transmitido em São Paulo pela Rede Manchete no sábado, 16 de outubro de 1993, explicitamente ilustra as conexões com o modelo dos EUA, assim como algumas peculiaridades locais. O programa combinou cenas das *edge cities* dos EUA (Reston, Virginia, e Columbia, Maryland)[19] e dos três empreendimentos sendo anunciados em São Paulo. Garreau — falando em inglês com legendas em português — descreveu as *edge cities* como a forma predominante do crescimento urbano atual e usou Los Angeles e seus múltiplos centros como exemplo. Havia interessantes diferenças na forma como o programa apresentou as *edge cities* brasileiras em comparação com as americanas. Moradores de enclaves em ambos os países foram entrevistados na frente de piscinas, lagos e áreas verdes, enfatizando tanto o caráter luxuoso quanto o antiurbano das incorporações. No entanto, se as *edge cities* americanas têm muros externos, controles de entrada, e pessoal de segurança, eles não foram mostrados. No caso paulista, no entanto, eles são cruciais e foram enfatizados. A uma certa altura, o programa mostra uma cena filmada de um helicóptero: o pessoal da segurança privada do condomínio brasileiro intercepta um "veículo suspeito" — uma Kombi — fora dos muros; eles revistam fisicamente os ocupantes, que são forçados a colocar os braços para cima contra o automóvel. Embora seja ilegal para um serviço de segurança privado realizar em uma rua pública esse tipo de ação, isso, junto com cenas de visitantes apresentando documentos de identificação nos portões de entrada, assegura aos moradores ricos (e espectadores) que pessoas "suspeitas" (pobres) serão mantidas a distância e sob controle. Outra cena reveladora é uma entrevista em inglês com um morador de uma *edge city* americana. Ele cita como uma das principais razões para se mudar para lá o fato de que queria viver numa comunidade racialmente integrada. Essa observação é suprimida nas legendas em português e substituída pela formulação de que sua comunidade tinha "muitas pessoas interessantes". Em São Paulo, a ideia de uma comunidade racialmente integrada poria em risco todo o negócio.

Importar modelos de Primeiro Mundo e usá-los para vender todo tipo de mercadorias é obviamente uma prática comum em países de Terceiro Mundo. O paralelo entre os exemplos brasileiros e americanos sugere que, embora o grau de segregação varie, ela ainda usa dispositivos semelhantes em ambos os casos. Colocados lado a lado com os casos americanos, os métodos brasileiros de segregação (muros altos, guardas armados por todos os lados, controle ostensivo dos pobres) parecem óbvios e exagerados. Contudo, eles revelam de modo caricatural algumas características do modelo americano original. A questão da segregação racial também oferece um contraste interessante. Apontar a integração racial como algo positivo num CID americano é algo anômalo, dada a longa história de contratos restritivos e segregação racial nessa forma de moradia nos Estados Unidos (cf. McKenzie

[19] Ambas são "cidades novas" (*new towns*), construídas e financiadas privadamente e entre as maiores desse tipo de empreendimento (McKenzie 1994: 100). Nos anos 90, contudo, ambas foram assimiladas à conurbação da Grande Washington. Elas não podem ser consideradas exemplos típicos das *edge cities* dos anos 90.

1994: especialmente cap. 2). No Brasil, isso seria impensável, dada a etiqueta tradicional das relações raciais que faz com que a questão não seja nunca mencionada. Como na vida cotidiana, o anúncio simplesmente silencia a referência a raça; e como se isso não fosse um problema, os negros continuam a ser assediados e mandados para a entrada de serviço.

MANTENDO A ORDEM DENTRO DOS MUROS

O ideal do condomínio fechado é a criação de uma ordem privada na qual os moradores possam evitar muitos dos problemas da cidade e desfrutar um estilo de vida alternativo com pessoas do mesmo grupo social. O anúncio de um empreendimento de luxo no Morumbi torna essa concepção inconfundivelmente clara. Chamado de Place des Vosges, ele é uma réplica da famosa praça parisiense. Seus apartamentos maiores têm quatro dormitórios e 268 m^2 (além de quatro garagens e áreas externas para um uma área total de 539 m^2 por unidade) e custavam US$ 476 mil. Em 1993, quando a construção começou, foi anunciada com a frase: "Condomínio Place des Vosges. Outro igual a esse só em Paris" (*O Estado de S. Paulo*, 17 de outubro de 1993). Os anúncios do empreendimento se concentraram nas similaridades entre os dois até 1996, quando começaram a destacar as diferenças (ver Figura 1). A nova propaganda mostrava uma fotografia da praça parisiense e um desenho do enclave do Morumbi e anunciava: "Place des Vosges. A única diferença é que a de Paris é pública. E a sua é particular" (*O Estado de S. Paulo*, 15 de março de 1996).

Embora os novos enclaves valorizem o universo privado e rejeitem a cidade e seus espaços públicos, organizar a vida em comum dentro dos muros dessas áreas residenciais coletivas tem se mostrado bastante complicado. Muitas pessoas que entrevistei nos condomínios concordam que eles resolveram a maioria dos problemas associados ao mundo externo, mas estão continuamente enfrentando conflitos internos. Elas sentem que os condomínios de fato são seguros, se com isso se quer dizer que são capazes de evitar o crime e controlar interferências externas. No entanto, a vida entre iguais parece estar distante do ideal de harmonia que alguns anúncios querem construir.

Igualdade social e uma comunidade de interesses não constituem automaticamente as bases para uma vida pública. Concordar a respeito de regras comuns parece ser um dos mais difíceis aspectos da vida cotidiana nas residências coletivas. Além disso, mesmo se se concorda com as regras, fazê-las cumprir pode ser difícil, especialmente no caso de crianças e adolescentes. O problema central dos condomínios e edifícios parece ser como funcionar como uma sociedade com algum tipo de vida pública. Muitos moradores parecem tratar todo o complexo como casas particulares onde podem fazer o que lhes der na cabeça. Eles interpretam liberdade como sendo uma ausência de regras e responsabilidades em relação aos vizinhos.

Novamente é revelador fazer algumas comparações com os enclaves americanos. Nos Estados Unidos, "*community*" é uma designação comum para condomínios de vários tipos. Em São Paulo, os incorporadores imobiliários não veem a

Figura 1: Anúncio do condomínio fechado *Place des Vosges*, publicado em *O Estado de S. Paulo*, 15/3/1996, p. A16.

si mesmos como "*community builders*", e os anúncios não apresentam os condomínios fechados como um novo tipo de vida comunitária, mas apenas como um local de moradia para grupos sociais homogêneos. Em outras palavras, os anúncios não enfatizam uma comunidade de valores e interesses partilhados, não tentam criar nenhuma sensação de pertencimento a uma comunidade e não apelam para a importância de um espaço que possa facilitar interações face a face. Para os empreendedores imobiliários brasileiros e seus clientes, as vantagens da homogeneidade social não implicam o desejo de uma sociabilidade local. Embora o estudo de Blakely e Snyder (1997: especialmente o cap. 6) sobre comunidades fechadas (*gated communities*) nos EUA revele que os moradores têm pouco interesse em se envolver com uma sociabilidade local e com atividades coletivas, e embora o nível de participação em associações de moradores seja baixo, a referência à comunidade é tanto um recurso retórico para vender condomínios fechados quanto um critério ideológico para avaliar a vida dentro dos muros.[20] A seguir, critico a vida comum dentro dos muros, mas não por deixar de criar um senso de comunidade. Critico os condomínios por não criarem uma vida pública regulada por princípios democráticos, responsabilidade pública e civilidade.

Uma segunda diferença importante entre os condomínios brasileiros e os americanos, e que também revela os problemas para construir uma vida pública e democrática nos enclaves de São Paulo, refere-se às regras internas e às formas como elas são aplicadas. Todos os condomínios paulistas têm convenções, algumas elaboradas pelas incorporadoras, algumas pelos moradores. Elas são um tema frequente de debate em reuniões de condomínio e constantemente estão sendo reescritas. Fazer cumprir as regras escritas nessas convenções é um grande problema. Todas as disputas tendem a ser tratadas como um assunto privado entre os moradores. Só em casos extremos a disputa chega até o sistema judiciário (normalmente em casos de não pagamento das taxas de condomínio ou quando é preciso forçar um morador a reparar danos em sua unidade que afetem outros moradores), ao contrário dos Estados Unidos, onde o apelo ao judiciário é amplo. Em outras palavras, embora tanto no Brasil como nos Estados Unidos (McKenzie 1994: 12-23) as disputas entre moradores de condomínios sejam muito comuns, em São Paulo elas tendem a ser tratadas de forma privada e não como questões de interesse público ou da lei.

As reuniões de condomínio são as principais arenas do conflito, embora discussões entre vizinhos sejam também muito comuns. Minha observação de várias reuniões em diferentes condomínios revelou que os conflitos e agressões eram roti-

---

[20] O livro de Blakely e Snyder (1997) avalia a vida dentro das *gated communities* em relação a um ideal de comunidade definido por dois critérios: as sensações de pertencimento e participação pública (capítulos 2 e 6). Compartilhando com moradores dos subúrbios um sentimento antiurbano e referindo-se a uma vida comunitária idealizada de "décadas passadas — bairros onde as pessoas se conheciam e cuidavam umas das outras" (1997: 166), esses autores criticam as comunidades fechadas não pela segregação que elas podem impor, mas basicamente por falharem em produzir boas comunidades. Seu conselho para a substituição de portões tem como objetivo principalmente a criação de "comunidades melhores" e inclui receitas de "neotradicionalismo" e "espaço defensivo" (cap. 8).

neiros no processo de se tomar a maioria das decisões. As pessoas podiam chegar a ser desagradáveis e desrespeitosas se era impossível impor sua vontade. Embora se espere que todas as decisões de condomínio sejam votadas, as discussões podem durar horas antes que se decida votar, pois as pessoas preferem tentar convencer umas às outras e fazer prevalecer suas opiniões.

O desconforto com procedimentos democráticos como o voto ou o respeito a opiniões contrárias não ocorre apenas nas camadas altas. Estudos sobre movimentos sociais da classe trabalhadora observaram desconfortos similares (por exemplo, Caldeira 1987 e 1988). Nesse contexto, eles eram expressos numa preferência ideológica pelo consenso (cujas origens podem ser relacionadas a organizações marxistas) e numa valorização da noção de comunidade que não é muito comum na vida política brasileira. Vários movimentos, especialmente aqueles organizados pela Igreja Católica sob a forma da Comunidades Eclesiais de Base (CEBs), organizavam-se com base na ideia de que representam uma comunidade local de pessoas supostamente iguais; quando as diferenças emergiam, deviam ser niveladas de modo a manter a força da comunidade política (Durham 1984). Uma das principais questões que revelam as dificuldades em criar e respeitar regras comuns é o comportamento dos adolescentes, especialmente os rapazes. O morador encarregado da segurança em um dos condomínios (um executivo de nível intermediário casado e com dois filhos) começou sua entrevista dizendo:

7.2
— O que mais nos atinge é a segurança interna, são nossos filhos. A questão da segurança externa já foi resolvida há muito tempo.

A associação dos problemas centrais dos condomínios com "nossos filhos" expressa uma opinião generalizada, que me foi repetida por duas pessoas encarregadas de organizar a segurança, vários moradores e um síndico. Os delitos praticados por "nossos filhos" variam, indo desde pequenos furtos ou de atos de vandalismo contra as instalações coletivas (sendo o mais comum deles a destruição de extintores de incêndio) ao consumo de drogas. Um dos problemas mais comuns e provavelmente aquele com consequências mais sérias é o aumento do número de acidentes de automóvel causados por adolescentes sem habilitação para dirigir. O número de adolescentes das camadas altas que dirigem antes dos 18 anos aumentou consideravelmente na última década, muitas vezes com a conivência dos pais (ver citações 5.22 e 5.23). Para a elite brasileira, não só é fácil desobedecer à lei, como algumas práticas ilegais podem se converter numa espécie de moda. Uma das razões pelas quais isso acontece é que ninguém é processado se for pego dirigindo sem habilitação, ou mesmo se for envolvido num acidente. Segundo a lei, os pais são responsáveis pelo comportamento de seus filhos menores, mas os casos de cumprimento da lei são raros, mesmo em relação a acidentes e mortes.[21]

---

[21] Um caso hediondo ocorreu em Brasília em agosto de 1996. Um jovem dirigindo um veículo utilitário em alta velocidade atingiu e matou um trabalhador que andava na beira da estra-

Dentro dos condomínios, o desrespeito à lei é quase uma regra. As pessoas sentem-se mais livres para desobedecer à lei porque estão em espaços privados dos quais a polícia é mantida distante, e porque encaram as ruas dos complexos como extensões de seus quintais. Na verdade, quando as pessoas têm noções frágeis de interesse público, responsabilidade pública e respeito pelos direitos de outras pessoas, é improvável que venham a adquirir essas noções dentro dos condomínios. Pelo contrário, a vida dentro dos universos privados só contribui para enfraquecer ainda mais suas noções de responsabilidade pública. Se o trânsito em geral é marcado por um desrespeito aos regulamentos, a situação dentro dos condomínios atinge níveis absurdos. O caso de Alphaville, sobre o qual obtive estatísticas, exemplifica isso de forma clara. Entre março de 1989 e janeiro de 1991, a polícia registrou 646 acidentes de automóvel, 925 feridos e 6 mortos em Alphaville. Oitenta por cento dos acidentes aconteceram dentro das áreas residenciais, ou seja, dentro dos muros e nas ruas particulares às quais só os moradores e seus visitantes têm acesso. A maioria dos acidentes foi causada por adolescentes e a maioria das vítimas eram ou crianças ou adolescentes que brincavam nas ruas (só uma das pessoas que morreram tinha mais de 18 anos).[22] Apesar de o número ser extremamente alto, tem sido impossível controlá-lo. A dificuldade está associada, por um lado, à "permissividade" de alguns pais, que continuam a entregar os automóveis a seus filhos, e, por outro, ao fato de que os moradores preferem manter a polícia do lado de fora dos seus muros; assim, os encarregados de manter a ordem interna são os empregados dos condomínios e guardas privados. Os adolescentes das classes altas tratam esses seguranças como seus empregados e se recusam a obedecê-los: eles ameaçam os seguranças de origem humilde de serem demitidos por seus pais se insistirem em incomodá-los com seus regulamentos. Isso acontece tanto em relação a guiar quanto ao consumo de drogas. Embora não se disponha de estatísticas, em várias entrevistas os moradores chamaram a atenção para o fato de que as drogas são comuns dentro dos condomínios. (O mesmo vale para o caso das escolas particulares de elite.)[23]

---

da. Ele não parou nem prestou nenhuma ajuda à vítima. No dia seguinte, soube-se que o motorista era filho de Odacir Klein, na época ministro dos Transportes. O próprio ministro estava no carro no momento do acidente. Quando isso se tornou público, o ministro teve de renunciar, mas seu filho saiu praticamente sem punição do episódio. A juíza Maria Leonor Leiko Agueno, conhecida em Brasília por ser branda com crimes cometidos pela elite, decidiu não responsabilizar Fabrício Klein por não prestar socorro à vítima argumentando que "como o pedreiro já estava morto, ele não precisava de ajuda" (*O Globo*, 21 de janeiro de 1997, pp. 2-9). Além disso, ela suspendeu o processo contra Klein baseada em cláusula especial que permite aos juízes suspender julgamentos de crimes em que a pena prevista é de menos de um ano de prisão.

[22] "Alphaville vive 'dia de Twin Peaks' em debate sobre drogas e violência", *Folha de S. Paulo*, 10 de abril de 1991. Os números estão provavelmente subestimados, já que os moradores não têm interesse em pedir ajuda à polícia ou em relatar crimes que ocorram dentro de seus muros.

[23] O consumo de drogas é um problema permanente tanto nas escolas particulares como nas públicas. As últimas, especialmente aquelas que ficam em bairros pobres de periferia, são estigmatizadas como locais de tráfico de drogas. Poder-se-ia esperar que as escolas particulares das camadas altas fossem capazes de controlar a prática, mas isso não tem acontecido.

Problemas como o dos adolescentes que desobedecem à lei são tópicos controvertidos dentro dos condomínios. Vários moradores acham que tornar esses problemas públicos vai diminuir o valor de sua propriedade. Além disso, eles veem esses problemas como um assunto privado para ser tratado internamente: uma questão de disciplina, não de lei! Os segredos são mantidos especialmente no caso de condomínios como Alphaville, famoso por sua segurança interna e onde houve um incrível aumento no valor da propriedade ao longo da última década. Às vezes, no entanto, os moradores enfrentam a desaprovação dos vizinhos e quebram o silêncio, fornecendo informações à imprensa. Um morador de Alphaville falou à *Folha de S. Paulo* em 1990 e seus comentários captam a essência dos problemas de uma comunidade que se considera à parte do resto da sociedade. Ele disse que a polícia não entra em Alphaville porque ela é mantida fora por parte dos moradores.

> "Eles inibem a polícia. Usam a velha frase do 'você sabe com quem está falando?'. Tudo aqui é abafado. Há uma lei para os mortais mas não para os moradores de Alphaville." (*Folha de S. Paulo*, "Alphaville, o 'condomínio-paraíso' de São Paulo, agora teme os assaltos", 20 de abril de 1990)[24]

Quando os problemas são classificados como internos, a atitude de evitar interferências e publicidade parece prevalecer. Contudo, as reações são diferentes quando um problema de segurança "externo" muda a vida do condomínio, surgindo uma oportunidade de perceber alguns dos problemas dos mundos enclausurados. Um problema "externo" desse tipo trouxe Alphaville para as páginas de crime de todos os jornais em fevereiro de 1991. Uma moça de 18 anos que crescera no condomínio foi sequestrada no estacionamento do clube de tênis, estuprada e morta. O desdobramento desses eventos é notável em cada detalhe, revelando aspectos paradoxais não só da manutenção da ordem dentro de um lugar de elite como Alphaville, mas também da sociedade brasileira em geral. Imediatamente depois de o caso ser tornado público, a autoria do crime foi imputada a ex-operários de construção que tinham trabalhado no condomínio. Por se tratar do assassinato de uma pessoa da classe alta, a polícia agiu rapidamente, os meios de comunicação divulgaram cada aspecto das investigações, além de fotografias da menina e de sua família. Três homens (que não eram operários da construção) foram finalmente acusados do crime e presos. No dia seguinte, os jornais publicaram suas fotos: estava visível que eles tinham sido espancados e suas sobrancelhas e bigodes haviam sido raspados. Os jornais e revistas informaram à população que isso era um sinal de que eles tinham sido estuprados pelos outros prisioneiros, e que isso era um "tratamento comum" para as pessoas acusadas de estupro. Nada foi feito para investigar como o abuso aconteceu ou para punir as pessoas responsáveis, e nenhuma medida foi

---

[24] Ver DaMatta (1979) para uma análise do uso da frase "Você sabe com quem está falando?" como um meio de impor distância social e o reconhecimento de inferioridade social.

tomada para impedir que ocorresse; tudo foi relatado como uma rotina. O jornal *O Estado de S. Paulo* informou a seus leitores:

> "Um velho código de honra existente entre os presos foi aplicado no final de semana a dois envolvidos na morte da estudante. Joanilson, o Grande, e Antonio Carlos, o Cota, foram espancados e violentados pelos companheiros de cela na cadeia de Jandira. Entre os detentos, o estuprador é rejeitado e deve ser punido pelo crime que cometeu." (*O Estado de S. Paulo*, 26 de fevereiro de 1991)

O jornal *Folha da Tarde* informou os leitores sobre o destino do terceiro suspeito nos seguintes termos:

> "Edgar, a exemplo de seus dois companheiros, não passou impune pela lei da cadeia: estuprador vira mulher dos outros presos. Ao ser indagado se havia sido estuprado, 'Baianinho' respondeu com um gesto afirmativo feito com a cabeça. 'Baianinho' não foi surrado como seu companheiro Joanilson de Lima, 'o Grande'. Isso só aconteceu porque ele não reagiu ao estupro, segundo um carcereiro. Mesmo assim seu rosto e seu braço estavam cheios de hematomas. 'Eles me bateram um pouco só', disse 'Baianinho'. (...) Um 'cardeal' da Polícia Civil — diretor de departamento —, que não quis se identificar, afirmou anteontem que os autores do estupro e do assassinato não ficarão mais de dois dias vivos dentro de um presídio como a Casa de Detenção. 'Eles o pegarão durante o banho de sol ou de noite', disse." (*Folha da Tarde*, 27 fevereiro de 1991)[25]

Tortura, estupro, espancamento de prisioneiros, sexismo, desrespeito à lei e aos direitos humanos são tratados como fatos triviais pela imprensa. A trivialização desses fatos faz com que pareçam tão "naturais" que reportá-los não causa nenhuma reação maior. Mas como espancamentos e estupros não são uma rotina tão frequente para a classe alta, o evento afetou o cotidiano e a segurança de Alphaville. Parece que o assassinato da estudante e os acontecimentos que se seguiram mostraram àqueles que haviam escolhido viver acima da lei que eles tinham problemas a enfrentar. Alguns dias depois do assassinato, um grupo de moradores foi até o secretário de Segurança Pública do estado para solicitar sua ajuda para resolver o problema do crime interno que havia sido desconsiderado até o momento. Eles criaram o Conseg — Conselho de Segurança —, formado por representantes dos

---

[25] A cobertura desse evento revela a maneira rotineira e não-questionada pela qual os jornalistas brasileiros usam frases sexistas, como a que define um homem que é sodomizado à força como a "mulher" do violador; ou frases que reproduzem estereótipos, como aquela justificando o estupro de um estuprador como um comportamento que está de acordo com um "código de honra". Isso também reflete o que Michael Taussig chama de "*terror as usual*" (1992: capítulo 2).

moradores e das polícias civil e militar. Os moradores simultaneamente criaram a Associação de Mães de Alphaville, que começou a promover palestras e debates no condomínio. Todas as pessoas envolvidas com quem pude conversar, ou cujas opiniões saíram na imprensa, parecem ter decidido colocar a culpa dos problemas na desintegração da família. Dos representantes dos incorporadores à associação de mães e à polícia, todos concordavam que a origem dos problemas com os adolescentes era "a falta de amor e de atenção". A principal solução proposta foi mais amor e atenção, famílias mais fortes e mais controle, isto é, uma solução de acordo com as concepções de senso comum sobre como evitar a difusão do mal (capítulo 2). Não se pensou em discutir a questão em termos de uma ordem pública ou responsabilidade pública. O juiz Mariano Cassavia Neto, dirigindo-se aos moradores numa reunião logo após os acontecimentos de fevereiro, colocou as coisas da seguinte maneira:

> "Não quero transformar isto em uma Gestapo, mas vocês devem acompanhar o dia a dia de seus filhos. Na cabeça dos traficantes, eles são o mercado consumidor. Vamos tentar proteger nossos filhos. Fiquem mais tempo com eles. A prevenção começa dentro de casa. (...) Vocês sabem com quem eles andam? Quando vocês os beijaram pela última vez?" (*Folha de S. Paulo*, "Alphaville vive 'dia de Twin Peaks' em debate sobre drogas e violência", 10 de abril de 1991)

Em outras palavras, os problemas são domésticos e devem ser resolvidos privadamente. Se o controle interno (doméstico, privado) fosse reforçado, as leis da sociedade não teriam de intervir. Esta noção é tão arraigada que, associada à desconfiança generalizada em relação à polícia, faz com que ninguém pense que ela poderia fazer cumprir a ordem pública dentro do condomínio. A polícia deveria apenas manter os traficantes de drogas, estupradores e assassinos longe dos muros (não importando que métodos usasse para isso). Os representantes do poder público finalmente vieram ao condomínio, chamados pelas mães, mas apenas para aconselhar. O mesmo juiz, no entanto, parece estar consciente de quão paradoxal é a situação. No mesmo discurso, ele disse:

> "Parece que há outras leis por aqui. Comecei a dizer que ia prender pais de jovens infratores e os telefonemas não pararam. Um queria anistia porque também era juiz, outro era primo de juiz, outro era prefeito, outro dizia ser primo de desembargador, só faltavam falar que eram irmãos do Romeu Tuma e da ministra Zélia Cardoso de Mello." (*Folha de S. Paulo*, 10 de abril de 1991)

Ele foi aplaudido. Não obstante, o episódio apenas exemplifica a reprodução do *status quo*: a criação de regras privadas; a manipulação privada da ordem pública que é possível para aqueles que são membros da elite; e o não cumprimento da lei — na verdade, o juiz apenas ameaçou os pais com a ideia de que pretendia cumprir a lei!

Esse caso revela a complexidade das relações entre os domínios público e privado na sociedade brasileira, que é marcada por uma incrível desigualdade social e a tendência a explicitamente desvalorizar a esfera pública. Isso acontece não só devido à proliferação de enclaves privados, mas também porque os espaços que costumavam ser públicos e nos quais mantinha-se um certo respeito pelo interesse coletivo estão sendo privatizados. À medida que os parques públicos são cercados, ruas são fechadas por correntes e controladas por guardas particulares, e bairros são transformados em enclaves fechados com a ajuda da administração municipal, a possibilidade de tratamentos justos relativamente isentos na esfera pública é cada vez menor. Embora o Brasil sempre tenha sido uma sociedade desigual, a privatização da esfera pública que venho descrevendo é algo novo, e a tendência a criar ilhas particulares de privilégios parece ter se fortalecido.

Os moradores da City Boaçava — uma área de casas de classe média e alta em Alto de Pinheiros — estão tentando chegar a um consenso para solicitar à Emurb (o órgão municipal que trata de problemas urbanos e autoriza os fechamentos de bairros) a construção de barreiras nas ruas que levam ao bairro. Neste caso, o crime não é a razão principal, já que eles consideram seu sistema de segurança privada eficiente. Seu problema é que um novo parque municipal está sendo construído nas proximidades e eles querem impedir que seus frequentadores estacionem seus automóveis nas ruas do Boaçava. De acordo com o presidente da associação de bairro, o fechamento é a única maneira de livrar os moradores desse "problema".[26] Até recentemente, no entanto, as ruas ainda eram consideradas espaço público, mesmo pela elite. Por exemplo, um dos bairros mais ricos da parte central de São Paulo, o Pacaembu, desenvolveu-se nos anos 30 sob a inspiração do modelo de cidade-jardim e tem em sua área central o estádio municipal de futebol. Até hoje, os moradores de residências de luxo nunca fecharam as ruas aos automóveis de dezenas de milhares de pessoas que comparecem aos jogos e a outros eventos toda semana (de concertos de rock a encontros religiosos). Tampouco os moradores do Morumbi, que vivem em torno do maior estádio de futebol da cidade, construído nos anos 60, fizeram isso. Talvez eles tentem no futuro e quem sabe a administração da cidade os ajude nesse sentido, como fez a administração do PT no início dos anos 90. No entanto, o fato de que isso não tenha sido um problema antes é uma indicação da extensão das transformações.

Todas essas tendências em direção à privatização e à rejeição da ordem pública tornaram-se especialmente visíveis durante o período de consolidação do regime democrático. Fazia parte to projeto de democratização a criação de uma esfera pública mais igualitária e, de fato, ele expandiu a cidadania política das camadas trabalhadoras que, através de seus movimentos sociais, pela primeira vez participaram realmente da vida política brasileira. Assim, é possível interpretar a retirada da elite para enclaves privados como uma forma de resistência à democrati-

[26] "Bairros residenciais querem fechar ruas", *O Estado de S. Paulo*, 18 de junho de 1991.

zação.[27] No entanto, processos semelhantes de privatização ocorrendo em outras partes do mundo — como os Estados Unidos, onde há uma democracia consolidada — devem nos alertar sobre os limites dessa interpretação. A comparação sugere, no entanto, que se a questão não for a democratização política, pode ser a inclusão de pessoas anteriormente excluídas ou marginalizadas, tanto política como socialmente. Nos EUA, por exemplo, a evasão dos brancos para os subúrbios nos anos 60 e 70 e para as comunidades fechadas nos anos 90 pode estar ligada à relativa expansão dos direitos de cidadania da população negra e à incorporação na sociedade americana de um número crescente de imigrantes. Na Europa, o aumento do racismo e os novos padrões de segregação parecem estar associados à expansão dos direitos da cidadania a imigrantes.[28]

Embora as tendências no sentido da privatização e secessão dos ricos sejam claras, especialmente em novas áreas e empreendimentos imobiliários, São Paulo ainda não está totalmente regulada por elas. Essas ideias e práticas são poderosas, em parte porque estão associadas à elite, mas também geram ambiguidades e resistências, especialmente à medida que outros grupos sociais as adotam.

Resistindo aos enclaves

Os condomínios fechados são o tipo mais prestigiado de moradia em São Paulo hoje em dia. Referências aos seus elementos aparecem em todos os tipos de empreendimentos imobiliários. Segurança, cercamento, isolamento, equipamentos coletivos e serviços integram um código de distinção que pessoas de todas as classes sociais da cidade entendem e usam para elaborar, transformar e dar significado a seus espaços. No entanto, as maneiras de usar e interpretar os elementos do código variam através da cidade. As variações revelam situações nas quais os moradores resistem a esse código ou em que ele é adaptado para coexistir com valores opostos, gerando resultados ambíguos e contraditórios. As rejeições e ambiguidades ocorrem especialmente em relação a três pontos sobre os quais os enclaves fortificados operam as transformações mais profundas: avaliações sobre moradias coletivas em oposição às casas isoladas; sobre as áreas centrais e bem urbanizadas da cidade em contraste com as áreas distantes; e sobre residências fechadas *versus* residências abertas. As diferentes avaliações frequentemente combinam e revelam diferentes perspectivas de classe na interpretação dos arranjos habitacionais.

---

[27] Essa democratização não foi alcançada sem problemas. Na verdade, ela tem sido bastante limitada em várias áreas, especialmente em relação ao que chamamos de componente civil de cidadania (Holston e Caldeira 1998). Apesar disso, a democracia, especialmente a democracia política, se expandiu nos anos 80, mandando uma mensagem que vários setores da elite interpretaram como ameaçadora.

[28] Para os Estados Unidos, ver Massey e Denton (1993) e McKenzie (1994). Para a Europa, ver Wieviorka (1991, 1993) e Wieviorka *et al.* (1992).

As classes média e alta constituem a maioria dos moradores de apartamentos e condomínios fechados. Elas já estão bastante acostumadas a moradias coletivas e cada vez mais se mudam para elas por razões financeiras, de segurança e de status. A ideia de que apartamentos são mais seguros do que casas é tão arraigada em São Paulo que muitos anúncios de casas usam frases do tipo: "Residências requintadas com a segurança de um apartamento" (*O Estado de S. Paulo*, 16 de janeiro de 1983). No entanto, as percepções negativas dos apartamentos persistem e podem ser expressas mesmo em anúncios de edifícios da classe média.

> "Maison Adriana. Entre a Av. Santo Amaro e o Parque Ibirapuera. À sua volta estarão sempre os palacetes de um local estritamente residencial, sem o incômodo de outro prédio." (*O Estado de S. Paulo*, 6 de fevereiro de 1977)

> "O primeiro 2 dormitórios sem vizinhos — confortavelmente isolado no andar. (...) Moema. (...) Se impõe pelo seu avançado projeto arquitetônico, em formato de cruz, permitindo que cada apartamento fique isolado no andar." (*O Estado de S. Paulo*, 2 de setembro de 1979)

> "Morumbi Kings Ville. Definitivamente o mais incrível lançamento no Morumbi. (...) Surge agora um novo conceito em habitação: o sistema double stair side-by-side, que permite a construção de apartamentos com dois pavimentos (duplex) na mesma laje, com entradas privatizadas, tanto a social quanto a de serviço. Assim temos um apartamento por andar, pois os acessos sociais são alternados: os apartamentos ímpares são no primeiro e os pares no segundo, utilizando dessa forma um único elevador social." (*O Estado de S. Paulo*, 12 de outubro de 1986)

Realmente, é necessário usar muita criatividade e manipulação de palavras — se necessário com o auxílio de línguas estrangeiras — para equiparar apartamentos em edifícios com várias unidades por andar à imagem de casas isoladas. Proximidade é uma questão delicada entre os paulistanos, mesmo a proximidade daqueles que supostamente são iguais em termos sociais. Esta atitude é sustentada com fervor pelos moradores de casas do Morumbi que entrevistei. Suas casas são pequenas fortalezas. Todas têm vários cães e sistemas de alarme eletrônicos (em uma delas, os sensores do alarme foram colocados a intervalos de 20 cm ao longo de toda a parede externa); uma casa tem imensas barras em todas as janelas, o que lhes dá um aspecto de janelas de prisão, e uma porta de ferro separando os dormitórios do resto da casa, a qual é fechada toda noite. Os moradores dessas fortalezas acham que sua parafernália de segurança é preferível a viver perto de outras pessoas em condomínios fechados ou apartamentos: só em suas casas independentes eles se sentem suficientemente isolados e em controle, especialmente dos encontros de seus filhos. Os moradores de casas fora de condomínios fechados parecem ter uma necessidade mais profunda de isolamento e controle — o que chamam de liberdade — e um forte medo de estranhos, mesmo crianças e vizinhos da mesma classe social. Sua ideia de que fortalezas podem protegê-los do crime e de contatos e interações sociais indesejados parece ser mais forte do que a de moradores de condomínios.

Na Mooca, onde a obsessão com os cortiços e com distanciar-se deles é forte, a avaliação dos prédios de apartamentos é ainda mais negativa e difundida. Quando alguém se muda de uma casa para um apartamento, eles sentem que sua qualidade de vida se deteriorou e, em alguns casos (ver capítulo 1), veem a mudança como um declínio social. Sentem que perderam sua liberdade, independência e controle sobre suas vidas, além de perder o status que associam à propriedade de uma casa. A Mooca ainda é um bairro de casas. Em 1990, 63,2% da área residencial construída era de casas, mas a área de construções verticais quase dobrou entre 1986 e 1990 (São Paulo, Sempla 1992: 148-9 e Seade 1990: 42).

Assim, apesar de suas objeções, os moradores da Mooca estão cada vez mais se mudando para prédios de apartamentos, alguns deles condomínios fechados (mas menos luxuosos que os do Morumbi). Esses novos edifícios expressam o processo de enobrecimento do bairro que começou em 1970 e está associado à abertura de linhas de metrô e importantes melhoramentos em infraestrutura. Esse processo, que está acontecendo em várias áreas da cidade que eram bairros de classe média baixa, está mudando o mercado imobiliário e levando bairros como Mooca, Santana e Tatuapé para as páginas dos jornais que discutem o que está "na moda" em termos de moradia. Nesse contexto de transformação, os novos prédios de apartamentos incorporam simultaneamente significados de aprisionamento e segurança, de declínio e de prestígio.

Na periferia pobre há poucos prédios de apartamentos e a maioria dos moradores vive em casas autoconstruídas. Em todo o velho distrito de São Miguel Paulista, por exemplo, só 2,76% da área residencial construída era de apartamentos em 1990 (São Paulo, Sempla 1992: 148-9).[29] Os apartamentos para as classes trabalhadoras normalmente são construídos por agências estatais como a Cohab (Companhia Metropolitana Habitacional), são extremamente desvalorizados, e associados à alta criminalidade e ao consumo de drogas. De acordo com o Censo de 1991, esses apartamentos representam 3% do número total de domicílios e a maioria deles (66,5%) está localizada em distritos na periferia leste, a mais pobre.[30] No Jardim das Camélias, também na periferia leste, não há apartamentos e todos os moradores vivem em casas. Eles valorizam bastante seu espaço e consideram a mudança para algo como um apartamento da Cohab como uma opção totalmente indesejada. Além do estigma de criminalidade e do medo de ficar próximo de "más influências", os moradores do Jardim das Camélias valorizam poder projetar suas casas de acordo

---

[29] Essa porcentagem superestima as construções verticais, já que os dados TPCL em que é baseada se referem apenas às construções legalmente registradas, ou seja, uma pequena porcentagem dos domicílios nessa área da periferia.

[30] Na região leste da cidade, os apartamentos em complexos populares do tipo Cohab constituem 9,36% do total de domicílios, de acordo com o Censo de 1991.

com seu gosto e personalidade e avaliam negativamente a ideia de se submeter a um projeto pronto e padronizado. Não só o que é coletivo, mas também o que é padronizado e uniforme é considerado ruim e feio — uma visão uma vez partilhada pela classe média que morava em casas. Nessas avaliações negativas de prédios de apartamentos, julgamentos estéticos combinam-se com visões de mobilidade social e com um discurso moral sobre os perigos da proximidade, a necessidade de autocontrole e o valor da individualidade. Essa confluência de discursos e significados é partilhada por pessoas do Jardim das Camélias, da Mooca e do Morumbi. É a razão pela qual casas padronizadas para a elite são raras, mesmo dentro de condomínios, e as incorporadoras de apartamentos de classe média e alta enfatizam fortemente a originalidade do projeto em seus anúncios. Atualmente, a maioria dos proprietários de casas fora de condomínios é das camadas trabalhadoras ou da classe média baixa, e são eles que explicitamente sustentam o discurso sobre os valores morais embutidos na propriedade de uma casa independente, frequentemente dirigindo contra a classe alta os mesmos tipos de julgamentos e preconceitos que outrora a elite elaborou para estigmatizar os pobres e suas moradias coletivas.

Quando a cidade ainda é desejável

A segunda questão em torno da qual há muita ambiguidade e desacordo é a oposição à "cidade" e o abandono das áreas bem-equipadas e centrais da cidade. Nem todo mundo está pronto a abandonar a cidade para obter status da negação da vida urbana. Alguns, de fato, lutam para permanecer em seus bairros tradicionais, sejam eles nas áreas centrais, tradicionais, de classes média e alta onde os edifícios de apartamentos de luxo têm sido comuns há tempo; sejam eles os bairros intermediários e mesmo periféricos onde tradicionalmente a classe média baixa ou a classe baixa tem vivido e que estão passando por um enobrecimento. Nos dois casos, há um apelo ao velho estilo de vida oferecido pela cidade, e à tradição em lugar da transformação.

Anúncios para novos prédios em áreas antigas e bem valorizadas das classes média e alta, como Jardins, Higienópolis ou Pinheiros, exaltam exatamente as qualidades urbanas que os condomínios refutam, reforçando a imagem desses bairros como "nobres" e sofisticados.

> "Mansão de Itu. (nos Jardins...) Numa época em que se economiza até com fechaduras, nós apresentamos em cada detalhe o que há de melhor. Num local absolutamente dentro da civilização." (*O Estado de S. Paulo*, 11 de janeiro de 1976)

> "Ed. Villa Velasquez. Os Jardins constituem-se hoje no polo máximo de atração de São Paulo. (...) É aí que circula o beautiful people. (...) Viva onde as coisas acontecem." (*O Estado de S. Paulo*, 8 de setembro de 1985)

"Os bons tempos voltaram. Você já pode morar como antigamente. Num apartamento de alto padrão, num bairro dos mais nobres de São Paulo: Higienópolis. Um bairro que não perdeu suas características. Hoje, Higienópolis alia sua condição de bairro aristocrático a toda uma moderna infraestrutura." (*O Estado de S. Paulo*, 28 de outubro de 1990)

"More numa Vila Madrilenha bem no meio de Pinheiros. Para quem não quer fugir. Tudo em Mansões de Pinheiros ajuda você a superar a obsessão estradeira. São apartamentos que ajudam a ressuscitar o prazer de ficar em casa." (*O Estado de S. Paulo*, 2 de setembro de 1979)

Estar no coração da cidade ainda parece ser atraente para alguns, especialmente se o lugar puder ser — como em condomínios — valorizado por sua proximidade aos ricos, suas mansões, estilo aristocrático e civilização (seja o que for que isso signifique), ou simplesmente sua beleza. No entanto, os anúncios revelam o poder do "novo conceito de moradia" ao incluir frases como "para quem não quer fugir" ou "superar a obsessão estradeira", que reconhecem que eles não são mais as únicas opções de prestígio.

Como os condomínios fechados incorporam prestígio, não é de surpreender que anúncios para outros tipos de edifícios façam referências a eles. Em anúncios de prédios de apartamentos em bairros tradicionais de classe média baixa e das classes trabalhadoras, é impossível ter o luxo do Morumbi, mas alguns sinais em direção ao seu modelo estão presentes.

"2 e 3 dormitórios. (...) Garanta o seu lugar neste projeto inteligente. 72 m^2 de área privativa. Sala para dois ambientes. Piscina infantil. Piscina adulto. Sauna. Vestiário. Quadra de squash. Pista de cooper. Playground. Salão de festas. Salão infantil. Churrasqueira. Quiosque. Salão de ginástica. Jardins e praças. Garagem no subsolo. Lavanderia coletiva. WC de empregada. Central de vídeo. Depósito individual. Central de recados. O Residencial Ilhas Gregas se localiza num excelente ponto do Tatuapé. Fica a 200 m do metrô e, além de diversas áreas verdes ao redor, possui uma vista panorâmica para o parque municipal." (*O Estado de S. Paulo*, 28 de outubro de 1990)

Mesmo quando o espaço disponível por apartamento é de 72 m^2, todos os elementos possíveis do "novo conceito de moradia" têm de ser espremidos na incorporação: de duas piscinas a um banheiro independente de empregada por apartamento. No entanto, também fica claro que para atrair a classe média baixa e a classe trabalhadora, os anúncios precisam mudar algumas de suas ênfases. Por exemplo, eles frequentemente mencionam a existência de transporte público — crucial para quem pode não ter automóvel —, serviços públicos e infraestrutura urbana: a vista do parque municipal substitui a da área verde particular do condomínio privado.

Anúncios para apartamentos em bairros como a Mooca têm que lidar com os sentimentos ambivalentes de membros das camadas médias baixas sobre moradias coletivas e sobre abandonar o centro da cidade e seu estilo de espaço público. Alguns deles tentam fundir o "novo conceito de moradia" e valores tradicionais locais, de modo que pareçam mais uma continuação do que uma ruptura com o passado. Esses anúncios não fazem apelo às pessoas de fora que poderiam se mudar para lá — como fazem os do Morumbi — mas a moradores locais ascendendo socialmente. Os empreendimentos são frequentemente apresentados como uma nova etapa na tradição do bairro.

> "Piazza di Capri — a nova maneira de viver na tradicional Mooca. (...) Piscina, solarium e cancha de bocha. Portaria 24 horas por dia, serviço completo de lavanderia. Playground e jardins. Espaço para seus filhos serem crianças de verdade. Salão de festas, salão de jogos e um cinema exclusivo para sua família. Berçário: você sai e deixa seu bebê em segurança. Piazza de Capri, a maneira mais confortável e segura de morar na Mooca (...) Mooca: história e tradição. Piazza de Capri: a mais completa infraestrutura de serviços e lazer." (*O Estado de S. Paulo,* 24 de janeiro de 1982)[31]

> "Solte sua família no Jardim Tropical. Vila Carrão, o bairro que aproxima as pessoas. Faz com que criem raízes. Porque aqui, felizmente, ainda se cultivam as amizades, a família, as tradições. Por tudo isso, é natural que aqueles que vivem em Vila Carrão não queiram mudar de bairro. (...) Para sua segurança, o empreendimento é totalmente cercado, com portaria única e vigilância." (*O Estado de S. Paulo*, 2 de setembro de 1984)

> "Alto de Santana. (...) 4 dormitórios, 2 suítes, 2 vagas na garagem. Ed. Piazza Navona. (...) Morar em Santana é um privilégio. Quem tem não troca por nada. Este é um bairro completo em comércio, serviços, escolas, restaurantes etc., com a tranquilidade típica das ruas arborizadas e acesso fácil a todos os pontos da cidade." (*O Estado de S. Paulo*, 12 de outubro de 1986)

Podemos ler nesses anúncios uma antipatia em relação à parte central da cidade e a algumas ideias associadas à vida na cidade, mas uma apreciação de outros aspectos da vida pública e urbana e da sociabilidade local. Esses anúncios tentam capitalizar a infraestrutura pública e urbana dos bairros, os serviços e a proximidade do centro da cidade (exatamente o que o Morumbi não tem). Essas qualidades urbanas vêm junto com valores antigos (de que os bairros centrais presumivelmente carecem); isto é, tranquilidade e valores locais, tradicionais e familiares que podem compensar a suposta ausência desses valores no resto da cidade. Mes-

---

[31] O jogo de bocha não é comum em outras áreas da cidade, mas é uma obsessão na Mooca. A menção frequente de canchas de bocha nos anúncios para a área sinaliza que o empreendimento é destinado a mooquenses. A referência à creche pode atrair pessoas que não têm empregadas em tempo integral.

mo "amizades" podem ser apresentadas como uma vantagem, sugerindo que a proximidade é boa se for do tipo tradicional. Os anúncios sugerem que as pessoas não deveriam se mudar para novas áreas da cidade para exibir status, e sim ficar onde estão suas raízes. Isso é particularmente significativo em bairros como a Mooca e Santana, que sofreram um êxodo da geração mais jovem durante os anos 70. Agora que esses bairros estão sendo enobrecidos e podem oferecer o mesmo tipo de empreendimentos imobiliários que o Morumbi, pode ser novamente vantajoso viver ali, e a tradição pode até entrar na moda.

Um empreendimento em São Miguel Paulista, uma das áreas mais pobres de São Paulo, foi anunciado da seguinte maneira:

> "O dois-dormitórios com o mais alto padrão de S. Miguel Paulista (...). O acabamento é cuidado nos mínimos detalhes: esquadrias de alumínio, azulejos decorados, carpete instalado na cor que você escolher. Além disso, o Jardim Independência é todo fechado, garantindo a segurança de sua família, inclusive as brincadeiras das crianças no playground. Lá até seu carro tem a proteção de uma garagem." (*O Estado de S. Paulo*, 3 de outubro de 1982)

"Jardim Independência" é o nome deste empreendimento. Para pessoas acostumadas a viver em espaços extremamente pequenos e que não têm automóvel, a proteção do carro torna-se realmente "algo especial". Em outro anúncio, também num bairro de classe trabalhadora na zona leste, onde as pessoas normalmente desprezam moradias coletivas, a razão da "independência" torna-se mais explícita:

> "Aproveite o novo plano da casa própria (...) Conheça as novas condições: prestações menores. (...) Renda familiar mais acessível. Utilize seu FGTS para diminuir ainda mais as prestações. Financiado pela Nossa Caixa. Nós, moradores do Conjunto Residencial Jardim Centenário, estamos preparando uma festa maravilhosa de boas-vindas para você e sua família. Todos que vivem aqui já estão definitivamente livres do tormento do aluguel. Aqui tudo é gostoso, todos são amigos. (...) Segurança: você vai morar num condomínio fechado, completamente cercado por muros e guarita centralizada. (...) Lazer (...) Conforto: aqui você vai estar perto de tudo: (...) padaria, supermercado, farmácia, pontos de ônibus. (...) O melhor de Sapopemba está aqui." (*O Estado de S. Paulo*, 24 de janeiro de 1988)

Livrar-se do aluguel é o sonho de todos, que ficou mais difícil depois da recessão econômica e do fim do financiamento do BNH. A ênfase na possibilidade de financiamento é típica tanto em anúncios para a classe baixa quanto para a classe alta do período. O que é atípico é a imagem das boas-vindas dadas pelos vizinhos, o que provavelmente seria considerado de mau gosto, ou mesmo assustador, no Morumbi. Só nos anúncios para a classe baixa e para os estratos mais baixos da classe média é que encontrei referências positivas à sociabilidade dentro do condomínio.

Isso é o mais próximo que os anúncios chegaram da ideia de comunidade — totalmente difundida no contexto americano. Em São Paulo, essa ideia é manipulada pelos incorporadores imobiliários como um valor dos "outros", não da elite.

O anúncio acima tem um outro elemento que provavelmente não surgiria se fosse dirigido à classe alta: a menção à padaria do bairro, à farmácia e ao ponto de ônibus, que interessam a trabalhadores que não têm carro e que até uma década atrás não eram muito comuns em nenhum bairro de periferia. Pessoas mais pobres não estão prontas a deixar a cidade e suas conveniências; ao contrário, estão ansiosas para tornar-se ainda mais urbanizadas, tanto ao transformar-se em proprietários quanto ao incorporar-se mais plenamente ao mercado de consumo que ela oferece. Os paulistanos de classe baixa e média baixa querem fazer parte da sociedade, não escapar dela. Quando percebem que não podem desfrutar do espaço da cidade e de sua vida pública como gostariam, sentem-se restringidos e aprisionados. Retirar-se da vida pública da cidade e do uso de seus espaços públicos é provavelmente um privilégio só para aqueles cuja participação nela é dada como certa e que podem sonhar em criar universos melhores e mais exclusivos.

Portas fechadas

O enclausuramento de moradias é o terceiro item que gera sentimentos ambivalentes e contraditórios entre os moradores de São Paulo. Sejam casas familiares independentes, sejam edifícios de apartamentos e condomínios, todos os tipos de moradia na São Paulo atual passaram por processos de enclausuramento em resposta ao medo do crime. A necessidade de cercar e fechar afetou moradores pobres e ricos e transformou sua maneira de viver e a qualidade das interações públicas na cidade. No entanto, os sentimentos em relação a esses enclausuramentos parecem diferir consideravelmente.

Nem os residentes de casas isoladas no Morumbi, nem os moradores em residências coletivas parecem avaliar seus enclausuramentos negativamente. Residentes da classe alta em condomínios fechados e edifícios associam viver dentro de uma dessas fortalezas às sensações de liberdade e proteção, sem falar da alta qualidade de vida. Pessoas que moram em casas independentes expressam o mesmo em relação a suas fortalezas individuais, embora não possam imaginar que os condomínios ofereçam o mesmo. Em nenhum desses casos, no entanto, os moradores demonstram algum sentimento de perda em relação a um tipo mais aberto de residência ou a uma sociabilidade pública mais diversificada. Viver no isolamento é considerado o melhor; eles estão fazendo o que querem fazer — e daí seu sentimento de liberdade. Também é interessante notar que as pessoas que entrevistei no Morumbi nunca usam argumentos de privacidade, individualidade e intimidade para justificar suas preferências. Os moradores do Morumbi parecem temer a difusão do mal mais do que valorizam o individualismo.[32]

---

[32] Argumentos que enfatizam privacidade, individualidade e intimidade são frequentemen-

Enquanto os moradores dos condomínios fechados veem seus enclaves fortificados como espaços de liberdade, e avaliam suas mudanças e transformações na casa como aquisições positivas, as pessoas que continuam a morar em casas no Jardim das Camélias, e especialmente na Mooca, sentem que suas casas se transformaram em prisões e tendem a avaliar as transformações de forma negativa, alimentando um sentimento de perda.

7.3

— A senhora mora em uma casa?

— Moro, mas é uma cadeia. Tem grade de cima embaixo, e do jeito que as coisas estão não se pode deixar a porta aberta nem pra lavar a calçada na frente da casa.

Dona de casa, cerca de 40 anos; mora na Mooca e é casada com um dono de bar.

Uma das imagens mais comuns usadas para descrever sentimentos de insegurança e formas de lidar com eles foi a das portas fechadas.[33] Essa imagem exprime não só o medo das pessoas, mas também a realidade das restrições causadas tanto pela crise econômica quanto pelo medo do crime. Moradores em todos os bairros acham que precisam de cercas, muros, grades, barras nas janelas, luzes especiais e campainhas com interfones, mas muitos não apreciam suas casas mais seguras como apreciavam aquelas abertas e o espaço social que criavam. Em muitos casos, as fachadas agora estão escondidas; visitar um vizinho significa passar por chaves, travas e interfones, mesmo nas áreas mais pobres da cidade. Em bairros mais antigos — ou seja, com pelo menos 15 anos — os sinais da transformação são óbvios: as cercas e muros modificaram o desenho original das casas e apartamentos. Muitas casas são menos confortáveis e aconchegantes do que eram.

---

te associados à difusão do individualismo nas sociedades modernas ocidentais e à destruição da vida pública (por exemplo, Sennett 1974). Além de não mencionar essas ideias ao discutir suas opções de moradia, os moradores do Morumbi explicitamente rejeitam qualquer noção de que privacidade e individualidade deveriam ser estendidas a seus filhos, criaturas que eles consideram que devem ser direta e estritamente controladas e que não deveriam escolher seus próprios amigos. Muitos homens têm discursos similares em relação às esposas. Ver capítulo 9.

[33] A associação de portas abertas com ordem e segurança, e de portas fechadas com desordem e insegurança não é corrente apenas entre os paulistanos de hoje. Essa imagem estrutura o romance *Portas abertas*, do escritor siciliano Leonardo Sciascia. Ele discute a aplicação da pena de morte a um preso comum em Palermo no final dos anos 30. Este é um diálogo entre dois juízes:

"— Como o senhor sabe, é de domínio público que aqui, desde que o fascismo chegou ao poder, podemos dormir de portas abertas...

— Eu continuo fechando a minha — disse o juiz.

— Eu também: mas não podemos negar que as condições de segurança pública, de uns quinze anos para cá, melhoraram bastante. Até aqui na Sicília, apesar de tudo. Agora, quaisquer que sejam as nossas opiniões acerca da pena de morte, temos que admitir que a restauração serve para inculcar na cabeça das pessoas a ideia de um Estado que se preocupa ao máximo com a segurança dos cidadãos; a ideia de que realmente as pessoas durmam de portas abertas." (Sciascia, 1987: 17)

7.4

– Sempre você tem a primeira [experiência], né? os roubos, os furtos... Não tinha essas grades de ferro. O muro normal, como toda casa, um metro e meio mais ou menos, entrada só para um carro – hoje você tem pra dois carros – que eu deixava um dentro de casa e outro na rua, coberto, bem fechadinho. (...) Foi quarta-feira, fazem 12 anos. Eu tava com dois carros novos, um Maverick e uma caminhonete. Deixava a caminhonete, que eu usava pra trabalhar, na garagem, porque não tinha a documentação pronta. Naquela época a sala era maior: eu diminuí a sala para caber os carros, para aumentar a garagem. Foi na quarta-feira (...) Entraram, levaram o carro novo, saíram, pularam o muro. Desse dia pra cá eu comecei a fechar a casa. (...) Comecei a tomar providência... as grades de ferro que você vê aí na porta. (...) Aí nós começamos a fechar a casa, porque a gente fazia um pedaço, depois fazia outro pedaço e ia... Então já comecei... na medida em que você vai fazendo, vai fazendo mais seguro. Ferro, alumínio e concreto. Uma medida de segurança. Mas graças a Deus ainda não está de assustar. A gente vai segurando, né?

Proprietário de uma pequena fundição, cerca de 50 anos, mora na Mooca com a mulher e dois filhos.

Mais uma vez a narrativa é dividida entre antes e depois "daquela quarta-feira, 12 anos atrás", que, no caso, iniciou um processo de transformações da casa. Inventários de mudanças feitas para tornar a casa mais segura e muitas narrativas relatando mudanças de casas para apartamentos são acompanhadas pela expressão de sentimentos de aprisionamento que estragam os prazeres que uma casa própria deveria oferecer. Como é possível desfrutar da mesma forma de uma casa cuja sala teve de ser diminuída para acomodar uma garagem para proteger o carro? Ou na qual a luz do quarto foi bloqueada pelo novo muro? Ou na qual a vista de todas as janelas é emoldurada por barras? Como é possível desfrutar da mesma maneira de um quintal dos fundos e das áreas comuns de um edifício de apartamentos? A transformação da casa numa prisão se adiciona tanto aos sentimentos de restrição e perda associados à crise econômica quanto à angústia de decadência social. A porta fechada é uma forte metáfora.

Apesar de vários grupos de paulistanos resistirem às transformações recentes e se ressentirem da nova maneira como estão vivendo, o "novo conceito de moradia" é hegemônico na cidade. Além de ser compreendido por todos, ele influencia as decisões e opções das pessoas, moldando as transformações que elas fazem em seus lares e estilos de vida. Ele se transformou no modelo do que é mais apropriado, mais prestigiado e, para muitos, mais desejável em termos de residência. Entre todos os elementos desse modelo, a segurança é o que melhor simboliza as atuais transformações. Viver atrás de muros e cercas é uma experiência cotidiana dos paulistanos e os elementos associados à segurança constituem um tipo de linguagem através do qual pessoas de todas as classes expressam não só o medo e a necessidade de proteção, mas também mobilidade social, distinção e gosto. Apesar de essa linguagem ter vários dialetos de classe, também tem algumas características gerais que perpassam todas as classes. Para todos os grupos sociais, a segurança é um elemento através do qual as pessoas pensam seu lugar na sociedade e materialmente criam seu espaço social.

Uma estética da segurança

Cercas, barras e muros são essenciais na cidade hoje não só por razões de segurança e segregação, mas também por razões estéticas e de status. Todos os elementos associados à segurança tornaram-se parte de um novo código para a expressão da distinção, um código que chamo de "estética da segurança". Esse é um código que incorpora a segurança num discurso sobre gosto, transformando-a em símbolo de status. Na São Paulo atual, cercas e barras são elementos de decoração e de expressão de personalidade e inventividade. São elementos de um novo código estético. Esses elementos têm de ser sofisticados não só para proteger contra o crime, mas também para expressar o status social dos moradores: câmaras sofisticadas, interfones e portões com abertura eletrônica, sem falar do projeto e da arquitetura defensivos, tornam-se afirmações da posição social. São investimentos na aparência pública e devem permitir a comparação entre vizinhos, para mostrar tanto quem está se saindo melhor socialmente quanto quem tem o gosto mais sofisticado.

Alguns anos atrás, moradores das classes média e alta viam a segurança como algo imposto à arquitetura de uma forma artificial. Este ainda é o sentimento dos moradores da Mooca e do Jardim das Camélias. Quando acrescentada a um projeto concebido sem ela, a segurança pode ainda parecer e ser sentida como estranha. Mas agora que a segurança faz parte de qualquer projeto, os moradores veem suas exigências de modo distinto. Em 1980, ainda havia debates nos jornais de São Paulo sobre os direitos dos proprietários de apartamentos de acrescentar cercas e muros a seus edifícios, às vezes mudando o projeto original.[34] Esse debate parece ter morrido. São poucas as casas ou apartamentos que não têm cercas — e ninguém anunciaria um edifício sem muros e dispositivos de segurança! No início dos anos 90, era a nova "arquitetura da segurança" que abria espaço nos artigos de jornal.[35] Essa arquitetura cria meios explícitos de manter afastados os indesejáveis, especialmente os sem-teto.[36] Depois de vinte anos de elaboração e de experimentos num novo modo de segregação, a linguagem do isolamento e distanciamento sociais está se tornando cada vez mais explícita e se espalha pela cidade (ver fotos 12 e 13).

---

[34] Nelson Kojranski, um advogado que escrevia frequentemente no jornal *Folha de S. Paulo* sobre temas legais relacionados à vida em prédios de apartamentos, opinou que "é lícito concluir que não existe impedimento jurídico capaz de obstar a implantação de grades cercando o terreno do prédio, ainda que isso implique alguma mácula à harmonia arquitetônica de sua fachada, se determinada pela maioria dos condôminos" (28 de janeiro de 1980).

[35] Por exemplo: "A arquitetura do medo domina São Paulo", *Jornal da Tarde*, 30 de setembro de 1991. Esse artigo relata que o IAB (Instituto dos Arquitetos do Brasil) estava promovendo encontros para discutir a incorporação da segurança aos projetos não só de casas e apartamentos, mas também de parques e praças. Nos Estados Unidos, existe hoje em dia um discurso mais elaborado sobre a "arquitetura defensiva" que discuto no capítulo 8.

[36] Por exemplo: "Cerca em árvore pretende evitar mendigos", *Folha de S. Paulo*, 10 de setembro de 1994. O artigo cita várias estratégias usadas para evitar que pessoas sem teto permaneçam em determinadas áreas. Essas estratégias incluem o cercamento de árvores, instalação de esguichos de água em marquises de edifícios, colocação de correntes fechando áreas de entrada de edifícios e assim por diante.

Fotos 12 e 13: No Morumbi, as casas se escondem por trás de fachadas de segurança. As aberturas nos muros, protegidas por vidro à prova de bala, indicam a presença de guardas particulares. 1994.

Fotos 14, 15, 16 e 17: Casas autoconstruídas no Jardim das Camélias e suas grades e portões de ferro. Os moradores escolhem cuidadosamente o estilo de cada um deles e tentam sempre se diferenciar dos vizinhos. A foto 16 mostra uma solução comum: o portão se projeta para fora para acomodar o carro. 1994.

As transformações nas casas ligadas à segurança representam um investimento significativo numa época de dificuldades econômicas. Mas, apesar de o investimento ser alto e normalmente representar um fardo para uma família de renda baixa, ele é considerado absolutamente necessário. O homem que produz cercas e barras de janela para os moradores do Jardim das Camélias numa pequena oficina em frente à sua casa mostrou-me a longa lista de clientes do bairro, explicou-me o quanto as cercas eram caras para seus clientes pobres, como ele lhes dividia os pagamentos em várias prestações e de que maneira lidava com a inflação para tornar seus serviços um pouco mais acessíveis. Ele também me mostrou com orgulho o catálogo com seus desenhos de cercas e portões e me contou de seu trabalho para decorá-los e transformar a mais simples cerca em algo agradável. Aquela era a sua contribuição para "tornar o bairro mais bonito", ele me disse. Ele realmente conhece seu ofício e está consciente de que as cercas não têm a ver apenas com a segurança mas também com estética e distinção (ver fotos 14, 15, 16 e 17).

No nível mais elementar, uma casa isolada com todos os sinais de distinção definitivamente marca a distância entre uma casa e um cortiço ou uma favela. No entanto, são possíveis comparações mais extensas porque os moradores de São Paulo de todas as classes sociais são fluentes no novo código de distinção. Naturalmente, as variações são enormes entre bairros ricos e pobres, mas em todos eles quanto mais ostensivamente segura e cercada é a propriedade, maior seu status. Parece que os moradores de São Paulo estão aprendendo a transformar restrições, limitações, incertezas e medos em seu proveito ao manipularem a estética da segurança: eles estão transformando suas casas em prisões, mas suas prisões dizem muito sobre sua posição social.

Um olhar sobre as casas ou prédios de apartamentos em qualquer bairro de São Paulo mostra claramente como as cercas e muros falam sobre distinção e constituem estilos de projetos. Em áreas ricas como o Morumbi, a arquitetura individual de cada construção e a competição pelo detalhe mais original para singularizar um empreendimento tentam criar sentimentos de distinção (ver fotos 18, 19 e 20). Bairros construídos em outros momentos, como a Mooca e o Jardim das Camélias, exibem em cada rua as mudanças nas modas. Fachadas mais antigas com cercas discretas e um desenho aberto parecem acanhadas ante o novo estilo da arquitetura de segurança (ver as fotos 21, 22 e 23 para a Mooca e fotos 24, 25 e 26 para o Jardim das Camélias).

Muros, cercas e barras falam sobre gosto, estilo e distinção, mas suas intenções estéticas não podem desviar nossa atenção de sua mensagem principal de medo, suspeita e segregação. Esses elementos, junto com a valorização do isolamento e do enclausuramento e com as novas práticas de classificação e exclusão, estão criando uma cidade na qual a separação vem para o primeiro plano e a qualidade do espaço público e dos encontros sociais que são nele possíveis já mudou consideravelmente.

Fotos 18, 19 e 20: A arquitetura dos prédios da classe alta do Morumbi também busca a singularidade, e frequentemente contrasta com a precariedade das ruas. 1994.

Fotos 21, 22 e 23: Na Mooca, é possível encontrar pelo menos três gerações de fachadas. A foto 21 mostra antigas casas operárias geminadas, construídas rente à calçada. Na geração seguinte, as casas em geral tinham um jardim de frente, aberto para a rua. As fotos 22 e 23 apresentam algumas dessas casas da segunda geração ao lado de outras modificadas de acordo com as novas exigências de segurança. As casas mais antigas e abertas se apequenam em contraste com o novo estilo, que determina que os jardins de frente sejam encerrados. 1989.

Fotos 24, 25 e 26: As casas autoconstruídas do Jardim das Camélias também mostram como as exigências de segurança mudam o estilo das fachadas. A foto 24 é um exemplo típico de casa com jardim aberto na frente, construída até os anos 70. As fotos 25 e 26 mostram transformações mais recentes, com jardins fechados e um segundo andar. 1994.

8.
A IMPLOSÃO DA VIDA PÚBLICA MODERNA

São Paulo é hoje uma cidade de muros. Os moradores da cidade não se arriscariam a ter uma casa sem grades ou barras nas janelas. Barreiras físicas cercam espaços públicos e privados: casas, prédios, parques, praças, complexos empresariais, áreas de comércio e escolas. À medida que as elites se retiram para seus enclaves e abandonam os espaços públicos para os sem-teto e os pobres, o número de espaços para encontros públicos de pessoas de diferentes grupos sociais diminui consideravelmente. As rotinas diárias daqueles que habitam espaços segregados — protegidos por muros, sistemas de vigilância e acesso restrito — são bem diferentes das rotinas anteriores em ambientes mais abertos e heterogêneos.

Moradores de todos os grupos sociais argumentam que constroem muros e mudam seus hábitos a fim de se proteger do crime. Entretanto, os efeitos dessas estratégias de segurança vão muito além da garantia de proteção. Ao transformar a paisagem urbana, as estratégias de segurança dos cidadãos também afetam os padrões de circulação, trajetos diários, hábitos e gestos relacionados ao uso de ruas, do transporte público, de parques e de todos os espaços públicos. Como poderia a experiência de andar nas ruas não ser transformada se o cenário é formado por altas grades, guardas armados, ruas fechadas e câmaras de vídeo no lugar de jardins, vizinhos conversando, e a possibilidade de espiar cenas familiares através das janelas? A ideia de sair para um passeio a pé, de passar naturalmente por estranhos, o ato de passear em meio a uma multidão de pessoas anônimas, que simboliza a experiência moderna da cidade, estão todos comprometidos numa cidade de muros. As pessoas se sentem restringidas em seus movimentos, assustadas e controladas; saem menos à noite, andam menos pelas ruas, e evitam as "zonas proibidas" que só fazem crescer no mapa mental de qualquer morador da cidade, em especial no caso das elites. Os encontros no espaço público se tornam a cada dia mais tensos, até violentos, porque têm como referência os estereótipos e medos das pessoas. Tensão, separação, discriminação e suspeição são as novas marcas da vida pública.

Este capítulo analisa as mudanças no espaço público e na qualidade de vida pública que resultam da expansão das estratégias de segurança: segregação, distância social e exclusão e a implosão da experiência da vida pública na cidade moderna. Primeiro, discuto a noção moderna do público articulada aos ideais de abertura e acessibilidade, tanto no espaço da cidade como na comunidade política. Analiso duas críticas a cidades industriais que permanecem comprometidas com valores modernos: o modernismo e a cidade-jardim. Ambos influenciaram os enclaves fortificados. Em seguida, comparo os espaços dos novos enclaves com aqueles do planejamento modernista da cidade, mostrando que aqueles usam convenções modernistas com a intenção de criar o que o último produziu involuntariamente: segregação e fragmentação. Terceiro, usando dados etnográficos e minha própria experiência de São Paulo, discuto o relacionamento entre mudanças no espaço construído e na vida cotidiana na cidade, mostrando como a última é cada vez mais moldada por incivilidade e imposição de distância social. A comparação com Los Angeles indica que o padrão de segregação de São Paulo não é algo único, mas já bem difundido. Em ambas as cidades, a nova experiência urbana é estruturada não pelos valores modernos de abertura e tolerância à heterogeneidade, mas sim por separação e controle de limites. Finalmente, discuto algumas das consequências políticas dessas mudanças espaciais em termos de expansão e restrição da democracia.

É claro que os espaços públicos das cidades e os tipos de relacionamento que ocorrem aí representam apenas um aspecto da vida pública. Uma das questões mais desafiadoras na análise urbana permeia as discussões neste capítulo: como conceber as relações entre forma urbana, política e vida cotidiana. Essas relações são muito complexas e geralmente disjuntivas: processos simultâneos com significados opostos podem acontecer na mesma esfera pública. São Paulo oferece um forte exemplo de disjunção, já que seu processo de fortificação coincide com a organização dos movimentos sociais urbanos, a expansão dos direitos de cidadania das classes trabalhadoras e a democratização política. Ao enfatizar esse tipo de disjunção, distancio-me fortemente do determinismo ecológico que veria nos muros e no padrão de segregação cristalizado no meio urbano a origem determinante de processos políticos.

Todavia, o espaço construído não é um tipo de cenário neutro para a expansão das relações sociais. A qualidade do espaço construído inevitavelmente influencia a qualidade das interações sociais que lá acontecem. Ela não as determina completamente, já que há sempre lugar para diversas e algumas vezes subversivas apropriações de espaços, e para a organização de ações sociais que contestam aquelas moldadas por práticas espaciais. No entanto, os espaços materiais que constituem o cenário para a vida pública influenciam os tipos de relações sociais possíveis neles. Contra um pano de fundo de muros e tecnologias de vigilância, a vida nas calçadas é bem diferente da que Jane Jacobs descreveu em sua famosa defesa do espaço público urbano (1961: 50-4). As cidades "metafóricas" (De Certeau 1984: 93) que as pessoas constroem em suas práticas cotidianas de espaço são inevitavelmente diferentes em uma cidade moderna aberta e em uma cidade de muros. Em geral, é necessária uma ação política organizada para resistir aos muros ou para desmantelar padrões de segregação. Na vida cotidiana, é difícil contestar os muros e rituais de suspeição e humilhação, como bem sabem os moradores de São Paulo.

O ideal moderno de espaço público

As ruas abertas à livre circulação de pessoas e veículos representam uma das imagens mais vivas das cidades modernas. Apesar de as cidades ocidentais incorporarem várias e até contraditórias versões da modernidade, há um grande consenso a respeito de quais são os elementos básicos da experiência moderna de vida pública urbana: a primazia e a abertura de ruas; a circulação livre; os encontros impessoais e anônimos de pedestres; o uso público e espontâneo de ruas e praças; e a presença de pessoas de diferentes grupos sociais passeando e observando os outros que passam, olhando vitrines, fazendo compras, sentando nos cafés, participando de manifestações políticas, apropriando as ruas para seus festivais e comemorações, ou usando os espaços especialmente designados para o lazer das massas (parques, estádios, locais de exposições).[1] Esses elementos estão associados à vida moderna em cidades capitalistas pelo menos desde a reforma de Paris pelo barão Haussmann na segunda metade do século XIX. A transformação de Paris promovida pelo Estado sob o comando de Haussmann foi duramente criticada tanto por cidadãos quanto por analistas, mas ninguém nega que os novos bulevares foram rapidamente apropriados por um enorme número de pessoas ansiosas para aproveitar tanto a vida pública nas ruas, protegidas pelo anonimato, quanto as possibilidades de consumo que vieram com ela. Tanto o *flâneur* descrito por Baudelaire como o consumidor das novas lojas de departamento se tornaram símbolos do uso moderno do espaço público urbano.

No centro dessa concepção de vida pública urbana estão duas noções relacionadas: o espaço da cidade é um espaço aberto para ser usado e aproveitado por todos, e a sociedade de consumo que ela abriga é acessível a todos. Conforme argumenta Young, no ideal de vida urbana moderna as "fronteiras são abertas e indetermináveis" (1990: 239). É claro que esse nunca foi inteiramente o caso, em Paris ou em qualquer outro lugar. As cidades modernas foram sempre marcadas por desigualdades sociais e segregação espacial, e seus espaços são apropriados de maneiras bastante diferentes por diversos grupos, dependendo de sua posição social e poder. A própria Paris demonstra a perpetuação da desigualdade: a reforma da cidade durante o Segundo Império foi na verdade uma transformação no modo de segregação espacial e organização das diferenças de classe, como Engels (1872) já havia notado (ver também Harvey 1985). Como resultado, a literatura sobre cidades modernas frequentemente enfatizou seus aspectos negativos, do crime e da violência ao perigo das multidões, anomia, individualismo excessivo, congestionamento e proliferação de doenças. No entanto, a despeito das persistentes desigualdades e injustiças sociais, as cidades ocidentais modernas inspiradas por esse modelo sempre mantiveram sinais de abertura relacionados em especial à circulação e ao consumo, sinais que sustentaram o valor positivo ligado ao espaço público aberto e acessível a todos. Além disso, as ocasionais apropriações violentas de espaços públicos por diferentes categorias de pessoas excluídas — o exemplo mais óbvio sendo as barricadas erguidas durante rebeliões de trabalhadores — também constituíram o público moderno e simultaneamente contribuíram para sua expansão. A contestação é inerente à cidade moderna.

Alguns analistas da moderna vida urbana têm sido especialmente convincentes ao enumerar os valores positivos da cidade e ao defender o espaço público moderno. Em geral, eles desconsideram o fato de que a moderna noção do público é, na

[1] Análises de várias dimensões da vida urbana moderna encontram-se em: Benjamin (1986), Berman (1982), Clark (1984), Harvey (1985), Holston (1989), Jacobs (1961), Rabinow (1989), Schorske (1961), Sennett (1974), Simmel (1971 [1903]), Vidler (1978), Wirth (1969 [1938]) e Young (1990). Restrinjo minhas discussões às cidades ocidentais, tanto na Europa quanto nas Américas.

verdade, um tipo de espaço e uma experiência de vida urbana que surgiram apenas no processo da urbanização industrial do século XIX. Recordar a especificidade histórica dessa noção do público é essencial para entender sua transformação atual.

Jane Jacobs é uma das defensoras mais famosas dos valores da vida pública moderna nas cidades. Sua análise do uso de calçadas e parques enfatiza não só abertura e acessibilidade, mas também a etiqueta e as condições que tornam interações públicas entre estranhos possíveis e seguras. Essas condições incluem o controle complexo e voluntário exercido pelos moradores que ela rotula "olhos sobre a rua" (Jacobs 1961: 35); densidade; uso contínuo; ampla diversidade de usos; e uma clara demarcação entre espaço público e espaço privado. Quando essas condições desaparecem, argumenta ela, a liberdade da cidade e sua civilização estão ameaçadas. Isso acontece, por exemplo, quando a "instituição do Turf" (1961: 47-50) orienta construções urbanas e as pessoas constroem barreiras, fecham algumas áreas e isolam os outros do lado de fora. Isso também acontece quando se confunde a separação entre público e privado. A privacidade, argumenta Jacobs, é "indispensável" nas cidades (1961: 58). A "vida pública civilizada" é mantida com base em relacionamentos em público que sejam dignos, formais e reservados — o que podemos chamar de civilidade —, além de separados das vidas privadas. Onde não existem calçadas e espaços públicos vivos, e quando os relacionamentos em público começam a se intrometer na vida privada e a requerer a convivência entre vizinhos, a liberdade da cidade está ameaçada; as pessoas tendem a impor certos estandartes, criando um senso de homogeneidade que leva à insularidade e à separação. Quando não há vida pública, as alternativas a compartilhar muito podem ser não compartilhar nada, suspeita e medo dos vizinhos. Em suma, para Jacobs, tanto traçar linhas e fronteiras no espaço da cidade como estender o privado no público ameaçam os valores básicos de uma boa vida pública urbana.[2]

Iris Marion Young (1990) parte da análise de Jacobs para construir um "ideal normativo de vida na cidade", que ela imagina como uma alternativa às cidades existentes e como uma maneira de acessar suas muitas injustiças sociais. Young cria seu modelo como um ideal e, assim, não discute sobre sua especificidade histórica e moderna. Entretanto, seus argumentos e críticas de algumas visões iluministas revelam seu caráter moderno. Young define a vida na cidade como "o estar junto de estranhos", cujo ideal é "uma abertura à alteridade não assimilada" (Young 1990: 237, 227). "Como um ideal normativo", ela argumenta, "a vida na cidade exemplifica as relações sociais de diferença sem exclusão" (Young 1990: 227). Por princípio, esses ideais são incompatíveis com qualquer tipo de ordem hierárquica (como a ordem medieval de estamentos) e podem ser concebidos apenas a partir da supo-

---

[2] Outros analistas da vida urbana moderna apresentam tipos semelhantes de argumentos. Richard Sennett (1974) ancora sua tese da "queda do homem público" numa descrição da perda de formalidade nas interações em público associada à interiorização do indivíduo e às tiranias da intimidade que marcam as sociedades contemporâneas. T. J. Clark (1984: cap. 1) descreve a Paris moderna como um espaço público constituído para garantir a "desatenção" ao outro, isto é, o anonimato e a possibilidade de interações com estranhos nas quais a privacidade é sempre mantida.

sição de uma igualdade universal dos cidadãos que constitui as modernas sociedades ocidentais.

Young concebe seu modelo de vida na cidade como um instrumento de crítica ao comunitarianismo, ou seja, o ideal da fusão de sujeitos e de primazia das relações face a face como um modelo básico de política democrática. Este é exatamente o modelo usado para justificar a construção de enclaves fortificados e a retirada para a vida suburbana. Usando argumentos paralelos aos de Jacobs, Young argumenta que o ideal de comunidade "nega a diferença entre sujeitos" e "frequentemente atua para excluir ou oprimir aqueles que são diferentes. O compromisso com um ideal de comunidade tende a valorizar e a reforçar a homogeneidade" e, assim, tem consequências excludentes (Young 1990: 234-5). Ela alega que seu ideal normativo é uma elaboração das virtudes e possibilidades não realizadas da experiência contemporânea das cidades. As principais virtudes são quatro: diferenciação social sem exclusão; diferenciação do espaço social baseada na multiplicidade de usos; erotismo, entendido de modo amplo como "uma atração pelo outro, o prazer e a excitação de ser tirado de uma rotina segura para encontrar o novo, o estranho e o surpreendente" (Young 1990: 139); e publicidade, que se refere ao espaço público como sendo por definição um lugar aberto e acessível a todos e onde sempre se corre o risco de encontrar aqueles que são diferentes (Young 1990: 238--41). "Na vida pública as diferenças permanecem não assimiladas (...) O público é heterogêneo, plural e divertido." (Young 1990: 241). Apesar da realidade social em qualquer cidade contemporânea ser cheia de desigualdades e injustiças, o ideal permite considerar, criticar e formular alternativas a elas.

Os ideais modernos do público não se referem apenas à vida na cidade, já que estão sempre ligados a concepções da política. A promessa de incorporação à sociedade moderna inclui não só a cidade e o consumo, mas também a política. Imagens da cidade moderna são de muitas maneiras análogas às da comunidade política liberal, consolidadas com base em um contrato social entre pessoas idealmente iguais e livres. A ficção do contrato social baseado em um princípio de universalidade é radical — como aquela da cidade aberta — e ajudou a destruir a ordem social hierárquica dos estamentos feudais que a precedeu. Mas é claro que só com muitas lutas as definições daqueles que poderiam ser considerados "livres e iguais" se expandiram. Assim como a cidade aberta, a comunidade política que incorpora todos os cidadãos nunca existiu. Ainda assim, seus ideais e sua promessa de incorporação contínua mantiveram seu poder por pelo menos dois séculos, dando forma a experiências de cidadania e vida na cidade e legitimando as ações de vários grupos excluídos em suas reivindicações por incorporação.[3]

---

[3] Uma poderosa imagem de incorporação progressiva é oferecida no ensaio clássico de T. H. Marshall (1965 [1949]) sobre o desenvolvimento da cidadania. Seu ponto de partida é o reconhecimento de que os direitos de cidadania nunca foram distribuídos igualmente, mas se expandiram consideravelmente ao longo do tempo. Depois de diferenciar as dimensões civil, política e social da cidadania, Marshall argumenta que elas evoluíram sucessivamente e que cada uma levou aproximadamente um século para se consolidar. Esse ensaio não esconde o longo caminho que conduziu ao reconhecimento de cada direito, mas isso não ameaça a sua tese mais geral de progresso

Na política contemporânea, as promessas liberais não cumpridas de cidadania universal e, simultaneamente, a reafirmação de algumas dessas promessas têm sido articuladas pelos novos movimentos sociais. Eles têm assumido várias formas, seja afirmando os direitos de grupos específicos (negros, populações indígenas, gays e mulheres), seja tentando expandir os direitos de grupos sociais excluídos (como no caso dos movimentos de moradores da periferia de São Paulo reivindicando seus "direitos à cidade"). Em geral, especialmente em sua encarnação liberal, os movimentos sociais articulam o que se pode chamar de um ataque positivo aos ideais liberais modernos: seu objetivo é ainda expandir os direitos, a liberdade, a justiça e a igualdade, e eles buscam modelos que incluam os excluídos e, assim, atinjam esses objetivos de uma maneira mais efetiva. Em outras palavras, é um ataque que mantém e reforça valores liberais básicos, especialmente aqueles de universalidade e igualdade. O que distingue esses movimentos sociais liberais de um segundo tipo é o tratamento da diferença.[4] Na versão liberal, que Taylor (1992: 37) chama de "política de universalismo", os movimentos sociais marcam diferenças a fim de expor injustiças. Para os movimentos sociais que enfatizam "a igual dignidade de todos os cidadãos", chamar a atenção para diferenças significa lutar pela expansão e pela "equalização de direitos" (Taylor 1992: 37). No fundo, sua meta é apagar diferenças através da incorporação de grupos discriminados à condição de cidadania plena. Esses movimentos visam uma vida pública e uma comunidade política na qual o respeito igual pelos direitos de todos eliminaria a necessidade de marcar diferenças e desigualdades. Dada sua ênfase em princípios universais, eles não veem a diferença como algo a ser mantido e valorizado.

Um segundo tipo de movimento social, que oferece uma crítica ao liberalismo, colocou em evidência a questão da diferença. Nessa segunda categoria, que Taylor chama de "política de diferença", grupos minoritários, especialmente feministas, argumentam que as noções liberais de universalismo foram sempre constituídas com base na exclusão de alguns. Eles insistem que os direitos de grupos minoritários só podem ser considerados se abordados pela perspectiva da diferença e não da de identidade (*sameness*).[5] Apesar de ainda se referirem a um princípio

---

contínuo da cidadania, apoiada na história de sua expansão. A imagem da expansão progressiva da cidadania encontra ecos em versões contemporâneas da teoria política que se concebem como "radicais" e que não enquadram a análise em termos de incorporação. Por exemplo, a análise de Laclau e Mouffe (1985) apresenta a democracia com base num imaginário caracterizado pelo "deslocamento equivalencial" e que tenta considerar as possibilidades de sua hegemonia, de forma radical, nas sociedades contemporâneas. Para críticas recentes da visão otimista e evolucionária de Marshall, ver Hirschman (1991) e Turner (1992).

[4] O movimento pelos direitos civis e o movimento feminista americanos nas décadas de 60 e 70, assim como os movimentos sociais urbanos na América Latina no final dos anos 70 e começo dos 80 são exemplos do que estou chamando de movimentos sociais "liberais".

[5] Para uma crítica feminista da teoria do contrato social, ver Pateman (1988), e para uma crítica do entendimento legal de igualdade como *sameness*, ver Eisenstein (1988). Scott (1997) oferece uma análise do paradoxo que marcou a história do feminismo liberal francês: sua necessidade de simultaneamente aceitar e recusar diferenças sexuais na política. Ver também os debates

de igualdade universal, eles reivindicam o reconhecimento da identidade única de cada grupo e sua especificidade em relação a todos os outros (Taylor 1992: 38-9). A interpretação de Iris Marion Young de uma política de diferença e da vida na cidade como o domínio das relações sociais de "diferença sem exclusão" representa uma versão dessa crítica (Young 1990). No modelo de Young, as diferenças têm que permanecer não assimiladas; elas não deveriam desaparecer sob qualquer ficção de pertencimento universal. Embora a ruptura com o liberalismo nesta visão seja explícita, ela ainda constitui um ataque baseado nos princípios de direitos, liberdade, justiça e igualdade e, portanto, dentro dos parâmetros da modernidade.

Outros teóricos da democracia como Claude Lefort, Chantal Mouffe, Ernesto Laclau e Etienne Balibar oferecem análises similares. O que eles têm em comum, além da ênfase na não assimilação de diferenças, é a insistência numa política democrática e num espaço público, fundados na incerteza e na abertura e marcados pela negociação de significado. Como diz Lefort, a democracia é instituída e mantida pela "dissolução das marcas de certeza" (Lefort 1988: 19). Em uma democracia, as bases do poder, da lei, do conhecimento e das interações sociais são indeterminadas e o espaço público é o *locus* onde o significado do social e do que é legitimado são negociados.

Esses ideais de política democrática — abertura, indeterminação, fluidez e coexistência de diferenças não assimiladas — encontraram algumas de suas melhores expressões nos espaços públicos das cidades modernas.[6] Estes espaços promovem interações entre pessoas que são forçadas a confrontar seus anonimatos e os dos outros com base na cidadania e assim a reconhecer e respeitar os direitos iguais do outro. É claro que há várias maneiras de subverter aquela igualdade e invocar diferenças de status e hierarquias. No entanto, o espaço da cidade moderna, mais que qualquer outro, força esse confronto e consequentemente tem o potencial de desafiar e nivelar essas hierarquias. No espaço da cidade moderna, diferentes cidadãos negociam os termos de suas interações e de fato interagem socialmente a despeito de suas diferenças e desigualdades. Esse ideal da cidade aberta tolerante às diferenças sociais e às negociação em encontros anônimos cristaliza o que chamo de espaço público moderno e democrático.

Cidades como a São Paulo e a Los Angeles contemporâneas apresentam um tipo totalmente distinto de espaço público urbano. A diferença não é do mesmo tipo

---

sobre multiculturalismo e, especialmente, as reivindicações por direitos indígenas em alguns países da América Latina concebidas como direitos de nações dentro de um Estado-nação (Stavenhangen 1996; Findji 1992) e o debate sobre o nacionalismo em Quebec (Kymlicka 1996).

[6] É interessante observar que em vez de formular um modelo de democracia em termos puramente abstratos, Young o ancora na experiência moderna de vida na cidade. Embora insista nas várias injustiças sociais e de segregação encontradas nas cidades, é ainda de sua experiência que ela deriva o modelo de um espaço democrático no qual as diferenças permanecem "não assimiladas" e a heterogeneidade, a tolerância em relação ao outro, a acessibilidade e as fronteiras flexíveis existem de alguma maneira e podem ser resgatados como valores positivos. Ver Deutsche (1996) para uma crítica das concepções de espaço público em relação ao papel da arte pública num contexto democrático. Deutsche argumenta, inspirada por Lefort, que o papel dessa arte deve ser exatamente o de desestabilizar limites e identidades.

expresso seja pelas reivindicações dos movimentos sociais (de qualquer tipo), seja pelas críticas às numerosas disfunções das cidades modernas, que ainda pretendem melhorar o espaço público moderno e fazê-lo coadunar-se às suas promessas. Em vez disso, os espaços públicos que estão sendo criados nessas cidades negam as principais características do ideal moderno democrático de espaço público urbano. Essas cidades abrigam um tipo de espaço público que não faz nenhum gesto em direção à abertura, indeterminação, acomodação de diferenças ou igualdade, e que ao invés disso toma a desigualdade e a separação como valores estruturantes. Na verdade, ele contradiz os princípios do espaço urbano moderno e expressa alguns dos piores cenários de incivilidade e privatização do espaço público imaginados por Jacob e Young. Cidades de muros e de enclaves fortificados são cidades de fronteiras fixas e espaços de acesso restrito e controlado.

Cidade-jardim e modernismo: a linhagem dos enclaves fortificados

Os enclaves fortificados e o tipo de espaço público que estão sendo criados em São Paulo e em Los Angeles são o resultado de influências complexas e heterogêneas. Algumas delas podem ser relacionadas às críticas da desigualdade, segregação e injustiças sociais que constituíram as cidades industriais. Duas dessas visões em especial influenciaram a nova segregação dos enclaves: a noção de cidade-jardim e o modernismo. Essa análise nos ajudará a entender como o que foi originalmente uma crítica aos problemas das cidades industriais acabou se transformando em uma fonte de destruição de seus ideais democráticos.

O modelo da cidade-jardim foi expresso pela primeira vez por Ebenezer Howard na Inglaterra no século XIX.[7] Considerando os problemas das grandes cidades industriais insolúveis, ele propôs substituí-las por cidades pequenas. Seus moradores, especialmente os pobres, viveriam perto da natureza e baseariam suas relações na mutualidade e na propriedade coletiva da terra. Howard imaginou as cidades-jardins como autossuficientes e, portanto, diferentes dos subúrbios tradicionais, para onde os trabalhadores só voltam para dormir. Na verdade, as cidades que ele imaginou, com sua combinação de moradia e empregos no terciário e na indústria, aproximam-se mais dos novos subúrbios contemporâneos.[8] Howard

---

[7] O livro *To-Morrow: A Peaceful Path to Social Reform*, de Howard, foi publicado originalmente em 1898. Em 1902, ele foi republicado como *Garden Cities of Tomorrow*. Na Inglaterra, seus principais seguidores foram Raymond Unwin e Barry Parker, que planejaram a primeira cidade-jardim e ajudaram a criar seu idioma. Eles também projetaram a primeira cidade-jardim de São Paulo. Para diferentes análises da influência de Howard no planejamento urbano, ver Fishman (1982: parte I), Girouard (1985: 351-63), Jacobs (1961: 17-25), Kostof (1991: 75-82, 194-9) e McKenzie (1994: 1-6).

[8] Ver Jackson (1985) para uma visão da suburbanização dos Estados Unidos e Fishman (1995), Beauregard (1995), Soja (1996a) e Garreau (1991) para diferentes visões das mudanças do caráter do subúrbio americano.

vislumbrou suas cidades em forma circular, cercadas por um cinturão verde (como aqueles adotados por muitas cidades inglesas) e ligadas a outras cidades pequenas para formar um outro círculo (como no conceito de cidades-satélites). Atividades econômicas, residência e administração seriam separadas por áreas verdes. No centro, os prédios públicos se aglomerariam para criar o "espírito cívico". A cidade seria planejada como uma totalidade — de acordo com o conceito que se tornou sinônimo de planejamento — e seria controlada pela autoridade pública para evitar a especulação e a irracionalidade em seu uso. As cidades-jardins seriam governadas por uma tecnocracia corporativa controlada democraticamente e cujos principais integrantes seriam eleitos pelos moradores-locatários.

O modelo da cidade-jardim foi muito influente, gerando numerosas *new towns*, tanto na Inglaterra como nos Estados Unidos, desde o começo do século XX (Fishman 1988: cap. 1). Os atuais condomínios fechados paulistas e os CIDs (*common interest developments*) americanos exemplificam a influência do modelo da cidade-jardim e também o quanto ele foi modificado. Os muros e o caráter privado dos empreendimentos atuais, a ausência de preocupação com uma ordem urbana como um todo e o estilo de vida exclusivo e excluidor contradizem diretamente os ideais originais. Entretanto, o imaginário da cidade-jardim ainda é significativo. Nos Estados Unidos, esse modelo tem sido frequentemente associado aos ideais políticos comunitários, apesar de estes não serem necessariamente parte da visão de Howard.[9] Não é difícil associar a esse conceito as origens dos CIDs administrados por uma associação de proprietários, que estão se tornando o principal tipo de residência nos subúrbios americanos.[10] De forma semelhante, como a análise dos anúncios revelou, os condomínios fechados brasileiros inspiraram-se no modelo da cidade-jardim. Em contraste com as CIDs americanas, no entanto, os condomínios paulistas não insistem na questão da comunidade. Em São Paulo, o comunitarianismo não é uma ideologia importante e a inspiração da cidade-jardim acaba sendo expressa de uma maneira mais crua. Sem o discurso (presumivelmente positivo) sobre os valores da comunidade local, suas intenções discriminatórias são as únicas a sobressaírem.

Le Corbusier e o planejamento urbano modernista representam outra crítica à cidade industrial e a seu espaço público moderno, que foi apropriado e transformado pelos novos enclaves. Apesar das muitas diferenças, a Cidade Radiosa de Le Corbusier tinha algumas ligações com o modelo de cidade-jardim. Na verdade, ele mesmo a descreveu como uma "cidade-jardim vertical" (Jacobs 1961: 22).[11] Suas

---

[9] Ver acima e Young (1990: 227-36) para uma crítica ao comunitarianismo e seu caráter antiurbano e excludente.

[10] Para uma análise da expansão dos CIDs, ver McKenzie (1994). A associação de sentimentos antiurbanos com ideais comunitários é explícita na análise de Blakely e Snyder (1997) sobre condomínios fechados nos Estados Unidos. Embora esses autores critiquem os portões, seu viés antiurbano e sua preocupação com a "comunidade" os impedem de captar o caráter profundamente antidemocrático das comunidades fechadas.

[11] Para as afinidades entre Le Corbusier e Howard, ver Fishman (1988: 178 e cap. 21), Jacobs (1961: 21-5) e Girouard (1985: 360).

ideias sobre densidade eram o oposto das de Howard e ele introduziu os arranha-céus em seus projetos, bem como o automóvel e considerações sobre o fluxo rápido de trânsito. No entanto, seus projetos tinham vários elementos em comum com a cidade-jardim: antipatia pela rua e destruição de sua unidade; segmentação espacial das funções; ênfase na cidade como um parque e na existência de áreas verdes intercaladas a áreas construídas; e necessidade de um plano integral continuamente controlado por autoridades públicas.

O planejamento e o projeto modernistas foram influentes em todo o mundo, mas especialmente no Brasil moderno e em Los Angeles. Como Holston (1989) mostra, a construção da Brasília modernista no final dos anos 50 cristalizou um modernismo internacional em sua transformação do espaço público e comunicou-o ao resto do país.[12] O modernismo tem sido o idioma dominante da arquitetura e do planejamento urbano brasileiros até hoje. Como tal, ele também tem sido associado a prestígio e tem ajudado a criar espaços e a vender residências para a elite brasileira desde os anos 50.[13] Nos condomínios fechados, entretanto, a arquitetura modernista se torna não só um símbolo de status para a burguesia, para quem essa arquitetura pode ainda estar na moda, mas também um dos principais meios de produzir segregação. Para alcançar suas metas de isolar, distanciar e selecionar, os enclaves fortificados usam alguns instrumentos de projeto oriundos do repertório modernista de planejamento e arquitetura. Uma das características comuns entre o planejamento modernista (e da cidade-jardim) e os enclaves fortificados é o seu ataque às ruas como uma forma de espaço público. Tanto na Brasília modernista, conforme mostra Holston (1989: cap. 4), como nas novas partes de São Paulo e Los Angeles, as convenções modernistas de projeto urbano e arquitetônico retiram os pedestres e suas interações anônimas das ruas, dedicadas quase que exclusivamente à circulação de veículos. A rua como elemento central da vida pública moderna é, então, eliminada. No entanto, mesmo que os resultados tendam a ser os

---

[12] Ver Holston (1989) para uma análise de Brasília, sua afiliação ao CIAM e as inversões e perversões geradas à medida que o projeto foi elaborado e a cidade, povoada. Minhas considerações sobre Brasília são baseadas nessa análise.

[13] Assim sendo, o modernismo não poderia estar ausente dos anúncios de condomínios fechados. Em 1982, um conjunto de sete prédios no Morumbi foi anunciado como: "L'Abitare — o sucesso planejado (...) introduziu uma das tendências mais modernas e vitoriosas em matéria de arquitetura e urbanismo (...) L'Abitare devolve o espaço vivencial aos moradores e reflete uma preocupação tanto com o homem e sua qualidade de vida, considerando as necessidades específicas das famílias paulistanas de classe média, quanto com as experiências que na linguagem do famoso arquiteto Le Corbusier resultaram na concepção das 'unidades de vizinhança' (...) Tudo isso cercado e guardado por portaria com vigilância permanente. (...) Localização excelente: (...) o bairro é um prolongamento da área tradicionalmente ocupada pelas residências da classe média superior" (*O Estado de S. Paulo*, 3 de outubro de 1982). Chico Buarque captou esse uso da arquitetura modernista como uma forma de status no romance *Estorvo*. A residência da irmã no condomínio fechado é um projeto modernista. Trata-se de "uma pirâmide de vidro, sem o vértice", mas que precisa ser cercada para se tornar uma fortaleza. O resultado é estranho, como observa o narrador: "Eu sempre achei que aquela arquitetura premiada preferia habitar outro espaço" (1991: p. 14-5).

mesmos, os projetos originais do modernismo e dos enclaves atuais são radicalmente diferentes. Mas vale a pena investigar como projetos tão diferentes acabaram usando estratégias semelhantes e produzindo efeitos similares.

A arquitetura modernista e o planejamento urbano surgem de uma crítica às cidades e sociedades industriais, que eles queriam transformar através do remodelamento radical do espaço. Sua ambição é clara: apagar diferenças sociais e criar igualdade na cidade racional do futuro desenhada por um arquiteto de vanguarda. Nesse contexto, a rua-corredor é tida como geradora de doenças e como um impedimento ao progresso, já que não conseguiria acomodar as necessidades da nova era da máquina. Além disso, a arquitetura modernista ataca a rua porque "ela constitui uma organização arquitetônica dos domínios público e privado da vida social que o modernismo busca superar" (Holston 1989: 103). Nas cidades capitalistas, a organização do público e do privado se expressa na rua-corredor e no seu sistema correlato de espaços públicos, incluindo calçadas e praças: uma massa sólida de construções privadas contíguas enquadra e contém o vazio das ruas públicas. O planejamento e a arquitetura modernistas invertem esses relacionamentos sólido-vazio/figura-fundo que têm sido a base da estrutura física das cidades ocidentais. Na cidade modernista, "as ruas aparecem como vazios contínuos e as construções como figuras esculturais" (Holston 1989: 125). Ao subverter o código existente de ordem urbana, o planejamento modernista objetiva e consegue borrar a distinção representativa entre público e privado. O resultado é a subversão do espaço público moderno ancorada nessa separação.

O planejamento urbano modernista aspirava transformar a cidade em um único domínio público homogêneo patrocinado pelo estado, eliminar as diferenças para criar uma cidade racionalista universal, dividida em setores de acordo com funções urbanas: residência, trabalho, recreação, transporte, administração e cívica. Brasília é a incorporação mais completa desse novo tipo de cidade e de vida pública.[14] O resultado, contudo, acabou sendo o oposto das intenções dos planejadores. Brasília é hoje a cidade mais segregada do Brasil, não a mais igualitária (Holston 1989: cap. 8; Telles 1995a). Ao destruir a rua como espaço para a vida pública, o planejamento modernista também minou a diversidade urbana e a possibilidade de coexistência de diferenças. O tipo de espaço que ele cria promove não a igualdade — como pretendido — mas apenas uma desigualdade mais explícita.

Ironicamente, então, os instrumentos do planejamento modernista, com pouca adaptação, servem para produzir desigualdade. Ruas projetadas apenas para o tráfego de veículos, ausência de calçadas, enclausuramento e internalização de áreas de comércio e grandes espaços vazios isolando prédios esculturais e áreas residenciais

---

[14] Brasília foi criada a partir do nada como um plano total. Muitas cidades existentes ao redor do mundo, entretanto, foram substancialmente modificadas pela intervenção do planejamento modernista. Além disso, o modernismo tornou-se o tipo padrão de projeto nas cidades dominadas pela União Soviética. Através do uso de espaços monumentais e construções modernistas, o planejamento soviético criou um tipo de espaço público que também é completamente diferente do tipo moderno ocidental: um espaço para paradas, manifestações de grandes multidões e espetáculos patrocinados pelo Estado, mas não para a interação diária dos pedestres.

ricas efetivamente criam e mantêm a separação social. Essas criações modernistas transformam radicalmente a vida pública. Nos novos enclaves fortificados, elas são usadas não para destruir espaços privados e produzir um espaço público total e unificado, mas explicitamente para destruir os espaços públicos. Seu objetivo é estender alguns domínios privados de forma que eles possam cumprir funções públicas, mas de maneira segregada.

Os enclaves fortificados contemporâneos usam essencialmente instrumentos modernistas de projeto, mas com algumas adaptações importantes. O tratamento da circulação e do comércio é bem parecido: nos dois casos, a circulação de pedestres é desestimulada, o tráfego de veículos é enfatizado, não há calçadas e as áreas de comércio são mantidas longe das ruas, desencorajando a interação pública. Os grandes espaços que separam prédios esculturais são outro ponto em comum. Os muros circundando os enclaves são o afastamento mais claro do idioma modernista, mas seus efeitos não são estranhos à cidade modernista. No planejamento modernista, como o de Brasília, as áreas residenciais, comerciais e administrativas não deveriam ter grades ou muros mas apenas ser delimitadas por áreas verdes e vias expressas, como no modelo da cidade-jardim e em vários subúrbios americanos atuais. Em São Paulo, os muros são considerados essenciais para demarcar todos os tipos de construções, especialmente os novos enclaves. Entretanto, essa demarcação da propriedade privada não cria o mesmo tipo de espaço público (não modernista) que caracteriza a cidade industrial. Como nos enclaves contemporâneos os universos privados são separados pelos vazios de espaços abertos (como no projeto modernista), eles quebram o alinhamento da rua e não geram mais ruas-corredores. Além disso, quando há um alinhamento de rua criado por muros e acentuado por sofisticadas tecnologias de segurança, o espaço público residual que se produz está em desacordo com a vida pública moderna.

Uma diferença significativa entre o projeto modernista e os enclaves fortificados se refere ao uso de materiais e às formas de construções individuais. As despojadas fachadas modernistas podem ser eliminadas nos enclaves em favor de ornamentos, irregularidades e materiais ostentatórios que exibem a individualidade e o status de seus moradores (ver Fotos 10, 18, 19 e 20). As tecnologias de segurança podem também ajudar a assegurar a aura de exclusividade dos prédios. A arquitetura desses prédios também está em desacordo com a ênfase modernista na transparência e na exposição da vida privada (e, portanto, no ataque à vida privada) expressa no uso de fachadas de vidro. Em outras palavras, contra a ênfase modernista na publicização, os enclaves acentuam a internalização, a privacidade e a individualidade, mas estas não se ligam à sua contraparte moderna, a sociabilidade pública formal, já que as fachadas dos prédios não mais constituem um sólido capaz de emoldurar uma vida pública significativa nas ruas.

Os elementos da arquitetura e do planejamento modernistas que sobrevivem na nova forma urbana dos enclaves são aqueles que destroem o espaço público e a vida social modernos: ruas mortas transformadas em vias expressas, construções esculturais separadas por vazios e ignorando o alinhamento das ruas, muros e tecnologias de segurança enquadrando o espaço público como residual, enclaves voltados para o interior, separação de funções e destruição de espaços diversos e heterogêneos. Os artifícios abandonados são aqueles que tencionavam criar igualdade, acessibilidade, transparência e uma nova esfera pública (fachadas de vidro, uniformidade de projeto, ausência de delimitação material como muros e grades). Em vez de criar um espaço em que as distinções entre público e privado desaparecem — tornando todo o espaço público, como os modernistas pretendiam — os enclaves usam convenções modernistas para criar espaços em que a qualidade privada é enfatizada acima de qualquer dúvida e em que o público, um vazio disforme tratado como resto, é considerado irrelevante. Esse foi exatamente o destino da arquitetura modernista e seu "espaço totalmente público" em Brasília e em todas as cidades que usam o planejamento urbano modernista para se construir e reconstruir (Holston 1989). No entanto, enquanto em Brasília esse resultado foi uma perversão das intenções e premissas iniciais, nos condomínios fechados e enclaves fortificados ele representa uma escolha deliberada. Nos enclaves, o objetivo é segregar e mudar o caráter da vida pública, transferindo atividades antes realizadas em espaços públicos heterogêneos para espaços privados que foram construídos como ambientes socialmente homogêneos, e destruindo o potencial das ruas de fornecer espaços para interações anônimas e tolerantes.

Atualmente, nos novos tipos de espaços em cidades como São Paulo e Los Angeles, tendemos a não encontrar gestos de abertura e liberdade de circulação apesar das diferenças, nem um universalismo tecnocrático que vise apagar tais diferenças. Em São Paulo, o velho desenho urbano moderno tem sido fragmentado pela inserção dos enclaves privados independentes e bem-delineados (de projeto modernista), que são totalmente voltados para o interior. Os fragmentos fortificados não se destinam a ser subordinados a uma ordem pública total cimentada por ideologias de abertura, acessibilidade, tolerância de diferenças ou promessas de incorporação. A heterogeneidade agora deve ser levada mais a sério: os fragmentos expressam desigualdades irreconciliáveis, não simples diferenças. Na cidade de muros não há tolerância para com o outro ou pelo diferente. O espaço público expressa a nova intolerância. As convenções modernistas de projeto usadas pelos enclaves ajudam a assegurar que diferentes mundos sociais se encontrem o mínimo possível no espaço da cidade, ou seja, que pertençam a espaços diferentes.

Numa cidade de muros e enclaves como São Paulo, o espaço público passou por uma transformação profunda. Vivenciado como mais perigoso, enquadrado por grades e muros, fragmentado pelos novos vazios e enclaves, privatizado com correntes fechando ruas, guardas armados e guaritas, o espaço público é cada vez mais abandonado pelas camadas mais altas. Na medida em que os espaços para os mais ricos são fechados e voltados para dentro, o espaço que sobra é abandonado àqueles que não podem pagar para entrar. Como os mundos privatizados das camadas mais altas são organizados com base nos princípios de homogeneidade e exclusão de outros, eles são por princípio o oposto do espaço público moderno. No entanto, os espaços públicos restantes, territórios de medo, também não podem aspirar aos ideais modernos. A vida cotidiana na cidade de muros reforça exatamente os valores opostos: incivilidade, intolerância e discriminação.

No ideal de vida urbana moderna, "as fronteiras são abertas e indetermináveis", sugere Young (1990: 239). Fronteiras fixas criam espaços não modernos, um espaço público não democrático. No entanto, as relações entre forma urbana e política são complicadas, assim como os efeitos de um espaço não público na vida civil. Minhas reflexões sobre essas complexidades têm como referência o fato de que a consolidação da cidade de muros em São Paulo, com seu espaço público não democrático, coincidiu com o processo de democratização política. Foi exatamente no momento em que os movimentos sociais eclodiam na periferia, quando sindicatos paralisavam fábricas e lotavam estádios para suas assembleias, quando as pessoas votavam para os cargos executivos pela primeira vez em vinte anos, que os residentes da cidade começaram a erguer muros e a se mudar para enclaves fortificados. Quando o sistema político se abriu, as ruas foram fechadas e o medo do crime se tornou a fala da cidade.

Vida nas ruas: incivilidade e agressão

Em São Paulo, como em qualquer outra cidade, o meio urbano é heterogêneo e mostra sinais de diferentes camadas de construções, usos e intervenções. O processo atual de construção de muros afeta todos os tipos de espaços na cidade e transforma os espaços e as experiências de vida pública de diversas maneiras. A seguir, descrevo diferentes tipos de transformação material causados pelo processo de fortificação e discuto como eles afetam a qualidade da vida pública. Apesar de as mudanças serem de diferentes tipos e terem efeitos diversos, todas elas reforçam fronteiras e desencorajam encontros heterogêneos. Todas elas criam fronteiras policiadas e consequentemente deixam menos espaço para a indeterminação nos encontros públicos. Todas elas promovem intolerância, suspeita e medo.

Quando as pessoas se deslocam pela cidade, usam o espaço de maneiras individuais e criativas e, como De Certeau nos lembra, fazem trajetórias fragmentadas que eludem a legibilidade (1984: cap. 7). Assim sendo, qualquer descrição dessas práticas espaciais só pode ser fragmentária e particular. Baseio-me aqui no que as pessoas me disseram e no que li e vi, mas principalmente em minhas observações, experiências e memórias da cidade. Quero indicar mudanças e sugerir diferentes experiências no uso da cidade, mas não tenho a pretensão de ser exaustiva. Na São Paulo contemporânea, o espaço público é o mais vazio e o uso das ruas, calçadas e praças é mais raro exatamente onde há mais enclaves fortificados, especialmente os residenciais. Em bairros como o Morumbi, as ruas são espaços vazios e a qualidade material dos espaços públicos é simplesmente ruim (ver Fotos 9, 20 e 28). Devido à orientação interna dos enclaves fortificados, muitas ruas têm calçadas não pavimentadas ou mesmo não as têm, e várias ruas atrás dos condomínios não são asfaltadas (ver Foto 6). As distâncias entre os prédios são grandes. Os muros são muito altos, sem proporção com o corpo humano, e grande parte deles ainda têm arames eletrificados. As ruas são para os automóveis e a circulação de pedestres torna-se uma experiência desagradável. Na verdade, os espaços são construídos intencionalmente para produzir esse efeito. Andar no Morumbi é um estigma — o pedestre é pobre e suspeito. As pessoas a pé podem ser trabalhadores que moram nas favelas próximas e que são tratados pelos vizinhos ricos com distância e desdém — e, evidentemente, com medo. Como as pessoas de classe média e alta circulam em seus próprios carros e os outros andam ou usam transporte público, existe pouco contato público entre pessoas de classes sociais diferentes. Não há espaços comuns que os ponham juntos.

Os caminhos dentro das favelas são espaços para se andar, mas as favelas acabam sendo tratadas como enclaves privados: apenas moradores e conhecidos se aventuram a entrar e tudo o que se vê das ruas públicas são algumas poucas entradas. Na verdade, as favelas só podem ser vistas como um todo das janelas dos apartamentos acima delas. Quando tanto os moradores ricos como os pobres vivem em enclaves, cruzar muros é obviamente uma atividade cuidadosamente policiada, nas qual os sinais de classe são interpretados para determinar níveis de suspeita e assédio. Ruas vazias de fronteiras fixas e diferenças escrutinadas são espaços de suspeita e não de tolerância, desatenção às diferenças ou simplesmente para se caminhar. Elas não são espaços públicos agradáveis.

Vários bairros estritamente residenciais da classe alta (partes antigas do Morumbi, Alto de Pinheiros, Jardim Europa, por exemplo) tendem a ter ruas vazias também, mas bairros mais antigos, alguns deles projetados como cidades-jardins, ainda têm boas ruas e calçadas. Nessas áreas, porém, outros dispositivos restringem a circulação. Em muitos desses bairros de classe média e alta, os moradores privatizaram ruas públicas, fechando seu acesso com portões, correntes ou, menos ostensivamente, com jardins, vasos e plantas. Nada disso é específico apenas de São Paulo. Nos Estados Unidos, a mesma prática está se tornando comum, e os espaços que ela produziu foram chamados "comunidades de zonas de segurança" por Blakely e Snyder (1997). Como a rua ainda é considerada um espaço aberto, sua privatização ainda gera oposição nos Estados Unidos. Alguns anos atrás, quando esse processo começou em São Paulo, o governo municipal reagiu e removeu as correntes. No entanto, como o apoio à prática aumentou, a cidade a incorporou em suas políticas: em 1990, o governo municipal do PT começou a oferecer os serviços de seus arquitetos e trabalhadores de construção para os bairros de classe média interessados em enclausuramentos.[15]

Apesar de esses bairros ainda terem belas ruas arborizadas e calçadas, hoje em dia uma forma de entretenimento apreciada pela minha família quando eu era criança ficou impossível: passear pelas ruas do Jardim Europa admirando as mansões dos ricos. A maioria delas não é mais visível: as casas estão escondidas atrás

[15] A disputa entre a cidade de São Paulo e os moradores que fecharam suas ruas com correntes foi relatada nos jornais *O Estado de S. Paulo* e *Folha de S. Paulo* (por exemplo, durante janeiro de 1985). A mudança nas concepções públicas e na atitude da administração municipal em relação aos enclausuramentos está registrada em "Bairros residenciais querem fechar ruas", *O Estado de S. Paulo*, 18 de junho de 1991. Nos Estados Unidos, o fechamento de ruas também provocou oposição. Uma das disputas mais famosas ocorreu em Whitley Heights, Los Angeles, onde os portões construídos pelos moradores foram considerados ilegais e ordenou-se que nunca fossem fechados. Em muitas outras áreas, no entanto, eles foram fechados. O caso de Whitley Heights foi discutido em inúmeras edições do *Los Angeles Times* (especialmente em 1994-1995) e por Blakely e Snyder (1997: 104-8).

dos muros, e os arames eletrificados e outras parafernálias de segurança ajudam a impor distância a quem ainda se aventura pelas ruas. Andar se tornou desagradável, já que as ruas são agora dominadas por vigilantes particulares instalados em guaritas, cães latindo para os pedestres e dispositivos que bloqueiam a circulação. Os poucos pedestres se tornam suspeitos. Tentei isso, com minha máquina fotográfica, e só chamei a atenção dos guardas privados, que vieram agressivamente em minha direção, apesar da minha aparência de classe média. A sensação de estar sob vigilância é inevitável, já que os guardas ficam nas calçadas (e não dentro das construções, como no Morumbi), observam todos que passam e podem se dirigir diretamente às pessoas que acham suspeitas. Nada mais do que o esperado, já que são pagos para suspeitar e manter os estranhos afastados. Esse exército particular está lá para privatizar o que costumavam ser espaços públicos razoáveis.

Passei minha infância no final dos anos 50 e começo dos 60 em um novo bairro de classe média, o Sumaré, que desde o final dos anos 60 está completamente urbanizado e incorporado ao centro expandido. Quando nos mudamos para lá, as ruas ainda não eram asfaltadas, não havia sistema de esgoto nem telefone. Estávamos a apenas dois quarteirões de um centro de coleta de lixo da cidade, ou seja, o estábulo para os cavalos que puxavam as carroças de coleta, e que desfilavam por nossa rua toda manhã para grande diversão das crianças. Algumas vezes, quando chovia, o belo Chevrolet 54 azul do meu pai, diretamente importado dos Estados Unidos e projetado para outras ruas, ficava atolado na lama, e ele tinha de andar o quilômetro que separava nossa casa da Faculdade de Medicina da Universidade de São Paulo, onde era professor. Não havia muitas casas na nossa rua, e algumas pareciam pequenas chácaras, com suas hortas no jardim e galinhas. Apesar de ser um bairro de classe média, no final dos anos 50 ele ainda estava em processo de urbanização, como o Jardim das Camélias, na periferia, quando fui lá pela primeira vez no final dos anos 70. A cidade cresceu tão rápido, o Sumaré é hoje tão urbano, que é estranho lembrar que há não muito tempo ele era tão pouco desenvolvido.

Por muitos anos, a casa de minha família teve um muro baixo. O portão permanecia aberto o dia todo e só era fechado à noite. Quando o bairro se desenvolveu, as calçadas se encheram de gente e o tráfego aumentou consideravelmente nos anos 70, meus pais subiram o muro e começaram a fechar o portão durante o dia — eles ficavam incomodados com as pedestres olhando para dentro de sua sala de estar e queriam privacidade. Mas sempre usávamos transportes coletivos e andávamos pelo bairro livremente e sem preocupações, mesmo à noite. No começo dos anos 80, a casa de meu pai foi assaltada e o portão passou a ser trancado. Hoje meu pai tem um guarda particular dentro dos muros durante a noite e o portão fica trancado 24 horas por dia. Ele nos pede para avisá-lo por telefone quando vamos visitá-lo à noite, para que o guarda possa estar preparado para abrir o portão e não precisemos esperar do lado de fora. Todas as casas e prédios ao redor foram reformados e acrescentaram portões e muros. Há vários outros guardas particulares no quarteirão. A rua, que hoje combina residências, escritórios e comércio, é intensamente usada durante o dia (na verdade, estacionar tornou-se um problema), mas me sentiria pouco à vontade em andar lá depois do anoitecer.

Um bairro de classe trabalhadora como o Jardim das Camélias ainda tem uma vida social relativamente intensa nas ruas, apesar de ela ter mudado de muitas maneiras desde o final dos anos 70. Por um lado, o bairro se expandiu, as casas melhoraram, as árvores cresceram e as ruas foram asfaltadas, iluminadas e equipadas com calçadas (ver Fotos 2 e 3), mas, à medida que o bairro se urbanizou e melhorou materialmente, as grades subiram e os moradores ficaram mais assustados e desconfiados. O crime aumentou no final dos anos 80, de furtos a homicídios, alguns deles envolvendo garotos que haviam crescido juntos brincando nas ruas. No entanto, a vida cotidiana ainda é marcada por uma sociabilidade entre vizinhos, o tipo de intercâmbio formal nas calçadas que dá vida a um bairro e torna o espaço público significativo.[16] O trânsito é leve e as ruas ainda são constantemente usadas para a brincadeira das crianças e adolescentes, o bate-papo de pessoas que param para saudar um vizinho, por moradores que se sentam nas calçadas para olhar o movimento, por pessoas cuidando de seus carros ou construindo algo, alguém que para na mercearia para saber das notícias locais, ou, se são homens, para jogar sinuca ou tomar um gole no caminho de volta para casa (ver Fotos 7, 24, 25, 26 e 29). Suas casas são cercadas, mas geralmente por grades que permitem a visibilidade e a interação, não por muros. Esse é o tipo de bairro cuja segurança é mantida pelo uso intenso, pela mistura de funções e pelos "olhos sobre a rua" (Jacobs 1961: cap. 2). Em outras palavras, a segurança é mantida pelo engajamento, não pelo isolamento.

Apesar da contínua sociabilidade local, as pessoas não sentem que o bairro é tão seguro como costumava ser.[17] Elas fortificaram suas casas, estão mais desconfiadas, falam com estranhos na rua por detrás de suas grades, escolhem com mais cuidado as pessoas com quem vão se relacionar e especialmente controlam seus filhos. Muitas crianças estão agora proibidas de brincar fora de casa e a preocupação com as saídas dos adolescentes parece que se intensificou. Como em qualquer lugar, as pessoas voltam suas preocupações para as áreas mais pobres: elas têm especialmente medo da favela próxima e de uma área invadida recentemente por participantes do Movimento Sem Terra. A suspeita em relação a pessoas vistas como "outras" ou como "inferiores" não é exclusiva da classe alta, como mostra o capítulo 2. A frequência de festas e comemorações públicas patrocinadas pelas associações locais diminuiu, bem como as atividades de alguns movimentos sociais. A vida coletiva e as atividades políticas perderam vitalidade na última década, mas o espaço público das ruas ainda sustenta interações locais e intercâmbios públicos.[18]

---

[16] Ver Caldeira (1984: cap. 3) para uma análise dos rituais da vida cotidiana nas ruas do Jardim das Camélias no final dos anos 70 e começo dos 80.

[17] Em bairros de periferia como o Jardim das Camélias, às vezes ouvem-se histórias sobre controle de acesso por moradores ligados ao crime. Gangues de moradores às vezes tratam o bairro como seu próprio território e só permitem a movimentação segura daqueles moradores que pagam uma "taxa de segurança" mensalmente. Ruas bloqueadas e controle de circulação em guetos tampouco são uma novidade nos Estados Unidos.

[18] Sobre a organização de movimentos sociais e associações locais no Jardim das Camélias e na periferia no final dos anos 70 e começo dos anos 80, ver Caldeira (1987 e 1990).

Fotos 27, 28 e 29: O uso público das ruas em São Paulo é extremamente variado. A foto 27 mostra a rua São Bento, no centro antigo: uma rua-corredor transformada em um calçadão abarrotado de pedestres e vendedores ambulantes (1990). No Morumbi, a maioria das ruas é vazia, sem pedestres, como na foto 28 (1994). A foto 29 mostra uma esquina no Jardim das Camélias, onde os moradores ainda se reúnem para conversar e jogar (1994).

A maioria dos bairros centrais de São Paulo, aqueles com uma boa infraestrutura urbana e que a elite conservou para si, tradicionalmente misturou funções e manteve um uso relativamente intenso e heterogêneo do espaço público. Alguns desses bairros são bem sofisticados, com lojas de luxo e restaurantes (especialmente os Jardins, mas também Higienópolis e Itaim Bibi). Nessas áreas as ruas ainda são usadas por pessoas de vários grupos sociais e os ricos andam nas mesmas calçadas que os pobres. No entanto, agora essas ruas são vigiadas por um exército de guardas privados e câmeras de vídeo (cada prédio costuma ter pelo menos uma). Além disso, nesse tipo de bairro, assim como no centro, os proprietários têm usado sua criatividade para inventar meios de manter as pessoas indesejáveis à distância. As técnicas variam de instalar esguichos que funcionam em horários imprevisíveis em marquises a esticar correntes para impedir o uso de pátios, entradas e calçadas e cercar parques públicos. O principal alvo dessas técnicas é o crescente número de sem-teto. Entretanto, como as ruas em geral são bem movimentadas, os efeitos da constante suspeita não são tão severos como em áreas mais vazias. Nessas áreas de intenso uso misto, os obstáculos materiais no nível da rua são complementados por uma série de práticas de vigilância menos visíveis que reforçam diferenças sociais. Os moradores e usuários dessas áreas não estão interessados em indeterminação. Seus instrumentos incluem câmeras de vídeo, controle eletrônico de trabalhadores nas entradas da maioria dos prédios de escritórios, detectores de metais em portas de bancos e seguranças exigindo documentos de identificação de qualquer um entrando nos edifícios de escritórios e, cada vez mais, em condomínios residenciais.[19] Sistemas de identificação, triagem e controle de circulação são considerados centrais para uma boa administração de negócios e alimentam a crescente indústria de serviços de segurança privada. Esses sistemas não são apenas uma questão de segurança, mas também de disciplina e discriminação social.[20] A imagem do suspeito é feita de estereótipos e, consequentemente, os sistemas de triagem discriminam especialmente os pobres e os negros. Os porteiros não incomodam as pessoas que têm os sinais de classe certos, mas podem chegar a humilhar os que não têm.

Assim, para muitas pessoas o dia a dia na cidade está se transformando numa negociação constante de barreiras e suspeitas, e é marcado por uma sucessão de pequenos rituais de identificação e humilhação. Eles incluem forçar office-boys, frequentemente barrados pelos detectores de metal dos bancos, a abrir suas mochilas na frente da fila de pessoas esperando para entrar, direcionar trabalhadores para

[19] O controle dos movimentos de trabalhadores e especialmente de seu tempo de trabalho tem uma longa história. O que é diferente em relação às novas tecnologias é o monitoramento de qualquer um que use prédios públicos, como edifícios de escritórios, algo que há alguns anos não era controlado.

[20] Pessoas que viveram o regime militar sabem quanto os "procedimentos de segurança" aparentemente inocentes podem ser usados para perseguir pessoas. Durante o regime militar, zeladores de prédios de apartamentos tinham de preencher um cartão de informação para cada novo morador e enviá-lo à polícia. Vários zeladores também foram colaboradores da polícia. Os cartões desapareceram com a democratização, mas as mesmas pessoas que se opunham a eles durante o regime militar podem ser a favor dos métodos contemporâneos de triagem.

as "entradas de serviço" e revistar as empregadas quando deixam o trabalho nos condomínios no fim do dia. É verdade que pessoas das camadas média e alta também têm de se identificar e que eles também estão sob vigilância, mas as diferenças nos níveis de controle são óbvias. Pessoas de classe média e alta sabem usar seus sinais de classe (incluindo arrogância e desrespeito) para evitar questionamentos e passar rapidamente pelos vigilantes, que respondem com reverência em vez do desdém que reservam para as pessoas mais pobres. Em suma, em uma cidade em que os sistemas de identificação e as estratégias de segurança estão se espalhando por toda parte, a experiência de vida urbana é de diferenças sociais, separações, exclusões e lembretes das restrições no uso do espaço público. Trata-se, de fato, de uma cidade de muros — o oposto do espaço público aberto do ideal moderno de vida urbana.

As ruas de São Paulo podem ainda estar cheias de gente, especialmente nos bairros centrais de comércio e serviços (ver Foto 27) ou em centros regionais,[21] mas a experiência da multidão e a qualidade das interações anônimas mudaram. As pessoas têm medo de serem roubadas e consideram os trombadinhas como parte da rotina da cidade. Ninguém anda com joias ou relógios caros, só se leva o dinheiro necessário e, se possível, apenas uma cópia dos documentos. Mulheres carregam as bolsas grudadas no corpo ou as mochilas no peito. As pessoas guiam com janelas fechadas e portas trancadas. Elas têm medo especialmente de parar nos sinais porque os noticiários estão cheios de casos de trombadinhas que usam facas ou cacos de vidro para roubar motoristas, sobretudo mulheres. É difícil distinguir esses trombadinhas do crescente número de pedintes e vendedores de rua que disputam as mesmas esquinas.

Não só as atitudes na rua estão mudando, mas a própria composição da multidão. As classes média e alta tentam evitar as ruas e calçadas movimentadas, preferindo fazer compras nos shopping centers e hipermercados.[22] Como as pessoas dessas classes circulam de carro, o uso de transporte público está se tornando uma experiência das classes baixas. Ainda assim, é uma experiência de massa, já que a elite constitui não mais de 5% da população da região metropolitana.

Os centros que articulam o transporte público — metrô, estações de trem e terminais de ônibus — têm sua própria cultura. São geralmente espaços das camadas trabalhadoras, cheios dos sons de música popular e dos cheiros de frutas e todos os tipos de comida. Todos os dias, milhares de pessoas passam por essas estações e gastam um tempo considerável nos transportes públicos.[23] Essas áreas sempre

---

[21] Centros regionais são as várias áreas na periferia que congregam comércio e serviços, e que geralmente servem como centros de transporte público. Por exemplo, o Largo 13, na periferia sul.

[22] A mudança aqui não é apenas de espaços mistos para exclusivos, mas também do consumo fragmentado e diário em pequenos mercados e vendas para as visitas mensais a um supermercado, ou seja, de compras relativamente espontâneas para uma mais planejada. Essas mudanças têm sido acompanhadas de transformações na vida doméstica, onde se introduziram novos aparelhos como os freezers e fornos de micro-ondas, novas maneiras de preparar e servir comida e novos relacionamentos.

[23] Em 1996, 69% das viagens por transporte público em São Paulo eram feitas por ônibus,

apinhadas são grandes espaços para se vender qualquer coisa, de religiões a comida, de curas a aparelhos eletrônicos, de ervas medicinais a *lingerie*, e o intenso comércio dos ambulantes toma boa parte do espaço das calçadas do centro. Tomar um ônibus, trem ou o metrô na hora do *rush* (algo que as classes média e alta deixaram de fazer) significa lutar por um espaço em carros lotados ou amassado contra os outros. E isso apesar do fato de que o transporte público em São Paulo melhorou, especialmente o metrô. Entretanto, aqueles que usam os transportes coletivos diariamente, como os moradores do Jardim das Camélias, sentem que as coisas hoje estão muito mais tensas e desagradáveis do que no passado: há pouca cortesia e muita agressão. E certamente há mais preconceito, já que a classe média ensina a seus filhos que os ônibus são perigosos e contrata motoristas particulares para eles.

O trânsito é um dos piores aspectos da vida pública em São Paulo. O desrespeito às leis e aos direitos das outras pessoas é a norma.[24] Há pouca civilidade, já que uma parte significativa da população age como se as leis de trânsito fossem obstáculos à livre movimentação dos indivíduos e reage desrespeitando-as. A mídia tem investigado e noticiado frequentemente o comportamento no trânsito. Os resultados de suas pesquisas são impressionantes, não só porque revelam um amplo desrespeito às regras, mas por mostrar que o desrespeito se tornou rotina e já não provoca qualquer reação. Em abril de 1989, o DataFolha, agência de pesquisas da *Folha de S. Paulo*, apurou que 99% dos motoristas de São Paulo consideravam o trânsito da cidade perigoso e que um em cada quatro motoristas tinha se envolvido em pelo menos um acidente no ano anterior.[25] Outra pesquisa do DataFolha, em abril de 1986, constatou que os paulistanos consideravam como principal causa de acidentes "a falta de responsabilidade e a imprudência dos motoristas".[26] Em outubro de 1989, o departamento de pesquisa do *Estado de S. Paulo* entrevistou uma amostra de motoristas e descobriu que 85% deles concordavam que os motoristas de São Paulo não respeitam a faixa de pedestres e frequentemente fazem conversões proibidas. Além disso, 8 entre 10 pessoas entrevistadas achavam que os motoristas estacionam em locais proibidos, em fila dupla, ultrapassam sinais vermelhos e desrespeitam os limites de velocidade.[27] Em 1991, o DataFolha decidiu observar um cruzamento importante na cidade (das avenidas Paulista com Brigadeiro Luís Antônio). Verificou-se uma média de 13 conversões proibidas à esquerda por hora, apesar dos obstáculos físicos na pista, e que a maioria dos motoristas nunca recebeu uma multa, já que não existiam policiais no local. Descobriu-se também que um carro ultrapassava o sinal vermelho a cada cinco sinais vermelhos, que

---

26% por metrô e 5% por trem. Apenas o metrô transporta mais de 1 milhão de passageiros diariamente (Seade, *Anuário Estatístico do Estado de São Paulo*, 1996).

[24] Para discussões sobre tráfego, desrespeito e violência, ver também DaMatta (1982) e O'Donnell (1986).

[25] *Folha de S. Paulo*, 13 de maio de 1989.

[26] *Folha de S. Paulo*, 11 de maio de 1986.

[27] *O Estado de S. Paulo*, 8 de outubro de 1989.

41% dos carros que paravam no sinal vermelho desrespeitavam a faixa de pedestres e que apenas 3% dos motoristas usavam cinto de segurança.[28] Outro problema são os adolescentes dirigindo antes dos 18 anos e sem habilitação. Até a década de 70, adolescentes de classe média como eu usavam o transporte coletivo regularmente para ir à escola e andar pela cidade. Hoje isso é considerado muito perigoso ou muito desconfortável, e os adolescentes são transportados exclusivamente de carro, seja pelos pais ou por motoristas particulares, ou então simplesmente se permite que eles dirijam.

O trânsito de São Paulo revela que as pessoas usam as vias públicas de acordo com sua conveniência privada e não parecem estar dispostas a obedecer regras ou respeitar os direitos das outras pessoas ou o bem público. Há também uma certa onipotência nesse comportamento, já que as pessoas não parecem ter medo de ser afetadas pelo mesmo tipo de agressões que cometem. Os resultados, no entanto, são dramáticos: durante os anos 80, mais de 2 mil pessoas morreram em acidentes de trânsito anualmente no município de São Paulo. Entre 1992 e 1994, os números baixaram, mas não significativamente. Além disso, mais de 50 mil pessoas ficaram feridas em acidentes de automóvel por ano na região metropolitana de São Paulo. Em 1996, houve 195.378 acidentes de automóvel registrados na cidade de São Paulo, o que significa uma média de 535 acidentes por dia. Deles, 13,16% tiveram vítimas. De acordo com uma fonte, o total de vítimas foi de 59.679, 1.113 dessas foram vítimas fatais.[29] Pouquíssimas pessoas responsáveis por acidentes vão a julgamento ou são processadas.

O trânsito é um forte indicador da qualidade de vida pública. No Brasil, o comportamento no trânsito constitui apenas o mais óbvio exemplo da rotina de desrespeito à lei e das dificuldades de fazê-la cumprir. Os policiais de trânsito não prestam atenção a algumas violações simplesmente porque elas se tornaram a norma. Quando aplicam multas, muitas vezes se escondem onde não podem ser vistos pelos motoristas. Eles tentam evitar o confronto com pessoas da classe média e alta, que não hesitam em desafiar sua autoridade. Quando manipular os sinais de classe não é suficiente, alguns podem apelar à violência. Os piores ataques parecem ser contra as mulheres que controlam o estacionamento nas áreas restritas chamadas "zonas azuis". Algumas foram espancadas por homens quando se recusaram a anular multas e uma acabou no hospital depois que o motorista enfurecido que ela havia multado jogou o carro sobre ela. Esses comportamentos indicam quão violentas as pessoas podem se tornar quando se pede que cumpram a lei e não podem usar sua posição de classe como forma de privilégio para evitá-la. Como as classes traba-

---

[28] *Folha de S. Paulo*, 21 de maio de 1991. A situação em relação ao uso do cinto de segurança mudou depois de 1995, quando o município começou uma agressiva campanha para forçar a sua utilização e estabeleceu multas de mais de 20 salários mínimos para quem dirigisse sem cinto.

[29] Os dados sobre o número de vítimas são da polícia militar. Como argumentei no capítulo 3, os números da polícia militar para mortes em acidentes são subestimados e provavelmente os números para ferimentos também. De acordo com o Registro Civil, o número de vítimas fatais foi de 2.368.

lhadoras geralmente não podem evitar a lei, esses comportamentos revelam mais uma vez como as diferenças de classe não só regem as interações públicas mas também são reproduzidas pelos elementos que moldam o espaço público.

É óbvio que o trânsito não é um problema exclusivo de São Paulo, mas sim um problema nacional. Em 1996, cerca de 27 mil pessoas morreram em acidentes de trânsito no Brasil. A situação de violência e incivilidade adquiriu dimensões tão impressionantes que o governo federal decidiu revisar o Código Nacional de Trânsito. Depois de seis anos de debates no Congresso, o novo código entrou em vigor em janeiro de 1998. Ele estabelece multas altas e penalidades sérias e cria um sistema de pontos que pode levar à suspensão da carteira de habilitação. Todas as violações, desde não portar a documentação do veículo até dirigir embriagado, correspondem a pontos e multas (de R$ 40,00 a R$ 800,00). A expectativa é de que um código mais severo aumentará a civilidade no trânsito. Mas ainda não está claro se as autoridades podem impor essas regulamentações, especialmente num contexto em que a civilidade está se deteriorando, não melhorando.

Experiências do público

Diferentes grupos sociais vivenciam os espaços públicos transformados da cidade de maneiras contraditórias. Os jovens de classe média e alta que estão crescendo na cidade de muros não parecem infelizes com sua experiência dos espaços públicos. E por que estariam, com seus motoristas particulares e nenhuma necessidade de batalhar um lugar em ônibus lotados? Além disso, eles parecem gostar bastante dos espaços seguros e vigiados dos shopping centers, lojas de *fast food*, discotecas e fliperamas. Para eles, estes são espaços legais nos quais mostram seu conhecimento de uma cultura jovem globalizada, das grifes e outras tendências da moda. Eles se ligam a uma "juventude global", mas não à juventude da sua própria periferia. Os jovens da periferia paulistana não têm o privilégio de evitar o transporte público ou as ruas congestionadas por onde têm que passar para trabalhar ou nas quais alguns deles trabalham. Eles compartilham, contudo, com os jovens da classe alta alguns dos sinais de uma cultura jovem globalizada — especialmente no que se refere a roupas. Apesar disso, geralmente eles se reúnem não em shoppings da classe alta, mas em espaços da própria periferia (inclusive shoppings), participam de algumas subculturas (punk, skinhead) e apreciam alguns estilos de música e dança (especialmente funk) que não são necessariamente compartilhados pela classe média. Além disso, eles vivenciam violência e assédio no seu uso da cidade e em seus bairros. Em seus concertos musicais, temas como os abusos da polícia, homicídios e desrespeito são constantes.[30] Para os jovens das classes trabalhadoras, a experiência da cidade é de injustiça e não de privilégio.

---

[30] Existem várias bandas de rock na periferia que tratam desses temas. Uma delas é chamada Pavilhão 9, nome inspirado no setor da Casa de Detenção em que ocorreu o massacre de 1992. Ver, por exemplo, *Veja São Paulo* 30 (37): 15-21 de setembro de 1997.

Em contraste com a experiência desses jovens, as pessoas mais velhas, que cresceram em São Paulo na época em que o progresso era a meta e o uso das ruas e parques era mais livre, parecem nostálgicas quando conversam sobre os usos do espaço público. Suas descrições da cidade no passado têm uma qualidade similar àquelas que contam como tudo era bom "antes" do trauma do crime. A velha cidade é lembrada como sendo melhor, mais bonita e mais civilizada do que é agora. Conversei com duas irmãs sobre as mudanças de hábitos, especificamente o de ir ao cinema.

8.1

— As pessoas não vão mais ao cinema?

L — Não vão mais ao cinema. Agora, depois do vídeo, então, não vão mesmo.

W — Depois, é muita dificuldade. Começa por estacionar: não tem lugar pra estacionar. O estacionamento é tão caro quanto o cinema. Se deixa na rua, ou roubam ou tem os donos da rua pra tomar conta. Então é um problema pra gente sair com o carro, a gente não fica sossegado. Vai num shopping... a gente vai a cinema de shopping às vezes.

L — Estacionar o carro lá dentro mesmo. Cinema, quando a gente vai, é no Lar Center, Center Norte mesmo, porque já tem mais facilidade.

W — Há 30, 40 anos atrás, a gente podia sair, se arrumava bem pra sair, com luvas, tudo bonitinho, pra ir à cidade, no centro. Cine Ipiranga, Metro. O Metro então era o máximo, né?

L — O Olido... no Olido não entrava homem sem gravata. Não entrava.

— Quando isso?

W — Uns 40 anos atrás.

L — (...) Acho que uns 30 anos atrás. No Marrocos, não entrava sem gravata. Então naquela época a gente podia se arrumar e ir para o centro. Nós só íamos no cinema no centro da cidade. A gente ia no cinema, depois saía, ia olhar umas vitrines, a Barão de Itapetininga era uma rua boa, lojas boas. Você ia tomar um lanche, ia jantar... ia jantar fora. Hoje você não pode ir pro centro da cidade num domingo, fim de semana, não tem condições de... porque são homossexuais, são travestis, são... barraquinhas. Bom, o centro da cidade está um horror agora, né?, com esses marreteiros todos.

L e W são viúvas de cinquenta e poucos anos. Sempre viveram na Mooca. Moram juntas na casa de L para que o filho de W possa viver com a família em sua casa sem pagar aluguel.

Pessoas mais velhas se lembram com saudades da formalidade envolvida no uso do espaço público, as luvas e as gravatas, a distinção dos velhos cinemas, as "boas" ruas do centro velho em que se podia passear entre gente elegante — "era tão chique!", disse a senhora cuja narrativa analiso no capítulo 1. São sinais de distinção e regras de separação de classe que se perderam. No centro de hoje, a população "chique" foi substituída pelos "marginais", nada garante distinção e o sentimento que resta é o de mal-estar com a proximidade do pobre. Há muitos anos atrás, quando o centro era usado pelas classes altas, poder se juntar à multidão (através do uso de algumas roupas e acessórios, por exemplo) poderia ser uma questão de identificação com os socialmente superiores, um sinal de distinção para os moradores da classe trabalhadora da Mooca. Hoje, no entanto, as mesmas pessoas sentem a necessidade de promover a distância mais do que a identificação com os que usam o centro, pessoas mais pobres e marginalizadas — vendedores, crianças de rua, travestis, prostitutas.

A expansão do consumo de massa torna as questões de distinção mais complicadas. Símbolos fáceis de superioridade, como as luvas e as gravatas, desapareceram, e frequentemente as pessoas de classe média e alta ficam irritadas com o consumo por pessoas pobres de bens que deveriam carregar algum status, mas que não são mais exclusivos (ver capítulo 2). É mais difícil para a elite impor seu próprio código de comportamento — incluindo regras de deferência — para a cidade inteira. Além disso, com a democratização, os pobres forçaram o reconhecimento de sua cidadania e ocuparam espaços — físicos e políticos — anteriormente reservados à elite. Com menos sinais óbvios de diferenciação à mão e com mais dificuldade em afirmar seus privilégios e códigos de comportamento no espaço público, as classes mais altas se voltam aos sistemas de identificação. Assim, espaços de circulação controlada (como os shopping centers) servem para assegurar que a distinção e a separação ainda são possíveis em público. Sinais de distância social são substituídos por muros concretos.

As transformações nos vários espaços da cidade parecem estar gerando fronteiras mais rígidas e policiadas e, consequentemente, menos indeterminação e menos espaços para contato entre pessoas de grupos diferentes. Essas experiências produzem medo e intolerância, mais do que expectativa e excitação. As experiências em público parecem correr na direção oposta à de uma vida pública moderna e democrática. Entretanto, a política de espaços públicos urbanos em São Paulo é ainda mais complexa e dois tipos de usos do espaço público contradizem a tendência dominante de separação e segregação.

Os poucos grandes parques da cidade são usados intensivamente e de maneira bastante democrática. Quando localizados na periferia, como o Parque do Carmo, os usuários tendem a ser das camadas trabalhadoras, mas o Ibirapuera e o Morumbi, ambos em bairros de classe média e alta, são usados por pessoas de todas as classes sociais. Apesar de em sua maioria serem cercados por grades, eles representam as poucas áreas verdes que a cidade ainda tem. Nos últimos anos, esses parques têm sido apropriados por milhares de pessoas que vão lá especialmente nos fins de semana, para correr, andar de bicicleta, patinar, jogar bola ou simplesmente estar ao ar livre. Esses oásis de uso intenso e diversificado são muito poucos em São Paulo e é interessante que eles sejam espaços geralmente usados para o lazer das massas. Se o que acontece em outras partes do mundo serve como referência, espaços para o lazer e entretenimento continuam a ter um uso massivo diversificado — como nos antigos portos, centros históricos restaurados e parques temáticos americanos, por exemplo — mesmo quando todos os outros espaços públicos se deterioram.

O segundo exemplo é a Praça da Sé, a praça central de São Paulo. A Praça da Sé é o símbolo poderoso do centro da cidade, de onde se imagina que todas as estradas e ruas da cidade irradiam. Hoje, os pontos de referência da praça são a Catedral, a estação central do metrô e o "marco zero" da cidade, assinalado por uma pedra erguida sobre uma rosa-dos-ventos gravada no chão. Em seu uso rotineiro, a praça é principalmente um espaço da classe trabalhadora. Todos os dias, uma massa de pessoas que depende do transporte coletivo cruza a Praça da Sé. Há ainda muitos que trabalham lá — vendedores de todo tipo de produto popular (comida, roupas, ervas, brinquedos, panelas), pastores de diferentes religiões, músicos e policiais —, o mesmo tipo de pessoas que lotam qualquer eixo importante do transporte público. A praça também tem muitos moradores: um contingente de meninos de rua e sem-teto. Homens vestidos com ternos e carregando maletas, geralmente advogados que têm de chegar ao Fórum Central ali perto, são vistos com frequência na praça, porém não mais lhe conferem sua identidade. A Praça da Sé é fundamentalmente um espaço para os moradores pobres, tanto em seu uso diário como em seu simbolismo. Moradores do Jardim das Camélias que entrevistei no final dos anos 70 consideravam ir à Praça da Sé uma atividade especial para os feriados, como o dia de Ano Novo: era a maneira que encontravam de aproveitar a cidade e sentir que pertenciam a ela. Hoje, eles sentem que a praça se tornou um local perigoso e, apesar de ainda a usarem, preferem ir a lugares como shopping centers para o lazer. Enquanto as camadas trabalhadoras dominam a praça com seus sons e cheiros, os ricos a evitam. Para eles, a praça é apenas um lugar perigoso e desagradável.

Mas a Praça da Sé tem uma segunda camada de simbolismo: para paulistanos ricos e pobres ela é o principal espaço político da cidade, um significado que foi fixado por vários eventos durante o processo de democratização. Durante os anos militares, as poucas demonstrações políticas que ocorreram tiveram lugar na Praça da Sé, principalmente devido à presença da catedral. A Igreja Católica foi na época a única instituição capaz de oferecer um espaço relativamente seguro para protestos contra os abusos e as violações aos direitos humanos praticados pelo regime militar. Pela mesma razão, a Praça da Sé se tornou um lugar de inúmeras manifestações de movimentos sociais durante o processo de abertura, mais visivelmente as imensas manifestações do Movimento do Custo de Vida na segunda metade dos anos 70. Quando o movimento pelas eleições diretas foi organizado, no começo dos anos 80, era natural que as manifestações de massa fossem feitas lá. Em 25 de janeiro de 1984, o dia em que a cidade comemorava sua fundação, cerca de 300 mil pessoas se reuniram na Praça da Sé para reivindicar eleições diretas. Naquele dia, pessoas das classes média e alta que não iam ao centro havia anos (as principais atividades econômicas e todo o comércio de luxo tinham se mudado) descobriram como pegar o metrô e emergiram no meio da praça para exigir democracia. As manifestações aconteceram no Vale do Anhangabaú em apenas duas ocasiões, quando a praça ficou muito pequena para a esperada multidão de 1 milhão de pessoas (o último comício por eleições diretas, em abril de 1984, e a manifestação pelo *impeachment* do presidente Collor, em setembro de 1992).[31]

A Praça da Sé simboliza, de um lado, a reapropriação política do espaço público pelos cidadãos na transição para a democracia. Por outro, ela representa a deterioração do espaço público, perigo, crime, ansiedades em relação ao declínio social e o empobrecimento dos trabalhadores, que continuam a usá-la nas idas e vindas do trabalho, e que trabalham no mercado informal ou consomem seus pro-

---

[31] Manifestações menores ocorreram em outras áreas, tanto no centro quanto na periferia, mas nunca tiveram o mesmo simbolismo que as da Praça da Sé.

dutos baratos. Ela simboliza tanto a força como a deterioração do espaço público e é, consequentemente, um símbolo do caráter disjuntivo da democracia brasileira (Holston e Caldeira 1998).

O exemplo da Praça da Sé é outra indicação de que a democratização política não é contraditória com a deterioração dos espaços públicos. Na verdade, a democratização pode ter ajudado a acelerar a construção de muros e a deterioração do espaço público. Mas isso não ocorre da maneira simplista que alguns políticos de direita querem nos fazer crer: que a democracia cria desordem e crime e consequentemente gera a necessidade de muros. Se a democracia originou os muros foi porque o processo de democratização foi inesperadamente profundo. Até o fim do regime militar, a política era um domínio exclusivo da elite. Com a abertura, contudo, os moradores pobres da periferia passaram a ser importantes atores políticos, ocupando a Praça da Sé para apresentar suas reivindicações e afirmar seus direitos à cidade. Seus movimentos sindicais e sociais surpreenderam a todos; eles puderam reivindicar um espaço político que estava sendo aberto, mas não necessariamente para eles. Na imaginação daqueles que preferem abandonar a cidade, o medo do crime se entrelaça de maneiras complexas com outras ansiedades provocadas por mudança, como mostrei no capítulo 2. Ele se mistura com o medo dos resultados eleitorais (especialmente o medo de que o PT pudesse ganhar as eleições, como de fato aconteceu); com o medo de que se possa decair socialmente devido à inflação e à crise econômica; o medo de que certos bens não mais sirvam para criar distanciamento social ou conferir status; e o medo de que os pobres não mais possam ser mantidos em seus lugares.

A coincidência de democratização com a deterioração do espaço público e os processos mais óbvios de segregação social, assim como os simbolismos ambíguos da Praça da Sé, impedem quaisquer associações fáceis entre espaços públicos materiais das cidades e formas de comunidades políticas. São Paulo demonstra que a forma da comunidade política e o espaço público da cidade podem se desenvolver em direções opostas. Essa disjunção entre processo político e forma urbana é significativa. Por um lado, como as recentes transformações urbanas não são um resultado de políticas impostas pelo Estado, mas sim da maneira pela qual os cidadãos se engajaram com sua cidade, elas podem ser vistas como o resultado de uma intervenção democrática. Embora esse engajamento possa ser visto como uma forma de ação democrática, ele produziu sobretudo resultados não democráticos. A perversidade desse esforço dos cidadãos é que ele levou à segregação mais do que à tolerância.[32] Por outro lado, na medida em que os cidadãos constroem todo tipo

[32] O tipo de espaço não democrático criado em São Paulo por meios democráticos é similar às várias regulamentações segregacionistas formuladas pelos movimentos NIMBY (*Not In My Back Yard*) na Califórnia e analisadas por Davis (1990). No entanto, se Davis revela uma aguda sensibilidade em relação aos processos disjuntivos da democracia nessa análise, faz o oposto quando afirma que os espaços fortificados de Los Angeles são um resultado direto das políticas da era Bush-Reagan. O relacionamento entre política governamental e espaço da cidade é mais complicado do que isso, como mostra o caso de São Paulo.

de muros e controles nos espaços da cidade, eles criam limites à democratização. Através da criação de muros, os moradores recriam hierarquias, privilégios, espaços exclusivos e rituais de segregação onde eles acabaram de ser removidos da esfera política. Uma cidade de muros não é um espaço democrático. Na verdade, ela se opõe às possibilidades democráticas. Felizmente, no entanto, esse processo não é monolítico e há sempre a possibilidade de que espaços como a Praça da Sé se encham de novo com pessoas de todas as classes, como ocorreu quando elas se reuniram para derrubar o regime militar.

O estilo neo-internacional: São Paulo e Los Angeles

Na São Paulo contemporânea, os processos disjuntivos não diminuem o fato de que as fronteiras rígidas e policiadas e a crescente segregação dos grupos sociais criam um tipo de meio urbano que compromete os valores de abertura e liberdade de circulação e põe em risco as interações anônimas e impessoais entre pessoas de diferentes grupos sociais. Essas e outras transformações similares podem ser detectadas em muitas outras cidades ao redor do mundo, ainda que nem sempre com a mesma intensidade ou obviedade. De Johannesburgo a Budapeste, do Cairo à Cidade do México, de Buenos Aires a Los Angeles, processos semelhantes ocorrem: o erguimento de muros, a secessão das classes altas, a privatização dos espaços públicos e a proliferação das tecnologias de vigilância estão fragmentando o espaço da cidade, separando grupos sociais e mudando o caráter da vida pública de maneiras que contradizem os ideais modernos de vida urbana.[33] Da mesma maneira que esses ideais ajudaram a moldar cidades por todo o mundo, transformações daquele ideal semelhantes às que estão ocorrendo em São Paulo estão afetando atualmente o caráter do espaço urbano e da vida pública em vários lugares. Assim, é importante ampliar a discussão e incluir alguma comparação.

Los Angeles é um caso interessante para essa comparação por duas razões. Primeiro, vários dos novos instrumentos usados para impor segregação em várias cidades pelo mundo parecem ter sido desenvolvidos primeiramente em Los Angeles e sua região metropolitana. Considera-se mesmo que alguns desses instrumentos conferem à região seu caráter distintivo. Nesse sentido, eles são mais evidentes em L.A. que em outros lugares e podem nos ajudar a entender o processo que ainda está se desenvolvendo em cidades como São Paulo. Segundo, o espaço público não moderno de Los Angeles é menos explicitamente incivil que o de São Paulo e algumas de suas práticas de segregação podem não ser perceptíveis imediatamente. Nesse sentido, São Paulo oferece a forma mais clara e pode guiar a percepção de características de Los Angeles. Consequentemente, a justaposição

---

[33] Ver, por exemplo: sobre Johannesburgo, Beavon (1998) e Mabin (1998); sobre Budapeste, Ladányi (1998); sobre Buenos Aires, Lacarrieu (1997); sobre cidades americanas, Blakely e Snyder (1997), Davis (1990), Dumm (1993) e Ellin (1997).

dos dois casos ilumina ambos e sugere tendências mais gerais nas transformações do espaço público.[34]

Até a segunda metade do século XIX, tanto Los Angeles como São Paulo eram cidades insignificantes. A industrialização e a migração a partir da virada do século as transformaram em grandes regiões metropolitanas. Espacialmente, contudo, elas se desenvolveram de maneiras completamente diferentes. São Paulo cresceu de acordo com um modelo urbano orientado para o centro de linhagem europeia que só foi modificado recentemente. Em contraste, Los Angeles sempre foi dispersa e descentralizada, favorecendo os subúrbios. Ela sempre foi o que Fogelson (1967) chama de uma metrópole fragmentada. Los Angeles sintetiza o sentimento antiurbano americano, a valorização da natureza e uma preferência por comunidades de pequena escala, mesmo no contexto de uma metrópole global (Banham 1971, Weinstein 1996).[35] A região metropolitana se expandiu sob a forma de uma

> "colcha de retalhos de comunidades suburbanas de baixa densidade estendendo-se sobre um terreno extraordinariamente irregular de montanhas, vales, praias e desertos. Tanto unindo o tecido quanto conferindo-lhe sua elasticidade incomum estiveram, primeiramente, uma notável rede de ferrovias elétricas interurbanas e depois um sistema ainda mais notável de vias expressas." (Soja 1996a: 433-4)[36]

Apesar de a cidade sempre ter tido um centro, que cresceu ao redor do seu *pueblo* original do século XVIII e continua a concentrar as principais estruturas administrativas e um distrito financeiro dinâmico, seu relacionamento com o resto da cidade não é o de um centro tradicional. A região metropolitana de Los Angeles não tem um único centro, mas sim uma rede de núcleos dinâmicos. O centro renovado é apenas um dos centros financeiros e econômicos da região.[37] Tudo na região metropolitana, de habitação a indústria, foi sempre disperso e continuou a descentralizar à medida que a cidade crescia. Como resultado, a Los Angeles contemporânea é "polinucleada e descentralizada" (Soja 1989: 194). Esse padrão, que

---

[34] Não é minha intenção oferecer uma descrição detalhada da história e do padrão de urbanização de Los Angeles. Para mais detalhes, ver Banham (1971); Cenzatti (1992); Davis (1985, 1987, 1990, 1991 e 1993); Folgelson (1967); Kling *et al.* (1991); Scott (1993); Scott e Soja (1996); e Soja (1989, 1992 e 1996a e 1996b).

[35] "Los Angeles é a primeira cidade americana importante a se separar decisivamente dos modelos europeus e a revelar o impulso de privatização embutido nas origens da Revolução Americana (...) A ausência de uma ordem hierárquica integrada tanto no espaço construído quanto no meio institucional é em certo sentido a completa expressão do tipo de democracia que acompanha uma apoteose de privatização na qual a multiplicidade de partes que competem leva a uma textura uniforme da atividade política" (Weinstein 1996: 22, 30).

[36] Sobre o sistema de transporte de Los Angeles, ver Wachs (1996).

[37] Ver Davis (1991) e Soja (1989: cap. 9) sobre a importância do centro de L. A. na estruturação da região.

não é novo mas certamente não é comum para cidades industriais, tem sido evocado algumas vezes para caracterizar seu urbanismo como pós-moderno (Dear 1996: 85; Soja 1989 e 1996a). Como uma forma similar de expansão e estruturação urbanas aparece em outras regiões metropolitanas, ela se torna um modelo. Isso é sugerido, por exemplo, pela afirmação de Garreau de que "cada cidade americana que *está crescendo*, está crescendo ao estilo de Los Angeles, com múltiplos centros urbanos" (Garreau 1991: 3; grifo no original).

Apesar de o urbanismo de Los Angeles nunca ter sido denso e concentrado, até os anos 40 a expansão de residências e indústrias foi contida dentro dos limites do condado. Entre 1940 e 1970, a população da região metropolitana de Los Angeles triplicou, chegando a quase 10 milhões. Esse crescimento, no entanto, ocorreu na forma da suburbanização de massa, como é atestado pelo *boom* de incorporações de cidades, algumas delas já fechadas e fortificadas nos anos 60 (Soja e Scott 1996: 8-9). Boa parte dessa expansão foi sustentada pelo crescimento do complexo militar-industrial. Depois de 1970, apesar de as taxas de crescimento da população não terem sido tão altas, elas ainda eram as mais altas de todas as regiões metropolitanas americanas. Além disso, eram muito mais altas nos condados mais externos, especialmente em Orange County, do que em L.A. (Soja e Scott 1996: 11). Caracterizada por Soja como uma "urbanização periférica", essa expansão criou uma região multicentrada baseada na industrialização de alta tecnologia e pós-fordista, enclaves residenciais de luxo, imensos shopping centers regionais, ambientes programados para o lazer (parques temáticos, Disneyland), ligações com as principais universidades e com o Departamento de Defesa, e vários enclaves de mão de obra barata, a maioria de imigrantes (Soja 1989: caps. 8 e 9). O desenvolvimento das últimas três décadas na região metropolitana de Los Angeles é diferente do padrão de suburbanização residencial com dependência de empregos do centro. Ele exemplifica uma nova "exópole" na qual não só as residências, mas também os empregos, a produção e o consumo se expandiram na periferia e criaram núcleos relativamente independentes. O mesmo tipo de desenvolvimento começou a ser detectado na região metropolitana de São Paulo nos anos 80, apesar de numa escala menor.

A reestruturação urbana de Los Angeles acompanhou um processo de acelerada reestruturação econômica durante os anos 70 e 80, que a transformou no maior centro industrial dos Estados Unidos. Enquanto o resto do país estava se desindustrializando, o setor industrial de L.A. continuou a expandir-se. No entanto, essa expansão envolveu uma "mudança na organização industrial e na tecnologia das práticas fordistas-keynesianas de produção de massa e consumo de massa (...) para o que hoje se define cada vez mais como um sistema pós-fordista de produção flexível e desenvolvimento corporativo" (Soja 1996a: 438). Em outras palavras, a região passou por um complexo processo de desindustrialização e reindustrialização simultâneas. Além do mais, isso aconteceu concomitantemente à expansão pronunciada do setor de serviços. De 1969 a 1989, "o setor de serviços aumentou seu domínio de 45% para 58% de todos os empregos, fazendo de Los Angeles uma economia mais voltada para serviços do que a nação como um todo" (Ong e Blumemberg 1996: 318). Essa mudança rumo aos serviços indica tanto uma transformação na estrutura econômica da região quanto um novo papel internacional de

Los Angeles, que se tornou alvo de maciços investimentos estrangeiros, o maior centro urbano na costa do Pacífico e o segundo maior centro bancário dos Estados Unidos. Essas transformações ocorreram à medida que a região também recebia um maciço influxo de mão de obra imigrante da Ásia e América Latina, que transformou radicalmente a composição étnica e racial da região. A população do condado de Los Angeles "mudou de 70% de anglo-saxônicos para 60% de não anglo-saxônicos entre 1960 e 1990, a maioria morando em enclaves étnicos" (Soja e Scott 1996: 14). Em 1980, L.A. era a cidade mais racialmente segregada de todas as cidades americanas (Soja e Scott 1996: 10).

Como em muitas outras cidades globais (Sassen 1991), a reestruturação econômica de Los Angeles acentuou uma bifurcação no mercado de trabalho entre um crescente grupo de trabalhadores altamente especializados e com altos salários e uma massa de trabalhadores de baixa especialização e baixo salário, geralmente imigrantes sem documentos. Não é de surpreender, então, que a disparidade econômica, sempre uma característica da cidade, tenha se aprofundado recentemente. Apesar de o mesmo processo ter acontecido no país como um todo, revertendo ganhos sociais das décadas anteriores, ele foi especialmente acentuado em Los Angeles. Ong e Blumemberg (1996) mostram que entre 1969 e 1989 tanto a renda per capita como a renda média familiar aumentaram na cidade e eram mais altas que as médias nacionais. Entretanto, em Los Angeles a distribuição de renda era mais desigual. O coeficiente de GINI para Los Angeles aumentou de 0,368 em 1969 para 0,401 em 1979 e para 0,444 em 1989, enquanto as taxas nacionais foram, respectivamente, 0,349, 0,365, e 0,396 (Ong e Blumemberg 1996: 319). Ao mesmo tempo, a taxa de renda (*income ratio*) — ou seja, o percentual de renda indo para o quinto mais pobre de todas as famílias como uma porcentagem da renda indo para o quinto mais rico — caiu de 11,8% em 1969 para 9,7% em 1979 e para 7,8% em 1989.[38] A taxa de pobreza aumentou, pulando de 2,8% da população em 1969 para mais de 15% em 1989 e para uma estimativa de 23% em 1993 (Ong e Blumemberg 1996: 318-9, 322, 328). Os *homeless* tornaram-se uma característica da região, à medida que empregos foram perdidos no processo de reestruturação econômica, o estado de bem-estar foi desmantelado e o custo da moradia subiu (Wolch e Dear 1993; Wolch 1996). Dada a constituição étnica e racial da cidade contemporânea, não é surpresa verificar que a disparidade econômica "coincide com as divisões raciais e étnicas, deixando os afro-americanos, latinos e asiáticos desproporcionalmente representados na base da escada econômica" (Ong e Blumemberg 1996; 312). Apesar de os indicadores de desigualdade de Los Angeles ainda serem menores que os de São Paulo, as disparidades e desigualdades em ambas as regiões metropolitanas aumentaram à medida que as regiões passaram por crises econômicas e por reestruturação econômica. Só podemos nos perguntar se o padrão de Los Angeles coincide com o de São Paulo, onde as taxas mais agudas de desigualdade estão exatamente naquelas áreas em que o desempenho econômico e a reestruturação tiveram

---

[38] As taxas de renda para os Estados Unidos como um todo foram: 13,8% em 1969, 12,5% em 1979 e 10,3% em 1989.

mais sucesso e para onde os mais ricos estão se mudando para viver em enclaves fortificados.

Depois dos anos 80, ficou claro que outro tipo de urbanização estava acontecendo na região metropolitana de L.A. e que diferia sensivelmente tanto das formas urbanas centralizadas anteriores como da suburbanização residencial tradicional. Várias expressões foram inventadas para descrever o novo fenômeno: "urbanização periférica", "*Outer* (*versus Inner*) *Cities*", "exópoles", "*edge cities*", "pós-suburbano" etc. Para Edward Soja, que usa as três primeiras expressões, a descentralização de Los Angeles ultrapassa a própria região e se torna "globalizada" (1996a: 435). Ele argumenta, assim, que as novas dinâmicas urbanas requerem perspectivas analíticas completamente novas. Elas deveriam, por exemplo, ser capazes de explicar o papel de L.A. como "o maior centro produtivo e influente do mundo para a manufatura e marketing de hiper-realidade" (1996a: 435). Esse papel especializado da região se traduziria numa abrangente criação de parques temáticos e "*scamscape*".[39]

Entre as muitas características da urbanização periférica de L.A. que a separam do urbanismo industrial tradicional, uma particularmente importante é a ausência de um meio urbano densamente construído. Mesmo nos distritos centrais de L.A., que se desenvolveram basicamente de acordo com projetos modernistas, não há um tecido urbano denso cujos sólidos pudessem gerar espaços capazes de emoldurar o público e promover uma vida significativa de pedestres na rua. As ruas são largas e vazias e os carros circulam rapidamente. Caminhar é algo desencorajado e as massas urbanas não se congregam. A circulação no espaço público é sempre mediada pelo automóvel — geralmente individual e particular, já que o transporte público é limitado e certamente não é uma alternativa real para a maioria da população. A primazia do automóvel constrói ruas como espaços de circulação modernistas voltados para as máquinas, e, portanto, espaços para motoristas, não para pedestres. As ruas típicas na região de Los Angeles obviamente não são ruas-corredores: elas são geralmente largas, podem ter altos limites de velocidade, seus alinhamentos são truncadas por amplos espaços vazios e jardins, e, quando têm calçadas, estas são vazias. Esse é o tipo de rua criado por instrumentos modernistas em que o público é o que sobra. Como resultado,

> "a cidade é vivenciada como uma passagem através do espaço, com restrições estabelecidas pela velocidade e pelo movimento, e não pela condição estática dos sólidos, dos prédios que definem a experiência do pedestre nas cidades tradicionais. A indiferença resultante privatiza ainda mais a experiência, desvaloriza o domínio público e, devido ao tempo gasto em viagens, contribui para o isolamento." (Weinstein 1996: 35)

---

[39] As noções de Soja de hiper-realidade e simulacro, assim como as descrições de parques temáticos e *scamscapes*, estão especialmente desenvolvidas em sua análise de Orange County. Ver Soja (1992 e 1996b: cap. 8).

Mesmo onde as ruas-corredores proveem uma moldura, como no centro, a vida na rua é limitada: as atividades das pessoas ficam contidas nos prédios de escritórios e nas passagens subterrâneas e passarelas que conectam os prédios às lojas, restaurantes e hotéis. Em outras palavras, muitas funções da rua foram transferidas para espaços mais controlados e privatizados, e a separação entre o universo da riqueza e dos negócios e o da pobreza e dos *homeless* é imensa.[40]

Evidentemente, Los Angeles ainda tem áreas abertas e não-privatizadas de uso público relativamente intenso e que podem congregar uma massa considerável de pessoas. Entretanto, essas áreas parecem ser principalmente de dois tipos não modernos. Um são os espaços cada vez mais segregados e socialmente homogêneos e em que pessoas de um único grupo social circulam (sejam os parques latinos, sejam as áreas de lojas de luxo de Beverly Hills, por exemplo). Esses espaços não favorecem encontros heterogêneos anônimos. Outro são espaços especializados, principalmente para lazer e consumo, transformados em um tipo de parque temático, como a Promenade em Santa Monica ou o calçadão da praia de Venice. Estes constituem a categoria mais significativa de espaços que ainda permitem encontros anônimos e heterogêneos, e portanto pode-se indagar o que acontece à experiência urbana de encontrar o outro quando ela se torna algo extraordinário — ou seja, algo feito somente nos fins de semana e em espaços especiais — e não mais uma questão de rotina diária.

A maior parte da vida pública de L.A. acontece em espaços segregados, especializados e fechados, como shoppings, condomínios fechados, centros de entretenimento e parques temáticos de todos os tipos, em cuja criação Los Angeles foi pioneira.[41] Todos eles são espaços privatizados, administrados por empresas ou associações de proprietários cujos interesses conflitam com as administrações públicas. Além disso, como mostra David (1990: cap. 3), essas administrações privadas podem envolver-se em várias estratégias do tipo NIMBY (*Not In My Back Yard*) para "proteger seu investimento", conseguindo a aprovação de todos os tipos de legislação segregacionista para garantir a exclusividade de seus enclaves. Esses enclaves, geralmente para os mais ricos, existem em relação aos espaços deixados para a população mais pobre — os parques e ruas ocupados pelos *homeless*, os bairros pobres e habitados por vários grupos étnicos no centro, os territórios das gangues e os acampamentos de migrantes.[42] Em outras palavras, os ricos, os pobres e os in-

---

[40] A criação de um labirinto de caminhos subterrâneos e passarelas ligando edifícios do centro existe em várias cidades, como Atlanta, Minneapolis-Saint Paul e Toronto. Ver Boddy (1992) para uma análise das "cidades-análogas" formadas por essas passagens e o tipo de "*apartheid* espacial" que elas criam. Ver Rutheiser (1996) para uma análise do remodelamento do centro de Atlanta. Sobre a reprodução da desigualdade no centro de Los Angeles, ver Davis (1990).

[41] Sorkin (1992) fornece uma interessante coleção de estudos sobre diferentes tipos de parques temáticos e espaços de elite em várias cidades. Ver também Zukin (1991: capítulo 8).

[42] Argumentando contra o que chama de "narrativa de perda" do espaço público, Margaret Crawford (1995) alega que os moradores de Los Angeles estão continuamente refazendo o espaço público. Ela não acha que os espaços vazios impedem a sociabilidade e apresenta como exem-

tegrantes de diferentes grupos étnicos não se encontram em espaços comuns na Los Angeles contemporânea.

Los Angeles exemplifica a nova forma urbana de uma maneira muito mais explícita que São Paulo, onde o antigo urbanismo orientado para o centro ainda oferece um cenário para encontros anônimos e heterogêneos. Em L.A., as ruas são mais vazias e os novos tipos de espaços descentralizados produzem zonas de *apartheid* para diferentes grupos sociais O pós-subúrbio como um tipo de forma urbana não tem nada a ver com fronteiras "abertas e indeterminadas"; não tem nada a ver com a criação de espaços para a vitalidade do público heterogêneo. Os espaços pós-suburbanos têm a ver com delimitações e separações claras, fronteiras rígidas e encontros policiados e previsíveis. Los Angeles não é só fragmentada, ela é constituída por enclaves. Seu padrão pós-suburbano criou uma região metropolitana que é mais desigual e mais segregada que a maioria das cidades americanas. A separação é garantida mais por instrumentos de projeto modernista do que pelos muros, mas, apesar de estes serem mais sutis que os de São Paulo, eles geram o que Soja chama de "cidade carcerária" e que Davis rotula como "fortaleza L.A." (Soja 1996a: 448-50, Davis 1990: cap.4).

Comparada à de São Paulo, a fortificação de Los Angeles é branda. Onde bairros como o Morumbi usam muros altos, cercas de ferro e vigilantes armados, o West Side de Los Angeles usa principalmente alarmes eletrônicos e pequenos sinais anunciando "Resposta Armada". Enquanto a elite de São Paulo claramente se apropria de espaços públicos — fechando ruas públicas com correntes e outros obstáculos físicos e instalando guardas privados armados para controlar a circulação — a elite de L.A. ainda mostra algum respeito pelas vias públicas. No entanto, comunidades cercadas por muros que se apropriam de ruas públicas estão proliferando, e pode-se perguntar se o padrão mais discreto de separação e vigilância de Los Angeles não se relaciona em parte ao fato de que os pobres já vivem longe do West Side, enquanto no Morumbi eles vivem do outro lado da rua. Além disso, a polícia de Los Angeles — apesar de considerada uma das mais parciais e violentas dos Estados Unidos — ainda parece ser efetiva e não-violenta se comparada à de São Paulo.

Dois analistas de Los Angeles captaram as transformações no caráter de seu espaço construído e de sua vida pública de maneiras opostas e significativas. Charles Jencks defende o novo urbanismo e a necessidade de segregar espaços. Em contraste, Mike Davis enxerga na nova configuração "o fim do espaço público". Discordo de ambos, ainda que apoie muitos aspectos da análise de Davis.

Charles Jencks analisa as tendências recentes da arquitetura de Los Angeles em relação a um diagnóstico da configuração social da cidade. Para ele, o principal problema de L.A. é sua heterogeneidade, que inevitavelmente gera conflitos

---

plo de uso alternativo ou mesmo subversivo do espaço público em L. A. os vendedores ambulantes (que se apropriam de calçadas, esquinas e estacionamentos) e os sem-teto. Embora esses exemplos sejam obviamente de usos do espaço público, eles não são exemplos de usos heterogêneos, mas de segregação e exclusão. Os espaços usados pelos vendedores ambulantes e os sem-teto são espaços restantes, os únicos que os grupos mais marginalizados — aqueles excluídos das áreas prestigiadas e muradas — ainda podem apropriar.

étnicos crônicos e explica episódios como a rebelião de 1992 (1993: 88). Como ele considera essa heterogeneidade constitutiva da realidade de L.A., e como seu diagnóstico da situação econômica é pessimista, ele prevê que a tensão étnica irá aumentar, o ambiente se tornará mais defensivo e as pessoas vão lançar mão de meios de proteção cada vez mais diversificados e mesquinhos. Jencks vê a adoção de tecnologias de segurança como inevitável e como uma questão de realismo. Além disso, ele discute como essa necessidade está sendo transformada em arte por estilos que metamorfoseiam o material agressivo necessário para a segurança em "sinais ambíguos de beleza inventiva e 'não entre'" (1993: 89) e que projetam fachadas com os fundos para a rua a fim de camuflar o conteúdo das casas. Para ele, a resposta ao conflito étnico é: "arquitetura defensiva e realismo para com a rebelião" (1993: 89); esse realismo repousa nos arquitetos olharem para "o lado negro da divisão, do conflito e da decadência, e representarem algumas verdades indesejáveis" (1993: 91). Entre essas "verdades" está a afirmação de que a heterogeneidade e o conflito estão aqui para ficar, de que as promessas do *melting pot* não podem mais ser cumpridas. Nesse contexto, as fronteiras têm que ser tanto mais claras como mais fortemente defendidas.

> "Arquitetonicamente [Los Angeles] terá de aprender as lições de estética e en-formalidade de Gehry: como transformar necessidades desagradáveis como as cercas de alambrados em sinais divertidos e ambíguos de bem-vindo/não entre, beleza/espaço defensivo (...)
>
> A arquitetura defensiva, embora lamentável como tática social, também protege os direitos dos indivíduos e grupos ameaçados." (Jencks 1993: 93)

Jencks identifica a heterogeneidade étnica como a razão para os conflitos sociais de Los Angeles e vê a separação como uma solução. Seus argumentos fazem lembrar uma forma de raciocínio que Balibar (1991: 22-3), seguindo P. A. Taguieff, chama de racismo diferencialista. É um tipo de argumento que naturaliza não o pertencimento racial, mas a cultura e a conduta racista. Esse argumento considera que, já que as diferenças étnicas e culturais são insuperáveis, a tentativa de aboli-las geraria agressão e conflitos interétnicos. Como resultado, prossegue o argumento, para evitar o conflito as pessoas precisam "respeitar os 'limiares de tolerância', manter as 'distâncias culturais' ou, em outras palavras, de acordo com o postulado de que os indivíduos são os herdeiros e portadores de uma única cultura, segregar coletividades" (Balibar 1991: 22-3). O que Jencks propõe e admira na intervenção de alguns arquitetos e planejadores no meio urbano de L.A. é o desenvolvimento de uma estética de separação e de um espaço construído que impede encontros não programados e heterogêneos. É óbvio que ele não está interessado em alimentar nenhum dos ideais do público moderno, mas exatamente seu oposto.

Mas a arquitetura defensiva de Los Angeles também tem seus críticos, e o mais famoso deles é Mike Davis. Para Davis (1990, 1991, 1993), a desigualdade social e a segregação espacial são características centrais de Los Angeles, e sua expressão "Fortaleza L.A." se refere ao tipo de espaço que está sendo criado na cidade.

> "Bem-vindos à Los Angeles pós-liberal, onde a defesa de estilos de vida de luxo traduz-se em uma proliferação de novas repressões ao espaço e ao movimento, fortalecidas pelos ubíquos sinais de 'resposta armada'. Essa obsessão pelos sistemas de segurança físicos e, colateralmente, pelo policiamento arquitetônico das fronteiras sociais tornou-se um *zeitgeist* da reestruturação urbana, uma narrativa dominante no espaço construído emergente dos anos 90. (...) Vivemos em 'cidades-fortalezas' brutalmente divididas entre as 'celas fortificadas' da sociedade rica e os 'lugares do terror' onde a polícia combate os pobres criminalizados." (Davis 1990; 223-4)

Mike Davis atribui a Los Angeles cada vez mais segregada e privatizada a um plano da elite pós-liberal (ou seja, republicanos da era Reagan-Bush), e reitera esse tema em sua análise da rebelião de 1992 (Davis 1993). Para ele, a Los Angeles contemporânea representa uma "nova guerra de classes ao nível do espaço construído" e demonstra que a "forma urbana está de fato seguindo uma função repressiva na esteira política da era Reagan-Bush. Los Angeles, em seu modo prefigurativo, oferece um catálogo especialmente inquietante das ligações emergentes entre a arquitetura e o estado policial americano" (Davis 1990: 228).

O texto de Davis é marcado por uma indignação sustentada por uma riqueza de evidências. No entanto, ele às vezes comprime processos sociais complexos em um cenário simplificado de guerra, que suas próprias descrições desmentem. A coincidência da segregação atual de São Paulo com a democratização política recomenda ceticismo em afirmar uma correspondência direta entre intenções políticas e transformações urbanas. Mas apesar dessa limitação, Davis elabora uma crítica notável da segregação espacial e social, e associa a configuração urbana emergente aos temas cruciais da desigualdade social e opções políticas. Para ele, não há nada inevitável em relação à "arquitetura-fortaleza", e ela tem consequências profundas na maneira pela qual o espaço público e as interações públicas são moldados.

Tanto em São Paulo como em Los Angeles, o espaço público criado pelos enclaves e instrumentos de estilo "defensivo" alimenta a reprodução de desigualdades, isolamento e fragmentação.[43] Como ordens urbanas baseadas no enclausuramento e no policiamento de fronteiras, essas cidades negam os valores básicos do ideal moderno. Percebendo como o meio urbano contemporâneo de Los Angeles conflita com o público moderno, Davis o considera a "destruição do espaço público" (Davis 1990: cap. 4). Mas essa frase evita muitas questões. Estamos lidando com a destruição do espaço público em geral ou com a criação de outro tipo de espaço público, que não é democrático, que não tolera indeterminação e nega os ideais modernos de abertura, heterogeneidade e igualdade? Afinal, o tipo soviético

[43] Discordo do argumento de Sorkin (1992: xii-xiii) de que na "nova cidade recombinante" a ordem social não possa ser lida na forma urbana. Desigualdade e separação social são facilmente legíveis no novo meio urbano, embora elas sejam certamente expressas num vocabulário não moderno.

de espaço modernista monumental em Moscou ou Varsóvia e o tipo modernista de Brasília ainda são públicos, apesar de não modernos.[44] Da mesma maneira que a cidade industrial não inventou o espaço público mas apenas sua versão moderna, a atual destruição do espaço público moderno está levando não ao fim do espaço público, mas à criação de um outro tipo. Privatização, enclausuramento e instrumentos de distanciamento oferecem meios não só de se retirar e de se minar um certo espaço público (moderno), mas também de se criar uma outra esfera pública: uma esfera que é fragmentada, articulada e garantida com base em separação e toda uma parafernália técnica, e na qual a igualdade, a abertura e a acessibilidade não são valores básicos. Os novos espaços estruturam a vida pública em termos de desigualdades reais: as diferenças não devem ser descartadas, tomadas como irrelevantes, deixadas sem atenção ou disfarçadas a fim de sustentar ideologias de igualdade universal ou mitos de pluralismo cultural pacífico. O novo meio urbano impõe desigualdades e separações. É um espaço público não democrático e não-moderno.

É claro que muitos daqueles que analisaram as novas características do urbanismo de Los Angeles, como Edward Soja (1996a e b) e Michael Dear (1996), simplesmente as chamariam de pós-modernas. No entanto, ao fazer isso, eles enfatizam certos aspectos da vida de L.A. como flexibilidade, sincretismo cultural, "heterodoxia social" e ausência de fronteiras que contradizem diretamente os aspectos que venho enfatizando. Apesar de esses aspectos também serem parte da vida pública de L.A., eles não são as principais características que servem para organizar o espaço construído. A noção de pós-moderno é geralmente associada a experiências de fluidez e ausência de fronteiras; o espaço urbano atual de L.A. é marcado por características opostas.[45]

São Paulo e Los Angeles provavelmente têm tantas diferenças quanto similaridades. Apesar disso, a justaposição dos dois casos é especialmente sugestiva. Suas similaridades sugerem que padrões de segregação e reestruturação urbana não podem ser entendidos apenas como respostas locais a processos locais. Diferentes cidades constituem seu meio urbano e seus espaços públicos em um amplo diálogo, usando instrumentos que são parte de um repertório comum. O modelo de cidade-jardim, a arquitetura e o planejamento modernistas, e agora os enclaves fortifica-

---

[44] A ideia do "fim do espaço público" aparece em outros livros recentes, como, por exemplo, no subtítulo da coleção de ensaios organizada por Sorkin (1992). Dos autores representados nesse volume, Davis é o único que aborda o tema diretamente. No entanto, várias outras análises aludem implicitamente à transformação do espaço público, considerando o tipo de parque temático que estudam como "análogo", "substituto", "teatral" etc., ou seja, de alguma forma como espaços públicos falsos. Nessas análises há uma desistoricização do espaço público, na medida em que sua forma moderna aparece como espaço público em geral. Historicizar a noção de espaço público ajuda tanto a evitar a nostalgia quanto a entender as transformações atuais. Para uma discussão mais longa de *Variations on a Theme Park*, ver Caldeira (1994).

[45] Não entro aqui em discussões sobre arquitetura pós-moderna, da qual Los Angeles oferece numerosos exemplos. O foco da minha análise são as formas urbanas e não os estilos arquitetônicos, embora o espaço público de *apartheid* possa ser parcialmente moldado pelos edifícios do estilo arquitetônico pós-moderno.

dos, "pós-subúrbios" e parques temáticos são parte de um repertório do qual diferentes cidades ao redor do mundo estão tomando elementos. Em outras épocas, houve outros elementos nesse repertório, como a Lei das Índias, a rua-corredor e os bulevares haussmannianos. O uso de formas do repertório contemporâneo articula uma forte separação de grupos sociais, em um processo que transcende o espaço construído. O medo do crime e a produção de estereótipos de outros perigosos (os pobres, os migrantes etc.) são outras dimensões do mesmo processo. O intenso medo do crime do paulistano, as altas taxas de violência da cidade e seus altos muros podem nos falar sobre tendências semelhantes em Los Angeles, mesmo que sob formas mais brandas. Em São Paulo as tensões são mais altas do que em L.A. porque o gueto não está tão enclausurado, as desigualdades são maiores, a violência é mais ampla e o antigo urbanismo ainda mantém as massas nas ruas.

As diferenças entre as duas cidades, no entanto, indicam as histórias específicas e as escolhas de cada sociedade. Enquanto Los Angeles é uma região metropolitana que parece ter sempre favorecido a dispersão, a suburbanização e a privatização, São Paulo desenvolveu-se de acordo com um modelo europeu que valoriza o centro, onde as principais atividades econômicas e as residências das elites estavam concentradas. Quando a cidade se expandiu, os pobres foram mandados para longe, mas a elite permaneceu no centro. Apesar da importância de o centro ter sido um princípio organizador da cidade desde suas origens como uma vila colonial, o espaço urbano de São Paulo é composto de várias camadas de experimentos. Ele expandiu-se rapidamente e sem muita preocupação com a preservação histórica, como prova exemplarmente a Avenida Paulista e suas duas encarnações: uma de mansões para os barões do café e outra para as sedes modernistas de empresas. O espaço da cidade carrega vários tipos de inscrições: um centro velho com plano e edifícios de inspiração neoclássica; o projeto de estilo cidade-jardim para bairros da classe alta; algumas avenidas inspiradas em bulevares haussmannianos; inúmeros prédios modernistas; a arquitetura vernacular das casas autoconstruídas; a improvisação das favelas; e o desenho de inspiração pós-moderna dos enclaves fortificados contemporâneos. Alguns desses elementos deixaram uma forte marca no espaço urbana, pois foram capazes de ditar sua reestruturação. O impacto mais importante dos enclaves fortificados parece ser exatamente este: eles alteram o princípio de centralidade que sempre organizou o espaço da cidade. Depois da abertura rumo à periferia nos anos 40 (inspirada por Haussmann), o investimento atual nas *outer cities* e nos enclaves é provavelmente a mudança mais radical no espaço construído, mudança que inaugura um novo padrão de segregação. A justaposição com Los Angeles indica que os instrumentos gerando esse novo padrão em São Paulo não são exclusivamente locais, mas parte de um repertório mais amplo. Ela também sugere que estamos lidando não com uma mudança de estilo dos projetos, mas com uma mudança no caráter do espaço público. A nova forma urbana desafia o espaço público moderno e democrático.

Apesar de projetos políticos nem sempre poderem ser lidos diretamente no meio urbano, especialmente devido a seu multifacetamento, os instrumentos disponíveis no meio urbano estão relacionados a diferentes projetos políticos. Usá-los, no entanto, pode não significar necessariamente atingir o objetivo pretendido. De fato, o autoritário Haussmann criou espaços democráticos em Paris (Clark 1984) e os modernistas socialistas criaram espaços vazios não democráticos em Brasília e em muitos outros lugares do mundo (Holston 1989). De que modo forma urbana e processos políticos coincidem em cidades com São Paulo e Los Angeles, e de que modo eles divergem? Que processos democráticos podem estar se contrapondo às transformações urbanas e vice-versa? Se as desigualdades sociais parecem organizar o meio urbano em vez de serem postas de lado pela tolerância às diferenças e por fronteiras indeterminadas, que tipo de modelo podemos adotar para o público? A democracia ainda é possível nessa nova cidade de muros? Que tipo de comunidade política corresponderá à nova esfera pública fragmentada em que os interesses são expressos privadamente — por associações de proprietários, por exemplo — e na qual se torna difícil defender o bem comum?

Espaço público contraditório

Apesar de suas especificidades, São Paulo e Los Angeles são hoje mais socialmente desiguais e mais dispersas do que costumavam ser, e muitas das mudanças nos seus espaços urbanos estão causando separação entre grupos sociais, que estão cada vez mais confinados a enclaves homogêneos. Privatização e fronteiras rígidas (tanto materiais como simbólicas) fragmentam continuamente o que costumavam ser espaços mais abertos, e servem para manter os grupos separados.

No entanto, a experiência do espaço urbano não é a única experiência dos moradores dessas cidades, e certamente não é sua única experiência seja de diferença social seja de democracia. Uma das características de Los Angeles repetidamente enfatizada por seus analistas é seu multiculturalismo, a presença de um número expressivo de diferentes grupos étnicos mudando a feição de uma cidade outrora predominantemente branca (anglo). Essas são as características destacadas por aqueles que, como Soja e Dear, veem o urbanismo pós-moderno de uma perspectiva positiva, em vez de enfatizar seus aspectos mais negativos, como Davis tende a fazer. Soja (1996a), por exemplo, fala sobre um novo sincretismo cultural (latino, asiático), fusão cultural e a construção de coalizões. Há também a fala sobre o hibridismo e as culturas de fronteira. Alguns mencionam a importância dos meios de comunicação de massa e das novas formas de comunicação eletrônica e seu papel em borrar fronteiras e encurtar distâncias, não apenas em L.A., mas em todo lugar. Em São Paulo, a oposição aos impulsos segregacionistas e antidemocráticos do espaço urbano vem em parte também da mídia, mas principalmente de outras fontes: do processo de democratização, da proliferação de movimentos sociais e da expansão dos direitos de cidadania das classes trabalhadoras e de várias minorias.

Tanto em São Paulo como em Los Angeles, portanto, podemos detectar processos sociais opostos: alguns promovendo tolerância à diferença e à flexibilização de fronteiras e alguns promovendo segregação, desigualdade e policiamento de fronteiras. Na verdade, temos nessas cidades uma democracia política com muros urbanos; procedimentos democráticos usados para promover segregação, como nos movimentos NIMBY; e multiculturalismo e formações sincréticas com zonas de *apartheid* promovidas por enclaves segregados. Esses processos opostos não estão desconectados mas sim tensamente ligados. Eles expressam as tendências contraditórias que caracterizam as duas sociedades. Ambas estão passando por transformações significativas. Ambas foram modificadas pela abertura e flexibilização de fronteiras (migração e reestruturação econômica em Los Angeles, e democratização, crise econômica e reestruturação em São Paulo). Se olharmos por um momento para outras cidades ao redor do mundo onde os enclaves estão aumentando, vemos que algumas estão passando por processos parecidos de transformação e democratização profundos (Johannesburgo e Buenos Aires, por exemplo). A desestabilização de fronteiras é perturbadora, especialmente para a elite. O seu movimento de construir muros é, portanto, compreensível. O problema é que as consequências da fragmentação, da privatização e dos muros são severas. Uma vez que os muros são construídos, eles alteram a vida pública. As mudanças que estamos vendo no espaço urbano são fundamentalmente não democráticas. O que está sendo reproduzido no espaço urbano é segregação e intolerância. O espaço dessas cidades é a principal arena na qual essas tendências antidemocráticas são articuladas.

Entre as condições necessárias para a democracia está a de que as pessoas reconheçam aqueles de grupos sociais diferentes como concidadãos, com direitos equivalentes apesar de suas diferenças. No entanto, cidades segregadas por muros e enclaves alimentam o sentimento de que grupos diferentes pertencem a universos separados e têm reivindicações irreconciliáveis. Cidades de muros não fortalecem a cidadania, mas contribuem para sua corrosão. Além disso, esse efeito não depende diretamente nem no tipo de regime político nem das intenções daqueles no poder, já que o desenho dos enclaves e muros traz em si mesmo uma certa lógica social. As novas morfologias urbanas do medo dão formas novas à desigualdade, mantêm os grupos separados e inscrevem uma nova sociabilidade que contradiz os ideais do público moderno e suas liberdades democráticas. Quando o acesso a certas áreas é negado a algumas pessoas e quando grupos diferentes não interagem no espaço público, as referências a ideais de abertura, igualdade e liberdade como princípios organizadores da vida social não são mais possíveis, mesmo como ficção. As consequências da nova separação e restrição na vida pública são sérias: ao contrário do que pensa Jencks (1993), a arquitetura e o planejamento defensivos promovem o conflito em vez de evitá-lo, ao tornarem explícitas as desigualdades sociais e a falta de referências comuns. Na verdade, podemos argumentar que a rebelião de Los Angeles foi causada pela segregação social, não pela falta de separação e de defesas.[46]

Se as experiências de separação expressas no meio urbano se tornarem hegemônicas em suas sociedades, elas se distanciarão da democracia. No entanto, dada a disjunção entre os diferentes tipos de experiências em cidades como Los Angeles e São Paulo, há também a esperança de que o contrário possa acontecer: que as experiências de borrar fronteiras e de democratização acabem se estendendo ao espaço urbano.

---

[46] Soja, por exemplo, interpreta os distúrbios de 1992 como o primeiro movimento de resistência ao pós-modernismo e ao pós-fordismo conservadores (1996a: 459).

Parte IV

VIOLÊNCIA, DIREITOS CIVIS E O CORPO

9.

VIOLÊNCIA, O CORPO INCIRCUNSCRITO E O DESRESPEITO AOS DIREITOS NA DEMOCRACIA BRASILEIRA

A experiência da violência é uma experiência de violação de direitos individuais ou civis, e portanto afeta a qualidade da cidadania brasileira. Analisei o aumento da violência e do medo do crime em São Paulo de uma série de perspectivas interligadas, e concluo considerando-os a partir do ponto de vista da democracia. A violência e o desrespeito aos direitos civis constituem uma das principais dimensões da democracia disjuntiva do Brasil. Ao denominá-la disjuntiva, James Holston e eu (1998) chamamos atenção para seus processos contraditórios de simultânea expansão e desrespeito aos direitos da cidadania, processos que de fato marcam muitas democracias do mundo atual (Holston, manuscrito). A cidadania brasileira é disjuntiva porque, embora o Brasil seja uma democracia política e embora os direitos sociais sejam razoavelmente legitimados, os aspectos civis da cidadania são continuamente violados.[1]

Neste capítulo analiso um dos aspectos cruciais da disjunção da cidadania brasileira: a associação da violência ao desrespeito aos direitos civis e a uma concepção de corpo que chamo de "corpo incircunscrito". Para elaborar meus argumentos, analiso duas questões interligadas que vieram à tona *depois* do início do regime democrático, no início dos anos 80. A primeira é a ampla oposição aos defensores dos direitos humanos. A segunda é a campanha pela introdução da pena de morte na Constituição brasileira. Por trás dessas duas questões estão o aumento do crime violento e do medo, e as tendências urbanas na direção da fortificação e de novos modos de segregação que analisei nos capítulos anteriores. Nesses debates, um tema central são os limites (ou falta de limites) para a intervenção no corpo do criminoso. Ao discutir as ideias das pessoas sobre como o corpo do criminoso deve ser tratado e punido, espero iluminar concepções mais difundidas do corpo e de direitos.

Meu interesse em analisar a associação de violência, direitos e corpo deriva de dois conjuntos de preocupações interligados. Primeiro, procuro entender o caráter da cidadania democrática brasileira e o papel que a violência desempenha nela. Segundo, quero fazer esse conhecimento dialogar com teorias de cidadania e direi-

---

[1] Adoto a clássica distinção de Marshall (1965 [1949]) entre as dimensões civil, política e social da cidadania. A dimensão civil refere-se aos direitos necessários para a liberdade individual, para a asserção da igualdade perante a lei e aos direitos civis em geral; a dimensão política refere-se ao direito de participar de organizações políticas, de votar e de candidatar-se a cargos políticos; a dimensão social refere-se aos direitos associados ao estado do bem-estar social. Ver capítulo 8, nota 5. Para a argumentação completa sobre a democracia disjuntiva, ver Holston e Caldeira (1998).

tos. Abordo esses temas como antropóloga. Analiso a cidadania e a violência como experiências vividas pelos moradores de São Paulo, isto é, como maneiras específicas pelas quais os paulistanos interagem com noções disponíveis de direitos, justiça, punição e dor, e ao fazer isso criam um certo tipo de corpo político à medida que reproduzem um certo tipo de corpo. Construo essa análise como um diálogo com teorias de direitos e violência, um diálogo cujo resultado esperado não é apenas elucidar a experiência de São Paulo, mas também problematizar noções de cidadania e democracia. Como essas noções são formuladas com base numa experiência específica da Europa ocidental ou dos Estados Unidos, aplicá-las diretamente a um país como o Brasil resulta apenas em vê-lo como um modelo de modernidade fracassada ou incompleta. Em vez de considerar apenas um modelo de cidadania, democracia ou modernidade, sugiro que diferentes sociedades têm diversas maneiras de usar elementos geralmente disponíveis num repertório comum da modernidade para criar suas nações, cidadanias e democracias específicas. A peculiaridade do uso brasileiro desses elementos vem do fato de que os direitos sociais (e secundariamente os direitos políticos) são historicamente muito mais legitimados do que os direitos civis e individuais e de que a violência e as intervenções no corpo são amplamente toleradas. Essa tolerância em relação à manipulação de corpos, a proliferação da violência e a deslegitimação da justiça e dos direitos civis estão intrinsecamente ligadas.

Direitos humanos como "privilégios de bandidos"

O desrespeito aos direitos humanos é comum no Brasil, como mostram os dados absurdos de abusos policiais. Embora esse desrespeito não esteja de forma alguma restrito ao abuso policial e ao universo do crime, focalizo essas áreas pois é aí que os direitos humanos vieram a ser explicitamente rechaçados por muitos brasileiros no contexto democrático.[2] Embora a violação dos direitos humanos seja comum no mundo contemporâneo, opor-se aos direitos humanos e concebê-los como algo ruim, mesmo reprovável, no contexto de uma democracia política é algo único. Entender como isso foi possível e como os direitos humanos foram transformados de direitos legítimos em "privilégios de bandidos" é entender vários elementos da cultura e da vida política brasileira. Foco essa discussão no caso de São Paulo, mas como alguns dos temas de que trato são certamente mais amplos, algumas vezes refiro-me ao Brasil em geral.

Embora os direitos humanos sejam em teoria um valor universal, na verdade eles são cultural e politicamente interpretados e modificados, como são os direitos civis em geral. Essa interpretação não é predeterminada: em São Paulo, a defesa dos direitos humanos ajudou tanto a ampliar o reconhecimento dos direitos (durante o

---

[2] Outras dimensões do desrespeito aos direitos humanos no Brasil, como violência doméstica, violência rural, escravidão e abusos de crianças, homossexuais, mulheres e grupos indígenas são documentadas por organizações de direitos humanos tanto nacionais quanto internacionais. Elas também são reconhecidas pelo governo federal brasileiro em seu Plano de Direitos Humanos.

regime militar) quanto a contestá-los (sob o regime democrático). Em outras palavras, o significado dos direitos humanos depende de como o conceito é articulado politicamente em contextos específicos.

Defensores de direitos humanos não foram estigmatizados no passado, quando os casos que defendiam eram os de presos políticos de classe média e quando a abertura estava apenas começando. Ao contrário, o respeito pelos direitos humanos era uma reivindicação importante do movimento político que levou ao fim do regime militar. Na época (final dos anos 70), o respeito pelos direitos de prisioneiros políticos estava sendo exigido por vários grupos seguindo a liderança de intelectuais, políticos de centro e esquerda, a Igreja Católica e sua Comissão de Justiça e Paz, e associações civis, como o Movimento Feminino Pela Anistia e a OAB — Ordem dos Advogados do Brasil.[3] A atenção aos direitos de prisioneiros comuns não era incluída nas exigências, apesar de a violação a seus direitos ser rotineira. A campanha pela anistia de presos políticos — muitos dos quais foram torturados e mantidos como prisioneiros sem um julgamento ou mesmo um mandado judicial — interligou-se a outros movimentos políticos que exigiam o retorno a um regime constitucional, eleições livres e diretas, liberdade de expressão, fim da censura, liberdade de organização de partidos políticos e sindicatos e assim por diante, que culminaram na derrocada do regime militar.

Depois que a Lei da Anistia foi aprovada em 1979 e os presos políticos foram libertados, e à medida que a democracia eleitoral começou a se consolidar, grupos defensores dos direitos humanos (aqueles mencionados acima mais o recém-criado Centro Santo Dias e a Comissão Teotônio Vilela) voltaram sua atenção e ação para os presos comuns, que continuam a ser torturados e forçados a viver em condições degradantes até os dias atuais.[4] Ao mudar o foco de sua ação, os grupos que defendiam direitos humanos ampliaram de forma significativa o âmbito de suas atividades. Isso parece não ter acontecido em outros países latino-americanos ou em outras sociedades recém-democratizadas, onde os debates sobre os direitos humanos continuam ligados às atividades dos regimes autoritários depostos.[5] No entanto, a ideia de se garantir direitos humanos a "criminosos" revelou-se inaceitável para a maioria dos moradores de São Paulo.

Na década de 80, portanto, não foi a ideia dos direitos em si que foi contestada, nem mesmo a ideia de direitos humanos em geral. Os direitos humanos foram

---

[3] O desrespeito aos direitos humanos de presos políticos no Brasil durante o regime militar está documentado em Arquidiocese de São Paulo (1986).

[4] O desrespeito aos direitos humanos nas prisões brasileiras está documentado em Americas Watch Committee (1987 e 1989), Anistia Internacional (1990) e Comissão Teotônio Vilela (1986).

[5] Em países como Chile, Argentina e África do Sul, os movimentos por direitos humanos continuaram preocupados em tratar dos abusos dos regimes anteriores. Para a história do movimento pelos direitos humanos na América Latina, ver Sikkink (1996). No Brasil, esse tipo de movimento foi menor. Só depois de 1995 (isto é, vinte anos depois do início do processo de abertura), o governo Cardoso reabriu casos de violações de direitos humanos contra presos políticos e ofereceu indenização às famílias de pessoas mortas pelo regime militar.

contestados apenas quando associados a presos não políticos. Portanto, é para a imagem do criminoso e do sistema judiciário que se deve olhar a fim de entender como os direitos humanos foram interpretados e então rejeitados pela população. Essa investigação revela a fragilidade dos direitos individuais e civis no Brasil.

O principal ataque aos direitos humanos, que consolidou as imagens negativas ainda muito presentes junto à população, foi originalmente articulado durante o governo de Franco Montoro no estado de São Paulo. Montoro, o primeiro governador eleito depois do regime militar, lutou pelo retorno ao estado de direito e, uma vez eleito, tentou não só controlar os abusos policiais como também melhorar as condições das prisões em São Paulo (ver capítulo 5). Foi durante sua administração (1983-1987) que o crime violento aumentou significativamente em São Paulo e que a preocupação com o crime veio para o centro dos debates políticos. A oposição política a Montoro e seu partido político — inicialmente o PMDB e depois o PSDB — assim como a resistência ao processo de consolidação democrática vieram a ser expressas em termos da questão dos direitos humanos. Enquanto Montoro era apoiado por grupos de direitos humanos e partidos de centro e esquerda, os políticos de direita acusavam-no e a seus aliados de protegerem criminosos. Nessa campanha, os direitos humanos foram chamados de "privilégios de bandidos".

Montoro escolheu um conhecido defensor de presos políticos e dos direitos humanos, José Carlos Dias, para ser seu secretário da Justiça. Durante os três anos (1983-1986) em que exerceu o cargo, Dias e sua política de "humanização de presídios" foram alvo de intensa oposição. Esta foi articulada e expressa pelos meios de comunicação de massa, especialmente em programas de rádio especializados na narração de crimes (um dos mais famosos deles o de Afanasio Jazadji) e em jornais como *O Estado de S. Paulo*. Entre as medidas mais controversas de Dias para defender os direitos dos presos estão as seguintes: a criação de comissões de representantes dos presos eleitas oficialmente; a instalação de caixas de correio dentro de prisões para os reclusos enviarem reclamações diretamente para a Corregedoria sem a intermediação da administração da prisão; e a adoção de "visitas íntimas" para presos (nas quais eles poderiam ter relações sexuais com suas parceiras). Além disso, o secretário foi criticado por causa de seu relacionamento direto com os reclusos, incluindo sua participação num debate televisionado com eles. Portanto, a defesa dos direitos humanos para presos comuns tornou-se uma questão publicamente debatida e, mais ainda, política do estado. A perspectiva da administração foi resumida na ideia de que os presos tinham direitos (humanos) a ser protegidos. De acordo com Dias, uma das mais importantes realizações de sua administração foi transmitir ao preso

> "nossa convicção de que ele é um cidadão, embora com os direitos restringidos por uma sentença condenatória. Ele foi condenado a perder sua liberdade, mas só isso, e de acordo com os limites da sentença. Ele não foi condenado às humilhações e outros tipos de violência que ocorrem dentro da prisão." (Entrevista, 10 de setembro, 1990)

Oponentes a essa visão articularam habilmente nos meios de comunicação de massa uma série de preconceitos, estereótipos e crenças compartilhadas por grandes parcelas da população. Seguem três exemplos desse discurso. O primeiro é parte de um manifesto da Associação dos Delegados de Polícia do Estado de São Paulo dirigido à população da cidade em 4 de outubro de 1985. O manifesto apareceu um mês antes das eleições à prefeitura de São Paulo e no contexto das tentativas do governo Montoro de reformar a polícia.

> "Os tempos atuais são de intranquilidade para você e de total garantia para os que matam, roubam, estupram. A sua família é destroçada e o seu patrimônio, conseguido à custa de muito sacrifício, é tranquilamente subtraído. E por que isto acontece? A resposta você sabe. Acreditando em promessas, escolhemos o governador errado, o partido errado, o PMDB. Quantos crimes ocorreram em seu bairro e quantos criminosos foram por eles responsabilizados? Esta resposta você também sabe. Eles, os bandidos, são protegidos pelos tais 'direitos humanos', coisa que o governo acha que você, cidadão honesto e trabalhador, não merece."

O segundo exemplo vem de um artigo na *Folha de S. Paulo*, em 11 de setembro de 1983. Ele foi escrito por Antonio Erasmo Dias, secretário de Segurança Pública por dois mandatos durante o regime militar, deputado durante o período de democratização, membro ativo do "bloco de segurança" que apoia a polícia violenta e lobbista da indústria de segurança privada (ver capítulo 5).

> "A insatisfação da população quanto à polícia, exigindo inclusive uma atuação sua mais 'dura', no que pode ser considerado responsabilidade do governo Montoro, decorre da filosofia alardeada dos 'direitos humanos' aplicada de modo unilateral mais em proveito de bandidos e marginais. Filosofia que privilegia o marginal, dando-lhe o 'direito' de andar armado, assaltando, matando e estuprando."

O terceiro exemplo vem do programa diário de Afanasio Jazadji, um dos radialistas mais populares de São Paulo. Jazadji define a si mesmo como um repórter policial e costumava apresentar um programa no qual narrava crimes. Ele é conhecido por sua voz grave, pela maneira desrespeitosa com que se refere a suspeitos, por sua defesa da polícia e da pena de morte, e por sua oposição radical aos direitos humanos. Ele se opôs à política de humanização das prisões, à reforma da polícia e a algumas outras inovações do governo Montoro, como as delegacias da mulher. Sua influência é evidente: as pessoas que entrevistei muitas vezes o mencionavam para justificar suas opiniões, e em 1986, numa campanha baseada totalmente em ataques aos direitos humanos e às políticas de Montoro, Jazadji foi o candidato mais votado para a Assembleia Legislativa (300 mil votos na cidade de São Paulo e mais de meio milhão no estado). Ele também é membro do "bloco de segurança". A citação a seguir vem de um programa na Rádio Capital em 25 de abril de 1984, o dia em que o Congresso Nacional votou para negar à população o direito de votar para presidente.

"Tinha que pegar esses presos irrecuperáveis, colocar todos num paredão e queimar com lança-chamas. Ou jogar uma bomba no meio, pum!, acabou o problema.[6] Eles não têm família, eles não têm nada, não têm com que se preocupar, eles só pensam em fazer o mal; e nós vamos nos preocupar com eles!? (...) Esses vagabundos, eles nos consomem tudo, milhões e milhões por mês; vamos transformar esse dinheiro em hospitais, creches, orfanatos, asilos, dar uma condição digna a quem realmente merece ter essa dignidade. Agora, para esse tipo de gente... gente? Tratar como gente!, estamos ofendendo o gênero humano!"

Esses adversários dos direitos humanos operam com as categorias, preconceitos e estratégias da fala do crime. Eles articulam seus discursos com base nas categorias estereotipadas associadas à oposição do bem contra o mal. Já as pessoas que defendem os direitos dos presos com base num discurso humanitário (tal como José Carlos Dias) apoiam-se em relativizações e insistem em considerar as várias dimensões de uma situação — "eles são cidadãos, embora com seus direitos restringidos", "eles devem ser punidos, mas apenas dentro dos limites da lei". O primeiro tipo de discurso provou ser infinitamente mais popular.

Os discursos contra os direitos humanos usam basicamente três estratégias. A primeira é negar a humanidade dos criminosos. Os detentos são representados como aqueles que cometeram os crimes mais violentos (homicídio, estupro) e portanto como pessoas que violaram a natureza humana, que são dominadas pelo mal e pertencem apenas ao espaço do crime: eles não têm família, nenhuma ligação com os outros, nada; eles "ofendem o gênero humano". A discussão nunca se refere a crimes menos sérios, embora seja óbvio que as prisões não são ocupadas só por assassinos e estupradores. Exemplos moderados não servem à fala do crime nem às classificações radicais pelas quais o criminoso é colocado à margem da humanidade, da sociedade e da comunidade política. Tanto a fala do crime quanto o discurso contra os direitos humanos apoiam-se em simplificações e estereótipos para criar um criminoso simbólico que seja a essência do mal. Do outro lado do debate, argumentos a favor dos direitos humanos tentam confrontar esses estereótipos arraigados. Seu maior desafio é afirmar que os criminosos são inteiramente humanos — algo de que muitas pessoas discordam.

A segunda estratégia usada por aqueles que atacam os direitos humanos é associar os esforços da administração do estado para impor o estado de direito, controlar a polícia, reformar prisões e defender os direitos humanos ao fato de que o crime aumentou. Em outras palavras, a própria democratização era responsabilizada pelo aumento do crime e da violência. O sucesso dessa associação foi responsável não só pelo aumento da oposição à administração Montoro, mas também por tornar mais difícil para sua administração garantir o estado de direito.

---

[6] Essa imagem é semelhante àquela usada na entrevista que analisei no capítulo 1: a de que um pouco de querosene e um fósforo resolveriam o problema das favelas e do crime.

A terceira linha de ataque, e o cerne do argumento, é comparar as políticas de humanização das prisões à concessão de privilégios para bandidos. Esta é uma posição popular porque faz eco à experiência dominante do sistema judiciário da maioria da população. Embora as classes trabalhadoras estejam começando a usar a lei, e a arena legal tenha assistido a uma série de novos experimentos que pela primeira vez estão beneficiando-as, essas experiências não são suficientes para mudar a imagem negativa das instituições da ordem e a falta de confiança generalizada na justiça.[7] A maioria das pessoas acredita que "a justiça é uma piada", e que tanto a polícia quanto o judiciário favorecem as classes altas e raramente são justos com os trabalhadores. A justiça é, então, um privilégio dos ricos. Os adversários dos direitos humanos usam este ponto, perguntando: se a maioria não tem seus direitos respeitados, por que os criminosos deveriam ter esse privilégio? Algumas vezes, como no comentário de Jazadji, políticos conservadores opõem os direitos humanos de presos a direitos sociais da maioria da população: eles argumentam que garantir condições decentes aos detentos é gastar dinheiro público que poderia ser mais bem usado para fornecer serviços muito mais necessários para a maioria da população. Em resumo, o bem de muitos cidadãos é sempre contraposto aos privilégios de alguns não cidadãos que quase não são humanos. Os defensores dos direitos humanos são transformados, consequentemente, em pessoas que trabalham contra os direitos de cidadãos honestos e a favor de criminosos.[8]

O mesmo discurso anti-direitos humanos tem levado a reivindicações de punições severas para criminosos, incluindo a pena de morte, execuções sumárias e algumas vezes a tortura. A população considera que métodos humanitários e o respeito à lei por parte da polícia contribuíram para o aumento do crime. No contexto do aumento do crime e medo do crime, a população tem exigido punições mais pesadas e uma polícia mais violenta, e não direitos humanos. Quando a polícia age de forma violenta, como no massacre de 1992 na Casa de Detenção ou em episódios de execução sumária, uma parcela considerável da população tende a apoiá-la.

Como descrevi no capítulo 5, Montoro foi sucedido por dois governadores que abandonaram a ideia de respeito aos direitos humanos e que apoiaram uma política "dura" de segurança pública que fez os abusos policiais aumentarem. Só depois de quase uma década os direitos humanos voltaram aos discursos e políticas de governantes. Depois que Fernando Henrique Cardoso tornou-se presidente e Mário Covas, governador, em 1995, tanto o governo federal como o governo estadual de São Paulo tentaram refrear as violações de direitos humanos. Essas duas

---

[7] Para o uso do sistema judiciário pelas classes trabalhadoras, especialmente depois da Constituição de 1988, ver Holston e Caldeira (1998).

[8] As pessoas que defendiam direitos humanos estavam denunciando não só as deploráveis condições das prisões, mas também uma série de abusos cometidos pelas instituições da ordem, como as detenções sem mandado de prisão, tortura de suspeitos — não necessariamente criminosos — e execuções sumárias. A maioria desses abusos é cometida contra pessoas em relação às quais não há reconhecimento formal de culpa. Todas essas denúncias, que expõem as várias distorções do sistema judiciário, são obscurecidas pela ênfase na "defesa de criminosos".

administrações, que foram reeleitas em 1998, têm tentado implementar planos para expandir o respeito aos direitos humanos. Embora as dificuldades tenham sido imensas, parece que na última década a resistência à defesa dos direitos humanos diminuiu. Embora o mesmo tipo de discurso anti-direitos continue a ser formulado pelos mesmos políticos, e ainda que a população continue a repetir esses argumentos (como algumas das minhas entrevistas confirmaram), a defesa dos direitos humanos parece provocar menos oposição. Provavelmente essa mudança está relacionada ao fato de que a democracia está consolidada desde os anos 80 e agora é rotineira em vez de ameaçadora — como era considerada pela direita no começo daquela década. Além disso, durante a última década os direitos humanos se tornaram uma questão importante internacionalmente e são um tema mais comum nos meios de comunicação de massa, onde geralmente não são descritos em termos depreciativos. Embora esses sejam sinais positivos de transformação, existem inúmeros sinais da persistência do apoio a abusos policiais, formas violentas e privadas de vingança, e à pena de morte.

Debatendo a pena de morte

Os atuais debates sobre a legalização da pena capital no Brasil têm como pano de fundo o contraste entre a violência de fato exercida contra supostos criminosos e uma legislação que proíbe formas violentas de punição. Embora a violência policial e a violência privada (de justiceiros, grupos de extermínio e da polícia) tenham sido extremamente comuns no Brasil, a pena capital para crimes não políticos não foi legal no último século.

A pena de morte por enforcamento foi legal no Brasil durante o período imperial (1822-1889) para casos de insurreição de escravos, homicídio e latrocínio (roubo seguido de morte), mas não para crimes políticos. A última execução legal no Brasil, que ocorreu em 1855, foi um caso claro de erro judicial,[9] e depois disso o imperador concedeu clemência a todos os condenados à morte. A pena de morte foi eliminada em 1890, com o início da República, exceto para crimes de guerra, conforme determinado pelo código militar. De 1890 em diante, a proibição da pena de morte foi confirmada em termos semelhantes nas quatro constituições brasileiras escritas sob regimes democráticos.[10]

As duas constituições redigidas sob regimes autoritários, no entanto, constituem exceções. Em 1937, Getúlio Vargas inaugurou sua ditadura impondo uma nova constituição que previa a pena capital para seis tipos de crime. Cinco eram crimes

[9] Manoel Mota Coqueiro foi acusado e executado por ordenar o massacre de uma família de camponeses. Após a execução, descobriu-se não só que o julgamento havia sido conduzido irregularmente, ignorando evidências e sob a pressão de uma massa de pessoas que exigiam a pena de morte, mas também que ele não era o instigador do crime. O massacre fora ordenado por sua mulher.

[10] Essas são as constituições de 1891, 1934, 1946 e 1988.

políticos e o sexto era "homicídio por motivo fútil ou com extremos de perversidade". (Apesar disso, a pena de morte não foi incluída no Código Penal de 1940, ainda em vigor.) Em 1969, o regime militar reintroduziu a pena de morte por meio do Ato Institucional 14, mas exclusivamente para crimes políticos. Esse regime entendia que estava em guerra contra o terrorismo e estendeu a legislação militar para casos da chamada guerrilha urbana. Durante esses dois períodos, no entanto, não houve execuções legais de presos políticos. Na história da República brasileira, a pena capital foi um instrumento concebido mas não utilizado pelas ditaduras para lidar com presos políticos. Em contraste, a pena de morte foi proibida mas usada ilegalmente (sob a forma de execuções sumárias) e com relativa frequência para lidar com o crime comum.

A ideia da pena de morte foi reintroduzida nos debates públicos no final dos anos 80 — durante o processo de redemocratização — quando o medo do crime, o crime violento e a violência policial começaram a aumentar. A pena de morte é frequentemente proposta como punição para os chamados crimes hediondos: latrocínio (roubo seguido de morte), estupro seguido de morte, sequestro seguido de morte e crimes envolvendo crueldade (esses são termos de projetos discutidos no Congresso Nacional). A maioria dos defensores da pena capital são políticos de direita, basicamente os mesmos que atacam os direitos humanos, muitos deles favoráveis ao regime militar e à polícia. Em 1987, durante os trabalhos da Assembleia Constituinte, a proposta de introdução da pena de morte foi rejeitada por 392 votos contra 90. A constituição de 1988 estabelece que não haverá pena de morte (artigo 5, inciso XLVII), proíbe a prisão perpétua e estabelece 30 anos como o maior período possível de prisão.

Essa derrota não tem impedido alguns políticos de renovar sua proposta toda vez que um crime violento capta a atenção do público. Esse grupo domina os debates públicos sobre a pena capital e os defensores dos direitos humanos frequentemente se encontram em posições defensivas. A despeito dos esforços de muitos advogados e intelectuais que escrevem sobre o assunto, o debate público na mídia é dominado pelo imaginário da fala do crime.[11] Uns poucos argumentos simples são repetidos inúmeras vezes, com opiniões preconceituosas muitas vezes expressas por ambos os lados. Embora o debate nos jornais e nos programas de televisão seja basicamente um debate entre a elite, ambos os lados frequentemente invocam "o povo" para justificar seus argumentos e adotam um tom paternalista, quando

---

[11] As opiniões das principais pessoas envolvidas no debate sobre a pena capital aparecem frequentemente em jornais. Minha discussão se baseia numa análise de artigos de jornais do final dos anos 80 até o presente, que incluem tanto entrevistas quanto artigos escritos por políticos ou líderes de várias associações. Dei preferência a artigos assinados publicados nas páginas de opinião de *O Estado de S. Paulo* (p. 2) e da *Folha de S. Paulo* (p. 3), porque não são copidescados pelos jornais e provavelmente expressam melhor as opiniões das pessoas. Esses dois jornais paulistanos também têm escrito editoriais contra a pena de morte e a *Folha* promoveu uma campanha pública contra ela. Em contraste, a Rede Globo, proprietária do jornal *O Globo*, publicado no Rio de Janeiro, e que produz o Jornal Nacional, o noticiário mais popular da televisão brasileira, é a favor da pena de morte.

não desrespeitoso, para falar sobre ele. Um dos argumentos mais frequentes a favor da pena capital é que ela refletiria o "sentimento popular".[12] Esse argumento é substanciado com citações de pesquisas de opinião pública indicando que cerca de 70% da população é a favor da pena de morte.[13]

Políticos de direita argumentam que, no contexto de proliferação da violência e do fracasso do sistema judiciário, apenas uma medida extrema como a pena de morte poderia ser uma solução. Eles pensam na pena de morte mais em termos de vingança do que em termos da lei ou de eficiência para reduzir a criminalidade. Eles não dizem que a pena capital iria resolver o problema da violência em geral, e apenas uma minoria argumenta que ela impediria outros de cometer crimes semelhantes. No entanto, insistem que, como as pessoas que cometem crimes violentos são dominadas pelo mal e irredimíveis, executá-las significa evitar que cometam futuros crimes e, para citar sua própria retórica, "salvar vidas inocentes". Os defensores da pena de morte também repetem a oposição entre direitos dos presos e direitos sociais e usam argumentos econômicos. Dizem que é muito caro manter um preso irrecuperável na prisão e que esse dinheiro poderia ser usado em políticas sociais visando os pobres. Sua questão central, no entanto, é vingar o crime. Embora estejam tentando adotar legalmente a pena de morte, as referências em seus discursos são de vingança pessoal e é nesses termos que se dá grande parte do debate popular.[14]

Os defensores da pena de morte e oponentes aos direitos humanos manipulam com destreza o imaginário que compõe o repertório da fala do crime. Falam sempre em termos empíricos, apoiando-se em exemplos e casos individuais. Suas campanhas aceleram sempre que há um crime famoso e não hesitam em recontar os eventos com todas as simplificações permitidas pelo repertório do bem contra o mal. Os dois exemplos seguintes são de janeiro de 1993 e seguiram-se a dois famosos assassinatos: o de Daniella Perez, uma atriz da Rede Globo morta por um colega que na novela representava seu namorado abandonado; e o de Míriam Brandão, uma menina de 5 anos de idade que foi raptada e depois assassinada, pretensamente

---

[12] Por exemplo, quando perguntaram a Roberto Marinho, o proprietário e presidente da Rede Globo, por que ele era a favor da pena de morte e a estava promovendo publicamente em seu jornal e estação de TV, ele respondeu que apenas "refletia a indignação popular". *Folha de S. Paulo*, 12 de janeiro de 1993.

[13] Essas pesquisas são feitas e publicadas periodicamente nos jornais. Dados tanto do DataFolha como do Informe Estado para a cidade de São Paulo, de 1986 em diante, mostram um contínuo apoio à pena de morte de 66% a 75% da população.

[14] Os defensores da pena capital também têm de lidar com dois argumentos de seus adversários: o da possibilidade de um erro judicial que não poderia ser corrigido após a execução e o da defesa do direito à vida como um direito humano fundamental. Em resposta ao primeiro, eles sustentam que a possibilidade seria remota porque o processo judicial garantiria quatro instâncias de apelação. Ao segundo argumento, eles respondem que estão interessados nas vidas de pessoas inocentes e estão defendendo os direitos das vítimas e não os dos bandidos, que, insistem eles, estão sendo protegidos pela atual Constituição.

porque chorava demais. A primeira citação é de Amaral Neto, o deputado federal pelo PDS (Partido Democrático Social) do Rio de Janeiro que repetidamente propôs a adoção da pena de morte no Congresso Nacional.[15]

> "Não acredite na recuperação desses assassinos que mataram aquela professora gaúcha, a Adriana de Alphaville,[16] e Míriam de Belo Horizonte (...)
>
> Agora, você sabe que temos milhões de adolescentes nas ruas vítimas de assassinatos e de tóxicos. Pois então. Você acha que temos dinheiro para ressocializar esse tipo de bandido, quando não temos dinheiro para dar de comer a essa gente?, nem para gerar empregos ou casas (...) Qual é a maneira de investir melhor? No criminoso ou para sustentar crianças que não têm o que comer? (...)
>
> Você sabe que o custo para manter um homem preso eternamente é muito grande. E não é o caso de matar para economizar. É o caso de dizer que vamos executá-lo dentro de certos parâmetros para impedir que ele escape amanhã e volte a praticar o mesmo crime." (*Jornal da Tarde*, 18 de janeiro de 1993)

No final dessa entrevista, perguntaram a Amaral Neto se a ideia de tirar a vida de alguém alguma vez o atormentara. Sua resposta foi uma pérola da lógica da vingança privada:

> "A mim não [atormenta]. Seria o primeiro carrasco a assassinar o rapaz que matou aquela menina. Eu, pai de sete filhos, treze netos e dois bisnetos, teria o maior prazer em matá-lo."

O segundo exemplo vem de um artigo de jornal escrito por Alberto Marino Júnior, um juiz estadual de São Paulo.

> "Uma criancinha, vítima de sequestro, é executada pelo seu algoz porque, afastada dos pais, chorava muito. O homicídio, praticado com requintes de perversidade, emocionou a nação e reabriu a polêmica em torno da aplicação da pena de morte (...)
>
> No que tange aos direitos humanos, é preciso que se atente mais para os direitos humanos dos homens de bem, e não, como se vem fazendo, das feras em forma de gente, que trucidam a esmo suas indefesas vítimas. O nosso povo é naturalmente dócil e disposto ao sacrifício. Basta-lhe um pouco de pão, o futebol, o carnaval, um lugar para morar e um trabalho simples e honesto.

---

[15] Esses comentários de Amaral Neto foram feitos durante um debate com José Bisol, deputado federal do PSB (Partido Socialista Brasileiro).

[16] Discuto esse caso de Alphaville no capítulo 7.

> Todavia, de certo tempo para cá o homem se sente acuado pelos criminosos. Várias vezes tem recorrido até ao linchamento, que é a aplicação da pena de morte imediata, sem processo nem julgamento, adotando um péssimo remédio, que pode dar margem ao equívoco irreparável (...)
>
> É preciso impedir que dezenas de vítimas indefesas sejam massacradas por um pequeno bando de covardes facínoras, poupados em nome de discutíveis 'direitos humanos'. É preciso punir exemplarmente o energúmeno que sequestrou a criancinha e se outorgou o direito de matá-la." (*Folha de S. Paulo*, 16 de janeiro de 1993)

A escolha das palavras sempre realça o horror do caso — a criancinha foi executada porque estava chorando por seus pais — e o caráter inumano dos criminosos. Eles são feras dominadas pelo mal, vilões, degenerados. Como tal, tornam-se candidatos naturais à execução — a única "solução" dada a impossibilidade de sua reabilitação — e absurdos candidatos à proteção em nome de "discutíveis direitos humanos". Os criminosos também são frequentemente contrapostos "ao povo", como o mal é oposto ao bem. Para Amaral Neto, matá-los significaria poupar dinheiro para cuidar dos pobres. O juiz Marino Júnior contrapõe "as feras" a uma visão tradicional e elitista do "nosso povo": dócil, capaz de se contentar com poucas coisas, mas, ao que parece, exasperado por uma situação de crescente criminalidade que o leva a fazer justiça com as próprias mãos.

A lógica da vingança pessoal é sempre a referência. Para o juiz, o linchamento de criminosos não é aceitável; mas como matá-los faz sentido, deve-se legalizar a pena de morte, permitindo a morte da "fera" e a satisfação da vingança. Amaral Neto leva a lógica da vingança pessoal até o limite. Ele vê a si mesmo como o vingador: um homem de uma família honrosa, que iria voluntariamente ser o primeiro carrasco brasileiro e pessoalmente "assassinar" — essa é a sua expressão — o assassino de Míriam. Não há nenhuma fala de lei aqui. Um membro do Congresso, Amaral Neto, está se esforçando para estabelecer a pena de morte na lei, mas o discurso popular com o qual a apoia baseia-se totalmente nas referências à vingança pessoal que dominam a fala do crime.

O número de pessoas que escrevem contra a pena de morte em jornais é muito maior do que aquele dos que a defendem. Todas as pessoas e instituições que defendem publicamente os direitos humanos são também contra a pena de morte, porque para eles os dois assuntos são inseparáveis. Esse princípio é claro, por exemplo, num artigo de Fábio Konder Comparato, um advogado, professor de direito e membro da Comissão de Justiça e Paz.

> "Não há democracia sem o respeito aos direitos fundamentais da pessoa humana. O regime da soberania popular, quando desligado dos direitos humanos, não é democrático (...)
>
> Ora, a pena de morte não implica a violação de um direito qualquer, mas representa a negação do mais fundamental dos direitos humanos, aquele que constitui a raiz ou fonte de todos eles: o direito à vida.

A ideia de direitos humanos nasceu de uma exigência de proteção individual contra atos do poder público. Não é pelo fato de a pena ter sido criada por lei, ou aplicada mediante processo oficial regular, que ela deve ser considerada legítima quando viola um direito fundamental do homem." (*Folha de S. Paulo*, 21 de março de 1991)

Muitos participantes desse debate argumentam similarmente que a pena de morte viola um direito humano básico e como tal é ilegítima, mesmo se codificada em lei. Eles também argumentam que as causas da violência e do crime são sociais e estruturais, e não podem ser tratadas por uma medida como a pena de morte. Propõem, então, reformas cujo propósito é transformar a sociedade, o Estado e o sistema judiciário: sua preocupação é garantir que as instituições encarregadas do crime trabalhem melhor (eles insistem em reformas judiciárias e dos sistemas de prisão) e que as principais causas de problemas sociais, como a pobreza, sejam tratadas. Uma versão desse argumento foi articulada por José Bisol, deputado federal do PSB, no debate com Amaral Neto.

> "O Estado brasileiro está em pedaços, não tem eficácia. É um Estado que não se impõe, está dissociado da sociedade. E como a própria sociedade brasileira é desorganizada de uma forma cruel, é visível e palpável que nós não conseguiremos estabelecer uma relação de legitimação entre a aplicação da pena de morte por este Estado, nesta sociedade, e a justiça neste país. (...) Quando tivermos uma sociedade mais justa e organizada e um Estado mais justo e produtivo, evidentemente a violência será controlada."

Não é de surpreender que os argumentos socioestruturais contra a pena de morte também usem o vocabulário da fala do crime. Além disso, esses argumentos têm um toque evolucionista: já que a sociedade e o Estado são culpados pela crescente violência, quando eles se tornarem mais justos e organizados, a violência será (naturalmente) controlada. Expressa por um membro do partido socialista, essa opinião pode ser vista como uma versão do tradicional argumento marxista de que a vida social melhorará naturalmente depois da revolução. Mas provavelmente o maior problema com os argumentos que associam o crime com pobreza e marginalidade é que eles acabam reforçando o estereótipo que liga criminalidade e pobreza, uma ligação que é dada como certa mesmo quando está sendo explicada. De fato, um dos aspectos mais notáveis dos argumentos contra a pena de morte (especialmente aqueles de políticos de esquerda identificados com interesses populares) é como eles facilmente reproduzem estereótipos contra as camadas trabalhadoras. Pessoas pobres são comumente retratadas como incapazes de raciocinar e julgar por si mesmas e, portanto, como facilmente influenciáveis — mas apenas pelos argumentos errados, ao que parece, já que a maioria da classe trabalhadora é a favor da pena de morte.

Outro argumento no qual um raciocínio sociológico reforça estereótipos negativos é o de que a vida é barata no Brasil. Artigos de ambos os lados do debate falam que as pessoas estão tão acostumadas à pobreza, às terríveis condições de vida e à violência, que são insensíveis ao valor da vida. No mesmo artigo citado acima, Fábio Comparato defende que o debate sobre a pena de morte expõe um "tradicional desdém pela vida humana" entre os brasileiros, e conclui que os defensores da pena de morte exploram uma "malformação mental e social" que caracteriza a sociedade brasileira. Ele escreve que "num país em que 60% da população vive/vegeta abaixo do nível de pobreza tolerável, o homem na verdade vale muito pouco" (*Folha de S. Paulo*, 21 de março de 1991, p. 3). Algumas pessoas argumentam que, devido a essa desvalorização, a pena de morte não teria efeito: as pessoas (especialmente os criminosos, que são vistos como se não tivessem sentimentos) não seriam tocadas por ela. Um adversário da pena capital, o juiz criminal Roberto Caldeira Barioni, colocou o problema desta forma:

> "O criminoso não tem medo de morrer, mormente o criminoso brasileiro, fruto da miséria. Sua vida não é vida, é simplesmente sobrevida — tão miserável, tão ruim, que a morte não o amedronta." (*O Estado de S. Paulo*, 15 de maio de 1991, p. 2)

Uma outra maneira comum de argumentar contra a pena capital é mencionar casos em que houve erro judicial ou fazer referência a sua implementação nos Estados Unidos. Usam-se estatísticas para se demonstrar a possibilidade de viés racial e para insistir que essa forma de punição não coíbe o crime. José Carlos Dias, um dos muitos advogados a expressar essa opinião, acha que o principal meio de inibir a atividade criminal é a certeza da punição e não a duração ou o tipo de pena. Para que a certeza de punição se torne uma realidade no Brasil, ele afirma, é necessário "mexer no sistema judiciário e no sistema carcerário, porque hoje você só tem a certeza da impunidade" (*Folha de S. Paulo*, 18 de janeiro de 1993). Esse argumento sobre a impunidade, que certamente é uma descrição acurada do que acontece no Brasil, tem sido usado tanto pelos defensores quanto pelos adversários da pena de morte. José Carlos Dias, o secretário da Justiça que tentou reformar o sistema penitenciário em São Paulo, acha que as mudanças deveriam ir em direção ao respeito aos direitos humanos e ao estado de direito. Os políticos de direita a favor da pena capital, no entanto, usam o argumento da impunidade para exigir leis mais estritas e para atacar a Constituição de 1988. Entre eles está o ex-presidente José Sarney, que se opõe à pena de morte por motivos religiosos, mas ainda usa a retórica a favor da punição capital.

> "Antes de falar-se em pena de morte, devemos acabar com a legislação permissiva e injusta, a favor do criminoso, consagrada na Constituição. (...) Não há legislação no mundo mais frouxa, mais injusta, mais a favor do criminoso que a legislação brasileira. Ela estimula, neste caso, o crime e silencia sobre a vítima, que só tem um direito: o de morrer." (*Folha de S. Paulo*, 15 de janeiro de 1993, pp. 1-2)

A ideia de que a Constituição de 1988 — escrita e promulgada durante a presidência de Sarney — deveria ser modificada é comum entre representantes da direita e pessoas de todas as classes que acham que ela protege criminosos ao redefinir as exigências para deter alguém. Essas exigências foram introduzidas na Constituição de 1988 com a intenção de prevenir a arbitrariedade da polícia e a prisão de suspeitos sem fundamento. No entanto, num contexto em que as pessoas acham que não deter imediatamente — ou mesmo matar — supostos criminosos deixa os cidadãos vulneráveis e desprotegidos, procedimentos legais que diminuem a velocidade do processo são condenados. Em geral, enquanto os defensores da pena capital criticam instituições legais quando elas criam impedimentos para a vingança imediata, seus adversários as denunciam por seu caráter retrógrado. Advogados criminalistas críticos do sistema penal brasileiro, que se apoia quase exclusivamente no encarceramento, argumentam que os "países modernos" usam métodos de punição mais sutis e menos violentos, e portanto não faz sentido regredir para a violência. Para eles, a violência não é um remédio para a violência, mas apenas a causa de mais violência, e usá-la como punição pode mesmo passar a mensagem de que é bom matar. Finalmente, algumas pessoas chamam a atenção para o alto número de mortes ilegais de supostos criminosos pela polícia e grupos de justiceiros, argumentando que, se matar criminosos fosse capaz de pôr um fim a violência, isso já deveria ter acontecido.

Crenças religiosas são frequentemente citadas no debate sobre a pena capital. No Brasil, a Igreja Católica é uma das principais instituições que defendem os direitos humanos e atacam a pena capital, posição que vincula à rejeição da legalização do aborto. Além da Igreja Católica, representantes da comunidade judaica têm escrito contra a pena de morte.[17] No entanto, a maioria das religiões não consegue exercer uma forte influência nas opiniões sobre este assunto. De acordo com uma pesquisa do *Estado de S. Paulo* sobre a pena de morte, em janeiro de 1993, havia pouca variação de opinião por gênero, educação ou posição socioeconômica, embora indicasse um apoio mais forte entre os integrantes das camadas sociais mais pobres (74% das duas camadas de renda mais baixas eram a favor da pena de morte, comparadas a 63% das duas mais altas). A única religião que parece influenciar as opiniões sobre a pena de morte é o pentecostalismo. Apenas 37% dos pentecostais eram a favor da pena capital, comparados a 74% dos católicos (a maior porcentagem) e 68% dos umbandistas.[18]

No início dos anos 90 propôs-se para discussão que a adoção da pena capital fosse decidida em plebiscito. A proposta foi feita por defensores da pena de morte que calcularam que não conseguiriam juntar votos suficientes no Congresso para fazer passar uma emenda constitucional, mas que teriam apoio popular suficiente para um plebiscito bem-sucedido.[19] A ironia é que entre aqueles que solicitavam a

---

[17] Por exemplo, artigo do rabino Henry I. Sobel na *Folha de S. Paulo*, 12 de junho de 1991.

[18] *O Estado de S. Paulo*, 17 de janeiro de 1993.

[19] Pesquisa realizada pelo DataFolha-Idesp em 1991 entre integrantes das duas Casas do Congresso Nacional mostrou que 73% eram contra a pena de morte, 22% a favor e 5% tinham outras respostas. No entanto, 51% eram a favor de um plebiscito, 47% contra e 2% tinham outras respostas. As preferências eram divididas por partido e região. Os partidos com maior porcentagem de políticos a favor da pena de morte eram os conservadores (PDC, PRN, PFL, PDS,

implementação desse instrumento democrático, recém-incorporado pela nova Constituição, havia vários políticos que não só criticam a mesma Constituição por oferecer excessiva "proteção para os bandidos" mas que também foram partidários por um longo tempo do regime militar autoritário. De fato, esse debate parece inverter lógicas políticas de muitas maneiras. Ele forçou os adversários da pena capital a uma posição defensiva na qual tiveram que se opor aos procedimentos democráticos — tais como o plebiscito — que tinham lutado para introduzir na Constituição. Embora tivessem um forte apoio legal para sua posição, isso os deixou vulneráveis a acusações de serem antidemocráticos e elitistas enquanto seus rivais saíam como verdadeiros "populares".

Três argumentos básicos foram usados contra o plebiscito: que ele era inconstitucional, inoportuno e inadequado. A base para o primeiro são dois artigos da Constituição de 1988: o artigo 5, que garante a "inviolabilidade do direito à vida" e estabelece que não haverá pena de morte (inciso XLVIII); e o artigo 60, sobre as emendas constitucionais, que estabelece no parágrafo 4, inciso IV, que não haverá deliberação de propostas visando "abolir direitos e garantias individuais". O plebiscito é considerado inoportuno porque poderia ser proposto em "momentos emocionais" — seja quando as pessoas estão chocadas por crimes notórios e sensibilizadas pelas propagandas de televisão, seja quando estão sofrendo os efeitos de uma séria crise social. Nessas circunstâncias, as pessoas comuns não seriam capazes de decidir racionalmente. Além disso, não haveria informação confiável suficiente e as pessoas estariam sob a influência negativa da televisão, que as acostuma à violência e à ideia da pena de morte. Mais uma vez, essas posições negam às pessoas pobres a capacidade de considerar argumentos racionalmente e decidir por si mesmas. Elas são expressas, por exemplo, por Miguel Reale Júnior, um advogado e secretário da Segurança Pública durante a administração de Montoro.

> "Submeter a nação a um embate emocional, outorgando, neste instante de profunda crise social, a cada brasileiro a decisão de ser implantada ou não a pena de morte, é uma irresponsabilidade. (...)
>
> Com o plebiscito, instalar-se-á um clima de paixão em torno de tema reduzido, cujo exame exige, antes de tudo, isenção, ponderação e paz de espírito, ou seja, exatamente o que mais falta aos brasileiros neste momento de sérias carências.
>
> A dramatização da violência, especialmente pelos meios de comunicação de massa, permitirá a avalanche dos instintos e a satisfação do pior dos sentimentos, o ressentimento. (...)
>
> Além disso, se o Estado detém o monopólio do uso legítimo da

---

PTB). Eles também constituíam a maioria daqueles que eram a favor do plebiscito. Os partidos em que a maioria dos integrantes estava contra a pena de morte eram os partidos de esquerda (PT [100% contra], PDT e PSDB). Eles também eram contra o plebiscito. Aqueles que se mostravam favoráveis à pena de morte eram na grande maioria do Centro-Oeste, Nordeste e Norte, enquanto a maioria daqueles do Sul e do Sudeste era contra (*Folha de S. Paulo*, 24 de junho de 1991).

violência, ou seja da punição, deve esta se revestir de racionalidade. Com o plebiscito, ao contrário, a razão submeter-se-á à opinião emocional e irrefletida do indivíduo, e o resultado pode ser a autorização do assassinato oficial, a aprovação apaixonada de um burocrático e frio extermínio da vida." (*Folha de S. Paulo*, 20 de abril de 1991)

Finalmente, o terceiro argumento contra o plebiscito foi que ele é um meio inadequado para decidir um assunto tão sério. Os direitos humanos não podem ser abolidos legitimamente, mesmo se pela maioria, defende Dyrceu Aguiar Dias Cintra Júnior, juiz no estado de São Paulo e membro da Associação de Juízes para a Democracia.

> "O respeito aos direitos humanos nunca deve depender da opinião pública. A tortura não seria admissível mesmo que tivesse apoio em plebiscito. Invocar a soberania popular no caso constitui demagogia levada às últimas consequências. Afinal, os princípios jurídicos consagrados pela humanidade não foram estabelecidos por número de votos." (*O Estado de S. Paulo*, 15 de janeiro de 1993)

A pena capital raramente é criticada no Brasil por ser um tipo cruel de punição, o argumento promovido pela Anistia Internacional. No debate brasileiro, consegui achar esse argumento expresso apenas por um enviado estrangeiro da Anistia Internacional, Ezat Abdel Fattah, que sustenta que a democracia e a abolição da pena capital caminham juntas e que, como a escravidão, essa forma de penalidade tem apenas um passado, não um futuro. De acordo com ele, "a pena de morte é uma punição cruel, desumana e degradante, que viola todas as convenções internacionais de direitos humanos. Não há lugar para ela num sistema jurídico moderno, administrado por seres humanos e, portanto, falíveis".[20] Embora a ausência de associação entre pena capital e crueldade possa ser notável, ela faz sentido no contexto da noção do corpo incircunscrito e do apoio a formas dolorosas de punição, algo comum no Brasil.

Punição como vingança privada e dolorosa

Tanto o debate sobre os direitos humanos como aquele sobre a pena de morte revelam uma tensão básica entre duas visões da punição. A primeira é a perspectiva da lei, da justiça e do sistema judiciário. A segunda é a perspectiva da vingança, do corpo e da dor como instrumento de punição. Essas duas referências são articuladas de maneiras bem diferentes por pessoas nos dois lados desses debates. Os defensores dos direitos humanos e críticos da pena de morte falam da perspectiva da lei e do sistema judiciário e se opõem a qualquer forma de punição que in-

---

[20] *Folha de S. Paulo*, 24 de junho de 1991.

flija dor. No entanto, a grande maioria da população vê o sistema judiciário como ineficiente e injusto. Os defensores dos direitos humanos sabem bem disso e concentram seus esforços em tentativas de criticar e reformar o sistema judiciário e penitenciário. No entanto, nunca abandonam o ponto de vista da lei e da ordem legal. Para eles, o crime sempre deve ser tratado pelo sistema público de vingança, e apenas o sistema judiciário pode deter ciclos de vingança. Porém, ao falar exclusivamente a partir da perspectiva do sistema judiciário e sendo os únicos a fazer isso num contexto onde esse sistema não desfruta de legitimidade, os defensores dos direitos humanos e das reformas são vistos pela maioria dos cidadãos como apologistas do sistema tal como ele funciona agora e são consequentemente tratados com descrença e cinismo. Embora critiquem o sistema legal e penitenciário, não são vistos pela maioria da população como críticos, mas sim como pessoas que estão tentando distorcer ainda mais o sistema judiciário ao garantirem privilégios para bandidos.

As pessoas que atacam os direitos humanos e defendem a pena de morte desfrutam do apoio da maioria dos brasileiros e normalmente articulam seu discurso com base no imaginário polarizado da fala do crime. Eles também afirmam que o sistema judiciário não está funcionando. No entanto, em vez de propor reformas legais (o que significaria legitimá-lo), articulam um discurso e uma política que ignoram a ordem legal; e pensam na punição em termos de inflição de sofrimento ao corpo. Sua referência, portanto, é o universo da vingança privada, imediata e sempre bastante física. Esse universo revela uma concepção específica de corpo e especialmente de inflição de dor como um meio de desenvolvimento moral e social. Essa concepção de corpo e da dor se aplica não somente ao corpo do criminoso, mas a muitas esferas da vida social brasileira. Portanto, ao tratar da questão de como os criminosos devem ser punidos, somos levados a examinar dimensões mais amplas da sociedade brasileira.

Em minhas conversas com moradores de São Paulo sobre pena de morte e direitos humanos, ficou claro como as pessoas se alternam entre as duas referências — o sistema legal e a vingança privada e violenta. Todavia, fica claro que o discurso dominante é o do sistema da vingança privada, um sistema que usa a dor e as intervenções no corpo como meio de criar ordem.

9.1

— Você votaria a favor ou contra a pena de morte?

— Eu nunca pensei se eu ia votar a favor ou contra. Tem horas que você vê certas coisas acontecerem que você acaba achando: "bom, se tivesse pena de morte, essa turma não ia fazer isso". Mas, por outro lado, quando você vê esse pessoal da violência pesada mesmo, é gente que tanto faz, não tem mesmo amor nenhum à vida. Não é com ou sem pena de morte, eu acho que não ia modificar muito. (...) Eu não vejo que seja ameaça. Eu acho que para uma criatura da violência-violência, a pena de morte não atemoriza, não vai melhorar. Eu acho que eu votaria contra.

— E essa questão dos direitos humanos para os presos?

— Bom, isso aí eu sou "contríssima". Sou absolutamente contra no sentido de que eles criam um clima como se a criatura que fez lá uma coisa dantesca, no momento que ela foi para a prisão, ela virou um bonzinho. Em geral essa gente é gente que tem problemas sérios, psicológicos e tudo o mais. Eu acho que eles têm que ser tratados... devidamente tratados. Isso sim eu acho que é uma coisa que mostra para alguém que pode acontecer aquilo. Eu tenho a impressão que um marginal desse tipo teria mais medo de uma prisão severa do que de uma pena de morte. De certa forma a pena de morte não castiga nada, né?

– E o que seria uma prisão severa?

– Veja, uma coisa que eu acho errada nesse negócio de direitos humanos é ficar protegendo, é bonzinho, não sei o quê. Gente! Você não pode ser bonzinho com uma criatura como essa... Agora, eu acho também essas torturas etc., isso eu acho fora, completamente fora de qualquer propósito... É muito difícil saber qual o limite.

Dona de casa, Morumbi, 52 anos, 2 filhos; o marido é executivo de uma indústria multinacional.

9.2

– O senhor é a favor ou contra a pena de morte?

– Sou a favor. (...) Eu acho que pena de morte deveria ser aplicada em todos os crimes odiosos, bárbaros: estupro... principalmente este pessoal que pega uma criança inocente. O camarada que faz isso não tem condições de (...) Eu acho que é um ser anormal, problema mental, alguma coisa. Ou é perverso mesmo de natureza.

– O senhor acha que os direitos humanos se aplicam nestes casos?

– Direitos humanos, ele termina quando alguém tira o seu. Então, quando alguém tira o seu direito, terminou o dele. Desde que uma pessoa chegue e tire a vida de uma pessoa de sua casa, ele tirou o seu direito. O senhor tem o direito. Ele não tem mais direito. Eu acho que ele tem de pagar do mesmo jeito que ele fez.

– O que o senhor entenderia por direitos humanos?

– Acho que direitos humanos, por exemplo, seria o caso político, que cada um tem uma ideologia, desde que não prejudique, não seja terrorista, não prejudique ninguém; que tenha um ideal, lute por alguma coisa, este tem direito a direitos humanos. Cada um tem um ideal, agora o ideal da pessoa não é prejudicar os outros, nem derrubar, nem arrebentar, nem fazer nada com as propriedades dos outros, nem do Estado, nem nada; eu acho que o direito humano, numa democracia, tem que ser respeitado pelo idealismo e pela conversa.

Comerciante, 59, casado; vive com a esposa na Mooca.

9.3

– O que vocês acham dessa história de direitos humanos?

A – Isso aí acho que não existe, também, não; direitos humanos e constituinte não existe pro pobre, né?; existe pros ricos.

– Tem várias pessoas que acham que você tem que respeitar os direitos dos presos.

A – Ah, que respeitar os direitos do preso! Os presos não respeitam o nosso direito.

B – Quando sai de lá quer matar nós.

A – Que nem um negócio errado que a constituinte – não sei se é a constituinte –, que o preso pode fazer sexo na cadeia, por isso que tá aumentando a AIDS na cadeia, tem que ser que nem o Afanasio disse, tem que acabar com isso, tem que acabar mesmo.

– Você acha que o Afanasio tem razão?

A – Eu acho que tem razão. Falou que "tem que acabar com essa sem-vergonhice", do jeito que ele fala.

— Mas você gosta do jeito que ele fala? Você não acha ele muito desbocado também?

A — Não, eu acho ele um cara justo.

— Você acha ele justo?

A — "Vagabundo", que nem ele começa a chamar esses caras de vagabundo [imita o jeito do Afanasio falar]. Que nem muitas vezes, o bandido entra na casa de um trabalhador, o trabalhador se defende, mata o bandido; ele defende o trabalhador, mas o bandido tem que morrer mesmo, tem que ter pena de morte, tinha que ter mesmo. Mas no Brasil nunca tem nada.

Três irmãos residentes do Jardim das Camélias. A tem 22 anos, é mecânico de automóveis e casado; B tem 16 e trabalha como operário não qualificado numa fábrica; C tem 19 anos e está desempregado.

9.4

— É, a igreja tá contra a pena de morte, eles não são a favor... Eu acho que quando eles falam nos direitos humanos, eles acham que não pode matar ninguém, né? Acho que... sei lá... Agora, eu não concordo, porque um bandido pode matar um pai de família, agora um pai de família não pode matar um bandido...

— A igreja fala que se deveria tratar melhor os presos...

— Ah, vá! Eles com mordomia! Aí é que eles iriam aproveitar mesmo! [risos, muitos]; aí, com tanta mordomia, aí que eles iriam roubar mesmo! Roubar, matar, estuprar e fazer o diabo a quatro. Porque eles iriam ter o que eles queriam, né?, as mordomia, até mulher, que agora pode... televisão a cores e tudo. Aí que eles iam pintar e bordar.

Dona de casa do Jardim das Camélias, 33 anos, quatro filhos; participou de vários movimentos sociais e associações locais; o marido é trabalhador especializado de uma pequena indústria têxtil.

Assim como as figuras públicas que atacam os direitos humanos — e muitas vezes empregando suas expressões e exemplos —, moradores de São Paulo de diferentes grupos sociais alegam que respeitar os direitos dos presos é uma ideia absurda, uma piada de mau gosto, e que promoveria o crime. Na verdade, essas citações e a análise seguinte sobre a punição apenas complementam aquelas dos capítulos anteriores sobre o caráter dos criminosos, a difusão do mal, o papel das autoridades, a polícia violenta e as disfunções do sistema de justiça. As pessoas que entrevistei acham que os criminosos — sempre descritos como perversos, desumanos, sem família etc. — deveriam ser tratados de maneira dura, não necessariamente torturados, mas punidos com a pena de morte ou com "severidade", o que para muitos significa com castigo doloroso. É uma opinião comum que a pena de morte pode não ser tão severa porque aqueles que são executados não sofrem.

Como a maioria dos paulistas, os entrevistados podem aceitar a ideia de direitos humanos se ela estiver relacionada a presos políticos, mas não a "criminosos". Para deixar claro o absurdo de se garantir direitos humanos de "criminosos," eles citam a ausência de direitos da maioria da população, especialmente os trabalhadores, para quem "os direitos humanos e a Constituição não existem" (citação 9.3). Em outras palavras, as reações contra os direitos humanos sempre se referem à noção de que os direitos no Brasil são privilégio de poucos e não universais. Na citação 9.4, uma mulher da classe trabalhadora descreve os direitos dos presos como luxos e os chama de mordomia. Esse tipo de privilégio da elite (como a ideia de justiça) é visto com cinismo e como algo que zomba das condições de vida dos cidadãos comuns. Associar as reformas da prisão a mordomia é vê-las como excessivas e mesmo desrespeitosas ao cidadão comum.

Os defensores de direitos humanos não têm sido capazes de questionar e desmantelar a associação que a população faz entre direitos e privilégios. Enquanto insistem em que todos, até os presos, têm direitos que devem ser respeitados, eles não foram capazes de tratar eficazmente do fato de que os direitos individuais no Brasil são em geral amplamente negligenciados e o sistema judiciário não é efetivo para resolver conflitos e distribuir justiça, especialmente para vítimas da classe trabalhadora. Os defensores de direitos humanos fracassaram em convencer a população de que os presos não seriam os únicos a terem seus direitos respeitados; que outras políticas assegurariam que os direitos não são privilégio de poucos, mas estendidos para todos. Seus esforços para fazer valer o estado de direito e tornar a polícia menos violenta foram associadas à ideia de proteger os privilégios de poucos — a imagem comum da lei — contra os interesses de muitos. Ao serem incapazes de desafiar a visão de direitos como privilégio, eles não só falharam em instilar respeito pelos direitos, em reformar a polícia e garantir o estado de direito, mas também falharam em expandir a legitimidade da noção de direitos em geral, e de direitos humanos e individuais em particular.

Neste ponto, há que se considerar um aparente paradoxo: se as pessoas consideram o sistema judiciário fraco, tendencioso e ineficaz para controlar a violência, por que escolheriam aumentar seu poder dando-lhe a prerrogativa de executar pessoas? Se a justiça não funciona em geral, por que funcionaria para decidir sobre a vida ou a morte? Se o sistema judiciário é famoso por ser violento contra os trabalhadores e dócil com os criminosos, não seria a pena de morte apenas mais um instrumento para reprimir os trabalhadores?

Para muitos, não há, na verdade, nenhum paradoxo, já que pensam na punição capital como execução sumária e não como um processo jurídico que culmina na morte como uma forma de penalização. Desconfiando do sistema judiciário, eles acham que o mal deveria ser eliminado sem mediação, matando-se aqueles que foram contaminados por ele. Muitas pessoas acham que se alguém é pego cometendo um crime violento, deveria ser morto imediatamente. Além disso, muitas pessoas apoiam os esquadrões da morte e justiceiros argumentando que eles não são tão corruptos quanto a polícia, e que fazem um bom trabalho "porque só matam". Em suma, tanto as ações privadas como a violência são vistas como legítimas no que é tido como uma luta urgente contra a difusão do mal.

Nas discussões de como a pena de morte deveria funcionar e contra quem, e de como estabelecer algum tipo de ordem social, fica claro como o sistema judiciário é amplamente considerado irrelevante. A vingança é concebida em termos pessoais e imediatos, mesmo quando a responsabilidade de executá-la é atribuída a uma instituição como a polícia. Na citação 5.17, um jovem da classe trabalhadora afirma que gostaria que o Esquadrão da Morte ainda existisse. Para ele, a melhor maneira de fazer justiça é permitir que a polícia mate. "Por que que a gente vai pegar o cara e matar?", ele perguntou. "Por que que a gente paga imposto? Pra isso, pra ser vigiado... Não adianta a gente linchar, o direito tinha que ser deles [da polícia], o dever é deles, que a gente paga imposto pra isso... A lei tem que ser essa: matou, morreu."

Quando perguntei a um outro homem da classe trabalhadora que defendia o Esquadrão da Morte (citação 5.18) quem decidiria que pessoa deveria ser morta, ele respondeu:

9.5

– É no flagrante, pegar o cara roubando na hora. Se o cara sabe que o cara é perigoso, então vai procurar o cara. Pegou, matou; nada de prender. Prender já era!

– *Mas o senhor não estava falando que o negócio é ter lei?*

– É ter lei. Uma lei, então, pra matar bandido. Se o cara rouba, ele sabe que vai morrer, ele não vai assaltar pai de família ganhando salário mínimo, certo? Você pega o cara, leva o cara numa forca aí no meio da avenida, enforca o cara lá (...) Então, enforcou aquele, distribuiu ordem pro Brasil inteiro, o cara não vai querer roubar mais. Entendeu?

Motorista, Jardim das Camélias, 32 anos, casado, com quatro filhos; era taxista e agora trabalha como motorista para uma instituição pública.

Além de nos lembrar das descrições de Foucault de punição no Antigo Regime, há pelo menos dois pontos impressionantes nesses tipos de opiniões. O primeiro é a constatação de que, para algumas pessoas, justiça significa pedir à polícia para exercer vingança imediata sem a mediação do sistema judiciário. O segundo é a naturalidade e a facilidade com que as pessoas falam sobre a vingança privada e sobre tirar a vida de outra pessoa, algo associado à aceitação da ideia de punição física em geral.

Como indiquei no capítulo 5, o apoio às execuções sumárias e à polícia violenta implica numa implosão dos modelos legais tanto da polícia como da justiça. A lógica dessa visão tem raízes nos abusos e injustiças cotidianos praticados pelas instituições da ordem, e no desejo de justiça e vingança das pessoas. As ambiguidades nas citações acima também indicam as complexas imbricações dos sistemas público (legal) e privado (ilegal) de vingança. Na verdade, as pessoas querem que a polícia cumpra sua obrigação, acham que é preciso existir lei, mas como sabem que essas instituições não funcionam, imaginam meios privados, violentos e ilegais de conseguir realizar as mesmas coisas. Essa ambivalência entre referências ao sistema judiciário e ao sistema privado de vingança aparece até nas opiniões de pessoas que rejeitam os métodos ilegais e se opõem à pena de morte.

Algumas pessoas que entrevistei eram contra a pena capital. Algumas acreditavam que ninguém deveria tirar a vida de ninguém. Outras revelaram temer que isso se tornasse mais um instrumento de injustiça nas mãos dos burocratas do sistema judiciário e da polícia.

9.6

– *O senhor é contra a pena de morte?*

– Ah, sim. Não leva a nada. Eu penso o seguinte: qualquer coisa que me atinge é na cabeça, de eu ficar remoendo se eu fiz alguma coisa que não devia ter feito, isso seria colocar pedras no meu caminho (...) Mas eu acho o seguinte: eu nunca vou esquecer as coisas erradas. Qualquer atitude minha que seja um erro, eu evito de fazer. Então, posso dizer, eu tenho o direito de matar, a pessoa judiou da minha mãe, eu te dou também umas pancadas; agora, se ele judiou da minha mãe e eu vou fazer o mesmo papel com ele, não sei... minha consciência pesa.

Serralheiro/vidraceiro, Jardim das Camélias, 48 anos, casado, 4 filhos; tem um oficina e uma loja em frente a sua casa.

9.7a

– Aí fica um círculo vicioso: a população fica ultrarrevoltada pelas barbaridades que os ladrões, os criminosos, assaltantes cometem. E cometem mesmo. Eu acho, por exemplo, em nível pessoal, que se alguém matasse alguém de minha família e eu visse que o cara não foi julgado, não fosse condenado, eu mandava matar ou matava. A nível pessoal, aí entra toda uma emotividade, mas a nível teórico, como funciona um estado de direito, como funciona uma jurisprudência, aí eu acho que o negócio tem que ser de outro jeito. Os direitos humanos são a base de uma civilização (...)

– *E a pena de morte?*

– Não. Imagina! Em absoluto. De jeito nenhum. Dá para você entender o sentimento humano de revolta, mas não que chegue ao extremo de acabar com os próprios direitos humanos. Porque aí ela está acabando com os próprios direitos dela também.

– *Mas, por exemplo, se tivesse plebiscito no ano que vem sobre a pena de morte, o que você acha que seria o resultado?*

– Eu acho que ganharia a pena de morte. Infelizmente. Porque as pessoas não têm esta coisa teórica do estado de direito. Vão muito mais pelo caminho emotivo, de sobrevivência, de pânico, de medo mesmo... de querer acabar com tudo que é bandido, de matar todo mundo (...)

Agente imobiliária, 56 anos, começou a trabalhar em 1990; mora no Alto de Pinheiros com uma filha.

Referências à vingança privada são feitas mesmo por pessoas que são totalmente contra a pena capital. O entrevistado citado em 9.6 opõe-se à pena de morte mas pensa nela como uma questão privada, algo a ser decidido entre ele e sua consciência e a ser executado pessoalmente. Ele é contra o uso da violência sob quaisquer circunstâncias e crê nos valores de educação e respeito como fontes de bons relacionamentos sociais. Para ele, a única instituição que poderia ter um papel crucial para impedir a violência e criar as condições para uma boa vida social é a família. A citação 9.7a é um dos poucos exemplos de uma discussão sobre a pena de morte que se refere ao sistema jurídico. Para a entrevistada, a vingança privada e o sentimento pessoal são opostos ao estado de direito e aos direitos humanos, ambos defendidos por ela. Entretanto, apesar de valorizar o princípio dos direitos humanos e se opor à pena de morte, ela também reconhece que, no caso de o sistema justiciário falhar, ela mesma consideraria o caminho da vingança privada.

A naturalidade com que as pessoas falam sobre a vingança privada e sobre tirar uma vida está associada à naturalidade com que lidam com a punição física em geral. Perguntei a todos que entrevistei o que achavam de bater em crianças. Apesar de o movimento feminista ter conseguido estigmatizar o espancamento de mulheres e de a violência contra crianças de rua ser criticada pela maioria da população, bater nos filhos por razões disciplinares ainda é algo corriqueiro. Essa prática oferece, portanto, um bom meio de se abordar a questão da punição violenta no contexto da vida cotidiana, ou seja, longe do contexto excepcional do crime. As entrevistas confirmaram a prática geral: mesmo pessoas a favor dos direitos humanos e contra a pena de morte, como a entrevistada que acabei de citar (9.7a), sentem que bater em crianças pode ser aconselhável em algumas circunstâncias.

9.7b

— Eu acho que pra educar é uma coisa. Bater, dar uma tapona, pôr de castigo ou dar um puxão de orelha quando são pequenos, eu fiz isso nos meus algumas vezes, fiz mesmo, porque não há saco que aguente; mas espancar é diferente. Tem um ditado que fala que pata de galinha não mata pintinho, asa de galinha não mata pintinho... Eu acho que um pouco de *super ego* precisa também.

A necessidade de estabelecer limites e dar um exemplo são maneiras de justificar o bater em crianças. O que não é claro é por que impor limites significa bater numa criança em vez de usar alguma outra punição. É também surpreendente que a lógica nessa discussão sobre o disciplinamento de crianças seja a mesma usada para justificar a pena de morte: dar um exemplo, impor limites. Essa analogia foi explicitamente feita a mim:

9.8

— Porque dizem que não adianta pena de morte, mas eu dou um exemplo. Você pega uma criança de dois anos e fala: não mexe no fogão, que você vai se queimar. Ela vai e mexe. Mas se ela for mexer e levar um bruta dum tapa, ela não mexe, porque ela tem medo, é a mesma coisa com a pena de morte (...) Você tem que esclarecer as coisas pras crianças, mas quando elas não têm a responsabilidade suficiente, não conseguem entender (...) Tem que haver pena de morte, porque eles sabem que se forem pegos, acabou (...) Resolve o exemplo (...) Dizem que os países adiantados coisa e tal aboliram a pena de morte. Mas nós somos um país do Terceiro Mundo, então, qual é o freio? Tem que ter um freio. A palmada que você dá no seu filho, a pena de morte, seria [esse freio].

Engenheiro, Morumbi, 50 anos, casado, 5 filhos; trabalha para a polícia.

A analogia chocante entre a pena capital e o bater em crianças revela que a pena de morte é considerada pedagógica: um exemplo contundente do que acontece às pessoas que não se comportam como a sociedade determina. Ela também revela que o modelo de família, a instituição encarregada de disciplinar as pessoas e evitar sua contaminação pelo mal, é aplicado diretamente na esfera pública. Essas opiniões e a as discussões que se seguem são complementares e fazem sentido no contexto das concepções sobre a difusão do mal e o papel das autoridades em evitá-lo, o que analisei no capítulo 2. Mas talvez o elemento mais chocante na citação acima seja a tranquilidade com que esse homem (e outros entrevistados) fala sobre o ato de bater em crianças. As pessoas parecem achar normal que as crianças devam apanhar para ser disciplinadas: esse raciocínio é tão óbvio que pode ser usado para justificar a pena capital. A maioria das pessoas que admitem que batem ou já bateram em seus filhos parece ser da opinião de que as crianças não são racionais o suficiente para entender tudo o que os pais lhes dizem. No entanto, acreditam que as crianças podem entender a violência — um termo de fato nunca usado nas referências ao disciplinamento de crianças. Incapazes de entender a linguagem, as crianças no entanto claramente entenderiam a dor, acredita-se. Como o medo da dor gera obediência, provocar tal medo é considerado boa pedagogia. A marcação do corpo pela dor é percebida como uma afirmação mais poderosa do que aquela que meras palavras poderiam fazer, e deveria ser usada especialmente quando a linguagem e os argumentos racionais não são entendidos. Em geral, as pessoas que entrevistei acham que crianças, adolescentes e mulheres não são totalmente racionais (ou nem sempre são racionais), da mesma maneira que os pobres e, obviamente, os criminosos. Contra essas pessoas, a violência é necessária; ela é uma linguagem inequívoca, uma linguagem que qualquer um pode entender, que tem o poder de impor princípios morais e corrigir o comportamento social. A dor é entendida como caminho para o conhecimento (especialmente moral) e reforma. A violência é considerada uma linguagem mais próxima à verdade.

Essa associação de dor, conhecimento e verdade torna-se especialmente clara em discussões sobre a tortura. As pessoas geralmente descrevem a tortura como ruim, apesar de alguns a verem como um mal necessário. Mas ninguém duvida de sua eficácia. O mesmo sentimento me foi revelado por pessoas totalmente diferentes. Um era um intelectual de esquerda que havia sido torturado durante o regime militar e que disse, durante um jantar onde a pena de morte estava sendo debatida, "posso dizer isso porque fui torturado: a tortura funciona. Se alguém sequestrar minha filha e a polícia puser a mão em alguém que possa levar aos sequestradores, eu não teria dúvidas em dizer à polícia para torturar essa pessoa para obter informações". Esse é o mesmo argumento que Afanasio Jazadji usa publicamente.

> "Mas espera um pouquinho: o que é tortura, e o que é que vocês esperam da polícia? A polícia não tem bola de cristal. Não tem (...) Você tem que tirar aquilo de uma forma ou de outra. Como é que você faz? Como extrair a verdade de um cara numa circunstância dessa? (...) Como é que você faz para tirar a verdade do cara? Não existe. É na pancada, mesmo! (...) Não existe persuasão, não existe interrogatório, não existe, não existe... no mundo todo! (...) Então, veja só, existe a tortura, mas existe mesmo. Ela, infelizmente, é necessária... Necessária por quê? Não há método pra você extrair a verdade de ninguém, quer dizer, a verdade verdadeira. Não, no caso, como eu estou lhe colocando: o sujeito, ele participou com cinco de um assalto, matou uma pessoa, ou que não tenha matado... participou, os outros fugiram, e ele está preso. Aí, ele chega: 'Não, eu tenho os meus direitos constitucionais, ninguém bota a mão em mim'. 'Mas, quem é que está com você?' — 'Não vou falar', e ainda te mostra a língua. Como é que o policial tem que se comportar? Então, não existe forma, não existe. (...) O bandido, ele sabe que é a lei do cão,

ele sabe que ele errou, que é função do policial apurar a verdade, e que não há outro método." (Entrevista, 20 de dezembro de 1990)

A associação de tortura e verdade não é de modo algum exclusiva ao Brasil. Pelo contrário, ela pertence a uma longa tradição ocidental de tortura judicial e de práticas religiosas cristãs.[21] O chocante é como Jazadji e outros consideram a tortura um recurso cotidiano nas mãos da polícia, uma técnica capaz de produzir resultados quando todos os outros falham. No entanto, expressando essa opinião, Jazadji está apenas refletindo o conhecido *modus operandi* da polícia de São Paulo. Sua opinião é, portanto, paralela àquela da analogia casual entre bater em crianças e a pena de morte: ao tratar diretamente da questão do uso da dor, elas revelam que essas práticas estão tão enraizadas na vida cotidiana que podem ser tidas como a norma.

Na São Paulo contemporânea, no entanto, as associações de dor, verdade e ordem não derivam apenas da tradição inquisitorial. Talvez a teoria pedagógica que prega a superioridade da violência como um meio de estabelecer a ordem e o desenvolvimento moral e afirma sua eficácia em situações em que a linguagem deixa de ter significado também encontre seu *pedigree* no encontro colonial e no que Michael Taussig (1987) chama de sua cultura do terror. Essa cultura colonial que envolve colonizador e colonizado na reprodução da violência é uma cultura em que a narrativa reproduz o terror (assim como o medo do crime) e em que o significado é produzido no corpo do dominado.

Alguns críticos da tortura, especialmente Elaine Scarry, desconstruíram a maneira pela qual ela é apresentada como um meio de produzir a verdade. Esses analistas nos ajudam a entender algumas das dimensões do tipo de relações de poder que parece ter sido reproduzido no Brasil. Scarry demonstra que o que é central na tortura não é conhecimento ou verdade, mas sim poder. Ela mostra que "a dor intensa destrói o mundo", ou seja, ela desfaz o significado. O fundamental para o torturador ao forçar uma confissão não é tanto o conteúdo do que é dito, mas sim a habilidade de forçar uma confissão (1985: 28-9). Em outras palavras, o que é fundamental é a criação de uma "ficção de poder absoluto" (1985: 27); a inflição de dor exige e recebe uma resposta. Aqueles que torturam, Scarry nos lembra, fa-

---

[21] O uso da dor na determinação da verdade tem uma longa história nas culturas ocidentais e em seus sistemas legais. Ver DuBois (1991) para uma análise da relação entre tortura e verdade na Grécia antiga. Ver Asad (1985) para uma interessante discussão sobre a história da penitência que mostra como o uso da dor, embora sempre presente na tradição cristã, fez parte de diferentes práticas para se obter a verdade. Em outras palavras, a ligação entre dor e verdade tem sido articulada de diferentes maneiras ao longo do tempo. Nesse sentido, Asad torna mais complexa a análise do Antigo Regime feita por Foucault (1977), que não considera essas variações. Já discuti (capítulos 3 a 5) o papel da tortura nos procedimentos judiciais no Brasil. Ver também Lima (1986). Para uma discussão da Inglaterra, onde as torturas judiciais não eram tão comuns como na Europa continental durante a maior parte do Renascimento, ver Hanson (1991). Ver também Clastres (1978) para uma análise do papel da tortura nas sociedades primitivas e suas relações com a lei e o conhecimento.

zem-no por serem fracos, não porque precisam de conhecimento.[22] Os discursos que acabei de analisar aparentemente operam com os significados opostos à visão de Scarry, uma vez que insistem em que a tortura leva à verdade. No entanto, sua lógica parece coincidir com a de pessoas que estão em posições de poder infligir dor. Tanto Scarry como o entrevistado que acabei de citar pensam na linguagem e na dor como opostas. Entretanto, enquanto os entrevistados geralmente acreditam que a dor pode produzir disciplina, ordem e conhecimento, Scarry argumenta que a dor só destrói a significação. De fato, tanto no disciplinamento de crianças, mulheres e outras pessoas "fracas" como no caso da tortura, a dor é um instrumento de autoridade usado para produzir submissão. O significado criado pela dor nos corpos das pessoas é a vontade da autoridade absoluta, uma autoridade que não está interessada em entrar em debates ou admitir discordâncias, uma autoridade que negligencia a linguagem. Um mundo de significação negociada é criado pela linguagem, não pela dor.

Gostaria de comentar sobre um último ponto: a fascinação das pessoas pelo papel de executor e por uma economia de intervenção no corpo do executado. Amaral Neto afirmou mais de uma vez que gostaria de ser o primeiro carrasco legal do Brasil (ver também *Folha de S. Paulo*, 2 de julho de 1991). Aparentemente, ele não é o único a pensar assim: ele vem afirmando publicamente que muitas pessoas lhe escrevem oferecendo-se como voluntários para o cargo. Algumas dessas pessoas foram entrevistadas e tiveram suas fotos publicadas em jornais (ver, por exemplo, *Folha de S. Paulo*, 3 de agosto de 1991). Elas também enviaram sugestões sobre os melhores métodos para a execução (uma alternativa popular é a injeção de veneno de rato), e sobre como dispor dos corpos dos executados. A opção mais popular para isso parece ser usar seus órgãos para transplantes, e alguns chegaram a criar tabelas elaboradas relacionando diferentes órgãos ao tipo de crime cometido (*Folha de S. Paulo*, 3 de agosto de 1991). Outras pessoas propuseram mutilação e castração como punição para certos crimes.

Essas histórias adicionam uma outra dimensão ao que parecem ser duas características interligadas da cultura brasileira: a centralidade do corpo em considerações sobre punição e a aceitação do uso da dor em práticas disciplinares não só contra supostos criminosos, mas também contra todas as categorias de pessoas que supostamente "precisam" de controle especial (crianças, mulheres, pobres e loucos). O corpo é, portanto, percebido como um campo para várias intervenções. Essa noção do corpo manipulável está relacionada à deslegitimação dos direitos civis e está no cerne dos debates sobre a democratização da sociedade brasileira.

---

[22] "A dor física é tão incontestavelmente real que parece conferir sua característica de 'realidade incontestável' ao poder que a fez existir. Obviamente, é precisamente porque a realidade daquele poder é tão altamente contestável, o regime tão instável, que a tortura vem sendo usada" (Scarry 1985: 27). Nesse sentido, a análise de Scarry coincide com a interpretação da violência de Hannah Arendt (1969), segundo a qual a violência é o instrumento daqueles que não têm autoridade e são incapazes de governar por consenso.

O corpo é concebido como um *locus* de punição, justiça e exemplo no Brasil. Ele é concebido pela maioria como o lugar apropriado para que a autoridade se afirme através da inflição da dor. Nos corpos dos dominados — crianças, mulheres, negros, pobres ou supostos criminosos — aqueles em posição de autoridade marcam seu poder procurando, por meio da inflição da dor, purificar as almas de suas vítimas, corrigir seu caráter, melhorar seu comportamento e produzir submissão.[23] Para entender como essas concepções e suas consequências podem ser aceitas como naturais na vida cotidiana, não é suficiente simplesmente desvendar as associações de dor e verdade, dor e desenvolvimento moral ou mesmo dor e um certo tipo de autoridade. Essas concepções de punição e castigo estão associadas a outras noções que legitimam intervenções no corpo e à falta de respeito aos direitos individuais.

A naturalidade com que os brasileiros veem a inflição da dor com objetivos corretivos é consistente com outras percepções do corpo. Intervenções e manipulações no corpo de outras pessoas, ou no próprio corpo, são vistas como relativamente naturais em muitas áreas da vida social. Essas intervenções não são necessariamente dolorosas ou violentas. Na verdade, algumas são vistas como aspectos desejáveis e atraentes da cultura brasileira. Todavia, o que todas as intervenções revelam é uma noção de corpo incircunscrito. Por um lado, o corpo incircunscrito não tem barreiras claras de separação ou evitação; é um corpo permeável, aberto à intervenção, no qual as manipulações de outros não são consideradas problemáticas. Por outro lado, o corpo incircunscrito é desprotegido por direitos individuais e, na verdade, resulta historicamente da sua ausência. No Brasil, onde o sistema judiciário é publicamente desacreditado, o corpo (e a pessoa) em geral não é protegido por um conjunto de direitos que o circunscreveriam, no sentido de estabelecer barreiras e limites à interferência ou abuso de outros.

Uma análise completa das maneiras pelas quais o corpo é incircunscrito na sociedade brasileira provavelmente requereria revisitar as relações coloniais e o legado da escravidão e está fora do escopo deste trabalho. Entretanto, gostaria de acrescentar dois exemplos que estão deliberadamente fora do campo da punição e do crime. O primeiro vem da medicina, a princípio um campo no qual as intervenções no corpo são consideradas legítimas. Há, no entanto, várias questões sobre as quais se pode questionar a extensão das intervenções. Uma delas é a reprodução e afeta os corpos das mulheres. O nascimento através de cesárea está se tornando mais comum que o parto normal no Brasil. No estado de São Paulo, em 1992, 53,4% de todos os nascimentos foram por cesárea (Berquó 1993: 471). De acordo com Elza Berquó (1993), esse aumento está associado à predominância da esterilização (ligação tubária) como método contraceptivo no Brasil: ela é usado por 45% das

[23] Ver Scheper-Hughes (1992) para uma outra interpretação da rotinização da violência na sociedade brasileira e para poderosas descrições da incircunscrição dos corpos de pessoas pobres.

mulheres e é feita na maioria das vezes durante uma cesárea.[24] No Nordeste, a região mais pobre do Brasil, 63% das mulheres a usam, e dados recentes indicam que 19% das mulheres nessa área já haviam sido esterilizadas antes de completar 25 anos (comparadas a 10% em São Paulo; PNUD-IPEA 1996: 67).

Esses dados ilustram, em primeiro lugar, um problema grave de saúde pública e a existência de uma classe médica que efetua a cesariana muito mais frequentemente do que seria medicamente necessário e oferece poucos meios alternativos de controle da natalidade. Segundo, eles indicam que essa tendência é mais acentuada nas regiões mais pobres do país. Terceiro, e mais importante do ponto de vista do controle da mulher sobre seu corpo, os dados acima indicam que as mulheres brasileiras estão se submetendo a procedimentos invasivos com mais frequência do que a procedimentos não invasivos, e que estão dando passos radicais para controlar a reprodução, escolhendo um método que é invasivo e irreversível. Em outras palavras, as decisões reprodutivas das mulheres estão sendo tomadas de maneiras que normalizam uma drástica interferência no corpo. A reprodução não é a única área em que essa interferência ocorre. Cirurgias plásticas de todos os tipos também são extremamente comuns entre a classe média que pode pagar por isso.[25]

A segunda arena onde as intervenções são dadas como certas e vistas como naturais se refere a um dos aspectos que, como se diz, "fazem o Brasil Brasil": a exibição de corpos nas praias, a sensualidade aberta e muitas vezes descrita como uma sexualidade "flexível", a valorização da proximidade dos corpos, o carnaval e sua mistura de corpos, e assim por diante. O carnaval é uma ocasião para mostrar o corpo e brincar com suas transformações. É também uma ocasião para o jogo sensual aberto. Durante o carnaval, as pessoas esperam tocar e ser tocadas: é de mau gosto repelir tais intervenções porque, de fato, as pessoas estão na rua para brincar e a mistura de corpos é a essência do jogo. O carnaval não é só um lugar para a combinação de corpos, sua manipulação e exibição, mas um universo em que a ameaça da violência e a violência estão sempre presentes.

O carnaval não é uma invenção brasileira. Mas nas culturas europeias que costumavam celebrá-lo, o carnaval foi em geral amplamente relegado ao passado. Algumas das interpretações mais marcantes da história da Europa moderna nos

---

[24] A maioria das ligaduras de trompas (75% no Brasil e 83% no estado de São Paulo) é feita durante uma cesariana. A esterilização é usada por 38,4% das mulheres em idade reprodutiva em São Paulo; a taxa é maior no Norte, Centro-Oeste e Nordeste do Brasil. Ela alcança 61,4% em Pernambuco e 71,3% em Goiás (Berquó 1993: 468, 463). As porcentagens de esterilização de mulheres são de 15,7% para todos os países no mundo e 7,6% para os países desenvolvidos. Na China, onde o Estado tem uma política agressiva de controle populacional, a proporção é 49,1% (Berquó 1993: 464-5).

[25] Uma das indicações da popularidade da cirurgia plástica, pelo menos nas áreas metropolitanas, é o surgimento em 1997 da revista *Plástica — a revista que vai mudar você*. Essa revista dedica-se exclusivamente a temas de cirurgia plástica e dá dicas sobre diferentes técnicas e serviços disponíveis (além de anúncios). Os artigos vão desde uma reportagem sobre qual seria o bumbum perfeito na opinião dos brasileiros a novas tecnologias a laser e como conseguir um sorriso perfeito. Além disso, pessoas famosas falam das suas cirurgias e posam para a capa.

ajudam a entender por que e como isso aconteceu. Essas interpretações, na verdade histórias da modernidade, descrevem as interconexões da formação de Estados-nações, o estabelecimento da tradição liberal e das noções de cidadania e direitos, e o controle da violência e seu monopólio pelo Estado. No contexto dessas transformações, o carnaval e sua mistura de corpos — o que Bakhtin (1984) chamou de "imagens grotescas do corpo" — e o comportamento violento generalizado, inclusive a punição violenta, foram enterrados com o nascimento da "era dos direitos" e a primazia do indivíduo. Eles se tornaram coisas do passado, ou coisas identificadas a outras culturas, ou deslocadas e reencenadas nas colônias pelas mesmas administrações imperiais que estavam aprendendo a colocá-las de lado em suas sociedades. O genocídio da população nativa que ocorreu durante a conquista nas Américas, as contínuas marcações dos corpos no processo de colonização e a criação de uma cultura do medo na América Latina (Taussig 1987) coincidem com a pacificação interna dos estados europeus, sua crescente sofisticação dos costumes e o controle da violência.

A passagem da dominância do cânone do corpo grotesco para a do corpo individual na Europa é crucial para a formação da modernidade: ela significa a prevalência das novas sensibilidades e valores culturais, o triunfo de novas formas de relações sociais e organização social, e o estabelecimento de novas formas de controle e sujeição. A longo prazo, ela afetou todas as dimensões da vida social e tem sido descrita de muitas perspectivas diferentes. Norbert Elias ([1939] 1994), em seus ensaios sobre o processo civilizatório, descreve a mudança como um processo de longo prazo que criou os Estados-nações modernos com seu monopólio do uso da força e teorias de cidadania e direitos.[26] Além disso, a análise fascinante de Elias revela como esses macroprocessos se entrelaçaram com o refinamento das maneiras e os microprocessos pelos quais as funções corporais foram controladas e removidas da esfera pública. Como resultado desse processo, as pessoas "civilizadas" aprenderam a encerrar seus corpos, controlar seus fluidos, evitar a mistura com os outros ou com o exterior e controlar sua agressividade. A pessoa civilizada é o indivíduo autocontido, circunscrito.

Uma outra interpretação desse mesmo processo é desenvolvida por Michel Foucault em sua análise da história da punição. É a passagem dos rituais públicos de punição física para as punições privadas e exercícios morais do sistema penitenciário; é a passagem da marcação de corpos ao disciplinamento da alma como a principal forma de exercício do poder. Essa transição é paralela à mudança nos modos dominantes de organização política e legitimação do poder político: as monarquias, cuja fonte de poder era o corpo do rei e cujo poder era exercido de maneira repentina, violenta e descontínua (Foucault 1977: 208), deram lugar a estados inspirados pela noção de contrato social e que têm como princípio fundador a ideia de cidadania universal e seus direitos.

Foucault argumenta que a formação da sociedade disciplinar está ligada a vários processos históricos mais abrangentes — econômicos, jurídico-políticos e

[26] Ver também Tilly (1975) e Chesnais (1981).

científicos (Foucault 1977: 218-28). Ele salienta as ligações entre a formação da sociedade disciplinar e o desenvolvimento das novas estruturas jurídico-políticas.

> "A forma jurídica geral que garantia um sistema de direitos em princípio igualitários era sustentada por esses mecanismos miúdos, cotidianos e físicos, por todos esses sistemas de micropoder essencialmente inigualitários e assimétricos que constituem as disciplinas. (...) As disciplinas reais e corpóreas constituíram o subsolo das liberdades formais e jurídicas. O contrato podia muito bem ser imaginado como o fundamento ideal do direito e do poder político; o panopticismo constituía a técnica universalmente difundida de coerção. Não parou de elaborar em profundidade as estruturas jurídicas da sociedade, a fim de fazer os mecanismos efetivos de poder funcionarem em oposição à estrutura formal que ela adquirira. As 'Luzes', que descobriram as liberdades, também inventaram as disciplinas." (Foucault 1977: 222)

A combinação das disciplinas com o aparato jurídico da sociedade do contrato na Europa resultou na docilidade dos corpos e na circunscrição dos indivíduos. Apesar de usarem técnicas totalmente diferentes, tanto as disciplinas como o aparato jurídico da sociedade moderna impuseram a noção do indivíduo isolado e do eu circunscrito. Além disso, embora suas promessas fossem antagônicas — o contrato social prometia igualdade e as disciplinas reproduziam a hierarquia e a dominação —, ambas ajudaram a legitimar maneiras de exercer poder em relação ao corpo e ao indivíduo que reprimiam a violência. A inflição da dor como uma forma de exercer poder foi uma característica da soberania monárquica; a nova forma de poder político foi legitimada pela ideia de consenso e de um contrato livre entre indivíduos iguais. No novo sistema, os cidadãos individuais não só eram circunscritos, mas também possuíam todo um conjunto de direitos. Entre todos os direitos que constituem a cidadania, aqueles que protegem o indivíduo masculino, seu corpo e sua privacidade foram os primeiros a se desenvolver e são aqueles que hoje constituem o cerne da tradição liberal (Marshall 1965 [1949]). Além disso, as disciplinas modernas são produtivas, não repressivas, e visam moldar a alma e o caráter por meio do exercício e não pela dor.

A associação do desenvolvimento das disciplinas com o dos direitos individuais e democracias liberais e com o controle e enclausuramento do corpo, assim como o abandono progressivo da violência seja como método pedagógico seja como forma de punição, são claros na história dos países que inventaram o modelo liberal-democrático (França, Inglaterra e Estados Unidos).[27] Estudiosos de cidadania têm tendido a generalizar essa história, de modo que ela se tornou a história do

[27] Além da análise de Foulcault, ver Dumm (1987) para uma discussão da associação do desenvolvimento do sistema penitenciário nos Estados Unidos com a consolidação da democracia americana. Ver também Nedelsky (1990) para uma discussão sobre como a metáfora de fronteiras (ao redor do indivíduo e ao redor do poder do Estado) é central na tradição americana de constitucionalismo.

desenvolvimento dos direitos e das disciplinas em geral e o modelo de cidadania e de democracia. Um dos efeitos dessa generalização é conectar certos elementos como se eles sempre ocorressem juntos e numa certa sequência. Países como o Brasil, mas também outros com histórias diferentes (geralmente histórias coloniais) e que hoje têm democracias disjuntivas, forçam-nos a dissociar os elementos dessa história e a questionar sua sequência. Eles nos forçam a ver a possibilidade de cidadania política sem o controle da violência, de um estado de direito coexistindo com abusos da polícia e de democracias eleitorais sem direitos civis ou sem um sistema judiciário legitimado. Além do mais, democracias disjuntivas nos acostumam a diferentes histórias de cidadania, histórias como a do Brasil, onde os direitos sociais são bastante desenvolvidos mas os direitos civis não são protegidos, ou onde os direitos políticos têm uma história de idas e vindas, em que são garantidos num momento apenas para serem desprezados pelo regime seguinte. Ao olhar para essas histórias, percebemos que o que tomamos como norma, ou seja, a história europeia de controle da violência e desenvolvimento dos direitos de cidadania, é apenas uma versão da modernidade, e provavelmente nem mesmo a mais comum. Quando olhamos para outras histórias percebemos que múltiplas modernidades são produzidas na medida em que diferentes nações e povos se envolveram com elementos do repertório da modernidade (monopólio do uso da força, cidadania, liberalismo etc.).

Fernando Coronil e Julie Skurski (1991) oferecem um exemplo de um outro tipo de cultura e de história no qual a modernidade e a democracia política sempre estiveram ligadas à violência. Eles mostram como a violência política na Venezuela é regularmente reencenada em contextos democráticos. Eles argumentam que a violência é "manipulada e resistida" (1991: 289) nos termos específicos da história venezuelana, em relação à qual ela tem que ser analisada. A violência contemporânea na Venezuela continua a ser enquadrada "em termos da Conquista", mobilizando noções de um povo bárbaro e um governo civilizador (das elites). Taussig (1987) demonstra um processo similar para a Colômbia no seu estudo do uso da violência no *boom* da borracha e na criação do que ele chama "cultura do terror e espaço da morte".

No Brasil, todas as constituições promulgaram os princípios de cidadania universal, desde a primeira, em 1824, e muito antes da abolição da escravatura, em 1888. No entanto, as associações de disciplina, direitos individuais e enclausuramento do corpo que encontramos no modelo europeu nunca aconteceram. Os direitos individuais não são legitimados nem protegidos, e o corpo não é respeitado em sua individualidade e privacidade. Corpos e direitos civis são sempre conectados, tanto em países como o Brasil como naqueles em que os corpos são circunscritos e os direitos civis, respeitados. Na sociedade brasileira, o que domina é a noção incircunscrita do corpo e do indivíduo. Até hoje, e independentemente do regime político, é sobre os corpos incircunscritos dos dominados que as relações poder se estruturam, que os significados circulam e que se tenta construir a ordem. Quando a marcação dos corpos predomina, o respeito aos direitos civis é improvável, apesar de poder haver uma democracia política eleitoral e um respeito relativamente amplo aos direitos sociais. Os direitos civis, no entanto, parecem depender da circunscrição do corpo e do indivíduo, e do reconhecimento de sua integridade.

Como mostrei a partir de várias perspectivas neste estudo, o Brasil tem uma democracia disjuntiva que é marcada pela deslegitimação do componente civil da cidadania: o sistema judiciário é ineficaz, a justiça é exercida como um privilégio da elite, os direitos individuais e civis são deslegitimados e as violações dos direitos humanos (especialmente pelo Estado) são rotina. Essa configuração específica não ocorre em um vácuo social e cultural: a deslegitimação dos direitos civis está profundamente enraizada numa história e numa cultura em que o corpo é incircunscrito e manipulável, e em que a dor e o abuso são vistos como instrumentos de desenvolvimento moral, conhecimento e ordem. Essa configuração específica nos permite sugerir que a lógica cultural e política que cria corpos incircuncritos não é a mesma lógica que gera o indivíduo circunscrito na tradição liberal de cidadania. Essas duas lógicas têm estado em diálogo por um longo tempo em lugares como o Brasil, assim como nos Estados Unidos e na Europa. No entanto, esses diálogos produziram resultados bem diferentes. Ao apontar os diferentes caminhos de desenvolvimento dos direitos de cidadania e das democracias europeia e norte-americana em relação à brasileira, minha intenção não é minimizar o perigo que o fraco componente civil representa para a democracia brasileira. Antes, quero sugerir que, para entender o desrespeito peculiar pelos direitos civis na democracia brasileira e considerar como ela poderia se tornar menos violenta e mais respeitadora dos corpos e direitos das pessoas, talvez tenhamos de nos concentrar mais nas concepções de mal, na punição de crianças, no uso excessivo das cesarianas e no carnaval do que nos procedimentos eleitorais e nas formações dos partidos políticos. De fato, nada indica que a democracia política e o estado de direito irão circunscrever corpos e gerar respeito pelos indivíduos ou vice-versa. No Brasil, a violência e as violações dos direitos humanos aumentaram sob o atual regime democrático e ao mesmo tempo em que o desejo de infligir a dor no corpo dos dominados foi usado para desafiar o estado de direito. Não é por acaso, penso, que o principal ataque ao primeiro governador eleito em São Paulo foi articulado através do ataque violento aos direitos humanos e da defesa da pena capital (e das execuções sumárias). Poderíamos sugerir, então, que, por meio da questão da punição violenta e do crime, os brasileiros articulam uma forma de resistência às tentativas de expandir a democracia e o respeito pelos direitos além dos limites do sistema político. No contexto da transição para a democracia, o medo do crime e os desejos de vingança privada e violenta vieram simbolizar a resistência à expansão da democracia para novas dimensões da cultura brasileira, das relações sociais e da vida cotidiana.

A elaboração do preconceito na fala do crime, a recriação simbólica de desigualdades exatamente à medida que a democracia cria raízes, o apoio à violência policial e às medidas privadas e ilegais de lidar com o crime, a construção de muros na cidade, o enclausuramento e o deslocamento dos ricos, a criação dos enclaves fortificados e as mudanças no espaço público rumo a padrões mais explicitamente separados e não democráticos, o desrespeito aos direitos humanos e sua identificação com "privilégios de bandidos" e a defesa da pena de morte e das execuções sumárias são todos elementos que vão na direção oposta e muitas vezes contestam a democratização e a expansão de direitos. Como todas essas tendências aumentaram sob o regime democrático, apontei o caráter disjuntivo da democracia brasileira. Além disso, porque muitos desses elementos indicam problemas com os direitos civis, eles revelam a esfera da justiça e dos direitos individuais como uma das mais problemáticas da cidadania brasileira.

No entanto, isso não significa que estou defendendo para o Brasil qualquer dos modelos existentes de direitos da cidadania ou que espero que o país siga esses modelos. Os direitos individuais no Brasil devem ser construídos no contexto de sua própria história e cultura, o que inclui a concepção incircunscrita do corpo tanto na dimensão legal quanto na experiencial. Embora acredite que sem uma reforma profunda e a legitimação do sistema judiciário não haverá um fim para o ciclo de violência nem qualquer aumento no respeito aos indivíduos e seus direitos, esse sistema tem que ser reformado e os corpos têm que ser circunscritos em relação às concepções distintivamente brasileiras.

Como podem os brasileiros criar proteção e respeito aos corpos, aos direitos individuais e à privacidade, e ao mesmo tempo manter alguns dos aspectos da cultura brasileira que são aparentemente valorizados e apreciados por muitos, como aqueles simbolizados no carnaval (proximidade de corpos, sensualidade etc.)? Não tenho uma resposta a essa pergunta, mas talvez os comentários a seguir possam ajudar na sua discussão.

A teórica feminista Jennifer Nedelsky argumenta (1990) que a noção predominante de direitos na tradição constitucional americana é a de direitos como fronteiras e deriva do modelo de propriedade. Nessa tradição, os direitos individuais são concebidos como direitos de propriedade do próprio corpo, e a proteção dos indivíduos e sua autonomia, como a construção de muros. Em sua crítica à imagem de fronteira como o modelo para concepções de direitos, individualidade e autonomia, Nedelsky argumenta que elas não podem ser úteis para as mulheres e seus corpos, dados os fatos elementares da gravidez e das relações sexuais. Ela defende, em vez disso, um modelo mais flexível para o corpo e para a individualidade, um modelo cujo foco está em noções de conexão, contato, relações e fronteiras permeáveis, que tem alguma semelhança com o modelo flexível brasileiro. Não posso evitar ser cética em relação à alternativa de Nedelsky, para o caso brasileiro, porque acredito que esse modelo mais flexível e incircunscrito é a contrapartida de muita violência em várias áreas da vida social, e também porque ele é inerentemente violento, em especial contra as mulheres, as crianças e os pobres, ou seja, em conjunção com a imposição de vontades autoritárias. Além disso, na medida em que a flexibilidade se combina com uma grande desigualdade nas relações sociais, a permeabilidade age apenas numa direção: do dominante para o dominado, sem quaisquer restrições institucionais ou fronteiras. Assim, defendo mais do que menos circunscrição para o corpo, especialmente no caso de relacionamentos entre desiguais. No entanto, isso parece contradizer meu argumento sobre o espaço público, no qual critico o processo de fortificação da cidade por destruir um tipo de espaço democrático onde as fronteiras são indecidíveis e negociáveis. Na verdade, não o contradiz, pois os muros que fortificam São Paulo são muros gerados tanto pelo desrespeito a direitos civis quanto pela ausência do desejo entre os mais ricos de respeitar os direitos daqueles que veem como inferiores e que não irão admitir como concidadãos no mesmo espaço público.

Advogar modelos mais flexíveis para o corpo significa coisas completamente diferentes quando os direitos civis e a justiça são legitimados (como nos Estados Unidos, na análise de Nedelsky) e quando eles são deslegitimados (como no Brasil). De fato, a atitude de uma sociedade em relação a esses direitos é inseparável de certas concepções do corpo: a sociedade que produz corpos incircunscritos tem poucas chances de ter direitos civis fortes e vice-versa. Como, então, podemos imaginar um modelo de cidadania e direitos individuais que seja mais protetor dos dominados sem impor um modelo masculino e talvez não-brasileiro de corpo individual contido? Pode tal modelo fornecer limites para os corpos das mulheres, protegê-las de assédio sexual e não penalizá-las ao ficarem grávidas (forçando-as, por exemplo, a conceber seus corpos mais flexíveis em termos de incapacidade (*disability*), como acontece na legislação trabalhista americana)?[28] Como podemos pensar em direitos e autonomia nos contextos de desigualdade social e opressão sexual sem usar imagens de limites? Podemos imaginar um modelo que permita deixar espaço para a proximidade de corpos e a sensualidade e ainda impor o respeito à privacidade, à individualidade e aos direitos humanos? O controle da violência e o abuso requerem fronteiras rígidas e claramente definidas? Pode-se desenvolver um modelo de cidadania e direitos individuais que seja flexível e ao mesmo tempo eficiente para controlar a violência? Existe um modelo que proteja o corpo das pessoas e imponha a obediência aos direitos individuais e simultaneamente mantenha a indeterminação de fronteiras que constitui o espaço público democrático? Como se pode estabelecer os limites do que seria uma formação alternativa de democracia e direitos? A democracia brasileira provavelmente continuará a ser única, mas se aspira a ser menos violenta, ela tem que não só legitimar o sistema judiciário mas também deixar de exercitar seus jogos de poder e abusos de autoridade sobre os corpos dos dominados. Ela terá de encontrar maneiras de democratizar o espaço público, renegociar fronteiras e respeitar os direitos civis.

---

[28] Os movimentos de mulheres no Brasil constituem um dos poucos movimentos políticos que exigem a expansão dos direitos individuais (ver Caldeira 1998). Embora os movimentos de mulheres, de acordo com o padrão específico de legitimação dos direitos de cidadania no Brasil, tenham formulado muitas de suas reivindicações em termos de direitos sociais, eles também abordaram temas ligados aos direitos individuais e à proteção do corpo das mulheres, os quais constituem o cerne de qualquer agenda feminista. Isso fica especialmente claro na intervenção de feministas e ONGs nas áreas dos direitos reprodutivos (inclusive a questão das cesarianas e da esterilização), direito de família, violência contra mulheres e racismo contra mulheres negras. Sem dúvida, os movimentos feministas representam um dos melhores exemplos que conheço no Brasil sobre o potencial de expansão dos direitos individuais. Outro exemplo é o movimento negro, que infelizmente não teve ainda o mesmo nível de eficácia em realizar suas reivindicações. Para uma crítica à classificação de gravidez como *disability* [invalidez], para fins de licença-maternidade nos Estados Unidos, ver Eisenstein 1988: capítulo 3.

Mapa 3
Municípios da Região Metropolitana de São Paulo

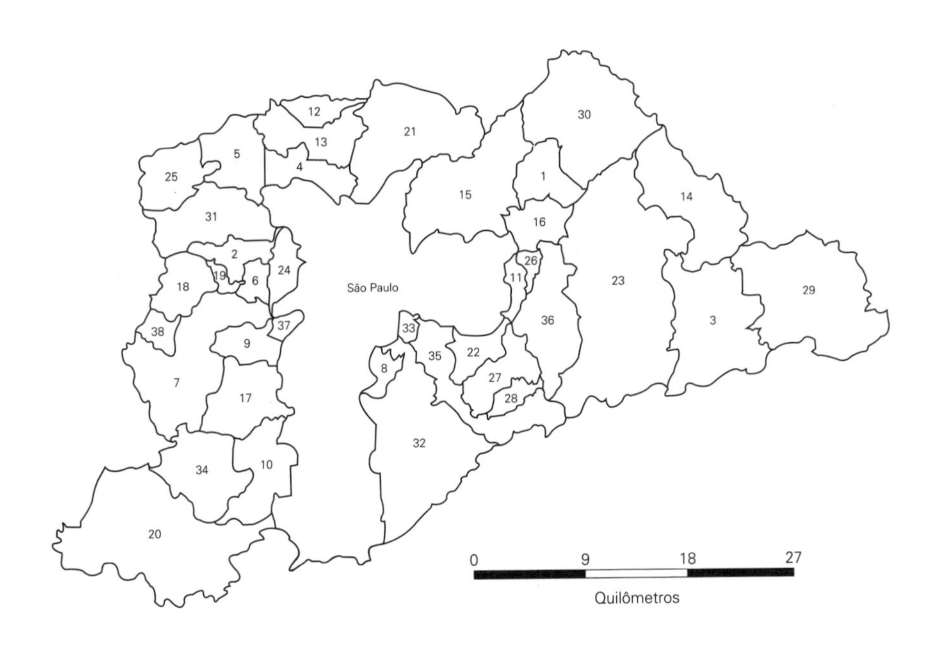

1 - Arujá
2 - Barueri
3 - Biritiba Mirim
4 - Caieiras
5 - Cajamar
6 - Carapicuíba
7 - Cotia
8 - Diadema
9 - Embu
10 - Embu-Guaçu
11 - Ferraz de Vasconcelos
12 - Francisco Morato
13 - Franco da Rocha
14 - Guararema
15 - Guarulhos
16 - Itaquaquecetuba
17 - Itapecerica da Serra
18 - Itapevi
19 - Jandira
20 - Juquitiba
21 - Mairiporã
22 - Mauá
23 - Mogi das Cruzes
24 - Osasco
25 - Pirapora do Bom Jesus
26 - Poá
27 - Ribeirão Pires
28 - Rio Grande da Serra
29 - Salesópolis
30 - Santa Isabel
31 - Santana do Parnaíba
32 - São Bernardo do Campo
33 - São Caetano do Sul
34 - São Lourenço da Serra
35 - Santo André
36 - Suzano
37 - Taboão da Serra
38 - Vargem Grande Paulista

Mapa 4
Distritos do Município de São Paulo

1 - Água Rasa
2 - Alto de Pinheiros
3 - Anhanguera
4 - Aricanduva
5 - Artur Alvim
6 - Barra Funda
7 - Bela Vista
8 - Belém
9 - Bom Retiro
10 - Brás
11 - Brasilândia
12 - Butantã
13 - Cachoeirinha
14 - Cambuci
15 - Campo Belo
16 - Campo Grande
17 - Campo Limpo
18 - Cangaíba
19 - Capão Redondo
20 - Carrão
21 - Casa Verde
22 - Cidade Ademar
23 - Cidade Dutra
24 - Cidade Líder
25 - Cidade Tiradentes
26 - Consolação
27 - Cursino
28 - Ermelino Matarazzo
29 - Freguesia do Ó
30 - Grajaú
31 - Guaianases
32 - Iguatemi
33 - Ipiranga
34 - Itaim Bibi
34 - Itaim Paulista
36 - Itaquera
37 - Jabaquara
38 - Jaçanã
39 - Jaguara
40 - Jaguaré
41 - Jaraguá
42 - Jardim Ângela
43 - Jardim Helena
44 - Jardim Paulista
45 - Jardim São Luís
46 - José Bonifácio
47 - Lajeado
48 - Lapa
49 - Liberdade
50 - Limão
51 - Mandaqui
52 - Marsilac
53 - Moema
54 - Mooca
55 - Mormbi
56 - Parelheiros
57 - Pari
58 - Parque do Carmo
59 - Pedreira
60 - Penha
61 - Perdizes
62 - Perus
63 - Pinheiros
64 - Pirituba
65 - Ponte Rasa
66 - Raposo Tavares
67 - República
68 - Rio Pequeno
69 - Sacomã
70 - Santa Cecília
71 - Santana
72 - Santo Amaro
73 - São Domingos
74 - São Lucas
75 - São Mateus
76 - São Miguel
77 - São Rafael
78 - Sapopemba
79 - Saúde
80 - Sé
81 - Socorro
82 - Tatuapé
83 - Tremembé
84 - Tucuruvi
85 - Vila Andrade
86 - Vila Curuçá
87 - Vila Formosa
88 - Vila Guilherme
89 - Vila Jacuí
90 - Vila Leopoldina
91 - Vila Maria
92 - Vila Mariana
93 - Vila Matilde
94 - Vila Medeiros
95 - Vila Prudente
96 - Vila Sonia

AGRADECIMENTOS

Este livro conviveu comigo por um longo tempo. Comecei a pensar sobre a relação entre violência, democracia e a cidade no começo dos anos 80, em São Paulo, enquanto estudava movimentos sociais na periferia e ouvia as pessoas falarem sobre o aumento do crime. Logo depois de escrever o primeiro artigo sobre o que chamaria mais tarde de "fala do crime", pedi licença nos meus empregos em São Paulo e fui para a Universidade da Califórnia, Berkeley, fazer doutorado em antropologia. Desde então, minha vida tem sido de idas e vindas entre São Paulo e a Califórnia. Este livro situa-se nesses constantes deslocamentos. Ele deve muito aos que me apoiaram pelo caminho e a quem posso finalmente agradecer.

Meus estudos de doutorado em Berkeley tiverem o apoio de uma bolsa de doutorado no exterior do CNPq (Conselho Nacional de Desenvolvimento Científico e Tecnológico) e de uma Latin American and Caribbean Fellowship da Inter-American Foundation. As duas instituições em que trabalhei como pesquisadora e professora no Brasil por mais de uma década — o Cebrap (Centro Brasileiro de Análise e Planejamento) e a Unicamp (Universidade Estadual de Campinas) — não só me concederam licenças de afastamento para meus estudos em Berkeley, mas também me ofereceram as melhores condições para pesquisar e escrever. Várias instituições financiaram a pesquisa que deu origem a este livro. O trabalho de campo em São Paulo, entre 1989 e 1991, foi financiado por uma International Doctoral Research Fellowship do Joint Committee on Latin American Studies do Social Science Research Council e do American Council of Learned Societies, com fundos da William and Flora Hewlett Foundation e da Andrew W. Mellon Foundation; por uma bolsa do Inter-American Foundation Doctoral Fellowship Program; e por uma dotação de pesquisa da Fundação Ford. Sou grata a todas essas instituições por seu apoio e, particularmente, aos meus colegas do Cebrap e do Departamento de Antropologia da Unicamp.

Apresentei a primeira versão deste trabalho como tese de doutorado no Departamento de Antropologia da Universidade da Califórnia, Berkeley, onde tive o privilégio de trabalhar com Paul Rabinow, meu orientador. Além de oferecer seminários dos mais instigantes, ele sempre me proporcionou a liberdade de seguir minhas próprias ideias e um contínuo diálogo. Agradeço também a Nancy Scheper-Hughes por sua leitura crítica e apoio constante. Em Berkeley, tive ainda o apoio dos professores Todd Gitlin, David Collier e Albert Fishlow, e do Centro de Estudos Latino-Americanos.

Em São Paulo, meu trabalho tem sido influenciado por um grupo de exigentes amigos e professores: Ruth Cardoso, responsável por ter me transformado numa antropóloga e que sempre vai continuar a me guiar, Vilmar Faria, José Arthur

Giannotti, Guillermo O'Donnell e Juarez Rubens Brandão Lopes. Espero que este estudo revele algo do que aprendi com eles sobre como combinar pesquisa rigorosa com paixão pelo debate público e preocupação com mudança social.

Muitas pessoas me ajudaram a obter dados e materiais de pesquisa, concederam-me entrevistas e se interessaram por meu trabalho. Tive muita sorte de poder contar com João Vargas como meu assistente de pesquisa na Mooca. Não sei como lhe agradecer. Além de partilhar comigo o entusiasmo em descobrir o bairro, ele me ajudou enormemente a coletar e organizar material estatístico e anúncios de jornal. Agradeço à Fundação Seade e especialmente a Dora Feiguin e Renato Sérgio de Lima, por me ajudarem com as estatísticas criminais. Durante esta pesquisa, desenvolvi um profundo respeito pelas pessoas e instituições que lutam pelos direitos humanos no Brasil e que compartilharam comigo suas observações, dilemas e informações. Gostaria de agradecer especialmente ao apoio da Comissão de Justiça e Paz da Arquidiocese de São Paulo e ao Núcleo de Estudos da Violência da Universidade de São Paulo e seus diretores, Paulo Sérgio Pinheiro e Sérgio Adorno. Mais do que tudo, sou grata aos moradores de São Paulo, que concordaram em conversar comigo sobre a violência da cidade, mesmo quando estavam com medo. Este é um estudo não somente desse medo e das transformações sociais e urbanas que ele origina, mas também das esperanças que aqueles que lutam pelos direitos humanos e pela democracia sustentam mesmo diante de forte oposição.

A tese de doutorado foi totalmente reescrita e transformada em livro no momento em que troquei de emprego e mudei do Brasil para os Estados Unidos. Recebi apoio indispensável do Departamento de Antropologia, de meus colegas e da School of Social Sciences da Universidade da Califórnia, Irvine. Um prêmio, o Faculty Career Development Award da UC Irvine, proporcionou-me tempo livre para revisões. Terminei o livro durante um ano de residência no International Center for Advanced Studies da New York University, como integrante do programa "Cities and Urban Knowledges". Foi um ano de discussões estimulantes e muita criatividade, pelo que gostaria de agradecer especialmente a Thomas Bender, diretor do Centro.

Muitos colegas e amigos discutiram este livro ou partes dele comigo e ofereceram sugestões e informações. Gostaria de agradecer especialmente a Sonia Alvarez, Marco Cenzatti, Paul Chevigny, Margaret Crawford, Guita Debert, Jim Ferguson, Farha Ghannam, Maria Filomena Gregori, Liisa Malkki, George Marcus, Bill Maurer, Maria Célia Paoli e Gwen Wright.

A amizade de Danielle Ardaillon, Esther Hamburger e Sonia Mendonça tem sido absolutamente fundamental para mim. Cecília de Mello e Souza e Ricardo Meth partilharam comigo o cotidiano de Berkeley e quero agradecer-lhes por sua generosidade e amizade.

Durante os meus movimentos constantes entre São Paulo e a Califórnia, sempre tive o apoio da minha família. Agradeço a meu pai, Jorge Alberto, a minha irmã Marina e a meus irmãos Jorge e Eduardo por seu carinho, por tomarem conta de inúmeras coisas que não dá para administrar de longe — e simplesmente por sempre terem estado lá.

Finalmente, o agradecimento mais complexo. James Holston tem sido meu leitor mais rigoroso e meu melhor crítico. Com ele explorei cidades e ideias, fiz trabalho de campo e discuti os argumentos que moldam este e outros estudos. Agradeço a ele por seu envolvimento com meu trabalho, sua perseverança, e inúmeras outras coisas.

Olivia entrou em nossas vidas em agosto de 1998, no momento em que eu terminava as revisões do manuscrito em São Paulo. Fazer pesquisa e escrever sobre violência são coisas que produzem muitas ansiedades. O que sustentou meu longo estudo sobre violência e segregação é o sonho de uma vida diferente na cidade que eu desejo para ela.

BIBLIOGRAFIA

Adorno, Sérgio (1995). "Discriminação racial e justiça criminal em São Paulo". *Novos Estudos Cebrap* 43: 45-63.

Americas Watch Committee (1987). *Police Abuse in Brazil: Summary Executions and Torture in Sao Paulo and Rio de Janeiro*. Nova York: Americas Watch Committee.

_________ (1989). *Prison Conditions in Brazil*. Nova York: Americas Watch Committee.

Americas Watch Committee — Women's Rights Group (1991a). *Criminal Injustice: Violence Against Women in Brazil*. Nova York: Americas Watch Committee.

Americas Watch Committee (1991b). *Rural Violence in Brazil*. Nova York: Americas Watch Committee.

_________ (1993). *Urban Police Violence in Brazil: Torture and Police Killings in São Paulo and Rio de Janeiro after Five Years*. Nova York: Americas Watch Committee.

Amnesty International (1988). *Brasil*. Londres: Amnesty International.

_________ (1989). *When the State Kills... The Death Penalty versus Human Rights*. Londres: Amnesty International.

_________ (1990). *Brasil: tortura e execuções extra-judiciais nas cidades brasileiras*. Londres: Amnesty International.

_________ (1993). *"Death has Arrived": Prison Massacre at the Casa de Detenção, São Paulo*. Nova York: Amnesty International.

Andrews, George Reid (1991). *Blacks and Whites in São Paulo, Brazil, 1888-1988*. Madison: The University of Wisconsin Press.

Araújo, Maria de Fátima Infante (1992). "Uma nova centralidade da região metropolitana de São Paulo". *São Paulo em Perspectiva* 6(3): 55-9.

_________ (1993). "Trajetória econômica e espacial da metrópole paulistana". *São Paulo em Perspectiva* 7(2): 29-37.

Ardaillon, Danielle (1989). "Estado e mulheres: Conselhos dos Direitos da Mulher e Delegacias de Defesa da Mulher". Fundação Carlos Chagas, Relatório de Pesquisa.

_________ (1997). *O salário da liberdade: profissão e maternidade, negociações para uma igualdade na diferença*. São Paulo: AnnaBlume.

Ardaillon, Danielle e Guita Debert (1988). *Quando a vitima é mulher: análise de julgamentos de crimes de estupro, espancamento e homicídio*. Brasília: Conselho Nacional dos Direitos da Mulher.

Arendt, Hannah (1969). *Da violência*. Brasília: Editora da Universidade de Brasília.

Arquidiocese de São Paulo (1985). *Brasil nunca mais*. Petrópolis: Vozes.

_________ (1986). *Torture in Brazil*. Nova York: Vintage Books.

Asad, Talal (1985). "Notes on body pain and truth in medieval Christian ritual". *Economy & Society* 12(3): 287-327.

Aufderheide, Patricia Ann (1975). "Order and Violence: Social Deviance and Social Control in Brazil, 1780-1840". University of Minnesota, Tese de Doutorado.

Augé, Marc (1989). *Domaines et Châteaux*. Paris: Seuil.

Bachelard, Gaston (1964). *The Poetics of Space*. Boston: Beacon Press.

Balibar, Etienne (1991). "Is there a 'Neo-Racism'?". In: Etienne Balibar and Immanuel Wallerstein, *Race, Nation, Class, Ambiguous Identities*. Londres: Verso, pp. 17-28.

Bakhtin, Mikhail (1984). *Rabelais and his world*. Bloomington: Indiana University Press.

Banham, Reyner (1971). *Los Angeles: The Architecture of Four Ecologies*. Baltimore: Pelican.

Barcellos, Caco (1992). *Rota 66*. Rio de Janeiro: Globo.

Barros, Ricardo Paes de & Rosane Mendonça (1992). "A evolução do bem-estar e da desigualdade no Brasil desde 1960". *IPEA: Texto para Discussão* 286.

Barros, Ricardo Paes de, José Márcio Camargo & Rosane Mendonça (1996). "Pobreza no Brasil: quatro questões básicas". *Policy Paper* 21, Fundação Friedrich Ebert/Ildes.

Barros, Ricardo Paes de, Ana Flávia Machado & Rosane Mendonça (1997). "A desigualdade da pobreza: estratégias ocupacionais e diferenciais por gênero". *IPEA: Texto para Discussão* 453.

Barros, Ricardo Paes de, Rosane Silva Pinto de Mendonça & Renata Pacheco Nogueira Darte (1997). "Bem-estar, pobreza e desigualdade de renda: uma avaliação da evolução histórica e das disparidades regionais". *IPEA: Texto para Discussão* 454.

Batich, Mariana (1988). "A criminalidade no estado de São Paulo: algumas informações quantitativas". *São Paulo em Perspectiva* 2(3): 79-81.

Bayley, David H. & Clifford D. Shearing (1996). "The future of policing". *Law & Society Review* 30(3): 585-606.

Beauregard, Robert A (1995). "Edge cities: peripheralizing the center". *Urban Geography* 16(8): 708-21.

Beavon, Keith S. O (1998). "Johannesburg, 112 years of division: from segregation to post-apartheid community". Trabalho apresentado na conferência "Social Geography of Divided Cities", International Center for Advanced Studies, New York University, 26-27 de fevereiro.

Benevides, Maria Victoria de Mesquita (1976). *O Governo Kubitschek: desenvolvimento econômico e estabilidade política*. Rio de Janeiro: Paz e Terra.

Benjamin, Walter (1986). "Paris: capital of the nineteenth century". In: *Reflections: Essays, Aphorisms, Autobiographical Writings*. Nova York: Schocken Books, pp. 146-62.

Berman, Marshall (1982). *All That is Solid Melts Into Air*. Nova York: Penguin Books.

Berquó, Elza (1993). "Contraception and caesarians in Brazil: An example of bad reproductive health in need of exemplary action". *Estudos Feministas* 1(2): 461-72.

Bicudo, Helio Pereira (1976). *Meu depoimento sobre o Esquadrão da Morte*. São Paulo: Comissão de Justiça e Paz.

_________ (1988). *Do Esquadrão da Morte aos justiceiros*. São Paulo: Edições Paulinas.

Blakely, Edward J. & Mary Gail Snyder (1997). *Fortress America: Gated Communities in the United States*. Washington, D.C./Cambridge, Mass.: Brookings Institutions Press/Lincoln Institute of Land Policy.

Boddy, Trevor (1992). "Underground and overhead: building the analagous city". In: Michael Sorkin (org.), *Variations on a Theme Park: The New American City and the End of Public Space*. Nova York: The Noonday Press, pp. 123-53.

Bonduki, Nabil G (1982). "Origens do problema da habitação popular em São Paulo: primeiros estudos". *Espaço & Debates* 2(5): 81-111.

_________ (1983). "Habitação popular: contribuição para o estudo da evolução urbana de São Paulo". In: Lícia do Prado Valladares (org.), *Repensando a Habitação no Brasil*. Rio de Janeiro: Zahar, pp. 135-68.

_________ (1994). "Crise de habitação e moradia no pós-guerra". In: Lúcio Kowarick (org.), *As lutas sociais e a cidade*. Rio de Janeiro: Paz e Terra/Unrisd, pp. 113-46.

Borneman, John (1997). *Settling Accounts: Violence, Justice, and Accountability in Postsocialist Europe*. Princeton: Princeton University Press.

Bourdieu, Pierre (1972). "The Kabyle house or the world reversed". In: *Algeria 1960*. Cambridge: Cambridge University Press.

_________ (1984). *Distinction: A Social Critique of the Judgement of Taste*. Cambridge: Harvard University Press.

Brant, Vinícius Caldeira (1986). "O trabalhador preso no estado de São Paulo (passado, presente e expectativas)". São Paulo: Cebrap, manuscrito.

Brant, Vinícius Caldeira *et. al* (1989). *São Paulo: trabalhar e viver*. São Paulo: Brasiliense.

Bretas, Marcos Luiz (1995). "You Can't!: The Daily Exercise of Police Authority in Rio de Janeiro: 1907-1930". The Open University, Milton Keynes, Tese de Doutorado.

Buarque, Chico (1991). *Estorvo*. São Paulo: Companhia das Letras.

Caldeira, Teresa Pires do Rio (1981). "Uma incursão pelo lado 'não respeitável' da pesquisa de campo". *Trabalho e Cultura no Brasil*, Recife/Brasília: Anpocs/CNPq, pp. 332-54.

_________ (1984). *A política dos outros: o cotidiano dos moradores da periferia e o que pensam do poder e dos poderosos*. São Paulo: Brasiliense.

_________ (1986). "Houses of respect". Trabalho apresentado no XIII International Congress of the Latin American Association Meeting, Boston.

_________ (1987). "Electoral struggles in a neighborhood on the periphery of São Paulo". *Politics & Society* 15(1): 43-66.

_________ (1988). "The art of being indirect: Talking about politics in Brazil". *Cultural Anthropology* 3(4): 444-54.

_________ (1988b). "A presença do autor e a pós-modernidade na antropologia". *Novos Estudos Cebrap* 21: 133-57.

_________ (1990). "Women, daily life and politics". In: Elizabeth Jelin (org.), *Women and Social Change in Latin America*. Londres: Zed Books, pp. 47-78.

_________ (1994). "Review of the book *Variations on a Theme Park: The American City and the End of Public Space*", Michael Sorkin (org.), *Journal of Architectural Education* 48(1): 65-7.

_________ (1996). "Fortified enclaves: the new urban segregation". *Public Culture* 8: 303-28.

_________ (1998). "Justice and Individual Rights: Challenges for Women's Movements and Democratization in Brazil". In: Jane S. Jaquette & Sharon L. Wolchik (orgs.), *Women and Democracy: Latin America and Central and Eastern Europe*. Baltimore: The Johns Hopkins University Press, pp. 75-103.

Calvino, Italo (1974). *Invisible Cities*. San Diego: Harvest Book.

Camargo, Cândido Procópio Ferreira de *et. al* (1976). *São Paulo 1975: crescimento e pobreza*. São Paulo: Loyola.

Cancelli, Elizabeth (1993). *O mundo da violência: a polícia da Era Vargas*. Brasília: Editora da Universidade de Brasília.

Candido, Antonio (1970). "Dialética da malandragem". *Revista do Instituto de Estudos Brasileiros* 8: 67-89.

Cano, Ignacio (1997). *Análise territorial da violência no Rio de Janeiro*. Rio de Janeiro: ISER.

Cardoso, Fernando Henrique (1980). "Originalidade da cópia: a Cepal e a ideia de desenvolvimento". In: *As ideias e seu lugar*. Petrópolis: Vozes, pp. 17-56.

_________ (1987). "Democracy in Latin America". *Politics & Society* 15(1): 23-42.

Cardoso, Fernando Henrique & Enzo Faletto (1967). *Dependência e desenvolvimento na América Latina: ensaio de interpretação sociológica*. Rio de Janeiro: Zahar.

Cardoso, Miriam Limoeiro (1978). *Ideologia do desenvolvimento: Brasil: JK-JQ*. Rio de Janeiro: Paz e Terra.

Cardoso, Ruth Corrêa Leite (1983). "Movimentos sociais urbanos: balanço crítico". In: Bernardo Sorj & Maria Hermínia Tavares de Almeida (orgs.), *Sociedade e política no Brasil pós-64*. São Paulo: Brasiliense, pp. 215-39.

_________ (1985). "Formas de participação popular no Brasil contemporâneo". *São Paulo em Perspectiva* 1(3): 46-50.

_________ (1986). "As aventuras de antropólogos em campo ou como escapar das armadilhas de método". In: Ruth Cardoso (org.), *A aventura antropológica: teoria e pesquisa*. Rio de Janeiro: Paz e Terra, pp. 95-106.

Cenzatti, Marco (1992). "Los Angeles and the L.A. School: Postmodernism and Urban Studies". *Los Angeles Forum in Architecture and Urban Design* 10.

Cenzatti, Marco & Margaret Crawford (1998). "On public spaces, quasi-public spaces, and public quasi-spaces". In: *Architecture and the (New). Public Sphere, Modulus* 24: 14-21.

Chalhoub, Sidney (1986). *Trabalho, lar e botequim: o cotidiano dos trabalhadores do Rio de Janeiro da Belle Époque*. São Paulo: Brasiliense.

_________ (1990). *Visões da liberdade: uma história das últimas décadas da escravidão na Corte*. São Paulo: Companhia das Letras.

Chesnais, Jean-Claude (1981). *Histoire de la Violence en Occident de 1800 à nos Jours*. Paris: Pluriel.

Chevalier, Louis (1973 [1958]). *Laboring Classes and Dangerous Classes*. Nova York: Howard Fertig.

Chevigny, Paul (1995). *Edge of the Knife: Police Violence in the Americas*. Nova York: The New Press.

Clark, T. J (1984). *The Painting of Modern Life: Paris in the Art of Manet and His Followers*. Princeton: Princeton University Press.

Clastres, Pierre (1978). "Da tortura nas sociedades primitivas". In: *A sociedade contra o Estado: pesquisas de antropologia política*. Rio de Janeiro: Francisco Alves, pp. 123-31.

Coelho, Edmundo Campos (1978). "A criminalização da marginalidade e a marginalização da criminalidade". *Revista de Administração Pública* 12(2): 139-61.

_________ (1980). "Sobre sociólogos, pobreza e crime". *Dados* 23(3): 377-83.

_________ (1988). "A criminalidade urbana violenta". *Dados* 31(2): 145-83.

Comisión Especial del Senado sobre las causas de la violencia y alternativas de pacificación en el Peru (1989). *Violencia y Pacificación*. Lima: Desco e Comisión Andina de Juristas.

Comisión de Estudios Sobre la Violencia (1987). *Colombia: Violencia y Democracia — Informe Presentado al Ministerio de Gobierno*. Bogotá: Universidad Nacional de Colombia.

Comissão Teotônio Vilela (1986). *Democracia x violência*. Rio de Janeiro: Paz e Terra.

Coronil, Fernando & Julie Skurski (1991). "Dismembering and remembering the nation: the semantics of political violence in Venezuela". *Comparative Studies in Society and History* 33(2): 288-337.

Corrêa, Mariza (1981). *Os crimes da paixão*. São Paulo: Brasiliense.

_________ (1982). "As ilusões da liberdade: a escola Nina Rodrigues e a Antropologia no Brasil." Universidade de São Paulo, Tese de Doutorado.

_________ (1983). *Morte em família: representações jurídicas de papéis sexuais*. Rio de Janeiro: Graal.

Crawford, Margaret (1992). "The world in a shopping mall". In: Michael Sorkin (org.), *Variations on a Theme Park: The New American City and the End of Public Space*. Nova York: The Noonday Press, pp. 3-30.

_________ (1995). "Contesting the Public Realm: Struggles over Public Space in Los Angeles". *Journal of Architectural Education* 49(1): 4-9.

Cunningham, Ian (1964). "Order in the Atoni house". *Bijdragen: Tot Taal, Land en Volkenkunde* 120: 34-68.

DaMatta, Roberto (1978). "O ofício de etnólogo, ou como ter 'anthropological blues'". In: Edson de Oliveira Nunes (org.), *A aventura sociológica: objetividade, paixão, improviso e método na pesquisa social*. Rio de Janeiro: Zahar, pp. 23-35.

_________ (1979). *Carnavais, malandros e heróis: para uma sociologia do dilema brasileiro*. Rio de Janeiro: Zahar.

_________ (1982). "As raízes da violência no Brasil: reflexões de um antropólogo social". In: Maria Célia Paoli *et. al.*, *A violência brasileira*. São Paulo: Brasiliense, pp. 11-44.

_________ (1985). *A casa e a rua: espaço, cidadania, mulher e morte no Brasil*. São Paulo: Brasiliense.

_________ (1991). *Carnivals, Rogues, and Heroes: An Interpretation of the Brazilian Dilemma*. Notre Dame: University of Notre Dame Press.

Daniel, E. Valentine (1996). *Charred Lullabies: Chapters in an Anthropology of Violence*. Princeton: Princeton University Press.

Davis, Jennifer (1991). "Urban policing and its objects: Comparative themes in England and France in the second half of the nineteenth century". In: Clive Emsley & Barbara Weinberger (orgs.), *Policing Western Europe: Politics, Professionalism, and Public Order, 1850-1940*. Nova York: Greenwood Press, pp. 1-17.

Davis, Mike (1985). "Urban Renaissance and the Spirit of Postmodernism". *New Left Review* 151: 53-92.

_________ (1987). "*Chinatown*, Part Two?". *New Left Review* 164: 65-86.

_________ (1990). *City of Quartz: Excavating the Future in Los Angeles*. Londres: Verso.

_________ (1991). "The infinite game: redeveloping downtown L.A.". In: Diane Ghirardo (org.), *Out of Site: Social Criticism of Architecture*. Seattle: Bay Press, pp. 77-113.

_________ (1993). "Who Killed Los Angeles? Part Two: The verdict is given". *New Left Review* 199: 29-54.

Dean, Warren (1969). *The industrialization of São Paulo 1880-1945*. Austin: University of Texas Press.

Dear, Michael (1996). "In the city, time becomes visible: intentionality and urbanism in Los Angeles, 1781-1991". In: Allen J. Scott & Edward W. Soja (orgs.), *The City: Los Angeles and Urban Theory at the End of the Twentieth Century*. Berkeley: University of California Press, pp. 76-105.

De Certeau, Michel (1984). *The Practice of Everyday Life*. Berkeley: University of California Press.

Degler, Carl N (1971). *Neither Black nor White: Slavery and Race Relations in Brazil and the United States*. Madison: The University of Wisconsin Press.

Deutsche, Rosalyn (1996). *Evictions: Art and Spatial Politics*. Cambridge: MIT Press.

Dias, Erasmo (1990). *Doutrina de segurança e risco*. São Paulo: Ind. de Emb. Santa Inês.

Douglas, Mary (1966). *Purity and Danger: An Analysis of the Concepts of Pollution and Taboo*. Londres: Routledge.

DuBois, Page (1991). *Torture and Truth*. Nova York: Routledge.

Durham, Eunice Ribeiro (1984). "Movimentos sociais: a construção da cidadania". *Novos Estudos Cebrap* 10: 24-30.

_________ (1986). "A pesquisa antropológica com populações urbanas: problemas e perspectivas". In: Ruth Cardoso (org.), *A aventura antropológica: teoria e pesquisa*. Rio de Janeiro: Paz e Terra, pp. 17-38.

Dumm, Thomas L (1987). *Democracy and Punishment: Disciplinary Origins of the United States*. Madison: The University of Wisconsin Press.

_________ (1993). "The new enclosures: racism in the normalized community". In: Robert Gooding-Williams (org.), *Reading Rodney King, Reading Urban Uprising*. Nova York: Routledge, pp. 178-95.

Eisenstein, Zillah R (1988). *The Female Body and the Law*. Berkeley: University of California Press.

Elias, Norbert (1994 [1939]). *The Civilizing Process (The History of Manners and State Formation and Civilization)*. Cambridge: Blackwell.

Ellin, Nan (org.) (1997). *Architecture of Fear*. Nova York: Princeton Architectural Press.

Embraesp — Empresa Brasileira de Estudos de Patrimônio S/C. Ltda (1994). "Relatório Anual de 1993 e Prognóstico para 1994". *Informativo Imobiliário Embraesp*. São Paulo: Embraesp.

_________ (1997). "Relatório Anual de 1996 e Prognóstico para 1997". *Informativo Imobiliário Embraesp*. São Paulo: Embraesp.

Engels, Friedrich (1872). *The housing question*. Nova York: International Publishers.

Escobar, Arturo & Sonia Alvarez (orgs.) (1992). *The Making of Social Movements in Latin America: Identity, Strategy, and Democracy*. Boulder: Westview Press.

Estudos Feministas (vários números).

Ethnos (1982). 47 (I-II).

Faria, Vilmar (1983). "Desenvolvimento, urbanização e mudanças na estrutura do emprego: a experiência brasileira dos últimos trinta anos". In: Bernardo Sorj & Maria Hermínia Tavares de Almeida (orgs.), *Sociedade e política no Brasil pós-64*. São Paulo: Brasiliense, pp. 118-63.

_________ (1989). "Políticas de governo e regulação da fecundidade: consequências não antecipadas e efeitos perversos". *Ciências Sociais Hoje* 1989: 62-103.

_________ (1991). "Cinquenta anos de urbanização no Brasil". *Novos Estudos Cebrap* 29: 98-119.

Fausto, Boris (1977). *Trabalho urbano e conflito social (1890-1920)*. São Paulo: Difel.

_________ (1984). *Crime e cotidiano: a criminalidade em São Paulo (1880-1924)*. São Paulo: Brasiliense.

Feiguin, Dora (1985). "Criminalidade violenta: algumas hipóteses explicativas". *Revista da Fundação Seade* 1(2): 23-6.

Feiguin, Dora & Renato Sérgio de Lima (1995). "Tempo de violência: medo e insegurança em São Paulo". *São Paulo em Perspectiva* 9(2): 73-80.

Feldman, Allen (1991). *Formations of Violence: The Narrative of the Body and Political Terror in Northern Ireland*. Chicago: University of Chicago Press.

Fernandes, Heloísa Rodrigues (1974). *Política e segurança: força pública do Estado de São Paulo: fundamentos histórico-sociais*. São Paulo: Alfa-Omega.

_________ (1991). "Authoritarian society: Breeding ground for *Justiceiros*". In: Martha K. Huggins (org.), *Vigilantism and the State in Modern Latin America*. Nova York: Praeger, pp. 61-70.

Ferraz Filho, Galeno Tinoco (1992). "Considerações sobre a oferta de imóveis novos na década de 80 (Rio/São Paulo/Porto Alegre)". In: Luiz César de Queiroz Ribeiro & Luciana Corrêa do Lago (orgs.), *Acumulação urbana e a cidade: impasses e limites da produção capitalista da moradia no Brasil*. Rio de Janeiro: IPPUR/UFRJ, pp. 15-33.

Ferreira, Nadia Somekh Martins (1987). "A (Des)Verticalização de São Paulo". Universidade de São Paulo, Tese de Mestrado.

Findji, Maria Teresa (1992). "From resistance to social movement: The Indigenous authorities movement in Colombia". In: Arturo Escobar & Sonia Alvarez (orgs.), *The Making of Social Movements in Latin America*. Boulder: Westview Press, pp. 112-33.

Fipe — Fundação Instituto de Pesquisas Econômicas da Universidade de São Paulo (1994). "Cortiços na cidade de São Paulo: Relatório Gerencial". Manuscrito.

Fishman, Robert (1988). *Urban Utopias in the Twentieth Century: Ebenezer Howard, Frank Lloyd Wright, Le Corbusier*. Cambridge: MIT Press.

_________ (1995). "Megalopolis unbound". In: Philip Kasinitz (org.), *Metropolis: Center and Symbol of Our Times*. Nova York: New York University Press, pp. 395-417.

Flory, Thomas (1981). *Judge and Jury in Imperial Brazil, 1808-1871: Social Control and Political Stability in the New State*. Austin: University of Texas Press.

Fogelson, Robert M (1967). *The Fragmented Metropolis: Los Angeles, 1850-1930*. Cambridge: Harvard University Press.

Foucault, Michel (1977). *Discipline and Punish: The Birth of the Prison*. Nova York: Pantheon Books.

Franco, Maria Sylvia de Carvalho (1974). *Homens livres na ordem escravocrata*. São Paulo: Ática.

Furtado, Celso (1969). *Um projeto para o Brasil*. Rio de Janeiro: Saga, 5ª edição.

Garreau, Joel (1991). *Edge City: Life on the New Frontier*. Nova York: Doubleday.

Girard, René (1977). *Violence and the Sacred*. Baltimore: The Johns Hopkins University Press.

Girouard (1985). *Cities & People: A Social and Architectural History*. New Haven: Yale University Press.

Goldani, Ana Maria (1994). "Retratos de família em tempos de crise". *Estudos Feministas*, número especial, pp. 303-35.

Gonçalves, Maria Flora & Ulysses Cidade Semeghini (1992). "A modernização do setor terciário paulista". *São Paulo em Perspectiva* 6(3): 60-9.

Gonzalez, Lélia (1985). "The Unified Black Movement: a new stage in Black Political Mobilization". In: Pierre-Michel Fontaine (org.), *Race, Class and Power in Brazil*. Los Angeles: UCLA Center for Afro-American Studies, pp. 120-34.

Gregori, Maria Filomena (1993). *Cenas e queixas: um estudo sobre mulheres, relações violentas e a prática feminista*. São Paulo: Paz e Terra/Anpocs.

Guimarães, Antonio Sérgio (1997). "Racismo e justiça no Brasil: por que a discriminação racial continua impune". Trabalho apresentado no XX Congresso Internacional da Associação de Estudos Latino-Americanos (Lasa), Guadalajara, México.

Gupta, Akhil & James Ferguson (1997). "Discipline and practice: 'the field' as site, method, and location in anthropology". In: Akhil Gupta & James Ferguson (orgs.), *Anthropological Locations: Boundaries and Grounds of a Field Science*. Berkeley: University of California Press, pp. 1-46.

Gurr, Ted Robert (1979). "On the history of violent crime in Europe and America". In: Hugh Davis Graham & Ted Robert Gurr (orgs.), *Violence in America: Historical and Comparative Perspectives*, ed. revista. Beverly Hills: Sage, pp. 353-74.

Hamburger, Esther (1998). "Diluindo fronteiras: a televisão e as novelas no cotidiano. In: Lilia Moritz Schwarcz (org.), *História da vida privada no Brasil, 4 — Contrastes da intimidade contemporânea*. São Paulo: Companhia das Letras, pp. 439-87.

________ (1999). "Politics and Intimacy in Brazilian Telenovelas". University of Chicago, Tese de Doutorado.

Hanchard, Michael George (1994). *Orpheus and Power: The Movimento Negro of Rio de Janeiro and São Paulo, Brazil, 1945-1988*. Princeton: Princeton University Press.

Hanson, Elizabeth (1991). "Torture and truth in Renaissance England". *Representations* 34: 53--84.

Hasenbalg, Carlos (1996). "Racial inequalities in Brazil and throughout Latin America: timid responses to disguised racism". In: Elizabeth Jelin & Eric Hershberg (orgs.), *Constructing Democracy: Human Rights, Citizenship, and Society in Latin America*. Boulder: Westview Press, pp. 161-76.

Harvey, David (1985). "Paris, 1850-1870". In: *Consciousness and the Urban Experience: Studies in History and Theory of Capitalist Urbanization*. Baltimore: The Johns Hopkins University Press, pp. 63-220.

Helg, Aline (1990). "Race in Argentina and Cuba, 1880-1930: Theory, policies, and popular reaction". In: Richard Graham (org.), *The Idea of Race in Latin America, 1870-1940*. Austin: University of Texas Press, pp. 37-69.

Hirschman, Albert O (1991). *The Rhetoric of Reaction: Perversity, Futility, Jeopardy*. Cambridge: The Belknap Press of Harvard University Press.

Holloway, Thomas H (1993). *Policing Rio de Janeiro: Repression and Resistance in a 19th-Century City*. Stanford: Stanford University Press.

Holston, James (1989). *The Modernist City: An Anthropological Critique of Brasília*. Chicago: University of Chicago Press.

________ (1991a). "Autoconstruction in working-class Brazil". *Cultural Anthropology* 6(4): 447--65.

_________ (1991b). "The misrule of law: land and usurpation in Brazil". *Comparative Studies in Society and History* 33(4): 695-725.

_________ (1993). *A cidade modernista: uma crítica de Brasília e sua utopia*. São Paulo: Companhia das Letras.

_________ (a sair). "Citizenship in uncivil democracies". In: *Unsettling Citizenship: Disjunctions of Democracy and Modernity*.

Holston, James & Teresa P. R. Caldeira (1998). "Democracy, Law, and Violence: Disjunctions of Brazilian Citizenship". In: Felipe Agüero & Jeffrey Stark (orgs.), *Fault Lines of Democracy in Post-Transition Latin America*. Miami: University of Miami North-South Center Press, pp. 263-96.

Howard, Ebenezer (1902). *Garden Cities of Tomorrow*. Londres: S. Sonnenschein and Co., Ltd.

Huggins, Martha Knisely (1985). *From Slavery to Vagrancy in Brazil: Crime and Social Control in the Third World*. New Brunswick: Rutgers University Press.

Human Rights Watch/Americas (1994). *Final Justice: Police and Death Squad Homicides of Adolescents in Brazil*. Nova York: Human Rights Watch.

_________ (1997). *Police Brutality in Urban Brazil*. Nova York: Human Rights Watch.

IBGE — Instituto Brasileiro de Geografia e Estatística (1990). *Participação político-social 1988* — vol. 1, "Justiça e Vitimização". Rio de Janeiro: FIBGE.

Jackson, Kenneth T (1985). *Crabgrass Frontier: The Suburbanization of the United States*. Nova York: Oxford University Press.

Jacobs, Jane (1961). *The Death and Life of Great American Cities*. Nova York: Vintage Books.

Jencks, Charles (1993). *Heteropolis: Los Angeles, the Riots, and the Strange Beauty of Hetero--Architecture*. Londres: Ernst and Sohn.

Jones, David (1982). *Crime, Protest, Community and Police in Nineteenth-Century Britain*. Londres: Routledge & Kegan Paul.

Johnson, Lyman (org.) (1990). *The Problem of Order in Changing Societies: Essays on Crime and Policing in Argentina and Uruguay, 1750-1940*. Albuquerque: University of New Mexico Press.

Johnston, Les (1992). *The Rebirth of Private Policing*. Londres: Routledge.

Jornal de Alphaville (vários números)

Jornal da Pires (vários números)

Kling, Rob; Spencer Olin & Mark Poster (orgs.) (1991). *Postsuburban California: The Transformation of Orange County since World War II*. Berkeley: University of California Press.

Kostof, Spiro (1991). *The City Shaped: Urban Patterns and Meanings Through History*. Boston: Bulfinch Press Book, Little Brown and Co.

Kowarick, Lúcio (org.) (1989). *Social Struggles and the City: The Case of São Paulo*. Nova York: Monthly Review Press.

Kowarick, Lúcio & Nabil Bonduki (1994). "Espaço urbano e espaço político: do populismo à redemocratização". In: Lúcio Kowarick (org.), *As lutas sociais e a cidade*. Rio de Janeiro: Paz e Terra, pp. 147-80.

Kymlicka, Will (1996). "Three forms of group-differentiated citizenship". In: Seyla Benhabib (org.), *Democracy and Difference: Contesting the Boundaries of the Political*. Princeton: Princeton University Press, pp. 153-70.

Lacarrieu, Mónica (1997). "El dilema de lo local y la producción de la 'feudalización'". Manuscrito.

Laclau, Ernesto & Chantal Mouffe (1985). *Hegemony & Socialist Strategy: Towards a Radical Democratic Politics*. Londres: Verso.

Ladányi, János (1998). "Residential segregation between social and ethnic groups in Budapest during the post-communist transition". Trabalho apresentado na conferência "Social Geography of Divided Cities", International Center for Advanced Studies, New York University, 26-27 de fevereiro.

Lamounier, Bolivar (1989). "Authoritarian Brazil Revisited: The Impact of Elections on the Abertura". In: Alfred Stepan (org.), *Democratizing Brazil: Problems of Transition and Consolidation*. Nova York: Oxford University Press, pp. 43-79.

Lane, Roger (1980). "Urban police and violence in nineteenth century America". In: Norval Morris & Michael Tonry (orgs.), *Crime and Justice: An Annual Review of Research*, vol. 2. Chicago: University of Chicago Press, pp. 1-43.

_________ (1986). *Roots of Violence in Black Philadelphia, 1860-1900*. Cambridge: Harvard University Press.

Langenbuch, Juergen Richard (1971). *A estruturação da Grande São Paulo*. Rio de Janeiro: IBGE.

Lara, Silvia Hunold (1988). *Campos da violência: escravos e senhores na Capitania do Rio de Janeiro 1750-1808*. Rio de Janeiro: Paz e Terra.

Lefort, Claude (1988). *Democracy and Political Theory*. Minneapolis: University of Minnesota Press.

Leme, Maria Carolina & Ciro Biderman (1997). "O mapa das desigualdades no estado de São Paulo". *Novos Estudos* 49: 181-211.

Leme, Maria Carolina da Silva & Regina Maria Prosperi Meyer (1996). "São Paulo metrópole terciária, entre a modernização pós-industrial e a herança social e territorial da industrialização". *Relatório de Pesquisa nº 2*. São Paulo: Cebrap.

_________ (1997). "São Paulo metrópole terciária, entre a modernização pós-industrial e a herança social e territorial da industrialização". *Relatório de Pesquisa nº 3*. São Paulo: Cebrap.

Leme, Maria Cristina da Silva (1991). "A formação do pensamento urbanístico, em São Paulo, no início do século XX". *Espaço & Debates* XI (34): 64-70.

Lemos, Carlos (1978). *Cozinhas, etc.: um estudo sobre as zonas de serviço da Casa Paulista*. São Paulo: Perspectiva.

Leps, Marie-Christine (1992). *Apprehending the Criminal: The Production of Deviance in Nineteenth-Century Discourse*. Durham: Duke University Press.

Lima, Roberto Kant de (1986). "Legal Theory and Judicial Practice: Paradoxes of Police Work in the Rio de Janeiro City". Harvard University, Tese de Doutorado.

Linger, Daniel Touro (1992). *Dangerous Encounters: Meanings of Violence in a Brazilian City*. Stanford: Stanford University Press.

Lopes, Juarez Rubens Brandão (1993). "Brasil 1989: um estudo socioeconômico da indigência e da pobreza urbanas". Núcleo de Estudos de Políticas Públicas da Unicamp, *Caderno de Pesquisa* 25.

Lopes, Juarez Brandão & Andréa Gottschalk (1990). "Recessão, pobreza e família: a década pior do que perdida". *São Paulo em Perspectiva* 4(1): 100-9.

Mabin, Alan (1998). "The creation of urban space: contributions of South African cities to justice and injustice". Trabalho apresentado na conferência "Social Geography of Divided Cities", International Center for Advanced Studies, New York University, 26-27 de fevereiro.

Machado, Marcelo Lavenère & João Benedito de Azevedo Marques (1993). *História de um massacre: Casa de Detenção de São Paulo*. São Paulo: Cortez/Ordem dos Advogados do Brasil.

Malkki, Liisa H (1995). *Purity and Exile: Violence, Memory, and National Cosmology among Hutu Refugees in Tanzania*. Chicago: University of Chicago Press.

Marshall, T. H (1965 [1949]). "Citizenship and social class". In: *Class, Citizenship, and Social Development*. Nova York: Doubleday.

Martins, José de Souza (1991). "Lynchings: Life by a tread: Street justice in Brazil, 1979-1988". In: Martha K. Huggins (org.), *Vigilantism and the State in Modern Latin America*. Nova York: Praeger, pp. 21-32.

Martins, Luciano (1987). "A gênese de uma *intelligentsia*: os intelectuais e a política no Brasil, 1920-1940". *Revista Brasileira de Ciências Sociais* 4(2): 65-87.

Massey, Douglas S. & Nancy A. Denton (1993). *American Apartheid: Segregation and the Making of the Underclass*. Cambridge: Harvard University Press.

McKenzie, Evan (1994). *Privatopia: Homeowner Associations and the Rise of Residential Private Government*. New Haven: Yale University Press.

Mello Jorge, Maria Helena P. de & Maria Rosário D. O. Latorre (1994). "Acidentes de trânsito no Brasil: dados e tendências". *Cadernos de Saúde Pública* 10(1): 19-44.

Melo, Marcus C (1995). "State retreat, governance and metropolitan restructuring in Brazil". *International Journal of Urban and Regional Research* 19(3): 342-57.

Metrô — Companhia do Metropolitano de São Paulo (1989). *Pesquisa OD/87 — Síntese das Informações*. São Paulo: Metrô.

Miceli, Sérgio (1979). *Intelectuais e classe dirigente no Brasil (1920-1945)*. São Paulo: Difel.

Minayo, Maria Cecília de S (1994). "A violência social sob a perspectiva da saúde pública". *Cadernos de Saúde Pública* 10(1): 7-18.

Mingardi, Guaracy (1992). *Tiras, gansos e trutas: cotidiano e reforma na Polícia Civil*. São Paulo: Scritta.

Monkkonen, Eric H (1981). *Police in Urban America, 1860-1920*. Cambridge University Press.

Montoro, André Franco (1982). *Proposta Montoro*. Programa da Campanha Eleitoral.

Morse, Richard M (1970). *Formação histórica de São Paulo*. São Paulo: Difel.

Nedelski, Jennifer (1990). "Law, boundaries, and the bounded Self". *Representations* 30: 162-89.

Nelson, Sara (1995). "Paradoxo e contradição nas Delegacias de Defesa da Mulher". *Comunicação e Política* 1(2): 293-8.

Nepp — Núcleo de Estudos de Políticas Públicas da Universidade Estadual de Campinas (1989). *Brasil 1987 — relatório sobre a situação social do país*. Campinas: Unicamp.

_________ (1990). "A Política do Governo do Estado de São Paulo na Área da Segurança Pública — Diagnósticos e Estudos Prospectivos" — 1ª parte. Campinas: Nepp/Unicamp, Relatório de Pesquisa.

Núcleo de Estudos de Seguridade e Assistência Social (1995). "Mapa da Exclusão Social da Cidade de São Paulo". Manuscrito.

Ocqueteau, Frédéric (1997). "A expansão da segurança privada na França: privatização submissa da ação policial ou melhor gestão da segurança coletiva?". *Tempo Social* 9(1): 185-95.

Ocqueteau, Frédéric & M. L. Pottier (1995). *Vigilance et Sécurité dans les Grandes Surfaces*. Paris: IHESI-L'Harmattan.

O'Donnell, Guillermo (1986). "E eu com isso? — Notas sobre sociabilidade e política na Argentina e no Brasil". In: *Contrapontos: autoritarismo e democratização*. São Paulo: Vértice, pp. 121-56.

Oliveira, Roberto Cardoso de (1988). *Sobre o pensamento antropológico*. Rio de Janeiro: Tempo Brasileiro.

_________ (1995). "Notas sobre uma estilística em antropologia". In: Roberto Cardoso de Oliveira & Guillermo Raul Ruben (orgs.), *Estilos de antropologia*. Campinas: Editora da Unicamp, pp. 177-90.

Ong, Paul & Evelyn Blumemberg (1996). "Income and racial inequality in Los Angeles". In: Allen J. Scott & Edward W. Soja (orgs.), *The City: Los Angeles and Urban Theory at the End of the Twentieth Century*. Berkeley: University of California Press, pp. 311-35.

Paixão, Antonio Luiz (1982). "A organização policial numa área metropolitana". *Dados* 25(1): 63-85.

_________ (1983). "Crimes e criminosos em Belo Horizonte, 1932-1978". In: Paulo Sérgio Pinheiro (org.), *Crime, violência e poder*. São Paulo: Brasiliense, pp. 11-44.

_________ (1986). "A etnometodologia e o estudo do poder: notas preliminares". *Análise e Conjuntura* I(2): 93-110.

_________ (1988). "Crime, controle social e consolidação da democracia: as metáforas da cidadania". In: Fabio Wanderley Reis e Guillermo O'Donnell (orgs.), *A democracia no Brasil: dilemas e perspectivas*. São Paulo: Vértice, pp. 168-99.

_________ (1990). "A violência urbana e a sociologia: sobre crenças e fatos e mitos e teorias e políticas e linguagens e...". *Religião e Sociedade* 15(1): 68-81.

Paoli, Maria Célia Pinheiro Machado (1982). "Violência e espaço civil". In: Maria Célia Paoli *et. al.*, *A violência brasileira*. São Paulo: Brasiliense, pp. 45-56.

Pateman, Carole (1988). *The Sexual Contract*. Stanford: Stanford University Press.

Peirano, Mariza (1980). "The Anthropology of Anthropology: the Brazilian Case". Harvard University, Tese de Doutorado.

Perillo, Sonia Regina (1993). "Migração e mudanças: uma análise das tendências migratórias na Região Metropolitana de São Paulo no período 1980-1991". *Conjuntura Demográfica* 22: 1-13.

Pezzin, Liliana E (1987). *Criminalidade urbana e crise econômica: o caso de São Paulo*. São Paulo: IPE/USP.

Pietá, Elói & Justino Pereira (1993). *Pavilhão 9: o Massacre do Carandiru*. São Paulo: Scritta.

Pimentel, Silvia & Maria Inês Valente Pierro (1993). "Proposta de Lei contra a violência familiar". *Estudos Feministas* 1(1): 169-75.

Pinheiro, Paulo Sérgio (1981). "Violência e cultura". In: Bolivar Lamounier, Francisco Weffort e Maria Vitória Benevides (orgs.), *Direito, cidadania e participação*. São Paulo: TAQ, pp. 30-66.

_________ (1982). "Polícia e crise política: o caso das policias militares". In: Maria Célia Paoli *et. al.*, *A violência brasileira*. São Paulo: Brasiliense, pp. 57-92.

_________ (1983). "Violência sem controle e militarização da polícia". *Novos Estudos Cebrap* 2(1): 8-12.

_________ (1991a). "Autoritarismo e transição". *Revista USP* 9: 45-56.

_________ (1991b). "Police and Political Crisis: The Case of the Military Police". In: Martha K. Huggins (org.), *Vigilantism and the State in Modern Latin America*. Nova York: Praeger, pp. 167-88.

Pinheiro, Paulo Sérgio & Emir Sader (1985). "O controle da polícia no processo de transição democrática no Brasil". *Temas IMESC* 2(2): 77-96.

Pinheiro, Paulo Sérgio; Eduardo E. Izumino & Maria Cristina Jakimiak Fernandes (1991). "Violência fatal: conflitos policiais em São Paulo (81-89)". *Revista USP* 9: 95-112.

PNUD (Programa das Nações Unidas para o Desenvolvimento). & IPEA (Instituto de Pesquisa Econômica Aplicada) (1996). *Relatório para o desenvolvimento humano no Brasil*. Brasília: PNUD-IPEA.

Queiroz, Maria Isaura Pereira de (1977). *Os cangaceiros*. São Paulo: Duas Cidades.

Rabinow, Paul (1989). *French Modern: Norms and Forms of the Social Environment*. Cambridge: MIT Press.

Ribeiro, Luiz César de Queiroz (1993). "The formation of development capital: a historical view of housing in Rio de Janeiro". *International Journal of Urban and Regional Research* 17(4): 547-58.

Ribeiro, Luiz César de Queiroz & Luciana Correa do Lago (1995). "Restructuring in large Brazilian cities: the centre/periphery model". *International Journal of Urban and Regional Research*. 19(3): 369-82.

Rieff, David (1991). *Los Angeles: Capital of the Third World*. Nova York: Simon & Schuster.

Rocha, Sonia (1991). "Pobreza metropolitana e os ciclos de curto prazo: balanço dos anos 80". *IPEA — Boletim de Conjuntura* 12.

________ (1995). "Governabilidade e pobreza: o desafio dos números". In: Lícia do Prado Valladares & Magda Prestes Coelho (orgs.), *Governabilidade e pobreza no Brasil*. Rio de Janeiro: Civilização Brasileira, pp. 221-66.

________ (1996). "Who are the poor in Brazil?". IPEA: Relatório de Pesquisa. Manuscrito.

Rohlfes, Laurence J (1983). "Police and Penal Correction in Mexico City, 1876-1911: A Study of Order and Progress in Porfirian Mexico". Tese de Doutorado: Tulane University.

Rolnik, Raquel (1983). "De como São Paulo virou a capital do capital". In: Lícia do Prado Valladares (org.), *Repensando a habitação no Brasil*. Rio de Janeiro: Zahar, pp. 109-34.

________ (1994). "São Paulo: início da industrialização: o espaço e a política". In: Lúcio Kowarick (org.), *As lutas sociais e a cidade*. Rio de Janeiro: Paz e Terra, pp. 95-112.

________ (1997). *A cidade e a lei: legislação, política urbana e territórios na cidade de São Paulo*. São Paulo: Fapesp/Studio Nobel.

Rolnik, Raquel *et. al* (s.d.). *São Paulo: crise e mudança*. São Paulo: Brasiliense.

Rutheiser, Charles (1996). *Imageneering Atlanta: the Politics of Place in the City of Dreams*. Londres: Verso.

Sachs, Céline (1990). *São Paulo: Politiques Publiques et Habitat Populaire*. Paris: Maison des Sciences de l'Homme.

Salgado, Ivone (1987). "Caracterização dos promotores imobiliários que atuam na cidade de São Paulo (1977-1982)". *Espaço & Debates* VII(21): 51-71.

Santos, Wanderley Guilherme dos (1979). *Cidadania e justiça: política social na ordem brasileira*. Rio de Janeiro: Campus.

São Paulo, Emplasa — Empresa Metropolitana de Planejamento da Grande São Paulo (1978). *Pesquisa origem-destino/77 — resultados básicos — documento bilíngue*. São Paulo: Emplasa.

________ (1982). *Sumário de dados da Grande São Paulo — 82*. São Paulo: Emplasa.

________ (1994). *Sumário de dados da Grande São Paulo — 93*. São Paulo: Emplasa.

São Paulo, Sempla — Secretaria Municipal de Planejamento (1992). *Base de dados para planejamento*. São Paulo: Sempla.

________ (1995). *Dossiê São Paulo*. São Paulo: PMSP/Sempla.

São Paulo, Seplan — Secretaria de Economia e Planejamento (1977). *Subdivisão do município de São Paulo em áreas homogêneas*. São Paulo: Seplan.

Sassen, Saskia (1991). *The Global City: New York, London, Tokyo*. Princeton: Princeton University Press.

Scarry, Elaine (1985). *The Body in Pain: The Making and the Unmaking of the World*. Nova York: Oxford.

Scheper-Huges, Nancy (1992). *Death Without Weeping: The Violence of Everyday Life in Brazil*. Berkeley: University of Carolina Press.

Schorske, Carl E (1961). *Fin-de-Siècle Vienna: Politics and Culture*. Nova York: Vintage Books.

Schwartz, Robert M (1988). *Policing the Poor in Eighteenth-Century France*. Chapel Hill: The University of North Carolina Press.

Schwarz, Roberto (1977). *Ao vencedor as batatas*. São Paulo: Duas Cidades.

________ (1992). *Misplaced ideas: essays in Brazilian culture*. Londres: Verso.

Sciascia, Leonardo (1987). *Portas abertas*. São Paulo: Rocco.

Scott, Allen J (1993). *Technopolis: High-Technology Industry and Regional Development in Southern California*. Berkeley: University of California Press.

Scott, Allen J. & Edward W. Soja (1996). "Introduction to Los Angeles: City and Region". In: Allen J. Scott & Edward W. Soja (orgs.), *The City: Los Angeles and Urban Theory at the End of the Twentieth Century*. Berkeley: University of California Press, pp. 1-21.

Scott, Allen J. & Edward W. Soja (orgs.) (1996). *The City: Los Angeles and Urban Theory at the End of the Twentieth Century*. Berkeley: University of California Press.

Scott, Joan Wallach (1996). *Only Paradoxes to Offer: French Feminists and the Rights of Man*. Cambridge: Harvard University Press.

Seade — Fundação Sistema Estadual de Análise de Dados (1990). *1990: Município de São Paulo*. São Paulo: Seade.

_________ (diversos anos). *Anuário estatístico do Estado de São Paulo*. São Paulo: Seade.

Sennett, Richard (1974). *The Fall of Public Man: On the Social Psychology of Capitalism*. Nova York: Vintage Books.

Serra, José (1991). "A boneca não cobiçada". *Folha de S. Paulo*, 28/7/1991, pp. 1-3.

Shearing, Clifford D (1992). "The relation between public and private policing". In: Michael Tonry & Norval Morris (orgs.), *Modern Policing*. Chicago: The University of Chicago Press, pp. 399-434.

Sigaud, Lygia (1987). "Milícias, jagunços e democracia". *Ciência Hoje — suplemento sobre violência* 5(28): 6-10.

Sikkink, Kathryn (1996). "The emergence, evolution, and effectiveness of the Latin American Human Rights Network". In: Elizabeth Jelin & Eric Hershberg (orgs.), *Constructing Democracy: Human Rights, Citizenship, and Society in Latin America*. Boulder: Westview Press: 59-84.

Silva, Nelson do Vale & Carlos Hasenbalg (1992). *Relações raciais no Brasil contemporâneo*. Rio de Janeiro: Rio Fundo Editora.

Simmel, Georg (1971 [1903]). "The metropolis and mental life". In: *On Individuality and Social Forms: Selected Writings*. Chicago: University of Chicago Press, pp. 324-39.

Singer, Paul (1984). "Interpretação do Brasil: uma experiência histórica de desenvolvimento". In: Boris Fausto (org.), *História geral da civilização brasileira*, tomo III — *O Brasil republicano*. São Paulo: Difel, pp. 211-45.

Singer, Paul & Vinícius Caldeira Brant (orgs.) (1983). *O povo em movimento*. Petrópolis: Vozes.

Skidmore, Thomas (1974). *Black into White: Race and Nationality in Brazilian Thought*. Nova York: Oxford University Press.

Soja, Edward W (1989). *Postmodern Geographies: The Reassertion of Space in Critical Social Theory*. Londres: Verso.

_________ (1992). "Inside exopolis: scenes from Orange County". In: Michael Sorkin (org.), *Variations on a Theme Park: The New American City and the End of Public Space*. Nova York: Noonday Press, pp. 94-122.

_________ (1996a). "Los Angeles 1965-1992: From crisis-generated restructuring to restructuring-generated crisis". In: Allen J. Scott & Edward W. Soja (orgs.), *The City: Los Angeles and Urban Theory at the End of the Twentieth Century*. Berkeley: University of California Press, pp. 426-62.

_________ (1996b). *Thirdspace: Journeys to Los Angeles and Other Real-and-Imagined Places*. Cambridge: Blackwell.

Sorkin, Michael (org.) (1992). *Variations on a Theme Park: The New American City and the End of Public Space*. Nova York: Noonday Press.

Souza, Edinilsa R. de (1994). "Homicídios no Brasil: o grande vilão da saúde pública na década de 80". *Cadernos de Saúde Pública* 10(1): 45-60.

Souza, Edinilsa & Maria Cecília de Souza Minayo (1995). "O impacto da violência social na saúde pública do Brasil: década de 80". In: Maria Cecília Minayo (org.), *Os muitos Brasis: saúde e população na década de 80*. São Paulo: Hucitec/Abrasco, pp. 87-116.

Stavenhagen, Rodolfo (1996). "Indigenous Rights: Some Conceptual Problems". In: Elizabeth Jelin & Eric Hershberg (orgs.), *Constructing Democracy: Human Rights, Citizenship, and Society in Latin America*. Boulder: Westview Press, 1996, pp. 141-59.

Stepan, Alfred (1971). *The Military in Politics: Changing Patterns in Brazil*. Princeton: Princeton University Press.

_________ (1988). *Rethinking Military Politics: Brazil and the Southern Cone*. Princeton: Princeton University Press.

Stepan, Alfred (org.) (1989). *Democratizing Brazil: Problems of Transition and Consolidation*. Nova York: Oxford University Press.

Stocking, George W (1982). "Afterword: a View from the Center". *Ethnos* 47(I-II): 172-86.

Taussig, Michel (1987). *Shamanism, Colonialism and the Wild Man: A Study in Terror and Healing*. Chicago: University of Chicago Press.

Taussig, Michael (1992). *The Nervous System*. Nova York: Routledge.

Taylor, Charles (1992). "The Politics of Recognition". In: *Multiculturalism and the Politics of Recognition*. Princeton: Princeton University Press, pp. 25-61.

Taylor, William B (1979). *Drinking, Homicide and Rebellion in Colonial Mexican Villages*. Stanford: Stanford University Press.

Telles, Edward (1992). "Residential segregation by skin color in Brazil". *American Sociological Review* 57(2): pp. 186-97.

_________ (1993). "Racial distance and region in Brazil: intermarriage in Brazilian urban areas". *Latin American Research Review* 41(2): 231-49.

_________ (1995a). "Structural sources of socioeconomic segregation in Brazilian metropolitan areas". *American Journal of Sociology* 100(5): 1.199-223.

_________ (1995b). "Race, class and space in Brazilian cities". *International Journal of Urban and Regional Research* 19(3): 395-406.

Tilly, Charles (org.) (1975). *The Formation of National States in Western Europe*. Princeton: Princeton University Press.

Tittle, Charles R.; Wayne J. Villemez & Douglas A. Smith (1978). "The myth of social class and criminality: an empirical assessment of the empirical evidence". *American Sociological Review* 43: 643-56.

Turner, Bryan (1992). "Outline of a theory of citizenship". In: Chantal Mouffe (org.), *Dimensions of Radical Democracy*. Londres: Verso, pp. 33-62.

United Nations (1995). *Demographic Yearbook: 1993*. Nova York: United Nations.

United States House, Committee on Education and Labor (1993). "Hearings Regarding Private Security Guards". Serial no. 103-6. Washington: U.S. Government Printing Office, 15 e 17 de junho.

United States Department of Justice, Federal Bureau of Investigation (vários anos). *Crime in the United States*. Uniform Crime Reports for the United States.

Vanderwood, Paul J (1981). *Disorder and Progress: Bandits, Police, and Mexican Development*. Lincoln: University of Nebraska Press.

Vargas, João (1993). "À Espera do Passado: as Transformações Recentes de São Paulo Vistas de seu Epicentro". Tese de mestrado. Universidade Estadual de Campinas.

Veja, 28 de novembro de 1990, p. 66.

Velho, Gilberto (1978). "Observando o familiar". In: Edson de Oliveira Nunes (org.), *A aventura sociológica: objetividade, paixão, improviso e método na pesquisa social*. Rio de Janeiro: Zahar, pp. 36-46.

_________ (1980). "O antropólogo pesquisando em sua cidade: sobre conhecimento e heresia". In: Gilberto Velho (org.), *O desafio da cidade: novas perspectivas da antropologia brasileira*. Rio de Janeiro: Campus, pp. 13-21.

_________ (1987). "O cotidiano da violência: identidade e sobrevivência". *Boletim do Museu Nacional* 56.

_________ (1991). "O grupo e seus limites". *Revista USP* 9: 23-6.

Vidler, Anthony (1978). "The scenes of the street: Transformations in Ideal and Reality, 1750--1871". In: Stanford Anderson (org.), *On Streets*. Cambridge: MIT Press, pp. 27-111.

Wachs, Martin (1996). "The evolution of transportation policy in Los Angeles: images of past policies and future prospects". In: Allen J. Scott & Edward W. Soja (orgs.), *The City: Los Angeles and Urban Theory at the End of the Twentieth Century*. Berkeley: University of California Press, pp. 106-59.

Wade, Peter (1993). *Blackness and Race Mixture: The Dynamics of Racial Identity in Colombia*. Baltimore: The Johns Hopkins University Press.

Weber, Max (1968). *Economy and society: an outline of interpretive sociology*. Nova York: Bedminster Press.

Weinstein, Richard S (1996). "The first American city". In: Allen J. Scott & Edward W. Soja (orgs.), *The City: Los Angeles and Urban Theory at the End of the Twentieth Century*. Berkeley: University of California Press, pp. 22-46.

Wells, J. R (1976). "Subconsumo, tamanho do mercado e padrões de gastos familiares no Brasil". *Estudos Cebrap* 17: 5-60.

Weschler, Lawrence (1990). *Um milagre, um universo: o acerto de conta com os torturadores*. São Paulo: Companhia das Letras.

Wieviorka, Michel (1991). *L'Espace du Racisme*. Paris: Seul.

Wirth, Louis (1969[1938]). "Urbanism as a way of life". In: Richard Sennett (org.), *Classic Essays on the Culture of Cities*. Nova York: Appleton-Century Crofts, pp. 143-64.

Wieviorka, Michel (org.) (1993). *Racisme et modernité*. Paris: Editions de la Découverte.

Wiervorka, Michel; P. Bataille; D. Jacquin *et al* (1992). *La France Raciste*. Paris: Seul.

Wolch, Jennifer (1996). "The rise of homelessness in Los Angeles during the 1980s". In: Allen J. Scott & Edward W. Soja (orgs.), *The City: Los Angeles and Urban Theory at the End of the Twentieth Century*. Berkeley: University of California Press, pp. 390-425.

Wolch, Jennifer & Michael Dear (1993). *Malign Neglect: Homelessness in an American City*. São Francisco: Jossey Bass.

Wright, Winthrop R (1990). *Café con Leche: Race, Class, and National Image in Venezuela*. Austin: University of Texas Press.

Young, Iris Marion (1990). *Justice and the Politics of Difference*. Princeton: Princeton University Press.

Zaluar, Alba (1983). "Condomínio do diabo: as classes populares urbanas e a lógica do 'ferro' e do fumo". In: Paulo Sérgio Pinheiro (org.), *Violência, crime e poder*. São Paulo: Brasiliense, pp. 249-77.

_________ (1985). *A máquina e a revolta*. São Paulo: Brasiliense.

_________ (1986). "Teoria e prática do trabalho de campo: alguns problemas". In: Ruth Cardoso (org.), *A aventura antropológica: teoria e pesquisa*. Rio de Janeiro: Paz e Terra, pp. 107--26.

_________ (1987). "Crime e trabalho no cotidiano popular". *Ciência Hoje* — suplemento sobre violência 5(28): 21-4.

_________ (1990). "Teleguiados e chefes: juventude e crime". *Religião e Sociedade* 15(1): 54-67.

_________ (1994). *Condomínio do Diabo*. Rio de Janeiro: Revan/UFRJ.

Zukin, Sharon (1991). *Landscape of Power: From Detroit to Disney World*. Berkeley: University of California Press.

Este livro foi composto em Sabon,
pela Bracher & Malta, com CTP da
New Print e impressão da Graphium
em papel Alta Alvura 75 g/m² da Cia.
Suzano de Papel e Celulose para a
Editora 34, em janeiro de 2025.